謝伯陽 編纂

全明散曲

任半塘敬題

（增補版）

（八）

齊魯書社

補遺

趙時春

字景仁，號浚谷，甘肅平涼人。嘉靖五年（一五二六）會試第一。選庶吉士，歷刑部主事、兵部主事，官至都察院右僉都御史兼陝西巡撫。浚谷文章豪肆，與唐順之、王慎中齊名，爲嘉靖八才子之一。著有平涼府志十三卷、稽古緒論二卷、趙浚谷集十六卷，及洗心亭詩餘一卷，散曲附。生於正德四年（一五〇九），卒於隆慶元年（一五六七），年五十八。

小令

【南中吕駐馬聽】

赴召宫僚

紫陌銀鞍。負累先生不等閒。難割捨綠蔭涼快。繞樹鳴蟬。竹籬茅菴。眼前常管萬重山。更兼帶領千千澗。捉去當官。往常村酒。番成別宴。

記得當年。容縱先生歸故園。剩便宜樹底腰鐮。膝上杯盤。花下猜拳。清晨穩睡日三竿。臨渠編磨千千轉。標識清閒。□缸呷酒。團團親眷。

【北雙調清江引】

賞　花

恐花開遲疾較可。開了紅須墜。有意催花開。無計留花落。此是天公不由我。
粉蝶紛紛戰花蕊。尋行復作對。花開蝶滿枝。花謝蝶空退。看他渾身無骨髓。
花底黃鶯共花語。是甚心情緒。鶯啼百般新。花落三時雨。可惜東君不做主。
探春枝上春歸早。後來花多少。早時早精神。晚時晚熱鬧。仔細看來那個好。

【北雙調沽美酒帶太平令】

賞　花

錦簇圍繡屏簾。香噴透玉欄杆。喬粧成富貴風流浪子仙。洛陽春可惜不見。從今後看花人閒情休管。一任他好風吹東君方便。呀。準備著今年去也。又早明年。舊叢裏新芳開遍。送春來曉風前。惜春歸晚芳殘。都不管紅顔瘠損碧波暗。十分春九分過眼。且喜他萬緑中朱英一點。等閒間會心處何用多般。呀。聽一聲黄鸝啼也。又早杜鵑。是何物有情留戀。

【南南吕梁州新郎】

聞虜入蘭州甸

凍結黄河。草枯青海。千里樵蘇不采。塵滿腥風。吹破玉關連壘。想平日黄金掛印。白玉懸腰。頗牧人何在。一聲胡笳暮吹哀。朔雪愁雲慘不開。粘没喝。步摇嵬。等閒牧豎僮奴盈車載。問無家。去病復誰待。髪豎儒冠。眦裂蓬鬢。忍見甘泉烽信。底事平生。不將郅支血刃。想當日尚方請劍。公車懸纓。親逢堯與舜。而今驅黄犢牧孤牠。一犁界破九州春。風爲馬。雲作陣。催取南薰時雨勤掃汛。把胡塵。斯須都洗盡。

按：【梁州新郎】原作【梁州序】，據譜正。

【南中呂駐馬聽】

五月和陶總戎三首

風景堪憐。鳥啅花飛成歲年。謾將蒲甌泛酒。彩線纏衣。寶劍雄彈。採蓮空唱藕如椽。青銅暗把朱榮換。試問青天。天將此老。白眼相看。

底事堪憐。爛漫風光四十年。廣見飛蛾投火。滾湯集蟻。病鳥虛彈。楚江千載渡龍船。魚腹誰把先王換。指靠蒼天。不如尊酒。年年相看。

漁夫遥憐。濁酒村酤成歲年。正喜滄浪鼓檝。清流振衣。箬笠新彈。一身常向岸前乾。推移人世時時換。五月炎天。陰涼樹下。冷眼相看。

詠雪少時作三首

陵掩星辰。河漢同光冷向晨。坐看原谷遷改。渾成一色。不動纖塵。瓊枝劈破老龍鱗。玉英飛報寒梅信。惆悵咸秦。霏微宮樹。翻成孤悶。

千里蕭森。疑似楊花覆白蘋。添成灞橋晚景。呵凍閑吟。竦動詩神。高歌不羨郢中人。點衣猶憶梁園信。四壁嶙峋。冰山雖好。陽春將近。嚴氣侵陵。唯有松柏老似春。轉見翠留殘臘。峭曳寒風。蒼映高旻。百年不改後凋身。三冬猶帶冰壺潤。試問情人。時時此際。瑶華傳信。

【南商調黄鶯兒】

朝彩動宿蝣。看川光日影流。佳人報導年光又。折葵滿頭。落花送酒。香風清擺春衫袖。自吟謳。乾坤淑氣。收拾入咽喉。

浩氣依雲高。林泉是命裏招。嘲風詠月誰能料。榴裙正嬌。荷衣更好。怪先生不把眠娥叫。枉徒勞。今生老矣。年少肯相饒。

【北雙調折桂令】

陶總兵東園山池

引涇流蕩漾清波。開辟煙雲。造就山河。山色蔥蘢。水光瀲灧。盡好吟哦。對螺黛春來最可。占翠微秋去如何。醉捫藤蘿。笑舞輕莎。手撚白髭。古今誰多。

【北雙調清江引】

夜光如練天如洗。秋後西風雨。堦空看螢流。月涼聽蟲語。清歌休教時易去。

秋色滿天天帶水。天外西風起。吹殘紫陌塵。送到青雲裏。同來步月看井鬼。

庭前落葉人未掃。又是中秋了。邊烽燕塞通。戰舸江波倒。豈知英雄空自老。

籠雞井蛙閑自鬬。踏破月中臼。華山倒半邊。河渭三日吼。先生見了空拍手。

籬邊菊花香綻蕊。菊酒清如水。黍添雞子膘。蜜軟蜂兒嘴。也知人生只如此。

清風掃窗書舍冷。此是先生病。含霜晚景鮮。呵凍筆力勁。憑欄長嘯心耿耿。

蕭蕭殘秋送疏雨。暗滿金英際。交紅鋪地茵。帶粉增天氣。一年何似今日喜。

紛紜場禾隨處有。歲事皆成就。苔滑石徑清。水冷池河瘦。安閒終日獨飲酒。

晴堂負暄冬自暖。室邇人仍遠。香鴉次第消。檐馬叮噹轉。修髯臨風隨意撚。

深冬殘花蜂竟採。日晚不知戒。翅沾霜葉休。身抱枯株壞。莫怨天公當自悔。

怯寒閉門逢數九。一九復一九。霜沖槐葉空。風卷竹梢瘦。行看屠蘇人送酒。

【北雙調沉醉東風】

詠牡丹

鋪地粉花光凝月。占天光花霧騰霄。偏宜鄭國詩。先鬬楊妃笑。拂雕欄爛漫飄搖。比平章恨早已消。因此上金門不到。賞玩時三春暮景。栽培了十載功勞。良工畫不成。無語偏能笑。緑雲生露珠相抛。無奈天生媚風動。險些將騷人醉倒。

【南黄鐘畫眉序】

投老向山陬。避地不獨爲身謀。闢山皓月。汭水虚洲。吹長風萬里遥天。聽短笛三更如晝。風流盛事還輻輳。真個鹿豕同遊。萍梗任漂流。世事不將敝帷求。賴盈壺存酒。與我綢繆。素髪羞此際蕭條。青年逝誰存耆舊。一生去故難追究。知心賴有岩幽。日夕下羊牛。水凍山蒼歲難留。念王事三已。一壑一丘。貂裘敝依劍霜前。正氣横殘氈雪後。商山舊侶知存否。何日攜手同遊。朋好苦相留。可是無情忘故丘。念吾廬破碎。有國難投。爲皇家力戰三關。與宗室何心一鬪。清風送我南山老。還從渭水垂鈎。

【南中呂駐雲飛】

柳緑紅花。是處提壺坐碧沙。光景難描畫。輕服東風射。嗏。濫醉是生涯。足滿雲霞。杖履尋芳。縹緲從空下。新野茫茫天宇賒。

煙樹連綿。雲淡莎青雨後天。幾點南來雁。嘹唳河汀畔。閑。閑步晚風前。無限情緣。對景傷春。老去日閑慢。試問秦宮渭水邊。

春度山樓。引絮牽花萬點愁。黛染含峰秀。紅掩波生皺。休。無事度春秋。甲子將周。等到來春。人比花應瘦。萬里若回春漲流。

麥壟深深。笑指西山動晚陰。草長牛羊俊。野澗新蔬嫩。林。林畔聽鳴禽。物意欣欣。喚婦將雛。前影後來印。可是天公不費心。

套　數

【南雙調錦堂月】花老春柔。緑肥紅瘦。柳毛如雪難收。園外啼鶯。正是豔陽時候。

啓顔朱香醪自傾。尋芳翠芒鞋穿透。還依舊。看簾捲青山。堦飛新溜。

【前腔換頭】閑遊。碧漲新流。紅消芳樹。煙生萬壑千丘。轉眼韶光。一尊翻自生愁。腰間劍龍文半橫。越上弦凰飛空又。憑誰究。且共開懷抱。事事休休。

【前腔】難留。六六芳年。三三春晝。忍勞羈絆相揫。天賜閑身。盡教無拘無垢。便詩酒何須掛牽。對花柳從他將就。乾生受。見千千萬萬。遝遝悠悠。

【前腔】知否。湛露初篘。浮蟻輕鬪。壺天日月長留。元自同醒。無勞此物抛投。淺斟酌萬里和風。更吸盡三春清秀。從今後。但逢人是處。酩酊方休。

【南南吕梁州新郎】丹崖山脚。青蔥溪面。禾黍離離不斷。飛波突起。空濛瀉落銀泉。忽見清風驅暑。浄宇無塵。筆底龍蛇展。眼中人去也鎮常閑。一舉高冥萬里天。明水飲。木罌勸。邀晴雲白日常爲伴。山村好。可留戀。

【前腔】清香林幕。芳菲庭院。萬紫千紅不斷。東山春曉。一點新陽三變。正見中和觸瑄。鴻雁北來。翡翠毫端展。鳳歌人倦也依岩眠。石爛松華不記年。星似盞。石爲案。盡人間風景應時見。流光好。無争戰。

【前腔換頭】滿胸懷瑞氣長圓。念光陰疾速如箭。喜芝田甘汆。蘭臺歸晚。一任青雲路杳。白石歌殘。白髮不堪攬。有時酌新酒酹蒼天。老我深山四十年。二韭脯。一簞飯。對秦樓郿塢煙塵漫。高歌起。彈長劍。

【前腔】歷冰霜遇日即暄。趁風雲隨時方便。奈東風力軟。西周道遠。遂使飛熊夢杳。白虎經殘。每作蘧瑗卷。由來賢聖者豈樂閑。爲憫人窮更惜年。洙泗侶。滄州伴。比東山攜妓不同念。千秋後。看誰變。

【節節高】嵐含彩翠偏。野生煙。杖藜緩步尋芳甸。登乾岸。歌采蓮。昇雲畔。幾絲白髮風中見。一聲征雁時光換。開卷聊參大易文。不教深感蘭亭宴。

【前腔】窗迎四面山。水潺湲。青山緑水從人願。雲臺觀。地中仙。廣寒殿。少年游衍行將遍。細推物理休胡亂。一紙殘編天地寬。三杯喚起精神倦。

【前腔】結廬半山顛。引飛泉。泉聲正與天聲戰。銀河岸。星月圓。煙雲淡。光明一道牽如線。有時卷送落花片。因此閑識川上心。頓教人悟源泉遠。

按：首曲曲牌原作【梁州序】，【節節高】三曲誤作小令與此套分離，兹據曲律及文意正。

去國

【北般涉調耍孩兒】東風吹蘇皇都草。送離人目斷魂銷。柳梢初放錦絲條。繫行蹤懶渡危橋。十年不見君王面。百歲難逢全盛朝。胸中事。憑誰道。丹心炯炯。去路迢迢。

【七煞】仗劍人難別。離筵酒易傾。陽關三調争堪聽。極知此去再逢少。忍道無官萬事輕。省心處。常須定。應記取歲寒松柏。休變作浮水流萍。錢子寬歌三疊以祖别

【六煞】想當初太黠癡。辨忠奸説是非。若人煩惱不思議。如今過去真成夢。往日冤家更有誰。細尋思。休作對。一任他鶯啼燕舞。再休提兔死狐悲。

【五煞】遇人時須放寬。共良朋結善緣。英雄手段今番按。一生澹泊福有種。半世功名天與閑。人間事。休嗟歎。則露出滿懷明月。照破開萬里青天。

【四煞】趙城下程嬰廟。廟橋下杵臼墳。兩人舉義誰能信。竟存趙孤千年祀。不枉先生一片心。非是俺。甘肥遁。且看那一川花柳。也留些吩咐東君。

【三煞】太行路難行。羊腸石半傾。往來遊蟻渾不定。受盡人間艱屈事。始覺終身去就輕。尋常話。君須聽。常使得諸般定貼。即便是萬里長城。

【二煞】解卻銀雨帶。脱卻象牙牌。一身拘繫渾不在。中原麟鳳原有種。世間鷹隼莫相猜。放心去。休疑怪。但容我終身陋巷。任從伊穩步天街。

【一煞】一片黄河水。兩壁函谷關。英雄幾度閑争戰。白口壯士歸何處。素車主子去不還。諸般事。親觀見。都是他能争好閑。莫不道天窄地寬。

【尾煞】休論忙與閑。不管山和水。這安恬快樂。祇在些子兒裏。看先生多少工夫。等閒消受得起。

軍中鼓吹

引　隊

【北仙吕點絳唇】夢繞北辰。渭濱深遁。鯨鯢陣。撞動垂綸。驚起雲雷迅。

【混江龍】收兵齊晉。建高牙猛士雲屯。將九川決塞。把二儀開分。拚著我運甓枕戈臣節苦。只落得海晏河清帝德尊。壯志期將日馭扶。得時思把天威奮。笑魍魎魑魅。空探爪張唇。

【柳葉兒】呀。見列著天沖雲陣。聚精靈群聖朝真。整頓乾坤。願吾皇治同堯舜。三苗遁。萬國臣。堪憤那破刺胡直甚腳跟。

【寄生草】錦戰袍披扣緊。緑絨絛結束穩。金戈鐵馬龍庭震。雲霓稍慰邊氓閑。沙漠一洗神人憤。争似他軀山降魔夏庚辰。勝強如烏亭斬怪唐元振。

【賺煞】映日甲葉新。承露纓花潤。恰便似活神道乍離天門。方顯得大明朝忠良親信。怎不將逆亂賊妖氛蕩盡。洗干戈永靖胡塵。一氣挽回天地春。依舊大庭民。那時節愿從赤松隱。脱卻鐵兜牟。還呈自在身。

戰　隊

【北中呂粉蝶兒】滿路芬芳。鞭指處旌旗蕩漾。唤兒郎簇征衣耀日明光。見排著。龍虎行。日月相蕩。但尋常處兔走狐藏。也防著豺狼群心眼的當。

【四邊静】九霄之上。六丁神引著鐵衣郎。金玉心腸。狠相持黄天蕩。密排下四面八方。變風雲摇星象。

【醉春風】怕的是平戎管仲會羞人。薛仁貴戟技癢。斬單于曹阿瞞大夸張。俺也是大丈夫般。様。恨他鬧校場。惱他驚瞌睡。剥他臊臭囊。

【迎仙客】見排著刀似雪。戟如霜。流星勁弓敵月様。陣堂堂。人朗朗。沖霄漢一道神光。恰便似開山降怪巨靈像。

【上小樓】戰鼓催霹靂廝撞。秀旗摇青霄落虹。你便是右賢朔方。郅支康居。頡利定襄。憑著俺。好兒郎。一起撲向。便著你頭落地腳朝上。

【朝天子】驅走貪狼。鎮静邊疆。瑞氣空中降。亂臣賊子休衝撞。立地頂天扶植綱常。滾盪潑雪。猛虎逐羊。一個個倚閶闔排兵仗。落個坐嘯陽春。落個逍遥洞房。收拾得才停當。

收　隊

【北正宫脱布衫】蘸黄雲白草俱腓。浸沙山天地昏迷。霎時間日照風驅。并無個煙塵來歷。

【小梁州】我只見北極光含紫氣垂。射滿燕支。戰馬咆哮摇玉羈。騰歌吹。聖壽與天齊。

【耍孩兒】洗兵好雨收征旆。散霞綺光翻翠支。錦袍摇曳彩雲逸。龍展文旌不動。征旗伸威千里。龍沙還收斂。三軍虎帳移。揮手謝夔龍侣。歡生九地。春滿千畿。

【七煞】解不得忠憤憂。展不得濟世心。指揮紫塞空發恨。當時掉筆論兵者。多時腰金報主人。奈胡馬。南來近。越興起廢將。越動起煙塵。

【六煞】笙歌滿畫樓。蒼生哭未休。支持左右胡將就。要將披霧拿雲手。解放三軍萬國愁。歸牛馬。息爭鬥。若論起鬧攘攘百端生事。則與你一件件一筆都勾。

【五煞】當日呵陳禮樂。今日呵弄干戈。非干煩惱安災禍。封官常在夔龍上。拜將爭如頗牧多。養家貨。孤獨坐。但說起賊徒高手。口津津倒海懸河。

【四煞】三尺劍光寒。六鈞勾未乾。奔騰鐵馬流霞電。氣吞翰海千尋水。夢繞祁連幾座山。枉拊髀。空嗟歎。待收拾些須賊子。只待要國家尊安。

【三煞】少年慕遠遊。壯歲歷邊州。風塵傾洞閑生受。爲人立在皇王世。要報年來君父仇。這場氣。非閑鬬。你不要胡推孟子。我與你說些春秋。

【二煞】紫絲鞭懶罷提。錦征袍高掛起。且息煩惱歇力氣。只看一德格天后。便是八蠻獻寶時。捻髭須。吾老矣。則不及周呂望。也還愧傅修期。

【一煞】白登千載羞。黃河萬古流。今人叱咤思風后。不道江山無志氣。只與豺狼長寇仇。看物理。循環驟。則待要一行行豐順天理。則與你一件件報的干休。

【尾煞】銀漢波光沉閶闔。風正吼。助吾皇灑掃清九有。量這些蟲豸腥膻那能勾禁受。

登塞垣

【北仙吕混江龍】秋風勁悄。邊聲朔氣動前茅。便輕摇飛旐。寶鐙鞭敲。帳分虎旅三千隊。甲擐龍庭數千遭。鐵鷂翅翻魚麗陣。餓鴟聲口象牙稍。看黑山塵静。紫塞煙消。

【駐馬聽】細雨青郊。野甸風光處處好。彩虹雲嶠。萬尋龍影掛林梢。幾番風雨送花朝。嘆惜英雄人半老。任浮鷗尋芳草。牧黄犢隨處得溫飽。

【滿庭芳】長安遠道。荆棘盛長。蒺藜空饒。角巾逐處堪行樂。萬慮逍遥。無人境紅塵杳杳。有心待白日昭昭。相逢著都道好。紫雲黄閣。閒事莫徒勞。

【沉醉東風】花含雨胭脂淡掃。柳帶風翠縷斜摇。供清興酒力寬。凝望眼山光寫。萬緑叢中啼鳥嬌。恰便似九天飛下舜簫韶。都送與幽人詩料。

【前腔】管不住碧山長嘯。消不得宫花錦袍。訪空同赤松游。尋芝田黄綺老。似莊生至樂逍遥。向壺天中日月高。休猜作先生醉倒。

【前腔】五千言無勞論討。十萬兵何須手操。身常住翠微峰。足下踏紅塵道。念孜孜帝舜唐堯。效康衢村歌里謠。只愿得烽煙浄掃。

【前腔】池上酌魚龍飛躍。腰間劍魑魅潛逃。爾與吾有何冤。吾與爾何必較。浩蕩長空兩解膠。水雲深處風光好。何處把豪傑顛倒。

【沽美酒】詩休提司馬橋。酒休築李白糟。清虛境界人不到。等閑時調笑。多管將明月邀。

【太平令】一片心曾補袞袍。兩隻手曾撐柱鰲。掙脱了金鏇縧。托賴得皇天照。呀。到如今時好。命好。自在清標。凡百事不關懷抱。

太君壽詞 八月十二日

【北中吕粉蝶兒】禾黍連天。□秋風壽香盈院。啟方尊何處張筵。向這白雲前。碧霞畔。銀河如練。正黄花錦樹相連。似添助沽酒金錢。壽筵明靚。

【醉春風】人是地行仙。身比秋容健。歲合年與中秋月。又早早明。圓。也曾桂子生芳。蟾光透徹。嫦娥相羡。

【普天樂】只見數日前。南極見。拜舞三祝。聖壽萬年。雲駕飄。星槎泛。軒皇正倚瑶池宴。半空吹下壽香煙。縹緲群仙。笙歌繚亂。笑指雲邊。

【快活三】名曾登蘭室編。身曾坐蓮葉船。冰玉肌雪霜顔。怎生到聖節後中秋先。

【朝天子】直如青絲弦。清似秋空淡。因此上春秋高年。經歷遍三從四德世争傳。只少向蓬萊弱水觀清淺。鶴髮童顏。花光人面。坐孤帷丹九轉。重看錫命。金鑾殿排古今。孟母又三遷。

【滿庭芳】蕊宮閬苑。青春難老。白髮新添。貞心永永無遷變。萬選青錢。獻壽斝金光瀲灩。送蟠桃雲母輜軿。月增波日增線。日月綿衍。祿壽永千年。

【寄生草】幾點露滴圓。三秋兔光遠。一年四季承天眷。三牲五鼎從人願。六合九域息爭戰。長托賴萬載千秋有道君。更顧那二八三五無缺玷。

【賺煞】南山景欲蒼。東籬菊將綻。向慈闈芳尊酌滿。坤道西成實纂纂。飄搖天外。飛鴻數點。清涼正愛酒杯。寬好風月無邊。與鮑母結緣。麻姑作伴。遇佳辰稽首謝皇天。

山行遇雪嘉靖乙酉年作

【北雙調沽美酒帶太平令】林影素旗幡。馬搭白玉鞍。霎時間翠鬢凋殘結皓顏。捻虬髯千條銀線。嘯長空彈寶劍。吟懷破眼依瓊枝。斟玉斝酒力消殘。更有那梅花初犯。盡關山任從妝扮。呀。想迷茫天路。及早春還。領取行帛書雲雁。

【耍孩兒】向日未全消。沖風猶自飄。蒼山立馬舒吟眺。影搖銀漢天光遠。凍合瓊林地勢遥。尋常事。人争道。看萬壑争垂素練。對千峰幾段鮫綃。

【五煞】光照廣寒殿。風清白玉樓。素娥曾運揮天帚。直教縞帶圍三界。不信紅爐屬五侯。曾許下。冰輪兒。看霓裳寒透。皓赤生愁。

【四煞】頭上失東西。腳下遮高低。虛填多少不平地。樵徑迷來沖虎過。鵲巢壓破傍鳥棲。貧寒子。尤作意。冰山上添許多鋒刺。白地裏捏幾對雪獅。

【三煞】集霰何時定。作花空自飛。嘗來似水渾無味。幾個三冬寒受盡。一片山河白占誰。虛光景。空生氣。見幾番晴日皎皎。都化作流浪淒淒。

【二煞】穿簾似水晶。檐溜滴銀釘。兒童見了閑爭競。睡穿衲被袛袁子。磨破驢脊枉孟生。袛嫌是路。頭廝并。但得安然茅舍。勝強依其在京。

【一煞】冰稼消爲水。磁罌泡作茶。野人得意說天話。收拾玉宇翔雲鶴。妝點瓊林驚暮鴉。這受用。不消化。一任寒灰冷暖。雪霰交加。

【尾煞】曾作漫天勢。不堪鐺鼎烹。與騷人紙上閑添光明景。我則消燒著鍋兒再等。

按：此套及前頁【耍孩兒】「去國」套中各曲，及【脱布衫】「收隊」套中【耍孩兒】下諸曲均用韻不一；【沽美酒帶太平令】亦罕見有作套數首曲者，此乃特例。

冬至作

【北正宮端正好】一線初添記日標。九淵微颭潛龍角。喜新陽漸動寒宵。應黃鐘蘆管灰多少。驚夢金雞叫。

【滚繡球】看堯堦蓂葉交。檢周易復初爻。赤烏翅展金輪罩。桂影平分星斗遥。半點雷震響森羅殿。萬年歷頻出聖明朝。喫緊的夔龍生色。無端的鬼魅咸逃。瑞氣氤氲清晝闊。和氣浩蕩紫宸高。太平歡笑。

【倘秀才】向暖處陰凝漸消。濁酒時朋情可陶。絳帳紅爐香正飄。執鸞刀歆祖考。瞻鳳闕拜唐堯。展人人忠孝。

【呆骨朵】春秋享祀虔宗廟。想餘芳在齊聞韶。羅珍饈載燔載炙。陳時物采蘋采藻。怎能勾騰雲駕霧臨宅兆。祇顧得子順孫賢百事好。遇八節逢四時整衣冠。共九族和六親開懷抱。

【貨郎兒】奉文絲上壽履綉光錯落。漫溶溶迎旺氣南郊。暗滿庭萱椿樹杪。共蟠桃。穿冰窖。魚鑰啓溫香糯壽煙燒。

【醉太平】看黄金柳揺。對翡翠新袍。占八風六氣總和調。聽仙人鳳簫。一年花月皆清姣。二儀乾坤安定了。三才庶事永堅牢。四方穩靠。

【尾聲】休言冰雪不除掃。來歲豐登糸此朝。目今二白已成交。想積德百年興禮樂。保長守安康無煩惱。

和羅達夫昭君曲

【南南呂懶畫眉】獵火狼山暮生煙。日遠長安困胡天。惡姻緣強做好姻緣。萬里胡笳唳。争似南薰奏管弦。

【前腔】控轡調弦過居延。笛裏落梅憶渭川。鐵連鞭何似紫絲鞭。業風吹調斷。宫商恰像隴頭咽。

【前腔】去病封侯萬八千。不似陳湯遭播遷。丈夫何劣婦何賢。用胭脂智賺。石顯匡衡得穩眠。

【前腔】白草平沙射雕川。單于臺近望鄉邊。一半艱辛一半閑。漫彈寫幽怨。熬得人間三十年。

【桂枝香】翠冠已换。雕冠不慣。空用心十指朱弦。才寫下千年宫怨。有餘音繞天。有餘音繞天。天垂南雁。雪霜羈絆。不能勾。帛書信空伴。取血啼杜鵑。

【前腔】衡陽春短。沙場秋晚。待歷盡霜露堯天。總祇見炎涼繾綣。想千仞鳴鶴。千仞鳴鶴。何由重見。清風天畔。念月明。歸華表與不。明月鬪嬋娟。

【梁州新郎】金閨通籍。沙場承眷。力苦風塵征戰。秋深烽火。夢斷勒石燕然。空有鳳凰閣。霜侵絲鬢。露冷荷衣。歲月疾如箭。玉門人老也漫按弦。撥出孤鸞幽澗泉。鴛鴦殿。恨長夜不明還待旦。幾得睹。重瞳面。

【前腔】暗想彤闈新寵。金印成堆。幾識塵襟滿。遠別休嘆也指蒼天。天已陰晴不可全。黃金屋。齊紈扇。對宮鴉背影日光靚。風景好。何時見。

【前腔換頭】怪乾坤正論酕醄。致妖氛變疆凌亂。更京房蕭傅。冤魂作變。遂使閶闔路杳。虎豹關牢。難請尚方劍。空把琵琶抱血指濺。萬里丹誠誰與傳。劉宗正。陳與甘。那忠勛不上麒麟殿。圖畫怎得真面。

【前腔】笑虛名真成畫圖。嘆浮生猶如夢幻。想妙年進見。蓬萊堪羨。正是丹青難寫。詞翰無雙。合薦金鑾殿。空餘馬上手刀頭飯。青氈帳孤夜不眠。未央宮。華清院。承恩亦有同來朋伴。空悵望。幾回眄。

【節節高】兵分將帥孱。氣填咽。挺身自當單于犯。星流箭。聲震雷。目如電。平城徑搗胡圍散。將軍如睹軍鋒按。欲洗金戈挽夕暉。那知塵海時光換。

【前腔】幽懷奏寸箋。九重天。天門空被豺狼暗。千金鈿。八寶裝。瓊瑤釧。從來人事無一件。五行判定不預算。回首蕒堦屬望勞。空抱琵琶重掩面。

【尾聲】人間去事如流霰。此生何必恨毛延。留取千年圖畫傳。

附録

明人散曲有關作品作者异名表

曲牌（小令，套數）	題目	首句	作者異説及出處
一半兒（令）	一、題情（類選） 二、風情（北紀） 三、嘲妓（彩筆） 四、無題（夫婦）	一、小紅樓上月兒斜 二、腰身小小意中人 三、水邊楊柳路邊花 四、金杯美酒苦留他	一、黄峨（楊升庵夫婦散曲） 二、楊慎（群音類選，北宫詞紀僅收第三、四首，彩筆情辭僅收前三首）
同右	一、詠情（誠齋） 二、題情（雍熙） 三、詠俏（類選） 四、風情（可雪） 五、麗情（彩筆） 六、無題（盛世）	一、懷兒中摑惜費温存 二、不禁春色眼兒涎 三、纖腰恰退綉羅裙 四、俏心腸端的性難拏	一、朱有燉（誠齋樂府） 二、陳鐸（可雪齋稿，彩筆情辭） 三、無名氏（盛世新聲，雍熙樂府，群音類選）

一封書（令）	一、次韻（陶情、飲虹簃） 二、次韻送別（南紀） 三、席間送妓（彩筆）	高唐曉夢終	一、石岡沐（陶情樂府） 二、沐石岡（南宮詞紀，彩筆情辭） 三、沐太華（飲虹簃所刻曲）
一封書犯（套）	一、春日（秋碧、雍熙） 二、春景（摘艷） 三、春詞（梨雲、韻選、南紀） 四、景（南九宮） 五、無題（盛世、盛林）	池冰泮乍暖	一、陳鐸（梨雲寄傲，秋碧樂府，詞林摘艷，南宮詞紀，新編南九宮詞，南詞韻選） 二、無名氏（盛世新聲，雍熙樂府，盛世詞林）
同　右	一、秋景（可雪、摘艷、南紀、韻選） 二、景（南九宮） 三、無題（盛世、雍熙、盛林）	驚一葉墜井	一、陳鐸（可雪齋稿，詞林摘艷，南宮詞紀，南詞韻選） 二、無名氏（盛世新聲，雍熙樂府，新編南九宮詞，盛世詞林）
同　右	一、題冬景（可雪） 二、冬景（摘艷） 三、無題（盛世、雍熙、盛林）	朔風勁透幙	一、陳鐸（可雪齋稿，詞林摘艷） 二、無名氏（盛世新聲，雍熙樂府，盛世詞林）

一枝花（套）	有所贈	一個擬秋娘共品題	一、陳鐸（月香亭稿） 二、無名氏（雍熙樂府）
同右	一、自述（雍熙） 二、贈會稽呂周臣（北紀）	三千丈蕭蕭白髮生	一、湯式（北宮詞紀） 二、無名氏（雍熙樂府）
同右	一、賡人韻自述（誠齋） 二、歸隱（雍熙） 三、無題（盛世、盛林）	久存忠孝心	一、朱有燉（誠齋樂府） 二、無名氏（盛世新聲，雍熙樂府，盛世詞林）
同右	一、慶壽（誠齋） 二、無題（盛世、盛林）	三春和暖天	一、朱有燉（誠齋樂府） 二、無名氏（盛世新聲，盛世詞林）
同右	一、病中寄情（誠齋、北紀、彩筆） 二、題情（類選） 三、無題（盛世、盛林、白雪）	心如明月懸	一、朱有燉（誠齋樂府，北宮詞紀，彩筆情辭，詞林白雪） 二、無名氏（盛世新聲，群音類選，盛世詞林）
同右	一、秦淮漁隱（小稿、北紀） 二、漁隱（月香、雍熙） 三、金陵漁隱（廣韻選） 四、無題（白雪）	不沽朝野名	一、陳鐸（月香亭稿，北宮詞紀，詞林白雪） 二、元人（南北詞廣韻選） 三、無名氏（雍熙樂府，月香小稿）

同右	一、秋興（摘艷） 二、秋景（詞謔） 三、九日（秋碧） 四、重九（雍熙、廣韻選） 五、賞重九（梨雲、北紀） 六、無題（盛世、盛林）	天空碧水澄	一、陳鐸（詞林摘艷，詞謔，梨雲寄傲、秋碧樂府，南北詞廣韻選、北宮詞紀） 二、無名氏（盛世新聲，雍熙樂府，盛世詞林）
同右	一、贈歌者潤卿（摘艷） 二、贈歌姬（彩筆） 三、無題（盛林）	月明滄海珠	一、唐以初（詞林摘艷，彩筆情辭） 二、無名氏（盛世詞林）
同右	一、嘲妓名佛奴（筆花） 二、題蘇卿（雍熙） 三、嘲佛奴（北紀） 四、嘲妓佛奴（彩筆）	不參懵懂禪	一、湯式（筆花集，北宮詞紀，彩筆情辭） 二、無名氏（雍熙樂府）
同右	一、題心遠軒（筆花） 二、心遠軒（雍熙、廣韻選）	不從方外遊	一、湯式（筆花集） 二、無名氏（雍熙樂府，南北詞廣韻選）
同右	一、題半身美人（摘艷） 二、無題（盛林）	不禁愁楊柳眉	一、寧齋老人（詞林摘艷） 二、無名氏（盛世詞林）

同右	一、同前（贈人）（筆花） 二、將相（摘艷） 三、武臣（雍熙） 四、上藩臣（北紀） 五、無題（盛世、盛林）	心懷雨露恩	一、朱有燉（詞林摘艷） 二、湯式（筆花集，北宮詞紀） 三、無名氏（盛世新聲，雍熙樂府，盛世詞林）
同右	一、爲妓陳卿雲賦（月香） 二、賦雲卿（雍熙） 三、贈妓陳卿雲（小稿、北紀） 四、贈陳卿雲（彩筆）	包含着世外情	一、陳鐸（月香亭稿，北宮詞紀，彩筆情辭） 二、無名氏（雍熙樂府，月香小稿）
同右	一、賞玉堂春席上作（誠齋） 二、梅花（雍熙） 三、無題（盛世、盛林）	玉温成軟款情	一、朱有燉（誠齋樂府） 二、無名氏（盛世新聲，雍熙樂府，盛世詞林）
同右	一、夏日秋碧軒即景寫懷（梨雲） 二、夏日寫懷（雍熙、北紀）	正楊柳成蔭覆短牆	一、陳鐸（梨雲寄傲，北宮詞紀） 二、無名氏（雍熙樂府）
同右	一、贈玉芝春（筆花） 二、玉芝春（雍熙）	休言雨露恩	一、湯式（筆花集，北宮詞紀）

	三、贈妓玉芝春（北紀）		二、無名氏（雍熙樂府）
同右	一、嘲素梅（筆花） 二、梅（雍熙）	休言白玉堂	一、湯式（筆花集） 二、無名氏（雍熙樂府）
同右	一、詠繡簾（誠齋） 二、繡簾（雍熙） 三、無題（盛世、盛林）	休將斑竹題	一、朱有燉（誠齋樂府） 二、無名氏（盛世新聲，雍熙樂府，盛世詞林）
同右	一、贈儒醫任先生歸隱（筆花） 二、自娱（雍熙） 三、贈任醫歸隱（北紀） 四、無題（白雪）	江湖老姓名	一、湯式（筆花集，北宫詞紀） 二、無名氏（雍熙樂府，詞林白雪）
同右	一、代人勸歌者從良（誠齋） 二、嘲妓（雍熙、彩筆） 三、無題（盛世、盛林）	夷山風月情	一、朱有燉（誠齋樂府） 二、明古辭（彩筆情辭） 三、無名氏（盛世新聲，雍熙樂府，盛世詞林）
同右	一、同前意（贈人）（筆花） 二、武臣（雍熙）	汪汪江海心	一、湯式（筆花集） 二、無名氏（雍熙樂府）

同右	一、贈美人號展香綿楊鐵笛爲著此號（筆花） 二、展姬甚美楊鐵崖命號香綿因贈（北紀、彩筆） 三、無題（雍熙、白雪）	芳姿膩膩嬌	一、湯式（筆花集，北宮詞紀，彩筆情辭） 二、高文秀（詞林白雪） 三、無名氏（雍熙樂府）
同右	一、子弟每心寄青樓愛人（筆花） 二、梅香勸妓從良（雍熙）	芳卿細細聽	一、湯式（筆花集） 二、無名氏（雍熙樂府）
同右	一、詠惜花春起早（摘艷） 二、惜花春起早（雍熙、北紀） 三、春情（類選） 四、無題（盛世、盛林）	花間杜宇啼	一、王田（詞林摘艷） 二、高文秀（北宮詞紀） 三、康進之（詞林白雪） 四、無名氏（盛世新聲，群音類選，雍熙樂府，盛世詞林）
同右	一、上文臣（摘艷） 二、榮貴（雍熙） 三、無題（盛世、金瓶梅、盛林）	官居八輔臣	一、朱有燉（詞林摘艷） 二、無名氏（盛世新聲，雍熙樂府，金瓶梅詞話，盛世詞林）
同右	一、贈別（誠齋）	兩堤烟柳垂	一、朱有燉（誠齋樂府）

	二、春別（雍熙） 三、熱題（盛世、盛林）		二、無名氏（盛世新聲，雍熙樂府，盛世詞林）
同右	一、卓文君花月瑞仙亭（筆花） 二、題卓文君花月瑞仙亭傳奇（北紀） 三、無題（雍熙、白雪）	青裊裊垂楊近畫樓	一、湯式（筆花集，北宮詞紀，詞林白雪） 二、無名氏（雍熙樂府）
同右	一、自述（梨雲） 二、秋懷（雍熙）	事詞章舊有名	一、陳鐸（梨雲寄傲） 二、無名氏（雍熙樂府）
同右	一、雲山圖爲儲公子賦（筆花） 二、雲山圖爲儲公子題（北紀） 三、雲山圖（雍熙） 四、無題（廣韻選）	長歌陟屺詩	一、湯式（筆花集，北宮詞紀） 二、無名氏（雍熙樂府，南北詞廣韻選）
同右	一、得慶壽詞南呂宮一闋予就賡其韻以酬之（誠齋） 二、自詠壽（雍熙） 三、無題（盛世、盛林）	恰三陽漸暖辰	一、朱有燉（誠齋樂府） 二、無名氏（盛世新聲，雍熙樂府，盛世詞林）

同右	一、客中奇遇寄情（筆花） 二、客中奇遇（北紀） 三、無題（雍熙、白雪）	風月長存一寸心	一、湯式（筆花集，北宫詞紀，詞林白雪） 二、無名氏（雍熙樂府）
同右	贈草聖	括造化攢成赤兔毫	一、湯式（筆花集） 二、無名氏（雍熙樂府）
同右	一、間阻（摘艷、雍熙、北拾） 二、怨别（北紀） 三、無題（盛世、廣韻選、盛林、白雪）	風吹散楚岫雲	一、侯正夫（詞林摘艷，北曲拾遺） 二、徐子方（北宫詞紀，詞林白雪） 三、元人（南北詞廣韻選） 四、無名氏（盛世新聲，雍熙樂府，盛世詞林）
同右	一、贈秀蓮（誠齋、雍熙） 二、贈妓秀蓮（彩筆） 三、無題（盛世、盛林）	珍奇上苑花	一、朱有燉（誠齋樂府） 二、明古辭（彩筆情辭） 三、無名氏（盛世新聲，雍熙樂府，盛世詞林）
同右	一、元夜（摘艷） 二、燈詞（雍熙） 三、無題（盛世、盛林）	皇都錦綉城	一、陳鐸（詞林摘艷） 二、無名氏（盛世新聲，雍熙樂府，盛世詞林）

同右	一、同前意（勸妓女從良）（筆花） 二、贈妓（北紀） 三、勸妓（彩筆） 四、無題（雍熙）	紅舒臉上桃	一、湯式（筆花集，北宮詞紀，彩筆情辭） 二、無名氏（雍熙樂府）
同右	一、慶壽（誠齋） 二、無題（盛世、盛林）	洪鈞轉管葶	一、朱有燉（誠齋樂府） 二、無名氏（盛世新聲，盛世詞林）
同右	一、慶賞（誠齋） 二、祝壽（雍熙） 三、無題（盛世、盛林）	玳筵排翡翠屏	一、朱有燉（誠齋樂府） 二、無名氏（盛世新聲，雍熙樂府，盛世詞林）
同右	一、代人罵伶者（誠齋） 二、嘲妓醜（雍熙） 三、嘲醜妓（彩筆） 四、無題（盛世、盛林）	眉龐翠葉稠	一、朱有燉（誠齋樂府） 二、明古辭（彩筆情辭） 三、無名氏（盛世新聲，雍熙樂府，盛世詞林）
同右	一、贈明時秀（筆花） 二、贈妓明時秀（北紀、夫婦、彩筆） 三、無題（雍熙、白雪）	星靨靨花鈿簇翠圖	一、湯式（筆花集，北宮詞紀，詞林白雪） 二、楊慎（楊升庵夫婦散曲，彩筆情辭） 三、無名氏（雍熙樂府）

同右	素蘭	春含九畹芳	一、湯式（筆花集） 二、無名氏（雍熙樂府）
同右	一、贈妓宋湘雲（北紀） 二、贈宋姬湘雲（彩筆） 三、無題（白雪）	送飛瓊下九天	一、湯式（北宮詞紀，彩筆情辭） 二、顧均澤（詞林白雪）
同右	春日即事	草堂外嵐光映日妍	一、陳鐸（月香亭稿，北宮詞紀） 二、元人（南北詞廣韻選） 三、無名氏（雍熙樂府，月香小稿）
同右	一、風情（誠齋、雍熙） 二、無題（盛世、盛林）	烏雲綰髻鴉	一、朱有燉（誠齋樂府） 二、無名氏（盛世新聲，雍熙樂府，盛世詞林）
同右	一、詠月（梨雲、雍熙、北紀、小稿） 二、無題（白雪）	清光亂乳鴉	一、陳鐸（梨雲寄傲，北宮詞紀，詞林白雪） 二、無名氏（月香小稿，雍熙樂府）
同右	一、秋興（北紀） 二、詩酒陶情（雍熙）	黃花助酒情	一、朱有燉（誠齋樂府，北宮詞紀，詞林白雪）

	三、無題（誠齋、盛世、盛林、白雪）		二、無名氏（盛世新聲，雍熙樂府，盛世詞林）
同右	一、題檜（雍熙） 二、檜軒爲越中沙子正賦（北紀）	得指教三遷好住居	一、湯式（北宮詞紀） 二、無名氏（雍熙樂府）
同右	一、閑述（月香、雍熙、北紀） 二、無題（小稿、白雪）	清風臥榻孤	一、陳鐸（月香亭稿，北宮詞紀，詞林白雪） 二、無名氏（月香小稿，雍熙樂府）
同右	樂閑	常尋灞岸梅	一、陳鐸（梨雲寄傲） 二、王磐（北宮詞紀） 三、無名氏（雍熙樂府）
同右	一、贈教坊殊麗（北紀） 二、無題（筆花、雍熙、白雪、彩筆）	眼舒隨意花	一、湯式（筆花集，北宮詞紀，彩筆情辭） 二、睢玄明（詞林白雪） 三、無名氏（雍熙樂府）
同右	一、黄鶴樓（筆花） 二、隱居（雍熙） 三、題黄鶴樓（北紀）	峥嶸倚上流	一、湯式（筆花集，北宮詞紀） 二、無名氏（雍熙樂府）

同右	一、題情（誠齋） 二、風情（雍熙） 三、恨思（彩筆）	温柔竊玉心	一、朱有燉（誠齋樂府） 二、元人辭（彩筆情辭） 三、無名氏（雍熙樂府）
同右	一、詠梅寄情（誠齋、雍熙） 二、無題（盛世、盛林）	温柔玉有香	一、朱有燉（誠齋樂府） 二、元人辭（彩筆情辭） 三、無名氏（盛世新聲，雍熙樂府，盛世詞林）
同右	一、贈李素蘭（雍熙） 二、贈妓素蘭（北紀、彩筆）	散清芬烟月中	一、湯式（北宮詞紀，彩筆情辭） 二、無名氏（雍熙樂府）
同右	一、贈玉馬杓（筆花） 二、玉馬杓（雍熙）	堪嗟和氏冤	一、湯式（筆花集） 二、無名氏（雍熙樂府）
同右	自省	黑漫漫離恨天	一、湯式（筆花集，北宮詞紀，彩筆情辭） 二、無名氏（雍熙樂府）
同右	一、題情（誠齋、月香、北紀） 二、恩情（雍熙） 三、思遠（彩筆）	瘦身軀難打捱	一、朱有燉（誠齋樂府，北宮詞紀，彩筆情辭） 二、陳鐸（月香亭稿） 三、無名氏（盛世新聲，

	四、無題（盛世、盛林）		雍熙樂府，盛世詞林）
同右	一、贈人（筆花） 二、武昌作（雍熙）	雍容黃閣姿	一、湯式（筆花集） 二、無名氏（雍熙樂府）
同右	一、樂閑（梨雲） 二、閑樂（雍熙） 三、閑居（廣韻選）	新栽數畝瓜	一、陳鐸（梨雲寄傲） 二、汪元亨（南北詞廣韻選） 三、無名氏（雍熙樂府）
同右	一、代友人勸從良伶者（誠齋） 二、勸妓從良（北紀） 三、勸從良（彩筆） 四、無題（盛世、雍熙、盛林）	蜂黃散曉（晚）晴	一、朱有燉（誠齋樂府，北宮詞紀，彩筆情辭） 二、無名氏（盛世新聲，雍熙樂府，盛世詞林）
同右	一、夢遊江山爲友人賦（筆花、北紀） 二、方外娱（雍熙） 三、方外觀（廣韻選）	蜀道難長懷李太白	一、湯式（筆花集，北宮詞紀） 二、元人（南北詞廣韻選） 三、無名氏（雍熙樂府）
同右	一、麗情（摘艷） 二、秋思（雍熙）	銀杏葉彫零鴨脚黃	一、詹時雨（録鬼簿續編） 二、貫酸齋（詞林摘艷）

	三、無題（盛世）		三、劉庭信（詞謔及南北詞廣韻選引尾聲） 四、無名氏（盛世新聲，雍熙樂府）
同右	一、歸隱（雍熙） 二、送車文卿歸隱（北紀）	輕帆灩澦堆	一、湯式（北宮詞紀） 二、無名氏（雍熙樂府）
同右	一、贈素雲（筆花集） 二、素雲（雍熙） 三、贈妓素雲（北紀、彩筆） 四、無題（白雪）	輕柔縞素粧	一、湯式（筆花集，北宮詞紀，彩筆情辭） 二、蘭楚芳（詞林白雪） 三、無名氏（雍熙樂府）
同右	一、蓮卿王氏者樓居瀟灑余顏之曰楚館凝眸其所寄意無乃對景興懷歡情離思而已因其請題遂書此以贈焉（筆花） 二、題蓮卿王氏樓居（北紀） 三、題蓮卿王姬樓居（彩筆） 四、無題（雍熙）	碧玲瓏透月窗	一、湯式（筆花集，北宮詞紀，彩筆情辭） 二、無名氏（雍熙樂府）

同右	一、贈李氏素蓮（誠齋） 二、贈李素蓮（雍熙、彩筆） 三、無題（盛世、廣韻選）	瑶池淡粉粧	一、朱有燉（誠齋樂府） 二、元人（南北詞廣韻選） 三、明古辭（彩筆情辭） 四、無名氏（盛世新聲，雍熙樂府）
同右	一、春思（筆花、雍熙、北紀） 二、無題（陶續、曲藻、廣韻選）	嫩寒生花底風	一、湯式（筆花集，北宮詞紀） 二、楊慎（陶情樂府續集） 三、元人（曲藻，南北詞廣韻選） 四、無名氏（雍熙樂府）
同右	一、隱居（誠齋、北紀） 二、歸隱（雍熙） 三、無題（盛世、盛林、白雪）	鋤瓜畦（田）訪邵平	一、朱有燉（誠齋樂府，北宮詞紀，詞林白雪） 二、無名氏（盛世新聲，雍熙樂府，盛世詞林）
同右	一、隱居（雍熙） 二、題崇明顧彦昇洲上居（北紀）	潮生玉馬來	一、湯式（北宮詞紀） 二、無名氏（雍熙樂府）
同右	一、懷妓（梨雲、彩筆） 二、奇遇（雍熙） 三、詠遇（合編）	嬌滴滴千金玉體輕	一、陳鐸（梨雲寄傲，彩筆情辭，吴騷合編） 二、無名氏（雍熙樂府）

同右	一、上武職（摘艷） 二、武臣（雍熙） 三、無題（盛世、盛林）	擎天架海梁	一、丘汝成（詞林摘艷） 二、無名氏（盛世新聲，雍熙樂府，盛世詞林）
同右	一、夏閨怨（筆花） 二、相思（雍熙） 三、和劉庭信夏景題情（北紀） 四、無題（白雪）	燕泥沾白象牀	一、湯式（筆花集，北宮詞紀，詞林白雪） 二、無名氏（雍熙樂府）
同右	一、詠素蟾（筆花集） 二、蟾（雍熙） 三、贈素蟾（北紀） 四、贈妓素蟾（彩筆） 五、無題（白雪）	噪（滲）晴蛙枉叫嚎	一、湯式（筆花集，北宮詞紀，彩筆情辭） 二、秦復庵（詞林白雪） 三、無名氏（雍熙樂府）
同右	一、自述（雍熙） 二、旅中自遣（北紀）	錦囊寬閑鳳琴	一、湯式（北宮詞紀） 二、無名氏（雍熙樂府）

同右	一、詠白海青（誠齋） 二、白鸚鵡慶壽（雍熙） 三、無題（盛世、盛林）	霜翎雪握成	一、朱有燉（誠齋樂府） 二、無名氏（盛世新聲，雍熙樂府，盛世詞林）
同右	一、題友田老窩（筆花） 二、田老齋（雍熙） 三、題田老齋（廣韻選、北紀）	檜（樹）當軒作翠屏	一、湯式（筆花集，北宮詞紀） 二、元人（南北詞廣韻選） 三、無名氏（雍熙樂府）
同右	詠劍	離匣星（牛）斗寒	一、陳鐸（梨雲寄傲） 二、施惠（北宮詞紀） 三、無名氏（雍熙樂府）
同右	一、勸妓女從良（筆花） 二、囑嫁（彩筆） 三、無題（雍熙）	麗春園有世情	一、湯式（筆花集） 二、元人（彩筆情辭） 三、無名氏（雍熙樂府）
同右	一、賞梅（升庵） 二、梅花深處（雍熙） 三、題白梅深處（北紀）	羅浮山接渺茫	一、湯式（北宮詞紀） 二、楊慎（升庵長短句） 三、無名氏（雍熙樂府）
同右	一、贈人（筆花） 二、上勳臣（北紀） 三、武功大臣（摘艷、	麒麟閣上臣	一、湯式（筆花集，北宮詞紀） 二、無名氏（盛世新聲，

	北拾） 四、贈英國（雍熙） 五、無題（盛世）		詞林摘艷，雍熙樂府，北曲拾遺）
同右	一、同前意（贈人）（筆花） 二、荊南作（雍熙） 三、上藩臣（北紀）	巍巍九鼎臣	一、湯式（筆花集，北宮詞紀） 二、無名氏（雍熙樂府）
同右	一、雲巢（雍熙、廣韻選） 二、題雲巢（北紀）	攬將天上雲	一、湯式（北宮詞紀） 二、元人（南北詞廣韻選） 三、無名氏（雍熙樂府）
二郎神（套）	春思	人歸後（正風動花房宿鳥愁）	一、顧起元（南宮詞紀，彩筆情辭） 二、無名氏（昔昔鹽）
同右	一、閨情（唾窗、萃雅、逸響、珊珊） 二、閨怨（類選） 三、憶別閨情（昔鹽） 四、無題（先春、争奇）	才郎去（緑鬢蓬鬆懶去梳）	一、沈仕（唾窗絨，吴歈萃雅，詞林逸響） 二、藩雪松（樂府先春） 三、梅禹金（珊珊集） 四、無名氏（群音類選，昔昔鹽，樂府争奇）

同右	咏雨	芭蕉裹（聽一點點南窗欲斷魂）	一、陳鐸（吴歈萃雅，南音三籟，古今奏雅） 二、馮夢龍（萬錦清音）
同右	秋懷	秋雲浄（正落葉蕭蕭氣更清）	一、徐惺予（南宫詞紀） 二、無名氏（昔昔鹽）
同右	一、秋懷（白苧、類選、南紀、萃雅、逸響、彩筆、三籟、怡春錦） 二、逢秋懷人（昔鹽） 三、秋思（奏雅） 四、閨思（合編） 五、無題（三徑、先春、吴騷、白雪、争奇、韻選）	相逢久（笑春來尚分飛似舊）	一、梁辰魚（江東白苧，樂府先春，三徑閑題，群音類選，南宫詞紀，吴騷集，南詞韻選，吴歈萃雅，詞林逸響，彩筆情辭，吴騷合編，南音三籟，古今奏雅，詞林白雪，怡春錦，樂府争奇） 二、無名氏（昔昔鹽，樂府争奇）
同右	一、有懷（類選） 二、客中春思（南紀） 三、無題（夫婦、先春、吴騷、珊珊）	春到後（人不見）（正三五銀蟾乍圓）	一、楊慎（樂府先春，群音類選，南宫詞紀，吴騷集，珊珊集） 二、黄峨（楊升庵夫婦散曲）

同右	一、題情（類選） 二、閨情懷别（昔鹽） 三、懷所歡（彩筆） 四、無題（先春、争奇）	寄來書（千言萬語都道我情未堅）	一、唐荆川（群音類選） 二、張東海（樂府先春） 三、明舊辭（彩筆情辭） 四、無名氏（昔昔鹽，樂府争奇）
同右	一、怨别（摘艷） 二、秋恨（雍熙） 三、無題（盛世）	景蕭索（池邐秋光漸老）	一、楊訥（詞林摘艷，北詞廣正譜引二郎神、二郎神幺篇、浪來裏煞） 二、無名氏（盛世新聲，雍熙樂府，九宮大成引二郎神、梧葉兒、二郎神幺篇、浪來裏煞）
同右	一、征怨（類選） 二、睡起憂思（昔鹽） 三、無題（先春、争奇、吴騷）	新睡起（厭輕暖輕寒減玉肌）	一、金鑾（樂府先春，群音類選，吴騷集） 二、無名氏（昔昔鹽，樂府争奇）
同右	無題	静悄悄乍睡起	一、王雅宜（吴騷集） 二、無名氏（樂府先春，樂府争奇）

二犯江兒水（令）	一、贈妓（二集） 二、紀情（合編） 三、懷美人（南紀） 四、無題（韻選）	記得他霧鬢雲鬟	一、周幼海（吴騷二集，吴騷合編） 二、無名氏（南宫詞紀，南詞韻選）
二犯傍粧臺（令）	一、相思（類選） 二、幽閣相思（昔昔鹽） 三、四時怨（南紀） 四、無題（先春、吴騷）	一、幽閣百花穠 二、含笑捧金鐘 三、不睡數流螢 四、那日畫樓東	一、王雅宜（樂府先春，吴騷集） 二、王九思（南宫詞紀） 三、無名氏（群音類選，昔昔鹽）
二犯傍粧臺（套）	月下續歡	今宵月在畫樓前	一、陳所聞（濠上齋樂府，南宫詞紀） 二、梁伯龍（古今奏雅） 三、無名氏（昔昔鹽）
二犯月兒高（令）	一、送別（摘艷） 二、題情（雍熙） 三、閨情（類選、合編） 四、怨別（南紀） 五、春日賦別（二集） 六、閨悶（萃雅、逸響、奏雅）	一、煙鎖垂楊院 二、園苑（院落）飄紅雨 三、送別（慢折）長亭柳 四、髻綰（肆館）香雲擁 五、春日賦別（二集） 六、閨悶（萃雅、逸響、奏雅）	一、唐寅（伯虎雜曲，三徑閑題，吴騷合編，南詞新譜收第三首） 二、高明（吴歈萃雅，詞林逸響，古今奏雅，南音三籟） 三、古詞（新編南九宫詞）

	七、閨怨（三籟） 八、景（南九宫） 九、無題（盛世、盛林、三徑、雜曲、韻選、新譜）		四、無名氏（盛世新聲，詞林摘艷，雍熙樂府，群音類選，盛世詞林，南宫詞紀，吴騷二集，南詞韻選均收第三首）
同右	一、閨情（詞稿） 二、閨怨（南紀、二集、合編、三籟） 三、情思（萃雅、三籟） 四、無題（韻選）	一、小院香風過 二、紅粉多薄命 三、歌罷桃花扇 四、夜夜閑惆悵 五、月缺重門静 六、門外雕鞍邁 七、遠樹寒蟾下 八、玉宇明河漫（浸）	一、馮惟敏（海浮山堂詞稿，吴騷合編，南宫詞紀收第一、三、五、八首，吴騷二集收第二、四、六、七首，南音三籟收第六、七首，南詞韻選收第二、五、八首） 二、楊斗望（吴歈萃雅收第二首，南音三籟收第二、五首）
二犯月兒高（套）	一、紀情（昔鹽、南紀） 二、辛未秋日紅橋莊居詠遇（合編） 三、辛未八月初四日紅橋莊居作（白苧） 四、詠遇（二集）	月冷青松殿	一、梁辰魚（江東白苧，南宫詞紀，吴騷二集，吴騷合編） 二、無名氏（昔昔鹽）

二犯桂枝香（令）	一、四景閨情（類選） 二、景（南九宮） 三、題情（南紀） 四、四時閨怨（萃雅、逸響、三籟、萬錦） 五、四時閨思（合編） 六、無題（先春、吴騷、韻選）	一、韶光似酒 二、池塘晝永 三、月懸（圓）冰鏡 四、鴛甃（鴦）霜重	一、秦時雍（群音類選，新編南九宮詞） 二、文徵明（樂府先春，吴騷集，吴騷合編） 三、陳鐸（吴歈萃雅，詞林逸響，南音三籟，萬錦清音） 四、王雅宜（南宮詞紀收第一、四首） 五、無名氏（南詞韻選）
同　右	一、閨怨（類選） 二、思情自擬（昔鹽） 三、閨思（南紀） 四、無題（韻選）	舊愁覺可	一、殷斗墟（南宮詞紀，南詞韻選） 二、無名氏（群音類選，昔昔鹽）
二犯梧桐樹（套）	一、咏白蓮（南紀、太霞、奏雅） 二、白蓮（韻選）	瑶池出素莖	一、沈子勺（太霞新奏） 二、無名氏（南宮詞紀，南詞韻選，古今奏雅）
七賢過關（令）	一、四時思情（雍熙） 二、閨思（萃雅、逸響、三籟、奏雅、萬錦）	一、春風花草香 二、炎天夏日長 三、金風暑漸消	一、劉東生（吴歈萃雅、詞林逸響、南音三籟均收第一首，古今奏雅，萬錦

	三、春思（二集、合編） 四、無題（風月、正始）	四、朔風早凜冽	清音） 二、古詞（吳騷二集收第一首） 三、元詞（吳騷合編收第一首） 四、明人（南曲九宫正始收第一、二首） 五、無名氏（風月錦囊，雍熙樂府）
七犯玲瓏（令）	一、景（南九宫） 二、四景（類選） 三、因春憶舊（昔鹽） 四、閨情（二集） 五、四時題情（南紀） 六、四景題情（萃雅、逸響、三籟、奏雅） 七、四時閨情（合編） 八、恩情（雍熙） 九、無題（新譜、韻選）	一、新紅上海棠 二、芭蕉映粉墻 三、金風透鎖窗 四、江梅綻早芳	一、祝枝山（群音類選，新編南九宫詞，南宫詞紀，南詞韻選，吳騷二集，吳騷合編，南音三籟，南詞新譜僅收第一首） 二、高明（吳歈萃雅，詞林逸響，古今奏雅） 三、無名氏（昔昔鹽，雍熙樂府）
八聲甘州（套）	一、閨情（類選） 二、別離情況（昔鹽）	天長地久	一、王九思（吳歈萃雅，詞林逸響，南音三籟，珊

	三、離恨（萃雅、逸響、三籟、珊珊、奏雅） 四、無題（先春、吳騷、争奇、白雪）		珊集，古今奏雅） 二、錢鶴灘（詞林白雪） 三、古調（樂府先春，吳騷集） 四、無名氏（群音類選，昔昔鹽，樂府争奇）
同右	一、咏月（類選、萃雅、逸響、三籟、珊珊、奏雅、新譜） 二、月景題情（昔鹽） 三、月（南九宫） 四、無題（先春、争奇）	玉盤金餅	一、祝枝山（群音類選，吳歈萃雅，新編南九宫詞，詞林逸響，南音三籟，珊珊集，古今奏雅，南詞新譜收第五隻） 二、張峒初（樂府先春） 三、無名氏（昔昔鹽，樂府争奇）
同右	一、託雁傳情（唾窗、萃雅、逸響、三籟、奏雅） 二、寄情（類選） 三、無題（正始）	如醉如（似）癡	一、沈仕（唾窗絨，吳歈萃雅，詞林逸響，南音三籟，古今奏雅） 二、元人（南曲九宫正始引八聲甘州、孤飛雁等） 三、無名氏（群音類選）

同右	一、贈子弟娶妓未諧（詞珍） 二、思憶嬌情（昔鹽） 三、寫恨（彩筆） 四、無題（白雪）	幽懷悄悄（這些時不暗不明難消）	一、康海（詞林白雪） 二、明近辭（彩筆情辭） 三、無名氏（詞珍雅調，昔昔鹽）
同右	一、春日詠蝶（月香、摘艷） 二、詠蝶（雍熙）	春光艷陽	一、陳鐸（月香亭稿） 二、無名氏（詞林摘艷，雍熙樂府）
同右	一、擬閨人托雁寄情（唾窗、合編） 二、閨情（類選） 三、情寄秋鴻（昔鹽） 四、離情訴雁（萬錦） 五、無題（吳騷、三籟、珊珊、先春、争奇）	相思無底	一、沈仕（唾窗絨，吳騷合編） 二、張鳳翼（珊珊集） 三、古調（樂府先春，吳騷集） 四、無名氏（群音類選，昔昔鹽，樂府争奇，南音三籟，萬錦清音）
同右	一、訓妓（太霞） 二、無題（先春）	幽思悄悄（這般不真不假教我難瞧）	一、顧冲菴（樂府先春） 二、無名氏（太霞新奏）
同右	一、春日思情（昔鹽） 二、無題（先春、争奇）	相思難守	一、李本寧（樂府先春） 二、無名氏（昔昔鹽，樂

			府争奇）
九迴腸（令）	一、離思（唾窗、萃雅、逸響、三籟） 二、題情（類選、彩筆、合編） 三、怨別（南紀） 四、無題（韻選、争奇、新譜）	一從他春絲（思）牽掛 一從他相逢月下	一、沈仕（唾窗絨，吳歈萃雅，詞林逸響） 二、張鳳翼（群音類選，彩筆情辭，南詞韻選，吳騷合編，南音三籟，南宮詞紀、南詞新譜均收第一首） 三、無名氏（樂府争奇）
同　右	一、離思（南紀、太霞） 二、秋閨（太霞） 三、懷舊（合編）	一、對燈兒幾番思想 二、苦心兒終朝寧耐	一、高深甫（南宮詞紀，太霞新奏） 二、孫百川（吳騷合編）
十棒鼓（令）	一、夏夜席上歡飲（誠齋） 二、無題（盛世）	一、行厨演撒冰酒茶瓜 二、海老夢撒紅兒喚咱 三、笑咱老的不知回避	一、朱有燉（誠齋樂府） 二、無名氏（盛世新聲）
同　右	一、秋日席上賦（誠齋） 二、無題（盛世）	恰西風到了梧葉初凋	一、朱有燉（誠齋樂府） 二、無名氏（盛世新聲）
十樣（段）錦（套）	一、青樓離恨（萃雅、逸響、三籟、奏雅）	幽窗下沉吟半晌	一、高明（吳歈萃雅，珊瑚集）

	二、有所思（雍熙） 三、題情（類選） 四、幽窗思妓（昔鹽） 五、惜別（合編） 六、離恨（珊珊） 七、懷舊（彩筆） 八、無題（盛世、摘艷、争奇、三徑、先春、盛林、吳騷）		二、祝枝山（三徑閑題，詞林逸響） 三、元人辭（彩筆情辭，吳騷合編） 四、明散套（南曲九宮正始未録尾聲） 五、無名氏（盛世新聲，詞林摘艷，雍熙樂府，群音類選，昔昔鹽，樂府争奇，吳騷集，盛世詞林，南音三籟，古今奏雅）
同右	一、題情（類選、彩筆） 二、怨別（逸響、萃雅、奏雅、珊珊、怡春錦） 三、懷舊（合編） 四、燈下思情（昔鹽） 五、無題（三徑、先春、吳騷、三籟、争奇）	燈兒下低頭自忖	一、張鳳翼（三徑閑題，樂府先春，群音類選，吳騷集，彩筆情辭，詞林逸響，吳騷合編，吳歈萃雅，南音三籟，珊珊集，怡春錦） 二、無名氏（昔昔鹽，樂府争奇，古今奏雅）
同右	題情	隋堤上依依敗柳	一、許然明（南宮詞紀） 二、無名氏（昔昔鹽）

十二紅（套）	一、晝夜閨情（類選） 二、閨情（昔鹽、南紀） 三、閨怨（梨雲、萃雅、逸響、珊珊、奏雅、怡春錦） 四、曉夜閨情（合編） 五、閨思（三籟） 六、無題（三徑、先春、争奇、吴騷）	伴孤燈三更情況	一、陳鐸（梨雲寄傲，樂府先春，群音類選，南宫詞紀，吴騷集，吴騷合編） 二、張鳳翼（吴歈萃雅，詞林逸響，南音三籟，珊珊集，古今奏雅，怡春錦） 三、無名氏（三徑閑題，昔昔鹽，樂府争奇）
同右	一、紀情（昔鹽、南紀、合編、奏雅） 二、訪舊（彩筆） 三、麗情（太霞）	冷蕭蕭風狂雨驟	一、王驥德（南宫詞紀，彩筆情辭，吴騷合編，太霞新奏，古今奏雅） 二、無名氏（昔昔鹽）
同右	一、閨怨（合編） 二、閨情（三籟） 三，無題（吴騷、先春）	照孤衾寒燈半滅	一、沈仕（吴騷集，南音三籟，樂府先春） 二、林石崗（吴騷合編）
三十腔（套）	一、閨情（類選） 二、無題（韻選）	薄情種	一、祝枝山（南詞韻選） 二、無名氏（群音類選）
小梁州（令）	一、九日渡江二首（筆花） 二、無題（陽春、雍熙）	一、秋風江上棹孤舟 二、秋風江上棹孤航（帆）	一、張小山（陽春白雪，雍熙樂府） 二、湯式（筆花集）

同右	一、楊子江阻風（筆花） 二，無題（雍熙）	篷窗風急雨絲絲	一、張小山（雍熙樂府） 二、湯式（筆花集）
同右	一、別情代人作（筆花） 二、無題（雍熙）	晚粧樓上醉離觴	一、張小山（雍熙樂府） 二、湯式（筆花集）
同右	一、慶壽樂府（誠齋） 二、無題（盛世）	喜慶筵前福禄臻	一、朱有燉（誠齋樂府） 二、無名氏（盛世新聲）
小桃紅（令）		一、紗窗風透越思量 二、牛郎織女短歡娱	一、楊慎（陶情樂府續集） 二、無名氏（盛世新聲）
同右	一、詠美（雍熙） 二、無題（誠齋、盛世）	一、花前月下偶相逢 二、柳腰纖瘦舞東風 三、海棠庭院正歡濃 四、流蘇帳冷綉幃空	一、朱有燉（誠齋樂府） 二、無名氏（盛世新聲，雍熙樂府）
同右	一、春情（筆花） 二、詠美（雍熙）	嬌娥一捻粉團香	一、湯式（筆花集） 二、無名氏（雍熙樂府）
同右	一、詠美色（誠齋） 二、詠美（雍熙） 三、無題（盛世）	桃腮杏臉暈胭脂	一、朱有燉（誠齋樂府） 二、無名氏（盛世新聲，雍熙樂府詠美有四首，此爲第一首）

同　右	一、姑蘇感懷二首（筆花） 二、悲世（雍熙）	一、馬頭垂淚出神京 二、禁城值暑夜傳宣 三、孤（故）城一帶鎖烟寒 四、姑蘇臺上望姑蘇	一、湯式（筆花集録第三、四首） 二、無名氏（雍熙樂府）
小桃紅（套）	一、題情（摘艷、合編） 二、風情妙曲（一枝） 三、紀情（類選） 四、情（南九宮） 五、憶昔思情（昔鹽） 六、思憶春嬌（萃雅、逸響、三籟、奏雅） 七、懷美（彩筆） 八、無題（韻選、盛林、正始、白雪）	暗思金屋（昔日）配合春嬌	一、陳鐸（詞林白雪，吳歈萃雅，詞林逸響，南音三籟，古今奏雅） 二、王元和（群音類選，彩筆情辭，吳騷合編） 三、舊詞（新編南九宮詞） 四、明散套（南曲九宮正始） 五、無名氏（詞林摘艷，盛世詞林，昔昔鹽，南詞韻選，詞林一枝）
小醋大（套）	一、情（南九宮、韻選） 二、途思（類選） 三、江村風景（萃雅、逸響、奏雅）	暗潮拍岸	一、羅欽順（吳歈萃雅，詞林逸響，南音三籟，古今奏雅） 二、古詞（新編南九宮詞）

	四、旅思（合編） 五、憶別（三籟） 六、無題（正始、新譜）		三、舊詞（吴騷合編） 四、元人（南曲九宫正始） 五、無名氏（群音類選，南詞韻選，南詞新譜引小措大、長拍、短拍）
山坡羊（令）	一、夏夜避暑醉中戲作（誠齋、羣珠） 二、嘆世（雍熙） 三、無題（盛世）	長天炎熱	一、朱有燉（誠齋樂府，樂府羣珠） 二、無名氏（盛世新聲，雍熙樂府有山坡羊三十九首，此爲其中之第二十四首）
同右	一、書懷示友人（筆花、羣珠） 二、無題（雍熙）	一、田園荒廢 二、驅馳何甚 三、長江東注 四、羈懷縈掛	一、湯式（筆花集，樂府羣珠） 二、無名氏（雍熙樂府）
同右	一、中秋對月無酒（筆花、羣珠） 二、無題（雍熙）	冰輪高駕	一、湯式（筆花集，樂府羣珠） 二、無名氏（雍熙樂府）
同右	一、憶美（類選） 二、無題（盛林）	夜迢迢月明人静	一、胡德父（群音類選） 二、無名氏（盛世詞林）

同右	一、省悟（羣珠） 二、嘆世（雍熙） 三、無題（誠齋、盛世）	一、膏粱供奉 二、功名爲務 三、朱軒兩厦 四、水亭閒眺 五、人活百歲 六、困來高卧 七、黄蜂報曉 八、常無飢餓	一、朱有燉（誠齋樂府，樂府羣珠） 二、無名氏（盛世新聲，雍熙樂府有山坡羊三十九首，此爲其中之八首）
同右	一、寒夜（南紀、韻選） 二、春寒夜夢（三籟）	冷閣餘香猶峭（悄）	一、吴崑麓（南宫詞紀，南詞韻選） 二、虞竹西（南音三籟）
同右	一、甲寅歲初夏……（誠齋） 二、初夏多雨（羣珠） 三、嘆世（雍熙） 四、無題（盛世）	一、雲埋山麓 二、禾田耘遍	一、朱有燉（誠齋樂府，樂府羣珠） 二、無名氏（盛世新聲，雍熙樂府有山坡羊三十九首，此爲其中兩首）
同右	一、秋興（南紀） 二、無題（韻選）	遠澗風鳴寒漱	一、文徵明（南宫詞紀） 二、無名氏（南詞韻選）
同右	一、題情（合編） 二、閑情（南紀）	一、春染郊原如繡 二、花褪殘紅香瘦	一、文徵明（樂府先春，吴騷集，吴騷合編）

	三、無題（先春、南九宮、韻選、吳騷）	三、一種情根迤逗 四、蕭寺晨鐘聲驟	二、徐霖（南宮詞紀收第一、二首） 三、新詞（新編南九宮詞） 四、無名氏（南詞韻選録第一、三首）
山坡羊（套）	一、閨怨（類選） 二、怨別（南紀） 三、題情（月香、二集、合編） 四、夜思（萃雅、逸響、三籟、奏雅） 五、無題（秋碧、陶續、先春、韻選、争奇）	風兒疎喇喇吹動	一、陳鐸（月香亭稿，秋碧樂府，群音類選，南宮詞紀，吳騷二集，吳騷合編，南詞韻選，南音三籟，南詞新譜收皂羅袍一首） 二、鄭虚舟（吳歈萃雅，詞林逸響，古今奏雅） 三、王世貞（樂府先春） 四、楊慎（陶情樂府續集收山坡羊、皂羅袍二首） 五、無名氏（樂府争奇）
同　右	一、會合輸情（昔鹽） 二、歡情（彩筆） 三、麗情（合編） 四、無題（先春、争奇、吳騷、三籟）	嬌滴滴一團風味	一、梅禹金（吳騷集，樂府先春，彩筆情辭，吳騷合編，南音三籟） 二、無名氏（昔昔鹽，樂府争奇）

山坡裏羊（令）	一、題情（類選） 二、閨思（萃雅、奏雅） 三、失題（雜曲）	一、新酒殘花争鬬 二、燕子粧樓春曉 三、嫩緑芭蕉庭院 四、明月梧桐金井	一、高明（吴歈萃雅，古今奏雅） 二、唐寅（伯虎雜曲） 三、無名氏（群音類選）
天香引（令）	一、西湖感舊（筆花） 二、游西湖（雍熙）	問西湖昔日如何	一、湯式（筆花集） 二、無名氏（雍熙樂府）
同右	一、留別友人（筆花） 二、淮安話別（雍熙）	乍相逢同是雲萍	一、湯式（筆花集） 二、無名氏（雍熙樂府）
同右	一、憶維揚（筆花） 二、江都偶詠（雍熙）	羡江都自古神州	一、湯式（筆花集） 二、無名氏（雍熙樂府）
同右	一、戲贈趙心心（筆花） 二、題情（雍熙）	記相逢楊柳樓心	一、湯式（筆花集） 二、無名氏（雍熙樂府）
同右	一、中秋戲題（筆花） 二、自述（雍熙）	去年旅邸中秋	一、湯式（筆花集） 二、無名氏（雍熙樂府）
同右	送任先生歸隱	先生樂道閑居	一、湯式（筆花集） 二、無名氏（雍熙樂府）
天净沙（令）	一、春殘（雍熙） 二、予自病嗽以來有一月……（誠齋） 三、無題（盛世）	一、海棠開褪嬌姿 二、滿懷病勢愁煩 三、荼蘼白雪攢攢	一、朱有燉（誠齋樂府） 二、無名氏（盛世新聲，雍熙樂府）

同右	一、歸湖（雍熙） 二、詠山水小景九篇（誠齋）	一、小船新酒活魚 二、斜陽數曲漁歌 三、莎裀十里初芳	一、朱有燉（誠齋樂府） 二、無名氏（盛世新聲，雍熙樂府）
同右	一、小景（筆花） 二、桃源（雍熙）	翠岧嶢天近山椒	一、湯式（筆花集） 二、無名氏（雍熙樂府）
同右	一、閑居雜興（筆花） 二、閑居（雍熙）	近山近水人家	一、湯式（筆花集） 二、無名氏（雍熙樂府）
同右	一、題畫上小景（筆花） 二、野興（雍熙）	緑楊枝底尋春	一、湯式（筆花集） 二、無名氏（雍熙樂府）
同右	一、山興（雍熙） 二、詠山水小景九篇（誠齋） 三、無題（盛世）	一、青山一抹殘霞 二、山林迴隔紅塵 三、山中採藥歸來 四、房前檜柏屯門	一、朱有燉（誠齋樂府） 二、無名氏（盛世新聲，雍熙樂府）
同右	一、雪景（雍熙） 二、詠山水小景九篇（誠齋） 三、無題（盛世）	同雲布滿高崖	一、朱有燉（誠齋樂府） 二、無名氏（盛世新聲，雍熙樂府）
同右	一、山娛（雍熙） 二、詠山水小景九篇（誠	土坑柴煨榾柮（柴扉土炕茆廬）	一、朱有燉（誠齋樂府） 二、無名氏（盛世新聲，

	齋） 三、無題（盛世）		雍熙樂府）
太師引 （套）	一、郊見麗人（昔鹽） 二、郊行見麗人（南紀、太霞、奏雅） 三、奇邂（二集） 四、紀遇（合編）	花飛陌上春將盡	一、高濂（南宮詞紀，吴騷二集，吴騷合編，太霞新奏，古今奏雅） 二、無名氏（昔昔鹽）
月中花 （令）	一、麗情（摘艷） 二、風情（雍熙） 三、嘲風情（南紀） 四、無題（金瓶梅、舊譜、太霞）	一、更深静悄 二、勤兒推磨 三、疎狂忒煞 四、花街柳市	一、張善夫（詞林摘艷） 二、無名氏（雍熙樂府，南宮詞紀第二首未收，金瓶梅詞話，舊編南九宮譜、太霞新奏僅録第二首）
月雲高 （令）	一、題情（合編） 二、閨怨（三籟） 三、無題（先春、争奇、吴騷）	別情無限	一、王百穀（樂府先春，吴騷集，吴騷合編） 二、無名氏（樂府争奇，南音三籟）
同　右	一、題情（洴東、南紀、合編） 二、閨怨（三籟） 三、無題（先春、争奇、	吞聲寧耐	一、康海（洴東樂府，南宮詞紀） 二、王百穀（樂府先春，吴騷合編）

	吴騷）		三、無名氏（樂府争奇，吴騷集，南音三籟）
月上海棠（令）	一、詠秋日海棠月夜盛開（誠齋） 二、秋夜海棠開（雍熙） 三、無題（盛世）	一、玉樓花影清秋夜 二、似嫌黄菊千枝放	一、朱有燉（誠齋樂府） 二、無名氏（盛世新聲，雍熙樂府）
六犯清音（套）	一、四景宫怨（類選） 二、宫怨（南紀、珊珊、怡春錦） 三、四時閨怨（萃雅、奏雅） 四、四時宫怨（逸響、萬錦） 五、宫詞（三籟） 六、四時宫詞（合編） 七、無題（先春、争奇、南九宫、吴騷、白雪、歌舞）	瑣窗人静	一、李日華（群音類選，新編南九宫詞，南宫詞紀，吴騷合編） 二、文徵明（樂府先春，吴騷集，珊珊集，樂府歌舞臺） 三、高明（吴歈萃雅，詞林逸響，萬錦清音，古今奏雅，怡春錦） 四、茅平仲（詞林白雪） 五、無名氏（樂府争奇，南音三籟）
六國朝（套）	一、慶壽（誠齋） 二、無題（盛世、雍熙、	祥光縈繞	一、朱有燉（誠齋樂府，北詞廣正譜收常相會一首）

	盛林）		二、無名氏（盛世新聲，雍熙樂府，盛世詞林）
同　右	一、早秋日暮北山登眺遂夜宴於玉香亭（誠齋） 二、無題（盛世、盛林）	園林秋景	一、朱有燉（誠齋樂府） 二、無名氏（盛世新聲，盛世詞林）
同　右	一、初秋登覽晚宴天香閣醉中述懷（誠齋） 二、無題（盛世、盛林）	金風疏柳	一、朱有燉（誠齋樂府） 二、無名氏（盛世新聲，盛世詞林）
水仙子（令）	一、贈美色（筆花） 二、遇美（彩筆） 三、閨秋憶（雍熙）	海棠魂幻出個俊（托化就俏）形骸	一、湯式（筆花集） 二、張雲莊（彩筆情辭） 三、無名氏（雍熙樂府）
同　右	一、自述（筆花） 二、常歡（彩筆） 三、願常歡（雍熙）	龍涎香噴（裊）紫銅爐	一、湯式（筆花集） 二、張雲莊（彩筆情辭） 三、無名氏（雍熙樂府）
同　右	一、有所思（誠齋、雍熙） 二、無題（盛世）	銀箏絃斷鎖紅樓	一、朱有燉（誠齋樂府） 二、無名氏（盛世新聲，雍熙樂府）
同　右	一、詠閨情別意（誠齋） 二、閨情別意（可雪、雍	一、月明閑照小紅樓 二、月明閑照小亭軒	一、朱有燉（誠齋樂府） 二、陳鐸（可雪齋稿有前

四首） 三、無名氏（盛世新聲，雍熙樂府）	三、月明閑照小簾櫳 四、月明閑照小窗紗 五、月明閑照小池塘 六、月明閑照小闌干	熙） 三、無題（盛世）	
一、湯式（筆花集） 二、楊慎（陶情樂府續集，彩筆情辭） 三、無名氏（雍熙樂府）	鶯煎燕聒惹相思	一、有所贈（筆花） 二、憶舊美（雍熙） 三、寄情（彩筆） 四、無題（陶續）	同右
一、陳鐸（秋碧軒稿） 二、無名氏（北宮詞紀外集）	滿街泥濘馬難騎	一、嘲人賀節（秋碧軒） 二、嘲賀節（北外）	同右
一、陳鐸（滑稽餘韻） 二、無名氏（北宮詞紀外集）	咒着符水用元神	一、道士（滑稽） 二、嘲道士（北外）	同右
一、陳鐸（滑稽餘韻） 二、無名氏（北宮詞紀外集）	卸除簪珥拜蓮臺	一、尼姑（滑稽） 二、嘲尼姑（北外）	同右
一、陳鐸（滑稽餘韻） 二、無名氏（北宮詞紀外集）	閑茶浪酒雨雲鄉	一、妓女（滑稽） 二、嘲妓女（北外）	同右

同右	一、葬士（滑稽） 二、嘲堪輿（北外）	尋龍倒水費殷勤	一、陳鐸（滑稽餘韻） 二、無名氏（北宫詞紀外集）
同右	一、瓦匠（滑稽） 二、嘲瓦匠（北外）	東家壁土恰塗交	一、陳鐸（滑稽餘韻） 二、無名氏（北宫詞紀外集）
同右	一、被賺（彩筆） 二、無題（盛世）	藍橋驛一步步鬼門關	一、唐以初（彩筆情辭） 二、無名氏（盛世新聲）
同右	一、慶壽樂府（誠齋） 二、賞重陽壽日（雍熙） 三、無題（盛世）	珠簾曉日上金（銀）鈎	一、朱有燉（誠齋樂府） 二、無名氏（盛世新聲，雍熙樂府）
同右	一、今歲汴中……（誠齋） 二、無題（盛世）	粉團兒刮做了土團兒	一、朱有燉（誠齋樂府） 二、無名氏（盛世新聲）
同右	一、聞嘲（筆花） 二、嘲子弟（雍熙） 三、嘲風月（北外） 四、無題（金瓶梅）	陷人坑土窖似（般）暗開掘	一、湯式（筆花集） 二、張雲莊（北宫詞紀外集） 三、無名氏（雍熙樂府，金瓶梅詞話）

同右	一、送人回里（誠齋） 二、隱逸（雍熙） 三、無題（盛世）	梁園輕霧濕征衫	一、朱有燉（詞齋樂府） 二、無名氏（盛世新聲，雍熙樂府隱逸有四首，此爲其中最後一首）
同右	一、春園夜景（誠齋） 二、春園夜（雍熙） 三、無題（盛世）	雲低彩檻鳳凰樓	一、朱有燉（誠齋樂府） 二、無名氏（盛世新聲，雍熙樂府）
同右	一、秋霖（誠齋） 二、江南秋霽（雍熙）	黑沉沉寒霧壓城頭	一、朱有燉（誠齋樂府） 二、無名氏（雍熙樂府）
同右	一、題情（誠齋） 二、交歡（雍熙） 三、無題（盛世）	纖腰（腰肢）恰褪綉羅裙	一、朱有燉（誠齋樂府） 二、無名氏（盛世新聲，雍熙樂府）
水仙子帶折桂令（令）	一、嘆別（彩筆） 二、無題（夫婦）	不明不暗唱陽關	一、黄峨（楊升庵夫婦散曲） 二、楊慎（彩筆情辭）
同右	一、題情（誠齋、月香、雍熙） 二、歡情（彩筆） 三、無題（盛世）	並頭蓮池上錦鴛行	一、朱有燉（誠齋樂府） 二、陳鐸（月香亭稿，彩筆情辭） 三、無名氏（盛世新聲，雍熙樂府）

同右	一、中秋夜登高翫月（誠齋） 二、中秋（雍熙） 三、無題（盛世）	萬花臺上正中秋	一、朱有燉（誠齋樂府） 二、無名氏（盛世新聲，雍熙樂府）
瓦盆兒（套）	一、孤另（雍熙） 二、情怨別離（昔鹽） 三、怨別離（南紀） 四、無題（韻選、盛林）	一從分散鸞儔鳳侣	一、唐寅（南宫詞紀） 二、散曲（舊編南九宫譜，南九宫十三調曲譜均録首曲） 三、無名氏（雍熙樂府，昔昔鹽，南詞韻選，盛世詞林）
同右	一、閨怨（昔鹽、南紀） 二、閨情（合編）	西陵渡口	一、史叔考（南宫詞紀） 二、楊德芳（吴騷合編） 三、無名氏（昔昔鹽）
同右	一、閨情（摘艷） 二、感舊（雍熙） 三、閨怨（類選、萃雅、逸響、三籟、奏雅） 四、無題（盛世、三徑、先春、争奇、盛林、金瓶	教人對景終日減芳容	一、李集虚（樂府先春） 二、賈仲名（群音類選） 三、鄭虚舟（吴歈萃雅，詞林逸響，南音三籟，古今奏雅） 四、無名氏（盛世新聲，

	梅）		詞林摘艷，雍熙樂府，三徑閑題，舊編南九宮譜，南九宮十三調曲譜録喜漁燈，金瓶梅詞話，樂府争奇，盛世詞林）
同　右	一、閨思（萃雅、三籟） 二、題情（彩筆、合編）	相思到底	一、沈仕（吴歈萃雅，南音三籟） 二、高深甫（彩筆情辭，吴騷合編）
石竹花（套）	一、相思（類選） 二、私情恨離（昔鹽） 三、思憶情人（名詞） 四、無題（先春、白雪）	從他別後海角天涯	一、張鳳翼（詞林白雪） 二、茅平仲（樂府先春） 三、無名氏（群音類選，昔昔鹽，樂府名詞）
石榴花（套）	一、秋深閨怨（類選） 二、臨秋憶遠（昔鹽） 三、無題（先春、争奇、吴騷）	傷春未已	一、王西樓（樂府先春，吴騷集） 二、無名氏（群音類選，昔昔鹽，樂府争奇）
同　右	秋夜聞砧	楚天雲浄	一、陳所聞（濠上齋樂府，南宮詞紀） 二、無名氏（昔昔鹽）

同右	春閨寄遠	懷人千里	一、陳所聞（濠上齋樂府，南宫詞紀，古今奏雅） 二、無名氏（昔昔鹽）
白練序（套）	一、春愁（雍熙） 二、閨情（類選） 三、情（南九宫） 四、别情（南紀） 五、别離思情（昔鹽） 六、春閨（合編） 七、無題（韻選、盛林）	沉吟久	一、關九思（吴騷合編） 二、元人（南曲九宫正始引白練序、前腔、醉太平三首） 三、樂府（新編南九宫詞） 四、無名氏（雍熙樂府，群音類選，昔昔鹽，南宫詞紀，南詞韻選，盛世詞林）
同右	一、暮秋閨怨（白苧、昔鹽、南紀、萃雅、合編） 二、閨怨（類選） 三、秋閨（二集） 四、秋思（三籟） 五、無題（韻選）	西風裏	一、梁辰魚（江東白苧，群音類選，南宫詞紀，吴騷二集，吴騷合編，南詞韻選） 二、楊慎（吴歈萃雅，南音三籟） 三、無名氏（昔昔鹽）
同右	一、梅（南九宫） 二、詠梅花（南紀）	春光早漏洩	一、顧狀元（新編南九宫詞，南宫詞紀）

	三、咏梅（萃雅、逸響、三籟、奏雅）		二、梁辰魚（吴歈萃雅，詞林逸響，南音三籟、古今奏雅）
同右	一、草（類選、南九宫） 二、詠草（南紀、萃雅、逸響、三籟）	春煙暖	一、方洗馬（群音類選，新編南九宫詞，南宫詞紀） 二、王雅宜（吴歈萃雅，詞林逸響，南音三籟）
同右	一、柳（類選、南九宫） 二、詠柳（南紀、韻選、萃雅、逸響、三籟、奏雅） 三、題柳（名詞） 四、無題（争奇）	窺青眼	一、高明（吴歈萃雅，南音三籟） 二、顧木齋（詞林逸響，古今奏雅） 三、古詞（新編南九宫詞） 四、無名氏（群音類選，南宫詞紀，南詞韻選，樂府名詞，樂府争奇）
同右	離情	殘月冷	一、沈子勺（吴騷合編，太霞新奏） 二、無名氏（南詞韻選）

四園春（合套）	一、遊春（雍熙） 二、春游（類選） 三、無題（舊譜）	料峭東風開小桃	一、李子昌（群音類選） 二、散曲（舊編南九宫譜） 三、無名氏（雍熙樂府無首曲）
四塊玉（合套）	一、閨情（摘艷） 二、牽掛（雍熙） 三、女相思（類選） 四、題情（北紀） 五、無題（盛世、盛林、金瓶梅）	信物存	一、王子安（詞林摘艷） 二、王實甫（北宫詞紀） 三、無名氏（盛世新聲，雍熙樂府，群音類選，盛世詞林，金瓶梅詞話）
四朝元（令）	一、紀善余先生……（誠齋） 二、無題（盛世、雍熙）	一、春光明媚 二、衣冠奕世 三、功成名遂 四、清和天氣	一、朱有燉（誠齋樂府） 二、無名氏（盛世新聲，雍熙樂府）
白鶴子（令）	一、詠秋景（誠齋） 二、秋景（雍熙） 三、無題（盛世）	一、金風殘暑退 二、荷衰青蓋偃 三、碧雲催曉意 四、玉簪香滿徑 五、書齋凉氣爽	一、朱有燉（誠齋樂府） 二、無名氏（盛世新聲，雍熙樂府）

同右	一、八篇道情詠鉛汞（誠齋） 二、丹訣（雍熙） 三、無題（盛世）	一、寂心無象染 二、欲修千歲壽 三、黄婆心不順 四、先天真一氣 五、欲知鉛汞體 六、紅鉛與白汞 七、方知三教理 八、達得玄機了	一、朱有燉（誠齋樂府） 二、無名氏（盛世新聲，雍熙樂府）
同右	一、詠四景（誠齋） 二、春、夏、秋、冬（雍熙） 三、無題（盛世）	一、和風開柳眼 二、薰風清竹塢 三、金風飄敗葉 四、嚴（朔）風如箭急	一、朱有燉（誠齋樂府） 二、無名氏（盛世新聲，雍熙樂府）
甘州歌（套）	冬閨寄遠	彤雲萬頃	一、陳所聞（濠上齋樂府，南宮詞紀） 二、無名氏（昔昔鹽）
同右	一、閑情（類選、南九宮） 二、恬退（萃雅、逸響、三籟、奏雅） 三、無題（三徑、先春、争奇）	歸來未晚	一、王思軒（三徑閑題，群音類選，新編南九宮詞） 二、羅念菴（樂府先春） 三、王陽明（吴歈萃雅，詞林逸響，南音三籟，古

			四、無名氏（樂府争奇）今奏雅）
玉抱肚（令）	一、閨情（類選） 二、題情（南紀） 三、傷情（三籟） 四、無題（韻選、風月、南九宫）	一、君心忒忍 二、危樓獨倚 三、湘簾高掛 四、羅衣寬褪 五、陌頭楊柳 六、緑窻低亞 七、躊躕悶（閑）想	一、陳鐸（南音三籟第七首未收） 二、無名氏（群音類選，南宫詞紀收第四、六、七首，南詞韻選收第六、七首，風月錦囊收第七首） 三、時曲（新編南九宫詞收第二、三、五、六首）
同右	一、咏柳（三籟） 二、題柳（類選） 三、詠柳題情（南紀、太霞） 四、傷春（萃雅） 五、無題（韻選）	一、安排青眼 二、春雲遮映 三、愁心遥送 四、鶯啼時候	一、陳鐸（吴歈萃雅，南音三籟） 二、無名氏（群音類選，南宫詞紀收第二、三、四首，太霞新奏收第二、四首，南詞韻選收第二、三首）
同右	一、四景閨情（類選） 二、情（南九宫） 三、題情（南紀）	一、殘紅水上飄 二、新荷沼内翻 三、東籬菊艷開	一、李日華（群音類選，新編南九宫詞，南音三籟僅第一首署名，其餘三首

	四、閨思（二集） 五、秋思（二集） 六、四景題情（萃雅、逸響、奏雅） 七、四時閨思（合編） 八、春閨（三籟） 九、無題（韻選、三籟、金瓶梅）	四、漫空柳絮飛	無名氏，南詞韻選録第一、三、四首，第三、四首不注撰人，南宫詞紀、吴騷二集收第一首，吴騷合編） 二、李復初（吴歈萃雅，詞林逸響，古今奏雅） 三、古詞（吴騷二集收第三首） 四、無名氏（金瓶梅詞話）
字字錦（套）	一、四季閨情（摘艷） 二、誤約（雍熙） 三、四時閨怨（類選、萃雅、逸響、奏雅） 四、情（南九宫） 五、閨思（合編） 六、閨怨（三籟、珊珊） 七、無題（盛世、先春、舊譜、盛林、吴騷、二集）	群芳綻錦鮮	一、楊彦華（群音類選，吴騷合編） 二、沈仕（樂府先春，吴騷集） 三、高明（吴歈萃雅，詞林逸響，珊珊集，南音三籟，古今奏雅） 四、明人（南曲九宫正始引字字錦賺） 五、樂府（新編南九宫詞，雍熙樂府） 六、散曲（南九宫十三調

			曲譜，舊編南九宮譜引字字錦、滿園春二） 七、無名氏（盛世新聲，詞林摘艷，雍熙樂府，盛世詞林）
西河柳（令）	一、詠酒色財氣（誠齋） 二、酒色財氣（盛世、雍熙）	一、瀲灧觴 二、紅粉肌 三、寶貨盈 四、膽志矜	一、朱有燉（誠齋樂府） 二、無名氏（盛世新聲，雍熙樂府）
羽調排歌（令）	一、閨怨（類選） 二、春怨（南紀） 三、秋怨（南紀）	一、野渡扁舟 二、枕列珊瑚 三、鐵馬簷前 四、鬢落金鈿	一、喬卧東（群音類選） 二、喬卧泉（南宮詞紀僅録第二、三首，題目分别爲「春怨」、「秋怨」）
好事近（套）	一、代寶界山人寄趙素卿作（白苧） 二、思情寄妓（昔鹽） 三、代寄趙姬（彩筆） 四、寄情（二集） 五、寄妓（韻選） 六、寄趙素卿（合編）	人去莫登樓	一、梁辰魚（江東白苧，吴騷二集，彩筆情辭，吴騷合編，南詞韻選） 二、無名氏（昔昔鹽）

同右	一、閨怨（類選、名詞） 二、思情（摘艷） 三、思情無恨（昔鹽） 四、秋閨别怨（萃雅、逸響、奏雅） 五、秋日閨情（合編） 六、秋閨（三籟） 七、秋怨（珊珊） 八、無題（盛世、韻選、南九宫、先春、白雪、争奇、盛林、吴騷）	風月兩無功	一、李文蔚（群音類選） 二、毛蓮石（吴歈萃雅，吴騷合編，珊珊集，南音三籟，詞林白雪） 三、沈仕（詞林逸響，古今奏雅） 四、古調（樂府先春，吴騷集） 五、無名氏（盛世新聲，詞林摘艷，新編南九宫詞，南詞韻選，昔昔鹽，樂府名詞，樂府争奇，盛世詞林）
同右	一、寒閨怨（昔鹽、南紀） 二、雪天閨怨（太霞）	風雪蕩梅花	一、高濂（南宫詞紀，太霞新奏） 二、無名氏（昔昔鹽）
同右	一、壬戌季春代朱長孺贈金陵吕小橋（白苧） 二、寄人（韻選） 三、寄妓（昔鹽、南紀） 四、代寄吕姬（彩筆）	書寄秣陵賒	一、梁辰魚（江東白苧，南宫詞紀，南詞韻選，彩筆情辭，吴騷合編） 二、無名氏（昔昔鹽）

	五、代寄呂姬小喬（合編）		
同右	一、冬晴（秋碧） 二、四季（摘艷） 三、冬景（月香、韻選） 四、無題（盛世、盛林）	天氣暖如春	一、陳鐸（秋碧樂府，月香亭稿，南詞韻選） 二、無名氏（盛世新聲，詞林摘艷，盛世詞林）
同右	一、賞春（摘艷） 二、遊春（類選、萃雅、逸響、珊珊、奏雅） 三、游女題情（昔鹽） 四、春游（南紀、合編、三籟） 五、春（韻選） 六、景（南九宫） 七、無題（盛世、先春、争奇、白雪、舊譜、金瓶梅、盛林、顧曲）	東野翠烟消	一、高明（吴歈萃雅，詞林逸響，吴騷合編，古今奏雅，珊珊集，南音三籟） 二、李石麓（樂府先春） 三、謝海門（詞林白雪） 四、散曲（舊編南九宫譜） 五、南戲子母冤家（南曲九宫正始，顧曲雜言） 六、無名氏（盛世新聲，詞林摘艷，群音類選，昔昔鹽，南宫詞紀，金瓶梅詞話，盛世詞林，樂府争奇，新編南九宫詞，南詞韻選）

同右	一、題情（秋碧） 二、閨怨（類選、名詞、萬錦） 三、情繫天涯（昔鹽） 四、怨別（梨雲、南紀、唾窗、萃雅、逸響、三籟、珊珊、奏雅） 五、閨情（合編） 六、無題（南九宫、先春、韻選、吴騷、争奇、金瓶梅）	兜的上心來	一、陳鐸（梨雲寄傲，秋碧樂府，群音類選，新編南九宫詞，南詞韻選，南宫詞紀，南音三籟，古今奏雅） 二、沈仕（唾窗絨，樂府先春，吴騷集，吴歈萃雅，吴騷合編，珊珊集，萬錦清音） 三、毛蓮石（詞林逸響） 四、無名氏（昔昔鹽，樂府名詞，樂府争奇，金瓶梅詞話）
同右	一、代懷嫣然（濠上、南紀） 二、有懷嫣然（昔鹽）	瞥見繡筵前	一、陳所聞（濠上齋樂府，南宫詞紀） 二、無名氏（昔昔鹽）
西雙合歌調（套）	閨情	柳底風微	一、劉百亭（詞林摘艷） 二、無名氏（盛世新聲，金瓶梅詞話）

行香子（套）	一、題情（月香、類選、北紀、小稿） 二、秋思（彩筆）	朝也相思暮也相思	一、陳鐸（月香亭稿，群音類選，北宫詞紀，彩筆情辭） 二、無名氏（月香小稿）
沉醉東風（令）	一、戲答妓（彩筆） 二、無題（夫婦、曲律）	也不是石家的緑珠風韻	一、黄峨（楊升庵夫婦散曲） 二、楊慎（曲律，彩筆情辭）
同　右	一、春游（梨雲） 二、村隱（雍熙）	拂水面千條柳	一、陳鐸（梨雲寄傲） 二、無名氏（雍熙樂府）
同　右	一、自述（梨雲） 二、村隱（雍熙）	青天外蟾光漸低	一、陳鐸（梨雲寄傲） 二、無名氏（雍熙樂府）
同　右	一、詠合歡牡丹（誠齊） 二、合歡牡丹（雍熙） 三、無題（盛世）	呈國色雕欄露清	一、朱有燉（誠齋樂府） 二、無名氏（盛世新聲，雍熙樂府）
同　右	一、夏夜（梨雲） 二、村隱（雍熙）	芭蕉上瀟瀟雨聲	一、陳鐸（梨雲奇傲） 二、無名氏（雍熙樂府）
同　右	一、感懷（梨雲） 二、無題（雍熙）	花正發蟾含半規	一、陳鐸（梨雲寄傲） 二、無名氏（雍熙樂府）

同右	一、春情（梨雲） 二、無題（雍熙）	垂柳外低低粉牆	一、陳鐸（梨雲寄傲） 二、無名氏（雍熙樂府）
同右	一、秋日湖邊晚行（誠齋） 二、秋晚湖邊行（雍熙）	泛遠水衰蒲敗葦	一、朱有燉（誠齋樂府） 二、無名氏（雍熙樂府有四首，此爲第一首）
同右	一、琵琶（雍熙） 二、詠琵琶（北外）	愛你時懷中抱摟	一、陳所聞（北宮詞紀外集） 二、無名氏（雍熙樂府）
同右	一、花柳（梨雲） 二、遇美（雍熙）	緑柳外雙眸暮蟬	一、陳鐸（梨雲寄傲） 二、無名氏（雍熙樂府）
同右	一、悼伶女四首（筆花、彩筆） 二、挽妓（雍熙） 三、悼妓（北紀）	一、訃音至傷心萬端 二、鉛華樹春風甚早 三、檀板歇聲沉鶗鴂 四、寶鏡缺青鸞影孤	一、湯式（筆花集，北宮詞紀） 二、元人（彩筆情辭） 三、無名氏（雍熙樂府）
同右	一、與友敍舊 二、夜酌話舊	三十年間故人	一、湯式（筆花集） 二、無名氏（雍熙樂府）
同右	一、夢後書（筆花） 二、夢後戲題（雍熙）	七尺低低板牀	一、湯式（筆花集） 二、無名氏（雍熙樂府）

同右	維揚懷古	錦帆落天涯那答	一、湯式（筆花集） 二、無名氏（雍熙樂府）
同右	姑蘇懷古	長洲苑花明劍戟	一、湯式（筆花集） 二、無名氏（雍熙樂府）
同右	錢唐懷古	錦燦爛六橋畫舟	一、湯式（筆花集） 二、無名氏（雍熙樂府）
同右	燕山懷古	阿監泣清冰玉碗	一、湯式（筆花集） 二、無名氏（雍熙樂府）
折桂令（令）	青樓十詠 一、初見 二、小酌 三、沐浴 四、納凉 五、臨牀 六、并枕 七、交歡 八、言盟 九、曉起 十、叙別	一、恰相逢月正圓時 二、鎖銀屏花影重叠 三、小壺天絶勝華清 四、彈香肩行出粧樓 五、燭花前攜手行來 六、并頭花春晚齊芳 七、玉肌膚欵（軟）襯酥胸 八、告蒼穹您是聽咱 九、日初紅影射闌干 十、促行裝短劍狐裘	一、陳鐸（梨雲寄傲） 二、無名氏（雍熙樂府，彩筆情辭，北宫詞紀外集收第一、二、六、七、十首）

同右	一、相思（摘艷） 二、閨情（羣珠） 三、無題（盛世、小令鈔）	一、可憐人病裏殘春 二、近別離怎地挨波 三、被東風老盡天台 四、對粧奩倦拂香塵	一、蘭楚芳（詞林摘艷，元明小令鈔録第三首） 二、盛從周（樂府羣珠） 三、無名氏（盛世新聲）
同右	一、相思（摘艷） 二、離情（羣珠） 三、無題（盛世）	怕相思弄假成真	一、蘭楚芳（詞林摘艷） 二、盛從周（樂府羣珠） 三、無名氏（盛世新聲）
同右	一、相思（摘艷） 二、夏景（羣珠） 三、無題（盛世）	芰荷香新雨池塘	一、蘭楚芳（詞林摘艷） 二、盛從周（樂府羣珠） 三、無名氏（盛世新聲）
同右	一、相思（摘艷） 二、私情（羣珠） 三、無題（盛世）	柳青娘多少尷尬	一、蘭楚芳（詞林摘艷） 二、盛從周（樂府羣珠） 三、無名氏（盛世新聲）
同右	一、相思（摘艷） 二、憶別（羣珠） 三、無題（盛世）	想人生最苦離別	一、蘭楚芳（詞林摘艷） 二、盛從周（樂府羣珠） 三、無名氏（盛世新聲）
同右	一、相思（摘艷） 二、風情（羣珠） 三、無題（盛世）	斷魂屬殘夢拘鈐	一、蘭楚芳（詞林摘艷） 二、盛從周（樂府羣珠） 三、無名氏（盛世新聲）

同右	一、題情戲漂蕩子弟（誠齋） 二、題情（雍熙） 三、思情（月香） 四、無題（盛世、金瓶梅）	一、可人心年少嬌娃 二、可人心二八嬌娥	一、朱有燉（誠齋樂府） 二、陳鐸（月香亭稿僅有第一首） 三、無名氏（盛世新聲，雍熙樂府共有四首，此爲前兩首，金瓶梅僅録首曲）
同右	一、勸人□□（誠齋） 二、無題（盛世）	本是個章臺前路柳墻花	一、朱有燉（誠齋樂府） 二、無名氏（盛世新聲）
同右	一、風情（彩筆） 二、無題（夫婦）	一、爲風流勾引春情 二、好花枝國色天香	一、黄峨（楊升庵夫婦散曲） 二、楊慎（彩筆情辭）
同右	言盟	結同心盡了今生	一、徐遵誨（北宫詞紀外集） 二、無名氏（雍熙樂府）
同右	曉起	恨無端報曉何忙	一、徐遵誨（北宫詞紀外集） 二、無名氏（雍熙樂府）
同右	一、漁樵耕牧（雍熙） 二、漁隱（北外）	一、俺漁家樂以忘憂 二、俺樵夫樂以忘憂 三、俺農家樂以忘憂	一、陳所聞（北宫詞紀外集收第一首） 二、無名氏（雍熙樂府）

		四、俺牧童樂以忘憂	
同右	一、詠茶（誠齋） 二、無題（盛世）	問仙翁何嗜先春	一、朱有燉（誠齋樂府） 二、無名氏（盛世新聲）
同右	一、離恨（彩筆） 二、無題（夫婦）	一、寄與他三負心那個喬人 二、天生你端要磨咱	一、黄峨（楊升庵夫婦散曲） 二、楊慎（彩筆情辭）
同右	一、秋初席上有贈擬黑劉五體（誠齋） 二、題情（雍熙） 三、無題（盛世）	一、曉風輕露滴銀牀 二、醉時眠醒後何之	一、朱有燉（誠齋樂府） 二、無名氏（盛世新聲，雍熙樂府有八首，此爲其中前兩首）
同右	臨床	聽樓頭二鼓將過	一、徐遵誨（北宫詞紀外集） 二、無名氏（雍熙樂府）
快活年（令）	一、題漁樵耕牧圖樂府四篇（誠齋） 二、漁樵耕牧（雍熙） 三、無題（盛世）	一、小小船兒棹滄波 二、挑月穿雲入烟蘿 三、納了官糧少差科 四、牛背斜陽短笛歌	一、朱有燉（誠齋樂府） 二、無名氏（盛世新聲，雍熙樂府）
同右	一、詠酒色財氣（誠齋） 二、酒色財氣（雍熙）	一、醉後神昏眼睛花 二、放浪烟花不成家	一、朱有燉（誠齋樂府） 二、無名氏（盛世新聲，

	三、無題（盛世）	三、百萬青蚨怨根芽 四、志氣昂昂逞豪家	雍熙樂府）
同　右	一、賞梅花（誠齋） 二、無題（盛世）	一、傳滿清香玉梅枝 二、瘦影清香散春晴	一、朱有燉（誠齋樂府） 二、無名氏（盛世新聲）
巫山十二峰（套）	一、友人談夢戲贈（合編） 二、友人談夢戲作此贈之（太霞）	一片情雲引弄	一、沈璟（吳騷合編） 二、沈自晉（太霞新奏）
村裏迓鼓（套）	一、元夕（摘艷） 二、無題（盛世、盛林）	正值着太平時序	一、陳鐸（詞林摘艷） 二、無名氏（盛世新聲，雍熙樂府，盛世詞林）
同　右	一、午日競渡（摘艷） 二、午日泛舟（雍熙） 三、秦淮午日泛舟（可雪、北紀） 四、無題（盛世、盛林）	淮水上彩舟無數	一、陳鐸（可雪齋稿，詞林摘艷，北宮詞紀） 二、無名氏（盛世新聲，雍熙樂府，盛世詞林）
沁園春（合套）	一、冬至（摘艷） 二、無題（盛世）	瑞靄祥雲環禁闈	一、教坊曹氏（詞林摘艷） 二、無名氏（盛世新聲）

步步嬌（套）	一、別情（白苧） 二、代奇妓（類選） 三、秋日秋情（昔鹽） 四、秋日別情（南紀、韻選） 五、懷舊（逸響、珊珊、奏雅、怡春錦） 六、秋日懷舊（合編） 七、代寄邢姬（彩筆） 八、無題（先春、吴騷、争奇）	一夜梧桐金風剪	一、梁辰魚（江東白苧，群音類選，南宫詞紀，南詞韻選，彩筆情辭，吴騷合編） 二、王雅宜（吴騷集，詞林逸響，珊珊集，古今奏雅，怡春錦） 三、董玄宰（樂府先春） 四、無名氏（昔昔鹽，樂府争奇）
同　右	一、丙寅初夏爲盧陵尹教甫贈金陵蔣蘭玉小字綺霞作（白苧） 二、贈金陵妓者蔣蘭玉（詞珍） 三、情洽初逢（昔鹽） 四、贈蔣蘭玉（彩筆） 五、無題（先春、吴騷、争奇） 六、奇遇（怡春錦）	小曲幽坊重門啟	一、梁辰魚（江東白苧，樂府先春，彩筆情辭） 二、王雅宜（吴騷集文内署梁少白） 三、吴崑麓（詞珍雅調） 四、無名氏（昔昔鹽，樂府争奇） 五、周逸民（怡春錦）

同右	一、別情（昔鹽、南紀） 二、怨別（萃雅、逸響、三籟） 三、閨情（合編） 四、無題（南九宮、韻選）	月夕花朝成虛度	一、劉東生（吳歈萃雅，詞林逸響，吳騷合編，南音三籟） 二、無名氏（新編南九宮詞、南詞韻選，昔昔鹽，南宮詞紀）
同右	一、紀情（類選） 二、寄頓青娥（彩筆）	目送香車投東去（疾）	一、張叔周（彩筆情辭） 二、張叔元（群音類選）
同右	離情	別鳳離鸞驚時變	一、沈璟（吳騷合編） 二、沈子勺（太霞新奏） 三、無名氏（昔昔鹽，南詞韻選，南宮詞紀）
同右	一、閨怨（類選） 二、孤枕離思（昔鹽） 三、春怨（二集）	花壓雕簷春風曉	一、金鑾（群音類選） 二、梁辰魚（吳騷二集） 三、無名氏（昔昔鹽）
同右	薄命吟	風篩花雨簾櫳悄	一、高濂（南宮詞紀） 二、無名氏（昔昔鹽）
同右	一、閨思（類選） 二、夏日相思（昔鹽）	昨夜春歸今朝夏	一、王雅宜（樂府先春，南宮詞紀，吳騷集，詞林

白雪） 二、陳鐸（吳歈萃雅，詞林逸響，南音三籟，古今奏雅，珊珊集，怡春錦） 三、舊詞（吳騷合編） 四、無名氏（群音類選，昔昔鹽，南詞韻選，樂府争奇）		三、初夏題情（南紀） 四、夏日閨思（萃雅、逸響、三籟、奏雅） 五、閨怨（合編、珊珊） 六、無題（先春、吳騷、韻選、白雪、争奇） 七、夏閨（怡春錦）	
一、張芳洲（樂府先春） 二、馬孟河（彩筆情辭） 三、無名氏（昔昔鹽）	雲掩黃昏天街静	一、黃昏思情（昔鹽） 二、緣阻（彩筆） 三、無題（先春）	同右
一、俞琬綸（自娱集） 二、沈則平（太霞新奏）	記得文無當年贈	一、孟珠十二調（自娱） 二、寄情（太霞）	同右
一、吳國寶（吳廷翰集） 二、晏振之（群音類選，南宫詞紀，彩筆情辭，詞林白雪） 三、陳鐸（樂府先春，吳騷集） 四、無名氏（昔昔鹽，樂府名詞）	紫雲臺上人年少	一、情詞（廷翰） 二、紀情（類選） 三、秋思（南紀） 四、思情擬舊（昔鹽） 五、題情（彩筆） 六、男相思（名詞） 七、無題（先春、吳騷、白雪）	同右

同右	一、情（南九宮） 二、怨别（摘艷） 三、閨情（類選） 四、離恨（廣韻選） 五、大揭帖（南紀） 六、憶舊結盟（昔鹽） 七、阻歡（詞餘、辨訛、萃雅、珊珊、逸響、三籟、奏雅） 八、閨怨（合編） 九、無題（盛世、雍熙、先春、舊九宮、盛林、吴騷、韻選）	暗想當年羅帕上詩曾寫	一、李愛山（群音類選） 二、鄭虚舟（詞餘，南宫詞紀，詞林逸響，古今奏雅） 三、王百穀（樂府先春，吴騷集） 四、高明（吴歈萃雅，珊珊集，南音三籟） 五、元人（曲藻，南北詞廣韻選，吴騷合編，南曲九宫正始） 六、南北樂府（新編南九宫詞） 七、散曲（舊編南九宫詞） 八、無名氏（盛世新聲，詞林摘艷，雍熙樂府，昔昔鹽，盛世詞林，絃索辨訛，南詞韻選）
同右	一、憶美人（詞珍） 二、男相思（類選） 三、懷遠題情（昔鹽）	冤孽擔重（孽擔千鈞）愁城大	一、傅玄泉（詞珍雅調，群音類選，彩筆情辭） 二、顧涇陽（樂府先春）

	四、題情（彩筆） 五、無題（先春）		三、無名氏（昔昔鹽）
同　右	一、歸隱（類選、南紀） 二、隱詞（萃雅、三籟） 三、無題（舊譜）	宦海茫茫京塵渺	一、王陽明（群音類選，南宮詞紀，吴歈萃雅，南音三籟，南詞新譜引别體豆葉黄一首） 二、浙詞（舊編南九宫譜）
同　右	一、閨怨（類選、名詞、萃雅、逸響） 二、傳書無便（昔鹽） 三、春閨（二集） 四、情（南九宫） 五、無題（先春、争奇）	萬里關山音書斷	一、朱射皮（樂府先春） 二、錢鶴灘（吴騷二集，吴歈萃雅，詞林逸響） 三、舊詞（新編南九宫詞） 四、無名氏（群音類選，昔昔鹽，樂府名詞，樂府争奇）
同　右（合套）	一、樂道（摘艷） 二、無題（盛世、盛林）	緑水青山松陰下	一、朱權（詞林摘艷） 二、無名氏（盛世新聲，盛世詞林）
同　右（套）	一、春景（雜曲） 二、閨怨（類選） 三、情根遠離（昔鹽）	樓閣重重東風曉	一、唐寅（伯虎雜曲，樂府先春，群音類選，吴騷集，南音三籟，吴歈萃雅，

	四、題情（南紀） 五、怨別（萃雅、逸響、韻選、奏雅、合編、三籟、珊珊） 六、無題（先春、争奇、吴騷、白雪）		詞林逸響，吴騷合編，詞林白雪，古今奏雅，珊珊集） 二、無名氏（昔昔鹽，南宫詞紀，樂府争奇，南詞韻選）
同右	一、擬美人七夕述懷（濠上、南紀） 二、七夕述懷（昔鹽） 三、歡阻（太霞）	滿擬雙星成佳會	一、陳所聞（濠上齋樂府，南宫詞紀，太霞新奏） 二、無名氏（昔昔鹽）
同右	一、閨情（類選） 二、寄情留念（昔鹽） 三、夜思（萃雅、逸響、三籟、奏雅） 四、失題（雜曲）	滿目繁華春將半	一、唐寅（伯虎雜曲） 二、康海（吴歈萃雅，詞林逸響，南音三籟，古今奏雅） 三、無名氏（群音類選，昔昔鹽）
同右	一、雪夜憶雪仙（太霞） 二、雪夜憶美人（詞珍）	萬里彤雲堪圖畫	一、秦復庵（太霞新奏） 二、無名氏（詞珍雅調）
同右	一、閨怨（類選、萃雅、	簟展湘紋新涼透	一、吴國寶（吴廷翰集）

	奏雅、逸響） 二、題情（廷翰） 三、逢秋憶舊（昔鹽） 四、秋懷（南紀） 五、閨思（名詞） 六、無題（先春、吴騷）		二、楊德芳（群音類選） 三、劉東生（南宫詞紀，吴騷集，吴歈萃雅，詞林逸響，古今奏雅） 四、陳鐸（樂府先春） 五、無名氏（昔昔鹽，樂府名詞）
同右	一、閨怨（類選） 二、情女述懷（昔鹽） 三、思情（太霞） 四、情（南九宫） 五、無題（先春、争奇）	歡喜冤家難相離	一、宗方城（樂府先春） 二、舊詞（新編南九宫詞） 三、無名氏（群音類選，昔昔鹽，太霞新奏，樂府争奇）
同右	一、閨怨（類選） 二、相思恨別（昔鹽） 三、閨思（萃雅、逸響、合編、三籟、珊珊、奏雅、怡春錦） 四、無題（先春、白雪、争奇、吴騷）	簾控金鈎深閨悄	一、文徵明（樂府先春，吴騷集，吴歈萃雅，詞林逸響，吴騷合編，南音三籟，珊珊集，古今奏雅，詞林白雪，怡春錦） 二、無名氏（群音類選，昔昔鹽，樂府争奇）

同右	一、歡會（類選） 二、重逢（南紀） 三、復歡（彩筆）	歡喜冤家重相見	一、張解元（群音類選，彩筆情辭） 二、陳海樵（南宮詞紀）
金絡索（令）	一、閨情（類選） 二、紀別（南紀） 三、咏別（萃雅、逸響、奏雅） 四、別怨（三籟） 五、咏離（韻選） 六、咏合（韻選）	一、羞看鏡裡花 二、一杯別酒闌 三、銀燈夜吐花 四、今宵喜會他	一、祝枝山（群音類選，南宮詞紀收第二、四首，南詞韻選録第二、四首，南音三籟收第一、二首） 二、高明（吴歈萃雅，詞林逸響、古今奏雅均收第一、二首）
同右	一、四景閨情（類選） 二、四時閨怨（可雪、南紀） 三、四景懷人（昔鹽） 四、四時別怨（萃雅、珊珊、奏雅） 五、四時怨別（逸響） 六、四時閨情（合編） 七、冬閨（名媛、二集） 八、四時怨（三籟）	一、東風轉歲華 二、楊花亂滚綿 三、閒堦細雨收 四、銀臺絳蠟籠	一、陳鐸（可雪齋稿） 二、祝枝山（群音類選，新編南九宫詞，堯山堂外紀） 三、高明（吴歈萃雅，詞林逸響，珊珊集，南音三籟，古今奏雅） 四、李日華（詞林白雪） 五、梁辰魚（吴騷集） 六、常倫（吴騷合編）

	九、景（南九宮） 十、春詞（韻選） 十一、冬景（韻選） 十二、無題（吳騷、韻選、白雪）		七、景翩翩（吳騷二集、名媛詩緯雅集僅收第四首） 八、無名氏（昔昔鹽，南詞韻選，南宮詞紀）
同右	一、春思（逸響、奏雅） 二、春怨（二集） 三、閨情（南紀、韻選、太霞）	春光只剩三	一、沈璟（吳騷二集，詞林逸響，古今奏雅） 二、無名氏（南宮詞紀，南詞韻選，太霞新奏）
同右	一、翻北詞咏白蓮（太霞） 二、白蓮（太霞、韻選）	荆山片玉叢	一、沈子勺（太霞新奏） 二、無名氏（南宮詞紀，南詞韻選）
同右	一、惜別（二集） 二、代吕姬霏茵賦別（合編）	一、郵亭（垂楊）繫赤騶 二、人離在眼前 三、斜暉映落霞 四、寒衣贈白裘	一、騷隱生（吳騷合編） 二、古詞（吳騷二集）
金梧桐（套）	一、春怨（可雪） 二、題情（類選） 三、酒遺愁懷（昔鹽） 四、憶情（南紀）	香醪爲解愁	一、陳鐸（可雪齋稿，群音類選，南宮詞紀，南詞韻選，彩筆情辭，吳騷合編）

	五、遣愁（詞餘、萃雅、逸響、三籟、珊珊、奏雅、怡春錦） 六、春思（彩筆、合編） 七、男相思（名詞） 八、無題（三徑、先春、韻選、争奇、吴騷）		二、鄭虚舟（詞餘，樂府先春，吴騷集，吴歈萃雅，詞林逸響，南音三籟，珊珊集，古今奏雅，怡春錦） 三、無名氏（三徑閑題，昔昔鹽，樂府名詞，樂府争奇）
同　右	一、題情（類選、北紀） 二、惜别（雍熙、合編） 三、閨怨（萃雅、珊珊） 四、情（南九宫） 五、無題（三籟）	相思借酒消	一、鄭德輝（北宫詞紀） 二、楊斗望（吴歈萃雅，南音三籟，珊珊集） 三、曹含齋（吴騷合編） 四、樂府（新編南九宫詞） 五、無名氏（雍熙樂府，群音類選）
同　右（合套）	一、冬景題情（可雪） 二、冬日題情（北紀） 三、冬日閨情（合編） 四、情（南九宫） 五、雪景（雍熙） 六、無題（秋碧、白雪、韻選）	漫漫瑞雪鋪	一、陳鐸（可雪齋稿，秋碧樂府，北宫词紀，南詞韻選，詞林白雪） 二、王百穀（吴騷合編僅有南曲） 三、無名氏（雍熙樂府，新編南九宫詞録南曲注「樂府」）

夜行船（套）	一、爲妓白蓮賦（月香、唾窗、合編） 二、題翠蓮（雍熙） 三、諧妓白蓮（彩筆） 四、咏翠蓮（小稿）	太乙峰頭玉井蓮	一、陳鐸（月香亭稿，彩筆情辭） 二、沈仕（唾窗絨，吳騷合編） 三、無名氏（雍熙樂府，月香小稿）
同右	一、西湖（摘艷） 二、送景賢回武林（雍熙） 三、送楊景言回杭州（北紀） 四、無題（盛世、盛林）	花柳鄉中自在仙	一、湯式（筆花集，北宮詞紀，北詞廣正譜録胡十八一首） 二、陳鐸（詞林摘艷） 三、無名氏（盛世新聲，雍熙樂府，盛世詞林）
同右	一、怨別（摘艷） 二、無題（盛世、盛林）	和氣春風滿面郎	一、楊彦華（詞林摘艷） 二、無名氏（盛世新聲，盛世詞林）
同右	憶所見	缺月風簾碎影飾	一、陳鐸（月香亭稿，北宮詞紀） 二、毛蓮石（吳騷合編） 三、元人（南北詞廣韻選） 四、無名氏（雍熙樂府，月香小稿）

同右	一、離恨（梨雲、雍熙、北紀） 二、無題（秋碧）	減盡容光知爲誰	一、陳鐸（梨雲寄傲，秋碧樂府，北宮詞紀） 二、無名氏（雍熙樂府）
同右	一、贈玉蓮王氏（筆花） 二、送司素蓮（雍熙） 三、贈妓王玉蓮（北紀） 四、贈王姬玉蓮（彩筆）	玉立亭亭太華仙	一、湯式（筆花集，北宮詞紀，彩筆情辭） 二、無名氏（雍熙樂府）
同右	秋日寫懷	席上催花送酒籌	一、陳鐸（月香亭稿，北宮詞紀） 二、無名氏（雍熙樂府，月香小稿）
同右	一、揚州憶舊（北紀） 二、感舊（彩筆）	憶昔揚州廿四橋	一、狄君厚（北宮詞紀） 二、陳鐸（彩筆情辭）
夜行船序（套）	一、春遊（類選） 二、景（南九宫） 三、遊春（萃雅、逸響、三籟、奏雅） 四、春（韻選）	堪賞花朝	一、康海（吴歈萃雅，詞林逸響，南音三籟，古今奏雅） 二、舊詞（新編南九宫詞） 三、無名氏（群音類選，南詞韻選）

同　右	一、題情（類選、合編） 二、重會（昔鹽、南紀） 三、復歡（彩筆）	翠擁紅遮	一、周秋汀（吴騷合編） 二、明舊辭（彩筆情辭） 三、無名氏（群音類選，昔昔鹽，南宮詞紀）
同　右	一、弔古（類選、南九宮） 二、吴宮弔古（萃雅、逸響、三籟、奏雅）	霸業艱危	一、楊維楨（群音類選，新編南九宮词，曲律） 二、楊慎（吴歈萃雅，詞林逸響，南音三籟，古今奏雅）
青衲襖（合套）	一、祝讚（摘艷） 二、祝太平（雍熙） 三、無題（盛世、金瓶梅）	混元初生太極	一、曹孟修（詞林摘艷） 二、無名氏（盛世新聲，雍熙樂府，金瓶梅詞話）
同　右	一、偷期（摘艷） 二、贈妓（彩筆） 三、寫□（類選） 四、無題（盛世、盛林）	蹙金蓮雙鳳頭	一、明張氏（詞林摘艷） 二、元張氏（彩筆情辭） 三、無名氏（群音類選，盛世新聲，盛世詞林）
初生月兒（令）	一、題情（雍熙） 二、失題（陽春、陶續）	一、初生月兒一似弓 二、初生月兒懸太虛 三、初生月兒一半彎	一、楊慎（陶情樂府續集無第二首） 二、無名氏（鈔本陽春白

		四、初生月兒明處少 五、初生月兒一似鈎	雪無第一、五首，雍熙樂府）
泣顏回（套）	一、詠花（類選、逸響、奏雅） 二、百花評詠（昔豔） 三、詠花名（三籟） 四、無題（先春，争奇）	萬卉花王	一、陳鐸（詞林逸響，古今奏雅） 二、王荆石（樂府先春） 三、無名氏（群音類選，昔昔豔，南音三籟，樂府争奇）
刷子序犯（套）	一、譜玉蕊珠（彩筆） 二、無題（類選）	花落武陵寂	一、張叔周（彩筆情辭） 二、張叔元（群音類選）
同右	一、燕（類選、南九宫） 二、詠燕（夫婦、南紀、萃雅、逸響、三籟、奏雅）	南浦雨初歇（暄）	一、楊慎（楊升庵夫婦散曲，吴歈萃雅，詞林逸響，南音三籟，古今奏雅） 二、新詞（新編南九宫詞） 三、無名氏（群音類選，南宫詞紀）
同右	一、四季花情（昔豔） 二、四時花怨（萃雅、逸響、三籟、珊珊、奏雅） 三、四季（韻選）	雲雨阻巫峽	一、劉東生（樂府先春，樂府名詞，吴騷集，吴歈萃雅，詞林逸響，吴騷合編，南音三籟，珊珊集，

	四、四時閨怨（合編） 五、閨怨（名詞） 六、無題（南九宮、先春、類選、吳騷）		古今奏雅） 二、無名氏（羣音類選，昔昔鹽，新編南九宮詞，南詞韻選）
金字經（令）	一、詠水仙花（誠齋、羣珠） 二、無題（盛世、雍熙）	一、黃蕊呈金盞 二、霜壓瑶花瘦	一、朱有燉（誠齋樂府，樂府羣珠） 二、張小山（雍熙樂府有二十二首，此爲其中兩首） 三、無名氏（盛世新聲）
宜春令（套）	一、青陽憶舊（昔鹽） 二、無題（先春、白雪、吳騷）	青陽候煙雨淋	一、王百穀（樂府先春，吳騷集） 二、湯海若（詞林白雪） 二、無名氏（昔昔鹽）
同　右	一、代沈太玄贈金陵楊季真（白苧） 二、青樓佳遇（逸響、萃雅、三籟、奏雅） 三、佳遇（珊珊、怡春錦） 四、代贈妓（類選）	貂裘染洛下塵	一、梁辰魚（江東白苧，樂府先春，吳騷集，吳歈萃雅，群音類選，詞林逸響，彩筆情辭，珊珊集，南音三籟，古今奏雅，詞林白雪，怡春錦）

	五、贈楊季真（彩筆） 六、無題（先春、吴騷、争奇、白雪）		二、無名氏（樂府争奇）
同右	一、恨遠人（南紀、奏雅） 二、閨情（類選、合編） 三、情恨遠人（昔鹽）	燈前恨夢裏人	一、高濂（群音類選，南宫詞紀，古今奏雅，吴騷合編） 二、無名氏（昔昔鹽）
沽美酒過太平令（令）	一、慶壽樂府五章（誠齋） 二、慶壽（雍熙） 三、無題（盛世）	寶粧成鸞鵲牖	一、朱有燉（誠齋樂府） 二、無名氏（盛世新聲，雍熙樂府）
沽美酒帶過快活年（令）	一、賞梅花（誠齋） 二、無題（盛世）	傍芳叢玉雪清	一、朱有燉（誠齋樂府） 二、無名氏（盛世新聲）
同右	一、嘲子弟（誠齋、雍熙） 二、無題（盛世）	鍮石銅生性格	一、朱有燉（誠齋樂府） 二、無名氏（盛世新聲，雍熙樂府）
凭欄人（令）	一、秋懷十韻（雍熙） 二、無題（誠齋、盛世）	一、露冷池塘秋水澄 二、門外高槐垂嫩黄 三、點破蒼苔墻角螢 四、寶鼎香殘秋夜深 五、戲撥琵琶窗下聽	一、朱有燉（誠齋樂府） 二、無名氏（盛世新聲，雍熙樂府）

		六、月照珠簾垂玉鈎 七、小殿昨宵天氣凉 八、酒力禁持頭懶擡 九、着罷殘棋茶一甌 十、獨上高臺凝望中	
念奴嬌序（套）	一、閨情（類選、名詞） 二、閨思（合編） 三、無題（先春、吴騷、争奇）	麗譙落月	一、王西樓（樂府先春，群音類選，吴騷集，吴騷合編） 二、無名氏（樂府名詞，樂府争奇）
松下樂（令）		佳人玉腕枕香腮	一、沈璟（南詞新譜） 二、無名氏（南音三籟）
同　右	一、清課（外紀、萃雅、逸響、三籟） 二、歸樂（類選）	歸來重整舊生涯	一、楊循吉（堯山堂外紀） 二、楊斗望（吴歈萃雅，詞林逸響，南音三籟） 三、張雨（堅瓠集） 四、無名氏（群音類選）
亭前柳（套）	一、閨怨（類選） 二、離情會訴（昔鹽） 三、夜思（二集、合編、太霞、萬錦）	瓶墜寶簪折	一、唐寅（吴騷二集，吴騷合編，太霞新奏，南音三籟，萬錦清音） 二、無名氏（群音類選，

	四、閨情（三籟）		昔昔鹽）
柳摇金（令）	一、四時詞（誠齋） 二、四時（雍熙） 三、春夏秋冬（盛世）	一、東風輕颺 二、晨光偏重 三、涼飇初到 四、嚴凝天氣	一、朱有燉（誠齋樂府） 二、無名氏（盛世新聲，雍熙樂府）
同右	一、敍風情（誠齋、盛世） 二、風情答（雍熙、南紀） 三、風情（彩筆）	章臺庭院	一、朱有燉（誠齋樂府，南宫詞紀，彩筆情辭） 二、無名氏（盛世新聲，雍熙樂府）
同右	一、戒漂蕩（誠齋，盛世） 二、戒風情（雍熙、南紀） 三、閨怨（太霞）	風情休話	一、朱有燉（誠齋樂府，南宫詞紀） 二、無名氏（盛世新聲，雍熙樂府，太霞新奏）
同右	一、風情答（誠齋、盛世） 二、風情再答（雍熙、南紀） 三、無題（韻選）	青春時候	一、朱有燉（誠齋樂府，南宫詞紀，南詞韻選） 二、無名氏（盛世新聲，雍熙樂府）
同右	一、再戒漂蕩（誠齋） 二、再戒風情（雍熙、南	誠心相勸	一、朱有燉（誠齋樂府，南宫詞紀）

	紀） 三、無題（盛世）		二、無名氏（盛世新聲，雍熙樂府）
同右	一、歎農夫收麥時遇連陰雨（誠齋） 二、喜雨（雍熙） 三、無題（盛世）	濃雲陰重	一、朱有燉（誠齋樂府） 二、無名氏（盛世新聲，雍熙樂府）
同右	一、霖雨初霽農家喜晴（誠齋） 二、喜雨（雍熙） 三、無題（盛世）	浮雲風送	一、朱有燉（誠齋樂府） 二，無名氏（盛世新聲，雍雍樂府）
同右	一、嘲（夫婦） 二、贈美妓（彩筆）	一、茅簷草下 二、尊前花下 三、留他不下 四、與他説下	一、黄峨（楊升庵夫婦散曲） 二、楊慎（彩筆情辭）
同右	一、贈别（誠齋、雍熙） 二、無題（盛世、詞珍）	一、闗河迢遞 二、迢迢山逕	一、朱有燉（誠齋樂府） 二、夏桂洲（詞珍雅調） 三、無名氏（盛世新聲，雍熙樂府）

胡十八（令）	一、風情（月香、北外） 二、盼望（月香、北外） 三、美愛（雍熙） 四、盼思（雍熙） 五、感懷（彩筆） 六、無題（秋碧）	一、美名兒常在心 二、天生的美（下俏臉兒 三、相會了半霎兒 四、經了些苦折磨 五、才説些好話兒 六、又不曾得甚的 七、百般的定計謀 八、眼皮兒怕待合	一、陳鐸（秋碧樂府，月香亭稿，北宫詞紀外集收第一、四、五、七首，題作風情；第三、六、八首題作盼望，彩筆情辭收第三首） 二、無名氏（雍熙樂府前四首題作美愛，後四首題作盼思）
香遍滿（套）	一、春思成病（昔昔鹽） 二、閨情（名詞） 三、無題（先春、吴騷）	一春長病	一、王雅宜（樂府先春，吴騷集） 二、無名氏（昔昔鹽，樂府名詞）
同　右	春思	人歸春仲	一、武陵仙史（南宫詞紀） 二、無名氏（昔昔鹽）
同　右	一、春怨（梨雲） 二、春情（摘艷） 三、閨思（雍熙） 四、閨情（類選） 五、春至興懷（昔鹽）	因他消瘦	一、陳鐸（梨雲寄傲，秋碧樂府，詞林摘艷，群音類選，南宫詞紀，南詞韻選，吴歈萃雅，詞林逸響，南音三籟，吴騷合編，

	六、題情（秋碧、南紀） 七、别恨（萃雅、逸響、三籟、奏雅） 八、春愁（韻選） 九、恨别（合編、珊珊） 十、情（南九宫） 十一、閨怨（名詞） 十二、無題（雜曲、先春、白雪、争奇、吴騷、盛林）		珊珊集，古今奏雅） 二、唐寅（伯虎雜曲，吴騷集，樂府先春，詞林白雪） 三、無名氏（雍熙樂府，新編南九宫詞，昔昔鹽，樂府名詞，盛世詞林，樂府争奇）
同右	一、愁别心變（昔鹽） 二、閨思（萃雅） 三、閨怨（合編、太霞、三籟、奏雅） 四、無題（先春、争奇）	别來時候	一、顧道行（吴歈萃雅，吴騷合編，太霞新奏，南音三籟，古今奏雅） 二、古調（樂府先春） 三、無名氏（昔昔鹽，樂府争奇）
同右	一、四時思慕（雍熙） 二、無題（盛世）	柳徑花溪	一、元人（南曲九宫正始引東甌令、浣溪沙） 二、明人（南曲九宫正始引滿園春） 三、無名氏（盛世新聲，雍熙樂府）

同　右	一、閨情（摘艷） 二、閨怨（類選、萃雅、三籟） 三、憶情（雍熙） 四、無題（舊譜、盛林）	鸞鳳（凰）同聘（初娉）	一、王九思（吴歈萃雅，南音三籟） 二、元散套（南曲九宫正始引香遍滿、掛梧桐、浣溪沙、劉潑帽） 三、散曲（舊編南九宫譜） 四、無名氏（詞林摘艷，雍熙樂府，群音類選，盛世詞林）
紅衲襖（套）	一、改定金陵金白嶼蕭爽齋集寄情之作（白苧） 二、寄情（類選、二集、萃雅、逸響、合編、三籟、奏雅） 三、怨别（昔鹽、南紀） 四、無題（韻選）	鞸香肩鬆臂金	一、梁辰魚（江東白苧，吴歈萃雅，南音三籟文内署梁伯龍，題作金白嶼） 二、金鑾（群音類選，南宫詞紀，南詞韻選，吴騷二集，吴騷合編） 三、無名氏（昔昔鹽，古今奏雅目次缺頁不詳撰人）
柳營曲（令）	一、途中春暮（筆花） 二、句容道中（雍熙）	歧路北	一、湯式（筆花集） 二、無名氏（雍熙樂府）

風入松（令）		一、噴香瑞獸小粧臺 二、徘徊花月可憐宵 三、月窗花院好風光	一、楊慎（升庵長短句） 二、黃峨（楊升庵夫婦散曲）
香羅帶（套）	一、離思（洪東、南紀） 二、閨怨（類選、合編） 三、離別相思（昔鹽） 四、深閨憶別（萃雅、逸響、三籟、珊瑚、奏雅） 五、無題（南九宮、先春、爭奇、吳騷）	東風一夜冽	一、康海（洪東樂府、南宮詞紀、吳騷集、吳歈萃雅、詞林逸響、吳騷合編、南音三籟、珊瑚集、古今奏雅） 二、唐寅（樂府先春） 三、古詞（新編南九宮詞） 四、無名氏（群音類選、昔昔鹽、樂府爭奇）
同　右	一、聽箏（筆花） 二、隔壁聞箏（雍熙）	酒乍醒	一、湯式（筆花集） 二、無名氏（雍熙樂府）
同　右	一、薛瓊彈箏圖（筆花） 二、薛姬彈箏（雍熙）	玉雪顔	一、湯式（筆花集） 二、無名氏（雍熙樂府）
同　右	一、春思（筆花） 二、春女思圖（雍熙）	嫣髻鬆	一、湯式（筆花集） 二、無名氏（雍熙樂府）
同　右	一、旅次（筆花） 二、丹陽道中（雍熙）	歸路杳	一、湯式（筆花集） 二、無名氏（雍熙樂府）

		四、繡羅紅嫩抹酥胸	
同　右	一、病思（彩筆） 二、無題（夫婦）	一絲兩氣病襄王	一、楊慎（彩筆情辭） 二、黄峨（楊升庵夫婦散曲）
風入松（套）	一、贈美姬（彩筆） 二、無題（雍熙）	鳳臺人醉鳳樓春	一、賈仲名（彩筆情辭） 二、無名氏（雍熙樂府）
同　右		落花輕惹暖絲香	一、李唐賓（太和正音譜引月上海棠） 二、無名氏（雍熙樂府，九宮大成引月上海棠）
同　右（合套）	一、題西山景（摘艷） 二、無題（盛林）	燕山形勝出皇都	一、徐知府（詞林摘艷） 二、無名氏（盛世詞林）
紅綉鞋（令）	一、贈寶花三月十八日病中作（誠齋） 二、暮春贈妓寶花（羣珠） 三、贈妓寶花兒（雍熙） 四、無題（盛世）	一、三月暮春容漸老 二、花撲撲蟬開玉翅	一、朱有燉（誠齋樂府，樂府羣珠） 二、元人（彩筆情辭收第二首） 三、無名氏（盛世新聲，雍熙樂府第二首另題作題情）

同右	一、詠烹茶掃雪（誠齋） 二、烹茶掃雪（羣珠、雍熙） 三、無題（盛世）	那一個賞玩在銷金帳下	一、朱有燉（誠齋樂府，樂府羣珠） 二、無名氏（盛世新聲，雍熙樂府）
同右	一、詠袁安卧雪（誠齋） 二、袁安卧雪（羣珠、雍熙） 三、無題（盛世）	飛六出平鋪街市	一、朱有燉（誠齋樂府，樂府羣珠） 二、無名氏（盛世新聲，雍熙樂府）
同右	一、詠剡溪棹雪（誠齋） 二、剡溪棹雪（羣珠、雍熙） 三、無題（盛世）	乘興去雖然美話	一、朱有燉（誠齋樂府，樂府羣珠） 二、無名氏（盛世新聲，雍熙樂府）
同右	一、詠浩然踏雪（誠齋、盛世） 二、浩然踏雪（羣珠、雍熙）	踏瑞雪蹇驢破帽	一、朱有燉（誠齋樂府，樂府羣珠） 二、無名氏（盛世新聲，雍熙樂府）
同右	一、席上贈伶者（誠齋） 二、席上贈妓（羣珠） 三、題情（雍熙） 四、無題（盛世）	性格兒玲瓏剔透	一、朱有燉（誠齋樂府，樂府羣珠） 二、元人（彩筆情辭） 三、無名氏（盛世新聲，

			雍熙樂府）
同右	一、詠美色（誠齋、羣珠） 二、題情（雍熙） 三、無題（盛世）	黑鬒鬒高堆雲髻	一、朱有燉（誠齋樂府，樂府羣珠） 二、元人（彩筆情辭） 三、無名氏（盛世新聲，雍熙樂府）
同右	一、新歡（誠齋、月香、羣珠） 二、嘲竊情（雍熙） 三、無題（盛世）	原不慣星前月下	一、朱有燉（誠齋樂府，樂府羣珠） 二、陳鐸（月香亭稿） 三、無名氏（盛世新聲，雍熙樂府）
同右	一、途中曉行（誠齋、羣珠） 二、旅懷（雍熙） 三、無題（盛世）	懸碧漢一彎月影	一、朱有燉（誠齋樂府，樂府羣珠） 二、無名氏（盛世新聲，雍熙樂府）
同右	一、思情（北外） 二、嘆閃（彩筆） 三、無題（夫婦）	一、實指望花甜蜜就 二、你不慣誰曾慣	一、楊慎（北宮詞紀外集，彩筆情辭） 二、黄峨（楊升庵夫婦散曲）

重疊字雁兒落過得勝令（令）	一、詠美色（誠齋） 二、無題（盛世）	我誇這二八芳容一捏年紀	一、朱有燉（誠齋樂府） 二、無名氏（盛世新聲）
桂枝香（令）	一、自述（南紀） 二、自嘆（太霞） 三、無題（韻選）	青春難再	一、陸之裘（南宮詞紀） 二、祝枝山（南詞韻選，太霞新奏）
同右	一、曉思 二、夜思	一、來鶯天熱 二、堦前落（空）葉	一、蔣瓊瓊（名媛詩緯雅集） 二、張少谷（太霞新奏）
同右	一、閨情（類選） 二、對景憂思（昔鹽） 三、春閨（三籟） 四、情（南九宮） 五、閨思（名詞） 六、無題（雜曲、先春、吳騷）	一、蓮壺漏啓 二、紅樓凝思 三、芳春將去 四、封侯未遇	一、唐寅（伯虎雜曲，群音類選，樂府先春，吳騷集） 二、新詞（新編南九宮詞） 三、無名氏（昔昔鹽，樂府名詞，南音三籟）
桂枝香（套）	一、歡會（二集、合編） 二、無題（張評金瓶梅）	今宵何夕	一、王百穀（吳騷二集，吳騷合編） 二、無名氏（張竹坡評金瓶梅）

同　右	一、離思（萃雅、奏雅） 二、恨鎖陽關（昔鹽） 三、秋懷（南紀） 四、無題（先春、争奇、白雪）	因他別後	一、祝枝山（吴歈萃雅，古今奏雅） 二、關漢卿（詞林白雪） 三、張肖甫（樂府先春） 四、無名氏（昔昔鹽，南宮詞紀，樂府争奇）
同　右	一、旅怨（南紀） 二、旅思（合編）	青燈殘夜	一、史叔考（南宮詞紀） 二、屠長卿（吴騷合編）
同　右	一、閨情（類選） 二、倚樓恨別（昔鹽） 三、春怨（萃雅、逸響、三籟、珊珊、奏雅、怡春錦） 四、情（南九宮） 五、無題（先春、争奇、吴騷）	畫樓憑（頻）倚	一、陳鐸（吴歈萃雅，詞林逸響，南音三籟，古今奏雅，珊珊集，怡春錦） 二、吴崑麓（樂府先春，吴騷集） 三、舊詞（新編南九宮詞） 四、無名氏（群音類選，昔昔鹽，樂府争奇）
粉蝶兒（套）	一、怨別（摘艷） 二、憶情（雍熙） 三、無題（盛世、盛林）	一點情牽	一、楊彦華（詞林摘艷） 二、無名氏（盛世新聲，雍熙樂府，盛世詞林）

同右	一、八仙慶壽（摘艷） 二、太平訪道（雍熙） 三、無題（盛世）	山勢崔嵬	一、王子一（詞林摘艷） 二、無名氏（盛世新聲，雍熙樂府）
同右（合套）	一、閨情（秋碧、摘艷、類選） 二、春夜歸思（雍熙） 三、冬閨怨別（梨雲、北紀） 四、無題（盛林、金瓶梅）	三弄梅花	一、陳鐸（梨雲寄傲，秋碧樂府，詞林摘艷，群音類選，北宮詞紀） 二、元人（南北詞廣韻選） 三、無名氏（雍熙樂府，盛世詞林，金瓶梅詞話）
同右（套）	一、效楊景言一點情牽體（梨雲、北紀） 二、一點情牽（雍熙）	冷雨梧桐	一、陳鐸（梨雲寄傲，北宮詞紀） 二、無名氏（雍熙樂府）
同右	一、良辰樂事（詞臠） 二、詠兩京新年風景世情（類選） 三、無題（盛林）	管氣飛灰	一、劉效祖（詞臠） 二、劉郎中（群音類選） 三、無名氏（盛世詞林）
同右	一、閨怨（摘艷） 二、春思（雍熙） 三、無題（盛世、盛林）	花落春愁	一、唐以初（詞林摘艷） 二、無名氏（盛世新聲，雍熙樂府，盛世詞林）

同右（合套）	一、錢塘湖景（摘艷） 二、西湖十景（雍熙、南九宫） 三、西湖（廣韻選） 四、西湖佳景（昔鹽） 五、西湖遊賞（北紀） 六、詠西湖景（逸響、奏雅） 七、湖景（珊珊） 八、詠景（怡春） 九、詠西湖（絃索） 十、無題（盛世、先春、争奇、白雪、盛林）	小扇輕羅描不上（描不上小扇輕羅）	一、貫石屏（詞林摘艷） 二、貫酸齋（北宫詞紀，詞林白雪） 三、李日華（詞林逸響，怡春錦、古今奏雅） 四、唐寅（珊珊集） 五、沈蛟門（樂府先春） 六、元人（南北詞廣韻選） 七、南北樂府（新編南九宫詞） 八、無名氏（盛世新聲，雍熙樂府，昔昔鹽，絃索辨訛，樂府争奇，盛世詞林）
同右（套）	一、怨别（摘艷） 二、憶情（雍熙） 三、無題（盛世）	畫閣蕭疎	一、陳克明（詞林摘艷，北詞廣正譜引醉高歌） 二、無名氏（盛世新聲，雍熙樂府）
同　右	一、端陽（摘艷） 二、無題（盛世、盛林）	殿閣生凉	一、胡以正（詞林摘艷） 二、無名氏（盛世新聲，盛世詞林）

針線箱（套）	一、傷春（雜曲）　二、閨怨（類選）	自別來杳無音信	一、唐寅（伯虎雜曲）　二、鄭虛舟（吳歈萃雅、
同右	一、春怨（二集、合編）　二、離恨（萃雅、逸響、奏雅）　三、離懷（三籟）	萬點殘紅	一、陸包山（吳騷二集、詞林逸響、吳騷合編）　二、祝枝山（古今奏雅）　三、沈仕（吳歈萃雅、南音三籟）
高陽臺（套）	一、夏日閑情（南紀）　二、景（南九宮）	出谷鶯啼	一、胡秋宇（南宮詞紀）　二、新詞（新編南九宮詞）
高陽臺（令）	一、落花有感（海浮、續稿、南紀）　二、春怨（二集）	半畝蒼苔	一、馮惟敏（海浮山堂詞稿、南宮詞紀）　二、王九思（碧山續稿、吳騷二集）
同右	一、嘲一修道者幼年飄蕩老而省悟（誠齋）　二、悔悟（摘艷）　三、省悟（雍熙）　四、嘲子弟省悟修道（北紀）　五、無題（盛世、盛林）	殢雨尤雲	一、朱有燉（誠齋樂府、詞林摘艷、北宮詞紀）　二、無名氏（盛世新聲、雍熙樂府、盛世詞林）

	三、恨別（萃雅、三籟、奏雅） 四、閨思（合編） 五、無題（先春、争奇、韻選、南九宮、吳騷）		南音三籟） 三、古調（樂府先春，吳騷集，吳騷合編） 四、舊詞（新編南九宮詞） 五、無名氏（群音類選，南詞韻選，古今奏雅目次缺頁不詳撰人，樂府争奇）
同右	春閨	萬斛愁滿懷（等閒）堆埵	一、馮夢龍（宛轉歌，太霞新奏） 二、史叔考（吳騷合編）
梁州新郎（套）	一、夏日題情（昔鹽、南紀） 二、閨怨（合編） 三、題情（三籟） 四、無題（先春、吳騷）	朱明佳景	一、沈仕（樂府先春，吳騷集，吳騷合編，南音三籟） 二、無名氏（昔昔鹽，南宮詞紀）
同右	一、初夏題情（可雪、白苧、南紀） 二、閨情（類選） 三、夏閨（合編） 四、初夏閨情（三籟）	西園暮景	一、陳鐸（可雪齋稿，群音類選，南詞韻選，南宮詞紀，吳騷集，吳騷合編，南音三籟，詞林白雪） 二、梁辰魚（江東白苧）

	五、夏景（韻選） 六、無題（吳騷、白雪）		
同右	一、秋閨寄遠（濠上、合編、太霞） 二、秋閨寄情（昔鹽） 三、秋閨寄秣陵（南紀）	金風蕭瑟	一、陳所聞（濠上齋樂府，南宮詞紀，吳騷合編，太霞新奏） 二、無名氏（昔昔鹽）
同右	一、月夜遊湖（唾窗、萃雅、逸響、三籟、珊珊、奏雅） 二、泛湖（南紀） 三、無題（先春、争奇）	長空如洗	一、沈仕（唾窗絨，吳歈萃雅，詞林逸響，南音三籟，珊珊集，古今奏雅） 二、陳五岳（樂府先春） 三、無名氏（南宮詞紀，樂府争奇）
同右	一、閨情（類選） 二、孤枕相思（昔鹽） 三、春閨憶別（萃雅、逸響、三籟、奏雅） 四、情（南九宮） 五、無題（先春、争奇、	幽香新染	一、鄭虛舟（吳歈萃雅，詞林逸響，南音三籟，古今奏雅） 二、祝枝山（樂府先春，吳騷集） 三、舊詞（新編南九宮詞）

	吳騷）		四、無名氏（群音類選，昔昔鹽，樂府争奇）
同　右	一、秋懷（南紀、彩筆） 二、涼夜（三徑、逸響） 三、離思（三籟） 四、無題（先春、吳騷）	筠窗星散	一、張鳳翼（三徑閑題，南宮詞紀，詞林逸響，彩筆情辭） 二、王雅宜（樂府先春，吳騷集，南音三籟）
梁州序（套）	一、月夜愁懷（三籟） 二、無題（先春、吳騷、争奇）	廣寒清冷	一、祝枝山（樂府先春，吳騷集，南音三籟） 二、無名氏（樂府争奇）
梁州令（合套）	一、四季（摘艷） 二、四時思憶（雍熙） 三、四景閨情（類選） 四、四時怨别（北紀） 五、閨憶（廣韻選） 六、四時花怨（萃雅、逸響）	芳草長亭露帶沙	一、元李子昌（詞林摘艷） 二、明李子昌（北宮詞紀） 三、李子昌（群音類選，詞林白雪） 四、劉東生（吳歈萃雅，詞林逸響，怡春錦，吳騷合編，萃雅、合編僅收

	七、四時閨怨（合編） 八、花怨（怡春錦） 九、無題（盛世、盛林、南九宮、白雪）		南曲） 五、無名氏（盛世新聲，雍熙樂府，盛世詞林，新編南九宮詞，南北詞廣韻選僅收南曲）
清江引（令）	一、題花贈妓（西樓） 二、咏芙蓉贈妓（彩筆）	西樓題（寫）花心暗惱	一、王磬（西樓樂府） 二、王田（彩筆情辭）
同　右	一、題隱居（誠齋） 二、無題（盛世、雍熙）	一、軟兀剌窄滕牀甘菊枕 二、些兒利名（名利）争甚的 三、靠蒲團坐觀今古書	一、朱有燉（誠齋樂府） 二、貫雲石（雍熙樂府） 三、無名氏（盛世新聲）
同　右	一、癸丑歲春時汴中風沙極大偶於小園中戲作此曲（誠齋） 二、無題（盛世、雍熙）	一、舞香塵小園風亂飄 二、宿雕梁一雙巢燕慵 三、狂風一春十占九 四、薄情的封家十八姨	一、朱有燉（誠齊樂府） 二、貫雲石（雍熙樂府） 三、無名氏（盛世新聲）
同　右	一、思情（北紀） 二、無題（夫婦）	鍾馗卧牀扶不起	一、黄峨（楊升庵夫婦散曲） 二、楊慎（北宮詞紀）

梧桐樹（套）	一、春思（二集、合編、太霞） 二、離恨（萃雅） 三、無題（韻選、金瓶梅）	繁華滿目開	一、康海（吳歈萃雅） 二、古詞（吳騷二集，吳騷合編） 三、無名氏（金瓶梅詞話，南詞韻選，太霞新奏）
同右	一、春晚（蕭爽、南紀） 二、春日題情（合編） 三、無題（先春、吳騷）	鶯停（啼）柳外聲	一、金鑾（蕭爽齋樂府，南宮詞紀） 二、梅禹金（樂府先春，吳騷集，吳騷合編）
同右	一、詠纖足（雜曲、萃雅、三籟） 二、纖足（韻選、南紀）	第一嬌娃	一、唐寅（伯虎雜曲，吳歈萃雅，南音三籟） 二、祝枝山（南詞韻選，南宮詞紀）
望吾鄉（套）	一、四景（摘艷） 二、四時賞玩（雍熙） 三、四時題情（萃雅、三籟） 四、無題（盛世、舊譜、盛林）	爛熳春光	一、楊斗望（吳歈萃雅，南音三籟） 二、散曲（舊編南九宮譜，南九宮十三調曲譜） 三、無名氏（盛世新聲，詞林摘艷，雍熙樂府，南詞新譜僅收首曲，盛世詞林）

梅花引（令）	一、詠早梅（誠齋） 二、無題（盛世）	一、春意枝頭即漸回 二、玉骨冰肌倚畫闌	一、朱有燉（誠齋樂府） 二、無名氏（盛世新聲）
掃晴娘（令）	一、述興（雍熙） 二、無題（誠齋、盛世）	一、掃晴娘高盤雲髻鬬紅妝 二、掃晴娘輕移蓮步下回廊 三、掃晴娘臂懸灰土絳紗囊 四、掃晴娘腰身可喜好衣裳	一、朱有燉（誠齋樂府） 二、無名氏（盛世新聲，雍熙樂府）
脱布衫過小梁州（令）	一、閨情（誠齋、雍熙） 二、無題（盛世）	樂繁華倚翠偎紅	一、朱有燉（誠齋樂府） 二、元人（彩筆情辭） 三、無名氏（盛世新聲，雍熙樂府）
望遠行（令）		悶拂（漫撫）銀箏	一、李唐賓（太和正音譜，北詞廣正譜） 二、無名氏（九宫大成南北詞宫譜）
啄木兒（套）	一、遊春遺興（昔鹽） 二、春景（逸響、奏雅） 三、高文舉遊情（三籟） 四、遊情（萃雅） 五、無題（先春、争奇）	春歸後花正卉	一、黄葵陽（樂府先春） 二、杜圻山（詞林逸響，古今奏雅） 三、無名氏（昔昔鹽，吴歈萃雅，樂府争奇，南音三籟）

同右	一、秋夜思情（昔黨） 二、秋景（逸響、奏雅、怡春錦） 三、無題（先春、争奇、吴騷、白雪）	秋歸後月正明	一、文徵明（樂府先春，吴騷集） 二、杜圻山（詞林逸響，古今奏雅，怡春錦） 三、李復初（詞林白雪） 四、無名氏（昔昔鹽，樂府争奇）
同右	一、閨怨（類選、太霞） 二、題情（昔鹽、南紀、二集、合編）	從别後淚暗流	一、莫雲卿（群音類選，南宫詞紀，太霞新奏僅收啄木兒一首） 二、杜圻山（吴騷二集，吴騷合編） 三、無名氏（昔昔鹽）
同右	一、題幽閨女郎（白苧） 二、題閨中女郎（韻選、南紀） 三、詠艷（二集） 四、題女郎（萃雅、三籟） 五、詠幽閨女郎（合編）	誰家女兩髻（鬢）丫	一、梁辰魚（江東白苧，南宫詞紀，南詞韻選，吴騷二集，吴騷合編） 二、王九思（吴歈萃雅，南音三籟）

黄鶯兒（令）	一、閑情（夫婦） 二、離思（南紀） 三、春思（二集、名媛、合編） 四、寄情（彩筆）	一、采蘗憶天台 二、折柳記章臺 三、遥夜步閑堦 四、聽雨坐空齋	一、楊慎（楊升庵夫婦散曲，南宫詞紀第一首不同，彩筆情辭收第二首） 二、黄峨（吴騷二集，吴騷合編，名媛詩緯雅集）
同　右	一、詠美人浴（雜曲） 二、美人洗浴（南紀、萃雅、三籟） 三、贈妓新浴（彩筆） 四、無題（韻選）	衣褪半含羞	一、唐寅（伯虎雜曲） 二、周秋汀（南宫詞紀，南詞韻選，吴歈萃雅，彩筆情辭，南音三籟）
同　右	一、惜别（南紀、萬錦） 二、無題（夫婦）	一、絃管動離聲 二、翠被峭寒生	一、楊慎（南宫詞紀） 二、黄峨（楊升庵夫婦散曲） 三、馮猶龍（萬錦清音録第二首）
同　右	一、花（陶情） 二、詠花（南紀）	羅袖拂香紅	一、李元陽（陶情樂府） 二、楊慎（南宫詞紀）
同　右	一、雪（陶情） 二、詠雪（南紀）	呵手弄絲篁	一、李元陽（陶情樂府） 二、李中麓（南宫詞紀）

一、楊慎（陶情樂府） 二、李中麓（南宮詞紀）	滄海暮雲收	一、與李翰林分詠風花雪月（陶情） 二、詠月（南紀）	同右
一、唐寅（伯虎雜曲、南宮詞紀收前八首，新編南九宮詞收第二、四、六、八首，吴騷二集，詞林逸響僅收第五首，古今奏雅收第一、四、五、十首，南詞韻選收第四、八首） 二、楊慎（吴歈萃雅僅收第三首，南音三籟收第二、三、四、八首） 三、無名氏（群音類選，昔昔鹽收第二、三、四、五首，南詞韻選録第一、七首）	一、殘月照粧樓 二、寒食杏花天 三、羅袖怯春寒 四、細雨濕薔薇 五、蝴蝶杏園春 六、風雨送春歸 七、日轉杏花梢 八、秋水蘸芙蓉 九、孤枕（影）伴殘燈 十、燈火夜闌珊	一、閨怨（類選、萃雅） 二、閨思（南紀） 三、春寒孤悶（昔鹽） 四、題情（二集、逸響、奏雅） 五、無題（雜曲、韻選、南九宮、三籟）	同右
一、楊慎（楊升庵夫婦散曲，群音類選，堅瓠補集，南宮詞紀收第二、三、四首）	一、積雨釀輕寒 二、夜雨滴空堦 三、霽雨帶殘虹	一、雨中遺懷（類選、夫婦） 二、旅懷（南紀）	同右

	三、苦雨（二集、名媛、逸響、奏雅） 四、寄遠（三籟） 五、寄外（事類） 六、寄升庵（合集、列朝） 七、寄升庵夫子（盛明） 八、詢夫（劍閣） 九、無題（外紀、曲藻、曲律）	四、絲（細）雨濕流光	二、黃峨（吴騷二集，名媛詩緯雅集，詞林逸響，古今奏雅，升庵合集，堯山堂外紀，盛明百家詩，劍閣芳華集，元明事類鈔，列朝詩集，曲藻，曲律，南音三籟收第一首）
同右	嘲妓	一、雲雨興偏濃 二、對面覷多嬌 三、繡閣俏嬋娟 四、笑盼恨多虧 五、躑躅步難嬌 六、雲鬢已全稀 七、一氣本相通 八、紅粉擅平康 九、他是負心的 十、蕩檕出紅粧 十一、强作倚門羞	一、孫樓（南宫詞紀） 二、無名氏（黃鶯兒、黃山謎）

黃鶯兒（套）	一、閨怨（類選、逸響、奏雅） 二、情思重合（昔鹽） 三、秋閨（合編） 四、無題（先春、吳騷）	孤鏡畫愁眉	一、文徵明（群音類選，詞林逸響，吳騷合編，古今奏雅） 二、古調（樂府先春，吳騷集） 三、無名氏（昔昔鹽）
同右	一、四景閨情（類選） 二、四時閨怨（詞餘、萃雅、逸響、奏雅） 三、閨怨（三籟） 四、無題（南九宮、吳騷）	彈指怨東君	一、陳鐸（群音類選） 二、鄭虛舟（詞餘，吳歈萃雅，詞林逸響，南音三籟，古今奏雅） 三、古調（吳騷集） 四、舊詞（新編南九宮詞）
集賢賓（套）	傷春	一聲杜宇落照間	一、沈璟（太霞新奏） 二、無名氏（雍熙樂府）
同右	一、知幾（雍熙） 二、述懷（北拾）	二十年一場虛夢境	一、王田（北曲拾遺） 二、無名氏（雍熙樂府）
同右	一、代人久別詠情嘲漂蕩子弟（誠齋） 二、憶十美（雍熙、類選、彩筆）	二十年到今無消（信）息	一、朱有燉（誠齋樂府，詞林摘艷，彩筆情辭） 二、無名氏（盛世新聲，群音類選，雍熙樂府，盛

	三、譏飄蕩（摘艷） 四、無題（盛世、盛林）		世詞林）
同右	一、別後題情（昔鹽） 二、題情（南紀） 三、閨怨（萃雅、三籟） 四、閨情（合編、太霞） 五、無題（韻選）	天涯自他爲去客	一、楊斗望（吳歈萃雅，南音三籟） 二、沈子勺（吳騷合編，太霞新奏） 三、無名氏（昔昔鹽，南詞韻選，南宮詞紀）
同右	一、芭蕉夜雨（萃雅、逸響、三籟、奏雅） 二、秋閨（合編） 三、無題（吳騷、先春）	芭蕉冷落秋氣（夜）幽	一、劉東生（吳歈萃雅，詞林逸響，南音三籟，古今奏雅） 二、吳崑麓（吳騷合編） 三、古調（吳騷集，樂府先春）
同右	惜春	枝頭幽鳥剛弄舌	一、沈璟（吳騷二集） 二、無名氏（南詞韻選，南宮詞紀）
同右	題情	相思如水無盡流	一、陳海樵（南宮詞紀） 二、無名氏（昔昔鹽）

同右	一、題情（類選） 二、閨情（南紀） 三、無題（三徑、韻選、唾窗、雜曲）	紅樓畫閣天縹緲	一、沈仕（唾窗絨，南宫詞紀，南詞韻選） 二、唐寅（伯虎雜曲，三徑閑題，群音類選）
同右	一、惜春（唾窗） 二、題情（類選） 三、無題（三徑、韻選、雜曲）	春深小院飛細雨	一、沈仕（唾窗絨，南詞韻選） 二、唐寅（伯虎雜曲，三徑閑題，群音類選）
同右	一、題情（類選） 二、閨情（南紀） 三、無題（三徑、唾窗、雜曲、韻選）	窗前好花香旖旎	一、沈仕（唾窗絨，南宫詞紀，南詞韻選） 二、唐寅（伯虎雜曲，三徑閑題，群音類選）
同右	一、高隱（摘艷） 二、雪（雍熙） 三、客窗值雪（北紀） 四、無題（盛世）	倚龍泉數聲長嘆息	一、湯式（北宫詞紀） 二、無名氏（盛世新聲，詞林摘艷，雍熙樂府）
同右	一、中秋（摘艷） 二、無題（盛林）	剔團圞月明天似洗	一、寧齋（詞林摘艷） 二、無名氏（盛世詞林）
同右	一、閨情（摘艷、類選） 二、春思（雍熙） 三、無題（盛世）	猛聽的透簾櫳賣花聲喚起	一、谷子敬（詞林摘艷） 二、無名氏（盛世新聲，雍熙樂府，群音類選）

同右	一、曉思（二集） 二、秋閨曉思（太霞）	高城漏盡天欲曙	一、謝雙（吴騷二集） 二、方氏（太霞新奏）
同右	宫詞	登樓倚闌看暮景	一、沈子勺（吴騷合編，太霞新奏） 二、無名氏（南詞韻選，南宫詞紀）
同右	一、賞中秋（可雪） 二、中秋（摘艷、雍熙、秋碧、北紀） 三、無題（盛世、盛林）	敞南樓夜深簾半捲	一、陳鐸（可雪齋稿，秋碧樂府，詞林摘艷，北宫詞紀） 二、無名氏（盛世新聲，盛世詞林，雍熙樂府）
同右	一、秋懷（梨雲、北紀） 二、代友人吕景儒有懷（摘艷） 三、有懷（類選、小稿） 四、秋思（彩筆） 五、秋憶（雍熙） 六、無題（盛林）	瑣窗寒井梧秋到早	一、陳鐸（梨雪寄傲，詞林摘艷，群音類選，北宫詞紀，彩筆情辭） 二、無名氏（雍熙樂府，盛世詞林，月香小稿）

同右	一、秋懷（梨雲、類選、雍熙、北紀、合編） 二、秋懷代人作（摘艷、小稿） 三、無題（金瓶梅、盛林）	憶吹簫玉人何處也	一、陳鐸（梨雲寄傲，詞林摘艷，群音類選，北宮詞紀，吳騷合編） 二、無名氏（雍熙樂府，金瓶梅詞話，盛世詞林，月香小稿）
同右	惜別	懷珠袖璧空暗投	一、張孺彝（吳騷二集，詞林逸響） 二、張熙伯（吳騷合編）
同右	一、閨思（海浮） 二、秋意（昔鹽） 三、秋思（南紀、二集、合編、三籟）	離愁滿天没處躲	一、馮惟敏（海浮山堂詞稿，南宮詞紀，吳騷二集，吳騷合編，南音三籟） 二、無名氏（昔昔鹽）
同右	一、友人愛姬爲權豪所奪復有跨海征進之行故作此以書其懷（筆花、北紀） 二、悔悟（摘艷） 三、無題（盛世、雍熙、盛林）	鶯花寨近來誰戰討	一、湯式（筆花集，北宮詞紀） 二、王子一（詞林摘艷） 三、無名氏（盛世新聲，雍熙樂府，盛世詞林）

畫眉序（套）	一、題情（類選、合編） 二、恩情惜別（昔鹽） 三、惜別（南紀） 四、贈妓（彩筆） 五、乍別（萃雅、逸響、三籟、珊珊、奏雅） 六、情（南九宫） 七、四時閨怨（萬錦） 八、無題（先春、争奇、吴騷、白雪）	一見杜韋娘	一、祝枝山（樂府先春，吴騷集，吴歈萃雅，詞林逸響，南音三籟，吴騷合編，珊珊集，古今奏雅，萬錦清音） 二、王雅宜（詞林白雪） 三、明古辭（彩筆情辭） 四、舊詞（新編南九宫詞） 五、無名氏（群音類選，昔昔鹽，南宫詞紀，樂府争奇）
同　右	一、題情（類選） 二、嬌艷牽情（昔鹽） 三、詠妓（逸響、奏雅） 四、麗情（彩筆、合編） 五、咏艷（萬錦） 六、無題（先春、争奇、吴騷、珊珊）	花下見妖嬈	一、劉東生（吴騷集，萬錦清音） 二、唐寅（詞林逸響，古今奏雅） 三、虞竹西（吴騷合編） 四、梁辰魚（珊珊集） 五、明古辭（彩筆情辭） 六、古調（樂府先春） 七、無名氏（群音類選，昔昔鹽，樂府争奇）

同右	一、元夜（梨雲、摘艷、類選、南紀） 二、無題（盛世、盛林、金瓶梅）	花月滿春城	一、陳鐸（梨雲寄傲，詞林摘艷，南宮詞紀） 二、無名氏（盛世新聲，群音類選，金瓶梅詞話，盛世詞林）
同右	一、秋日登瀫水驛樓感舊（舊感）作（白苧、韻選、南紀、彩筆、合編） 二、秋日感懷（昔鹽）	金風動南國	一、梁辰魚（江東白苧，南詞韻選，南宮詞紀，彩筆情辭，吴騷合編） 二、無名氏（昔昔鹽）
同右	一、燕城詞（射陂） 二、無題（玲瓏）	花月可憐宵	一、朱曰藩（射陂燕城詞） 二、吴懋（玲瓏倡和）
同右	一、春游（類選） 二、春郊遊賞（萃雅） 三、春（韻選） 四、景（南九宫）	約友到西郊	一、高明（吴歈萃雅有目無文） 二、舊詞（新編南九宫詞） 三、無名氏（群音類選，南詞韻選）
同右	一、閨怨（類選、名詞、萃雅、逸響、三籟、珊珊、奏雅） 二、無題（先春、争奇、白雪、昔鹽、吴騷）	無意整雲鬟	一、王九思（樂府先春，吴騷集，吴歈萃雅，詞林逸響，南音三籟，珊珊集，詞林白雪，古今奏雅） 二、無名氏（群音類選，昔昔鹽，樂府名詞，樂府争奇）

畫眉序犯（套）	一、閨情（合編） 二、無題（先春、吴騷）	扶病倚南樓	一、唐寅（吴騷合編） 二、無名氏（樂府先春，吴騷集）
同右	一、閨情（類選） 二、孤眠秋悶（昔鹽） 三、無題（先春、争奇、吴騷）	煙煖杏花明	一、陸包山（群音類選，吴騷集） 二、徐存齋（樂府先春） 三、無名氏（昔昔鹽，樂府争奇）
同右	一、閨情（類選、昔鹽、合編） 二、春日閨情（萃雅、逸響） 三、春閨、（三籟、珊珊、奏雅） 四、無題（先春、争奇）	鸚鵡報春晴	一、劉東生（群音類避，吴歈萃雅，詞林逸響，吴騷合編，南音三籟，珊珊集，古今奏雅） 二、吴川樓（樂府先春） 三、無名氏（昔昔鹽，樂府争奇）
勝如花（套）	一、春思（二集） 二、無題（先春）	從他去經幾春	一、殷斗墟（吴騷二集） 二、馮開之（樂府先春）
普天樂（令）	一、別友人往陝西（筆花） 二、別友人陳孟顒往陝西（羣珠） 三、別友赴陝（雍熙）	有志在詩書	一、湯式（筆花集，樂府羣珠） 二、無名氏（雍熙樂府）

一、湯式（筆花集，樂府羣珠） 二、無名氏（雍熙樂府）	袖拂庾公塵	一、友人爲人所誣赴杭（筆花） 二、送友人爲人所誣赴杭（羣珠） 三、送韓伯莊被誣赴杭（雍熙）	同右
一、湯式（筆花集） 二、無名氏（樂府羣珠，雍熙樂府）	書劍不求官	一、送友回陝（筆花） 二、送宋桓回陝（羣珠） 三、友人回陝（雍熙）	同右
一、湯式（筆花集、樂府羣珠） 二、無名氏（雍熙樂府）	昨日武林春	一、送人遷居金陵（筆花、羣珠） 二、徐仲傑徙居（雍熙）	同右
一、湯式（筆花集、樂府羣珠） 二、無名氏（雍熙樂府）	眼落處是田園	一、述圖（雍熙） 二、無題（筆花、羣珠）	同右
一、湯式（筆花集，樂府羣珠） 二、無名氏（雍熙樂府）	芳草短長亭	一、送友歸隱（雍熙） 二、無題（筆花、羣珠）	同右

同右	一、維揚懷古、金陵懷古、姑蘇懷古、錢唐懷古（筆花） 二、懷古（羣珠）	一、問揚州縈懷抱 二、問鍾（金）陵紛紛事 三、問姑蘇繁華地 四、問錢唐西湖路	一、湯式（筆花集） 二、無名氏（樂府羣珠）
同右	一、題情（羣珠） 二、無題（盛世、摘艷）	懵懂的不知心	一、玄虛子（樂府羣珠） 二、無名氏（盛世新聲，詞林摘艷）
同右	一、寄情（羣珠） 二、無題（盛世、摘艷）	他走利名場	一、玄虛子（樂府羣珠） 二、無名氏（盛世新聲，詞林摘艷）
同右	一、憶情（羣珠） 二、無題（盛世、摘艷）	羅帕染胭脂	一、玄虛子（樂府羣珠） 二、無名氏（盛世新聲，詞林摘艷）
同右		雨才收花初謝	一、玄虛子（樂府羣珠） 二、張鳴善（元明小令鈔） 三、無名氏（盛世新聲，詞林摘艷）
同右	一、愁懷（羣珠） 二、無題（盛世、摘艷、小令鈔）	雨兒飄風兒颺	一、玄虛子（樂府羣珠） 二、張鳴善（元明小令鈔） 三、無名氏（盛世新聲，詞林摘艷）

同右	一、春梅（誠齋、羣珠） 二、嘲侍妾名春梅（雍熙、北外） 三、無題（盛世）	問春梅何時放	一、朱有燉（誠齋樂府，樂府羣珠） 二、元人（北宫詞紀外集） 三、無名氏（盛世新聲，雍熙樂府）
同右	美人	淡梳粧天然俊	一、康海（浒東樂府） 二、顧鑑中（樂府羣珠）
同右	贈别	小橋邊垂楊下	一、康海（浒東樂府） 二、王九思（樂府羣珠）
同右		對西風愁清夜	一、申瑶泉（樂府先春） 二、二酉山人（吴騷集）
普天樂（套）	一、閨怨（類選、合編） 二、怨别（南紀、三籟、逸響、珊珊、奏雅） 三、閨情怨别（昔昔鹽） 四、美女閨情（一枝） 五、情（南九宫） 六、閨情（名詞） 七、無題（三徑、韻選、吴騷、盛林、争奇）	四時歡千金笑	一、李東陽（樂府先春，吴騷集，吴騷合編） 二、高明（吴歈萃雅，珊珊集） 三、陳鐸（詞林逸響，古今奏雅） 四、陳翰林（三徑閑題） 五、舊詞（新編南九宫詞） 六、無名氏（詞林一枝，羣音類選，南詞韻選，昔昔鹽，南宫詞紀，樂府名詞，樂府争奇，盛世詞林，南音三籟）

同右	一、閨情（昔鹽、南紀、奏雅） 二、閨思（萬錦） 三、怨別（三籟） 四、無題（先春、吳騷、珊珊）	武陵花春難放	一、史叔考（南宮詞紀，古今奏雅） 二、陸包山（樂府先春，吳騷集，珊珊集，萬錦清音，南音三籟） 三、無名氏（昔昔鹽）
同右	有所思	夜深沉人愁悶	一、高濂（南宮詞紀） 二、無名氏（昔昔鹽）
同右	一、園中春景（誠齋、羣珠） 二、春夜（雍熙） 三、無題（盛世）	柳飛緜梨飄雪	一、朱有燉（誠齋樂府，樂府羣珠） 二、無名氏（盛世新聲，雍熙樂府）
同右	一、思情（唾窗、南紀、奏雅） 二、久別思情（昔鹽） 三、擬秋閨思（合編） 四、怨別（三籟） 五、無題（先春、吳騷、珊珊）	建安才河陽貌	一、沈仕（唾窗絨，樂府先春，吳騷集，南宮詞紀，吳騷合編，南音三籟，古今奏雅，珊珊集） 二、無名氏（昔昔鹽）

同右	一、閨怨（萃雅、逸響、奏雅） 二、秋閨（合編）	閉月容羞花貌	一、薛常吉（吴歈萃雅，詞林逸響，古今奏雅） 二、文三橋（吴騷合編）
湘妃游月宫（令）	一、春閨情、夏閨情、秋閨情、冬閨情（筆花） 二、四景（雍熙）	一、海棠過雨錦狼藉 二、冰盤貯果水晶凉 三、繡幃冷落綵絨毬 四、鬢從别後甚蓬鬆	一、湯式（筆花集） 二、無名氏（雍熙樂府）
同右	春閨即事	病乜斜恰似醉乜斜	一、湯式（筆花集） 二、無名氏（雍熙樂府）
湘妃引（令）	一、秋夕閨思（筆花） 二、秋日思（雍熙）	木犀風淅淅噴雕櫺	一、湯式（筆花集） 二、無名氏（雍熙樂府）
同右	一、解嘲（筆花） 二、老風流（雍熙）	懷揣着訕臉入青樓	一、湯式（筆花集） 二、無名氏（雍熙樂府）
同右	一、閨贈（筆花） 二、梨園女（雍熙）	四時裀褥錦重疊	一、湯式（筆花集） 二、無名氏（雍熙樂府）
同右	一、贈别（筆花） 二、餞别（雍熙）	碧茸茸芳草展青毡	一、湯式（筆花集） 二、無名氏（雍熙樂府）
同右	一、有所贈（筆花） 二、憶舊美（雍熙）	鶯煎燕聒惹相思	一、湯式（筆花集） 二、無名氏（雍熙樂府）

同右	一、代人送（筆花） 二、寄知書（雍熙）	乾相思心緒亂如絲	一、湯式（筆花集） 二、無名氏（雍熙樂府）
同右	一、送友人南閩府倅（筆花） 二、友赴閩（雍熙）	西湖詩酒舊風流	一、湯式（筆花集） 二、無名氏（雍熙樂府）
同右	一、送友還鄉（筆花） 二、送友人（雍熙）	淡烟蒙草翠萎蕤	一、湯式（筆花集） 二、無名氏（雍熙樂府）
同右	一、送友人應聘（筆花） 二、送聘士（雍熙）	紫雲宮殿擁蓬萊	一、湯式（筆花集） 二、無名氏（雍熙樂府）
同右	一、京口道中（筆花） 二、京口道（雍熙）	露浸浸芳杏洗朱顔	一、湯式（筆花集） 二、無名氏（雍熙樂府）
同右	一、爲東湖友賦（筆花） 二、東湖友（雍熙）	銀盆水浸牡丹芽	一、湯式（筆花集） 二、無名氏（雍熙樂府）
同右	一、旅舍秋懷（筆花） 二、旅舍秋（雍熙）	半窗風雨夜瀟颾	一、湯式（筆花集） 二、無名氏（雍熙樂府）
同右	一、山中樂四闋贈友人（筆花） 二、贈上虞友人（雍熙）	一、山盤龍脊露巖崖 二、千章喬木播奇芳 三、龍洲低蘸亂雲隈 四、耕雲耨水治生涯（一村桑柘一村烟）	一、湯式（筆花集） 二、無名氏（雍熙樂府）

朝天令（令）	一、攜美妓夜遊（彩筆） 二、無題（夫婦）	夜遊虎丘	一、楊慎（彩筆情辭） 二、黄峨（楊升庵夫婦散曲）
朝天子（令）	一、中秋席上有贈（誠齋） 二、樂花（雍熙） 三、無題（盛世）	一、耍些笑些 二、老來恰乖 三、告天可憐	一、朱有燉（誠齋樂府） 二、無名氏（盛世新聲，雍熙樂府）
同　右	一、嘲兩人誇乖（北外） 二、兩人誇乖（詞謔）	買乖賣乖	一、陳所聞（北宫詞紀外集） 二、無名氏（詞謔）
雁兒落過得勝令（令）	一、寫恨（彩筆） 二、無題（夫婦）	俺也曾嬌滴滴徘徊在蘭麝房	一、黄峨（楊升庵夫婦散曲） 二、楊慎（彩筆情辭）
同　右	一、禿子（游覽） 二、嘲禿子（堅瓠）	似葫蘆怎解瓢	一、陳全（游覽粹編） 二、陳介（堅瓠九集）
番山虎（套）	一、閨怨（類選） 二、怨入愁腸（昔鹽） 三、無題（先春、争奇、吴騷）	夜雨滴空堦	一、陳海樵（群音類選） 二、古調（樂府先春，吴騷集） 三、無名氏（昔昔鹽，樂府争奇）

同　右	一、閨怨（類選） 二、閨怨遠離（昔鹽） 三、無題（先春、争奇）	楊柳色侵眸	一、祝枝山（群音類選） 二、顧東橋（樂府先春） 三、無名氏（昔昔鹽，樂府争奇）
賀聖朝（令）	一、慶壽樂府（誠齋） 二、無題（盛世）	九月之初吉日良天	一、朱有燉（誠齋樂府） 二、無名氏（盛世新聲）
喜春來（令）	一、傷春（羣珠、雍熙） 二、無題（誠齋、盛世）	一、海棠零落空遺恨 二、可憐沈約腰肢瘦	一、朱有燉（誠齋樂府，樂府羣珠） 二、無名氏（盛世新聲，雍熙樂府）
新水令（套）	一、春日閨思（筆花） 二、閨情（摘艷） 三、離悶（雍熙、盛世）	一簾飛絮滚風團	一、湯式（筆花集） 二、李文蔚（摘艷） 三、無名氏（盛世新聲，雍熙樂府）
同　右（合套）	一、春日閨情（類選） 二、春閨愁緒（昔鹽） 三、閨怨（合編） 四、春詞（萬錦） 五、無題（先春、争奇、吴騷、白雪、珊珊）	一春無事爲花愁	一、祝枝山（樂府先春，群音類選，吴騷集，吴騷合編，珊珊集，詞林白雪） 二、陳鐸（萬錦清音） 三、無名氏（昔昔鹽，樂府争奇）

同　右	一、秋怨（唾窗、北紀） 二、新秋思恨（昔鹽） 三、閨情（合編） 四、秋閨（萬錦） 五、無題（先春、吴騷、白雪、珊珊） 六、秋恨（怡春錦）	一聲孤雁送新秋	一、沈仕（唾窗絨，樂府先春，北宫詞紀，吴騷集，吴騷合編，詞林白雪，珊珊集，萬錦清音，怡春錦） 二、無名氏（昔昔鹽）
同　右	一、四景閨情（類選） 二、四景題情（昔鹽） 三、閨情（合編） 四、無題（南九宫、先春、争奇、吴騷）	水沉消盡瑞爐煙	一、唐寅（樂府先春，吴騷集，吴騷合編，萬錦清音） 二、南北詞（新編南九宫詞） 三、無名氏（群音類選，昔昔鹽，樂府争奇）
同　右（套）	一、悔悟（摘艷） 二、送王姬往錢塘（北紀、彩筆） 三、無題（盛世、雍熙）	十年無夢到京師	一、王伯成（詞林摘艷） 二、湯式（北宫詞紀，彩筆情辭） 三、無名氏（盛世新聲，雍熙樂府）

同右	一、贈歌者（誠齋） 二、評音律精熟（雍熙）	玉樓閒聽理新聲	一、朱有燉（誠齋樂府） 二、無名氏（雍熙樂府）
同右	一、漁隱（梨雲、雍熙、北紀、小稿） 二、無題（白雪）	白蘋風細一絲輕	一、陣鐸（梨雲寄傲，北宮詞紀，詞林白雪） 二、無名氏（雍熙樂府，月香小稿）
同右	一、翻集菖蒲歌（摘艷） 二、無題（盛林）	有石奇峭本天成	一、張禄（詞林摘艷） 二、無名氏（盛世詞林）
同右	一、春怨（梨雲、北紀） 二、閨情（雍熙）	枕痕一線粉香殘	一、陳鐸（梨雲寄傲，北宮詞紀） 二、元人（南北詞廣韻選） 三、無名氏（雍熙樂府）
同右	一、尼姑下山（類選） 二、無題（先春、争奇）	佛前燈火半明昏	一、屠隆（樂府先春） 二、無名氏（群音類選，樂府争奇）
同右	一、擬八段錦戲作題情（誠齋） 二、送別（詞謔） 三、諧偶（雍熙） 四、閨思（廣韻選） 五、無題（盛世、盛林）	枕痕一線界胭脂	一、朱有燉（誠齋樂府） 二、無名氏（盛世新聲，詞謔，雍熙樂府，南北詞廣韻選，盛世詞林）

同右	一、送別（誠齋） 二、餞別（雍熙） 三、送別入燕（北紀）	馬蹄香襯落花泥	一、朱有燉（誠齋樂府） 二、無名氏（雍熙樂府，北宮詞紀）
同右	一、春情（梨雲） 二、閨情（摘艷、小稿） 三、春閨（類選、合編） 四、憶情（雍熙） 五、春怨（北紀） 六、情詞（廣韻選） 七、無題（詞謔、盛林）	碧桃花外一聲鐘	一、陳鐸（梨雲寄傲，詞林摘艷，群音類選，詞謔，南北詞廣韻選，北宮詞紀） 二、周秋汀（吴騷合編） 三、無名氏（雍熙樂府，盛世詞林，月香小稿）
同右	一、紀夢（摘艷） 二、幽夢（雍熙） 三、秋夜夢回有感（北紀） 四、無題（盛世、盛林）	鳳臺無伴品鸞簫	一、王子一（詞林摘艷，北詞廣正譜引喜江南） 二、湯式（北宮詞紀） 三、無名氏（盛世新聲，雍熙樂府，盛世詞林）
同右	一、秋思（雍熙） 二、秋懷（北紀、彩筆）	碧天風露怯青衫	一、湯式（北宮詞紀，彩筆情辭） 二、無名氏（雍熙樂府）
同右	哭萬柳溪	緑楊溪上木蘭橈	一、陳鐸（梨雲寄傲，北宮詞紀） 二、無名氏（雍熙樂府）

同右	銷金帳裏峭寒生	一、曲牌名（類選） 二、牌名製景（昔鹽） 三、曲名閨怨（萬錦） 四、無題（白雪、争奇）	一、文徵明（詞林白雪） 二、馮夢龍（萬錦清音） 三、無名氏（群音類選，昔昔鹽，樂府争奇）
同右	燕鶯巢强戀做鳳鸞帷	一、與鶯燕解嘲（誠齋） 二、題春燕（雍熙） 三、無題（盛世、盛林）	一、朱有燉（誠齋樂府） 二、無名氏（盛世新聲，雍熙樂府，盛世詞林）
同右	鴛鴦夢斷藕花鄉	一、秋怨（可雪、類選、北紀） 二、秋閨（合編）	一、陳鐸（可雪齋稿，群音類選，北宮詞紀） 二、祝枝山（吴騷合編）
絳都春序（套）	情濃乍別	一、四景閨怨（類選） 二、四季（韻選） 三、四時閨怨（萃雅、逸響、合編、三籟、珊珊、奏雅、萬錦） 四、四時怨別（昔鹽、南紀） 五、情（南九宮） 六、閨情（名詞） 七、無題（先春、吴騷、白雪）	一、王九思（樂府先春，吴騷集，吴歈萃雅，詞林逸響，吴騷合編，南音三籟，珊珊集，古今奏雅，萬錦清音） 二、張鳳翼（詞林白雪） 三、陳所聞（南詞新譜引閙樊樓一首） 四、舊詞（新編南九宮詞） 五、無名氏（南詞韻選，昔昔鹽，南宮詞紀，樂府名詞）

殿前歡（令）	一、詠酒色財氣（誠齋） 二、酒色財氣（雍熙） 三、無題（盛世）	一、您須知好時光休要皺雙眉 二、您須知好時光盡我恣情 三、您須知黄金難買笑嬉嬉 四、您須知鐃人忍事不爲癡	一、朱有燉（誠齋樂府） 二、無名氏（盛世新聲，雍熙樂府）
落梅風（令）	一、席上贈伶者（誠齋） 二、病懷（雍熙） 三、無題（盛世）	包藏着俏	一、朱有燉（誠齋樂府） 二、無名氏（盛世新聲，雍熙樂府）
同右	一、病懷（雍熙） 二、無題（誠齋、盛世）	一、荼蘼徑 二、龍蛇字	一、朱有燉（誠齋樂府） 二、無名氏（盛世新聲，雍熙樂府）
同右	一、春思（彩筆） 二、無題（夫婦）	春寒峭	一、黄峨（楊升庵夫婦散曲） 二、楊慎（彩筆情辭）
同右	一、乞美醞作（誠齋） 二、病懷（雍熙） 三、無題（盛世）	清香透	一、朱有燉（誠齋樂府） 二、無名氏（盛世新聲，雍熙樂府）

同右	一、贈妓（誠齋） 二、牡丹（雍熙） 三、無題（盛世）	蜂黄散	一、朱有燉（誠齋樂府） 二、無名氏（盛世新聲，雍熙樂府）
傾杯玉芙蓉（套）	一、離思（萃雅、三籟、珊珊、奏雅） 二、擬冬閨怨（合編） 三、閨情（萬錦） 四、無題（先春、吴騷、白雪） 五、閨怨（怡春錦）	隔牆新月上梅花	一、楊慎（樂府先春，吴騷集，吴歈萃雅，南音三籟，珊珊集，古今奏雅，萬錦清音，怡春錦） 二、史叔考（吴騷合編） 三、蘭楚芳（詞林白雪）
塞鴻秋（合套）	一、題情（摘艷） 二、憶情間阻（雍熙） 三、憶美（彩筆） 四、無題（盛世、南九宫）	一會家想多情交我傷懷抱	一、湯式（詞林摘艷，彩筆情辭） 二、無名氏（盛世新聲，新編南九宫詞，雍熙樂府）
楚江情帶金字經（令）	一、詠閨情五更轉（誠齋） 二、盼望（雍熙） 三、夜懷（萃雅） 四、夜思（二一集、逸響、三籟、奏雅、清音） 五、閨怨（合編） 六、無題（名詞、盛世、新譜）	一、一更夜氣清 二、二更露正涼 三、三更玉漏遲 四、四更睡思纏 五、五更覺夜長	一、朱有燉（誠齋樂府，南音三籟，南詞新譜僅收第一首） 二、梅禹金（吴歈萃雅，詞林逸響，萬錦清音） 三、古調（吴騷二集，吴騷合編） 四、無名氏（盛世新聲，雍熙樂府，樂府名詞，古今奏雅目次缺頁不詳撰人）

楚江情（令）	一、春夏秋冬（誠齋、盛世） 二、四景（類選） 三、四時賞玩（太霞）	一、東風綻海棠 二、雕闌簷蔔香 三、金風送晚涼 四、梅花滿樹芳	一、朱有燉（誠齋樂府，太霞新奏） 二、無名氏（盛世新聲，群音類選）
滿庭芳（令）	一、風情（誠齋） 二、風月（雍熙） 三、無題（盛世）	一、風情熱沾 二、鸞笙鳳簫 三、風流事耽	一、朱有燉（誠齋樂府） 二、無名氏（盛世新聲，雍熙樂府）
同右	一、京口道懷（筆花） 二、京口感懷（雍熙）	殘花剩柳	一、湯式（筆花集） 二、無名氏（雍熙樂府）
同右	一、除夕（筆花） 二、嘲薦非才（雍熙）	荒蕪舊隱	一、湯式（筆花集） 二、無名氏（雍熙樂府）
同右	一、除夕（筆花） 二、嘲人義蹇（雍熙） 三、自述（北外）	休懷故人	一、湯式（筆花集） 二、元人（北宫詞紀外集） 三、無名氏（雍熙樂府）
同右	一、武林感舊二首（筆花） 二、武林感舊（雍熙） 三、西湖感興（雍熙）	一、錢唐（家）故址 二、笙歌醉鄉	一、湯式（筆花集） 二、無名氏（雍熙樂府）
同右	一、代人寄書（筆花） 二、寄何齋長（雍熙）	端肅奉柬	一、湯式（筆花集） 二、無名氏（雍熙樂府）

同　右	一、青金丹樂府贈吴光明（誠齋） 二、贈余光明（雍熙） 三、無題（盛世）	黄庭合成	一、朱有燉（誠齋樂府） 二、無名氏（盛世新聲，雍熙樂府）
同　右	一、戲作（誠齋） 二、無題（盛世）	當家體統	一、朱有燉（誠齋樂府） 二、無名氏（盛世新聲）
榴花泣（套）	一、情束青樓（雜曲、萃雅、逸響、奏雅） 二、寄情（類選） 三、寄束傳情（昔鹽） 四、寄遠（彩筆） 五、寄別（珊珊） 六、束寄青樓（三籟） 七、無題（先春、吴騷、争奇）	折梅逢使	一、唐寅（伯虎雜曲，吴歈萃雅，詞林逸響，珊珊集，古今奏雅） 二、梅禹金（吴騷集，南音三籟） 三、馬孟河（群音類選） 四、章楓山（樂府先春） 五、明古辭（彩筆情辭） 六、無名氏（昔昔鹽，樂府争奇）
寨兒令（令）	一、席上酒酣………（誠齋） 二、題情（雍熙） 三、惜花（彩筆） 四、無題（盛世）	一、風月乾　雨雲慳 二、拽大拳　使閑錢 三、忽刺八　遇着咱 四、難動止　苦相思	一、朱有燉（誠齋樂府） 二、元人（彩筆情辭收第一首） 三、無名氏（盛世新聲，雍熙樂府）

一、楊慎（楊升庵夫婦散曲） 二、黃峨（彩筆情辭）	花寫真　水爲神	一、贈妓（彩筆） 二、無題（夫婦）	同右
一、朱有燉（誠齋樂府） 二、無名氏（盛世新聲，雍熙樂府，群音類選）	一、占柳營　據花城 二、瓦罐提　破蓆披 三、錦套竿　玉連環 四、贍表精　謊書生 五、歌舞臺　柳花街 六、語話嘶　性情貪 七、熱表兼　鏝底苫 八、珠絡索　錦窠巢 九、開硬河　發乾科 十、性軟者　意勤者 十一、金鳳凰　玉螳螂 十二、夠好喫　磨難推 十三、難救拔　怎收煞 十四、孛老貪　小倈憨 十五、烟月牌　雨雲臺 十六、會撚酸　强成歡 十七、熱廝煎　暗相牽 十八、常串瓦　愛分茶 十九、眼打眹　脚奔波 二十、炙肉籤　釤禾鐮 廿一、髻綰雲　臉生春 廿二、假撇清　不實誠 廿三、花一攢　錦千團	一、詠風月擔兒（誠齋、類選） 二、風月擔兒（雍熙） 三、無題（盛世）	同右

對玉環帶清江引（令）	一、嘆世詞（雜曲） 二、行樂（北外）	一主一賓	一、唐寅（伯虎雜曲） 二、劉龍田（北宮詞紀外集）
同右	一、四景題詩（筆花） 二、閨思（雍熙）	一、郎上孤舟 二、江雨淋淋 三、懶聽笙歌 四、去歲觀梅	一、湯式（筆花集） 二、無名氏（雍熙樂府）
同右	一、詠水仙花（誠齋） 二、無題（盛世）	月魄霜容	一、朱有燉（誠齋樂府） 二、無名氏（盛世新聲）
同右	一、嘆世詞（雜曲） 二、警悟（北紀） 三、無題（三徑）	禮拜彌陀	一、唐寅（伯虎雜曲，三徑閑題） 二、徐霖（北宮詞紀）
同右	一、閨怨（筆花） 二、閨思（雍熙）	一、羅袖偷掩 二、香透簾櫳 三、滿泛霞杯 四、孔雀屏開	一、湯式（筆花集） 二、無名氏（雍熙樂府）
壽陽曲（令）	一、題墨梅（筆花） 二、墨梅（雍熙）	王冕風流在	一、湯式（筆花集） 二、無名氏（雍熙樂府）

同右	一、蹴踘（筆花） 二、邵處中蹴踘圖（雍熙）	軟履香泥潤	一、湯式（筆花集） 二、無名氏（雍熙樂府）
同右	梅女吹簫圖	髻嚲青螺小	一、湯式（筆花集） 二、無名氏（雍熙樂府）
漁父第一（套）	一、恨別思逢（昔鹽） 二、無題（吳騷、先春）	恨只恨難逢易別	一、李復初（吳騷集，樂府先春） 二、無名氏（昔昔鹽）
端正好（套）	一、早朝（摘艷） 二、元日朝賀（雍熙、北紀） 三、無題（盛世）	一聲鶯報上林春	一、谷子敬（詞林摘艷） 二、湯式（北宮詞紀） 三、無名氏（盛世新聲，雍熙樂府）
同右	一、詠丹桂（雍熙） 二、題梧月堂（北紀）	向朝陽春長鳳枝新	一、湯式（北宮詞紀） 二、無名氏（雍熙樂府）
同右	一、題情（摘艷） 二、離恨（雍熙） 三、無題（盛世、盛林）	花下燕鶯期	一、史直夫（詞林摘艷） 二、無名氏（盛世新聲，雍熙樂府，盛世詞林）
同右	一、上太師（摘艷、北紀） 二、武臣享福（雍熙） 三、臣道（類選） 四、無題（盛世、盛林）	享富貴受皇恩	一、丘汝成（詞林摘艷，北宮詞紀） 二、無名氏（盛世新聲，雍熙樂府，群音類選，盛世詞林）

同右	一、金錢問卜（摘艷、雍熙、風月錦囊） 二、題情（類選） 三、無題（盛世、詞謔）	香塵暗翠幃屏	一、劉庭信（詞林摘艷） 二、王田（北詞廣正譜引貨郎兒一首） 三、無名氏（盛世新聲，詞謔，雍熙樂府，群音類選）
同右	一、春遊（摘艷、北紀） 二、游春（類選） 三、無題（盛世、雍熙、盛林）	柳輕柔花嬌媚	一、楊彦華（北宮詞紀） 二、無名氏（盛世新聲，詞林摘艷，雍熙樂府，群音類選，盛世詞林）
同右	一、春情（北紀、梨雲） 二、憶情（雍熙） 三、代人春思（彩筆） 四、懷舊（合編） 五、無題（白雪）	珊枕畔麝蘭香	一、陳鐸（梨雲寄傲，北宮詞紀，彩筆情辭，詞林白雪，吴騷合編） 二、無名氏（雍熙樂府）
同右	一、宫詞（摘艷） 二、詠荆南佳麗（一笑散） 三、題道觀贈道士（詞謔） 四、題道觀贈羽士（北紀） 五、無題（盛世、雍熙）	曉珊珊珙樹靈風	一、鄭德輝（詞林摘艷） 二、睢玄明（北紀） 三、湯式（一笑散） 四、無名氏（盛世新聲，詞謔，雍熙樂府）

同右	一、題情（摘艷） 二、逈逗（雍熙） 三、相思（類選） 四、春怨（北紀） 五、無題（盛世、白雪、盛林）	醉墨寫烏絲	一、王子章（詞林摘艷，群音類選，北宮詞紀，詞林白雪） 二、無名氏（盛世新聲，雍熙樂府，盛世詞林）
駐雲飛（令）	一、足古詩（夫婦） 二、相思（類選） 三、怨别（南紀）	一、暗想嬌容 二、暗想嬌情 三、暗想嬌羞 四、暗想嬌嬈	一、黄峨（楊升庵夫婦散曲） 二、楊慎（群音類選，南宮詞紀）
同右	一、題情（二集） 二、無題（韻選）	減盡朱顔	一、杜圻山（吴騷二集） 二、無名氏（南詞韻選）
同右	一、贈纖足妓（彩筆） 二、無題（夫婦）	一、叠雪香羅 二、戲蕊含蓮	一、黄峨（楊升庵夫婦散曲） 二、楊慎（彩筆情辭）
同右	一、四景（秋碧） 二、夜讌、夏景、飲興（梨雲、南紀） 三、春思（萃雅） 四、情（南九宮）	一、庭院昏黄 二、窈窕軒窗 三、夜半涼生 四、沉醉京華	一、陳鐸（秋碧樂府，南宮詞紀收第二、三、四首，南詞韻選録第三、四首，梨雲寄傲收第二首題作「夏景」）

	五、無題（韻選）		二、梁辰魚（吳歈萃雅收第四首） 三、舊詞（新編南九宮詞） 四、無名氏（南宮詞紀收第一首，南詞韻選録第一、二首）
同右	一、麗情（秋碧、摘艷） 二、題情（月香、雍熙、二集、南紀） 三、春思（彩筆） 四、無題（南九宮、韻選）	一、静掩重門 二、杏臉桃腮 三、悶倚闌干 四、錦瑟淒涼	一、陳鐸（秋碧樂府，月香亭稿，詞林摘艷，新編南九宮詞，南詞韻選，吳騷二集，南宮詞紀無第三首，彩筆情辭收第二首） 二、無名氏（雍熙樂府）
同右	一、題情（月香、南紀） 二、閨麗（摘艷） 三、閨情（類選） 四、一半兒（太霞） 五、情（南九宮） 六、無題（韻選）	一、懶上粧樓 二、數盡歸鴉	一、陳鐸（月香亭稿，南宮詞紀，太霞新奏，南詞韻選收第二首） 二、舊詞（新編南九宮詞收第二首） 三、無名氏（詞林摘艷，群音類選）

駐馬聽（令）	一、閨怨（白苧、韻選、南紀、萃雅、三籟） 二、無題（三徑）	虛度年華	一、梁辰魚（江東白苧，三徑閑題，南宮詞紀，南詞韻選） 二、梅禹金（吴歈萃雅，南音三籟）
同右	一、閨怨（萃雅、三籟） 二、無題（韻選）	獨對菱花	一、梅禹金（吴歈萃雅，南音三籟） 二、無名氏（南詞韻選）
同右	一、怨別（南紀） 二、春思（二集） 三、懷美（彩筆） 四、無題（夫婦）	一、夢峽啼湘 二、離別曾經	一、黄峨（楊升庵夫婦散曲） 二、楊慎（吴騷二集，彩筆情辭收第一首，南宮詞紀收第二首）
醉花陰（套）	一、平定安南（摘艷） 二、征南（雍熙） 三、無題（盛世）	大將平南命征討	一、臧用和（詞林摘艷） 二、無名氏（盛世新聲，雍熙樂府）
醉花陰（合套）	一、元夜（月香） 二、燈詞（雍熙） 三、賞燈（北紀） 四、無題（白雪）	雨順風調萬民喜	一、陳鐸（月香亭稿，北宮詞紀，詞林白雪） 二、無名氏（雍熙樂府）

同右（套）	一、復歡（梨雲、摘艷、北紀、彩筆、雍熙、小稿） 二、無名氏（盛林）	破鏡重圓帶重結	一、陳鐸（梨雲寄傲，詞林摘艷，北宮詞紀，彩筆情辭） 二、無名氏（雍熙樂府，盛世詞林，月香小稿）
同右	一、夏日秦淮遊賞（月香） 二、夏日（雍熙） 三、夏日游秦淮（小稿） 四、秦淮遊賞（北紀）	深淺荷花二三里	一、陳鐸（月香亭稿，北宮詞紀） 二、無名氏（雍熙樂府，月香小稿）
同右（合套）	一、元夜（摘艷） 二、燈詞（雍熙） 三、元宵（類選） 四、元宵賞燈（北紀） 五、無題（盛世、盛林）	國祚風和太平了	一、賈仲名（詞林摘艷，北宮詞紀） 二、無名氏（盛世新聲，雍熙樂府，群音類選，盛世詞林）
同右（套）	一、秋夜（摘艷） 二、離恨（雍熙） 三、無題（梨園、盛世）	凉夜厭厭露華冷	一、侯克中（梨園樂府，北詞廣正譜引四首） 二、耿子良（詞林摘艷） 三、元詞（南北詞廣韻選） 四、無名氏（盛世新聲，雍熙樂府）

短棹輕帆下江水	一、王文舉（詞林摘艷） 二、無名氏（盛世新聲，雍熙樂府，群音類選，盛世詞林）	一、趕蘇卿（摘艷、雍熙） 二、金山見詩（類選） 三、無題（盛世、盛林）	同右
窗外芭蕉戲秋雨	一、陳鐸（梨雲寄傲，詞林摘艷，北宫詞紀，詞林白雪，彩筆情辭，吴騷合編） 二、元人（南北詞廣韻選） 三、無名氏（雍熙樂府，盛世詞林，月香小稿）	一、秋懷（梨雲、雍熙、北紀） 二、秋懷代人作（摘艷、小稿） 三、秋思（彩筆、合編） 四、無題（盛林、白雪）	同右
春意融和鳳城裏	一、寧齋（詞林摘艷） 二、無名氏（盛世詞林）	一、元夜（摘艷） 二、無題（盛林）	同右
殢酒簪花異鄉客	一、谷子敬（詞林摘艷） 二、無名氏（盛世新聲，雍熙樂府）	一、豪俠（摘艷） 二、花酒還魂（雍熙） 三、無題（盛世）	同右
楊柳横塘淡烟鎖	一、陳鐸（梨雲寄傲，詞林摘艷，北宫詞紀，詞林白雪） 二、元人（南北詞廣韻選）	一、夏日即景寫懷（梨雲、北紀） 二、行樂（摘艷） 三、賞翫（雍熙） 四、夏賞（廣韻選）	同右

	五、無題（盛世、白雪、盛林）		三、無名氏（盛世新聲，雍熙樂府，盛世詞林）
同右	一、四季行樂（摘艷） 二、無題（盛世、盛林）	畫角聲催報春早	一、朱有燉（詞林摘艷） 二、無名氏（盛世新聲，盛世詞林）
同右	一、賞牡丹（摘艷） 二、賞春（雍熙） 三、無題（盛世）	萬紫千紅綻芳苑	一、朱有燉（詞林摘艷） 二、無名氏（盛世新聲，雍熙樂府）
同右	離思	銀甲挑燈玉荷小	一、湯式（北詞廣正譜引刮地風犯、四門子兩首） 二、無名氏（雍熙樂府）
同右	一、元宵（摘艷） 二、燈夕（雍熙） 三、無題（盛世、金瓶梅）	錦繡花燈半空挑	一、曹孟修（詞林摘艷） 二、無名氏（盛世新聲，雍熙樂府，金瓶梅詞話）
同右（合套）	一、閨情（摘艷） 二、盼郎貴顯（雍熙） 三、女相思（類選） 四、春怨（北紀） 五、無題（盛世、白雪、	鴛鴦浦蓮開並蒂長	一、唐以初（詞林摘艷，北詞廣正譜引醉花陰、喜遷鶯兩首） 二、荆幹臣（北宮詞紀，詞林白雪、

	盛林、金瓶梅）		三、無名氏（盛世新聲，雍熙樂府，群音類選，盛世詞林，金瓶梅詞話）
同右（套）	一、偷期（摘艷） 二、愛戀（雍熙） 三、佳遇（類選） 四、歡遇（彩筆） 五、無題（盛世、盛林）	寶髻高盤鳳釵插	一、段顯之（詞林摘艷，彩筆情辭） 二、無名氏（盛世新聲，雍熙樂府，群音類選，盛世詞林）
同右	一、席上喜雪偶成（誠齋） 二、雪中畋獵（摘艷） 三、賞雪（雍熙） 四、無題（盛世、盛林）	寶殿珠樓玉花糝	一、朱有燉（誠齋樂府，詞林摘艷） 二、無名氏（盛世新聲，雍熙樂府，盛世詞林）
醉太平（令）	一、慶壽樂府（誠齋） 二、警悟（雍熙） 三、無題（盛世）	列華筵玉臺	一、朱有燉（誠齋樂府） 二、無名氏（盛世新聲，雍熙樂府）
同右	一、春雨（夫婦） 二、無題（盛世、摘艷）	阻鶯儔燕侶	一、楊慎（楊升庵夫婦散曲） 二、無名氏（盛世新聲，詞林摘艷）

同右	一、學老更狂樂府作（誠齋） 二、妓賺、妓醉、妓睡、妓醒（北外） 三、學老叟狂（雍熙、彩筆） 四、無題（盛世、雍熙）	一、越羅衾熨貼 二、恰珠樓宴徹 三、恰雲收雨歇 四、煮龍團暫啜	一、朱有燉（誠齋樂府，北宮詞紀外集） 二、元人（彩筆情辭） 三、無名氏（盛世新聲，雍熙樂府）
同右	一、賞樂工家伶女劉聘春貞烈自盡（誠齋） 二、妓節（雍熙） 三、妓劉盼春死節（北外） 四、無題（盛世）	貞烈似王凝妻	一、朱有燉（誠齋樂府，北宮詞紀外集） 二、元人（彩筆情辭） 三、無名氏（盛世新聲，雍熙樂府）
同右	一、重九無酒（筆花） 二、重陽無酒（雍熙） 三、重陽無酒自嘲（北外）	釀寒風似刮	一、湯式（筆花集） 二、元人（北宮詞紀外集） 三、無名氏（雍熙樂府）
同右	一、約遊春友不至效張鳴善句裏用韻（筆花） 二、遊春友不至（雍熙）	一、芳塵滾滾 二、輪蹄冗雜	一、湯式（筆花集） 二、無名氏（雍熙樂府）

同右	一、風流老兒、風流病叟、風流散仙、風流秀才、風流貴師、風流舍人、風流故友、風流縣宰、風流令史、風流小孾、風流客人、風流太醫、風流小僧、風流道姑、風流醉翁、風流乞兒、風流樂官、風流女娘、風流妳妳、風流姐姐 （誠齋、雍熙、北外） 二、贈風流妓（彩筆） 三、無題（盛世）	一、倒溜油黑染了鬢絲 二、就輕紅焐手 三、小鶯花洞天 四、論文章在舞臺 五、鉢盂爲酒色 六、玉兔鶻粧着帶根 七、掃愁懷玉帚 八、晉潘安俊才 九、銅駝巷判詞 十、着青衫會耍 十一、鶯花市販本 十二、製牡丹在柳堤 十三、雨雲臺上講經 十四、裹琅函繡袱 十五、阮步兵眷寵 十六、破瓦窑綴詞 十七、開呵時韻寬 十八、花衢中占塲 十九、肉鰾膠怎解 二十、紙糊鍬莾鐝	一、朱有燉（誠齋樂府，北宫詞紀外集） 二、元人（彩筆情辭收第十八、二十首） 三、無名氏（盛世新聲，雍熙樂府）

同右	書所見	二八年艷娃	一、湯式（筆花集） 二、無名氏（雍熙樂府）
同右	閨情	惜花人那廂	一、無名氏（雍熙樂府） 二、湯式（筆花集）
同右	一、老病初痊戲作（誠齋） 二、警悟（雍熙） 三、述病（北外） 四、無題（盛世）	一、戰篤速手脚 二、春容回面頰 三、稀粥湯半合 四、瘦身軀不懶 五、藥須治理	一、朱有燉（誠齋樂府） 二、無名氏（盛世新聲，雍熙樂府，北宮詞紀外集僅收第一首）
同右	一、雪夜（北外） 二、無題（盛世、摘艷）	茶烹鳳爪	一、賈仲名（北宮詞紀外集） 二、無名氏（盛世新聲，詞林摘艷）
醉扶歸（套）	一、秋思（類選） 二、相逢懼別（昔鹽） 三、怨別（萃雅、逸響、三籟、珊珊、奏雅、萬錦） 四、題情（合編） 五、秋懷（彩筆）	相思欲見渾難見	一、張鳳翼（三徑閑題，群音類選，吴歈萃雅，詞林逸響，彩筆情辭，吴騷合編，南音三籟，古今奏雅，珊珊集，萬錦清音） 二、王伯穀（樂府先春，

	六、無題（三徑、先春、吳騷、争奇）		吳騷集） 三、無名氏（昔昔鹽，樂府争奇）
同右	一、良媾（昔鹽、南紀） 二、姻緣（韻選、萃雅、彩筆、三籟、太霞） 三、題情（合編）	效于飛鸞侶天生就	一、鄭虛舟（吳歈萃雅，南音三籟） 二、沈璟（彩筆情辭，吳騷合編） 三、沈子勺（太霞新奏） 四、無名氏（昔昔鹽，南宮詞紀，南詞韻選）
醉羅歌（令）	一、題情（梨雲、秋碧） 二、閨情（類選） 三、閨怨（南紀） 四、憶別（萃雅、三籟） 五、恨別（三籟） 六、無題（韻選）	一、無形無影書難寄 二、冷落冷落鞦韆架 三、怕寒怕冷扃朱户 四、問神問卜全無應	一、陳鐸（梨雲寄傲，秋碧樂府，群音類選，南宮詞紀，南詞韻選，南音三籟，南詞新譜收第二首） 二、楊慎（吳歈萃雅，南音三籟收第一、三首）
同右	一、閒中一笑（詞臠） 二、閨情（南紀） 三、無題（韻選）	日長日長愁時候	一、劉效祖（詞臠） 二、無名氏（南宮詞紀，南詞韻選）

賣花聲（令）	一、八月十六日登高翫月（誠齋、羣珠） 二、無題（盛世）	月過十五光明好	一、朱有燉（誠齋樂府，樂府羣珠） 二、無名氏（盛世新聲）
鬧十八（套）	秋思	從別後正默默無言倚翠屏	一、祝枝山（吴騷二集，詞林逸響，古今奏雅） 二、楊斗望（珊珊集）
賞花時（套）	一、送友人入全真道院（筆花） 二、全真道院（雍熙） 三、送人入全真道（北紀）	世路崎嶇鳥道分	一、湯式（筆花集，北宫詞紀） 二、無名氏（雍熙樂府）
同　右	一、送人應聘（筆花） 二、應詔聘賢（雍熙） 三、送友人應聘（北紀）	五綵雲開丹鳳樓	一、湯式（筆花集，北宫詞紀） 二、無名氏（雍熙樂府）
同　右	一、春景題情（摛艷） 二、春怨（北紀） 三、無題（盛林）	淑氣融融柳吐烟	一、恆軒老人（詞林摘艷，北宫詞紀） 二、無名氏（盛世詞林）
慶東原（令）	一、自況（誠齋） 二、無題（盛世）	一、心安分身不貧 二、粧些坌撒會村	一、朱有燉（誠齋樂府） 二、無名氏（盛世新聲）

同右	一、追和鮮于體（誠齋） 二、無題（盛世）	一、自樂閑中道 二、一世身無患	一、朱有燉（誠齋樂府） 二、無名氏（盛世新聲）
罵玉郎過感皇恩采茶歌（令）	一、閨情（羣珠） 二、無題（誠齋、盛世）	湘裙睡損臙脂皺	一、朱有燉（誠齋樂府，樂府羣珠） 二、無名氏（盛世新聲）
謁金門（令）	一、落花二令（筆花） 二、詠景（雍熙）	一、落花　落花 二、落紅　落紅	一、湯式（筆花集） 二、無名氏（雍熙樂府）
同右	一、長亭道中（筆花） 二、謫官圖（雍熙）	起初　看書	一、湯式（筆花集） 二、無名氏（雍熙樂府）
同右	一、納涼寓意（筆花） 二、村樂（雍熙）	翠林　緑陰	一、湯式（筆花集） 二、無名氏（雍熙樂府）
錦上花（合套）	春景	太皥司行	一、楊循吉（南峰樂府） 二、無名氏（北曲拾遺）
錦衣相思（套）	一、春思鬱懷（昔鹽） 二、無題（白雪）	一從他春思牽挂	一、梁辰魚（詞林白雪） 二、無名氏（昔昔鹽）
錦庭樂（套）	一、春怨（梨雲、南紀、二集、韻選、萃雅、逸響、合編、三籟）	被兒餘　枕兒單	一、陣鐸（梨雲寄傲，群音類選，南宮詞紀，南詞韻選，吴騷二集，吴歈萃

	二、閨怨（類選） 三、春閨怨（昔鹽） 四、無題（先春、吴騷）		雅，詞林逸響，吴騷合編，南音三籟） 二、無名氏（樂府先春，昔昔鹽，吴騷集）
錦纏道（套）	一、泊舟連河懷清源胡姬（南紀、合編、太霞） 二、泊舟懷妓（三籟） 三、離愁（珊珊） 四、懷胡姬（彩筆） 五、無題（先春、吴騷）	滿帆風	一、史叔考（南宫詞紀，彩筆情辭，吴騷合編，太霞新奏） 二、沈仕（樂府先春，吴騷集，南音三籟，珊珊集）
錦堂月（令）	偶書	山閣蕭條	一、馮惟敏（海浮山堂詞稿，南宫詞紀） 二、王九思（碧山續稿）
點絳唇（套）	一、四時行樂（摘艷） 二、四季賞心（類選） 三、四時景（北紀） 四、無題（盛世、雍熙、白雪、盛林）	三月韶光	一、丘汝成（盛世新聲，詞林摘艷） 二、楊文奎（北宫詞紀，詞林白雪） 三、無名氏（雍熙樂府，群音類選，盛世詞林）

同右	月令隨杓（標）	一、席上雙關意詠斗戲贈歌者（誠齋） 二、贈妓名斗兒（雍熙） 三、贈妓斗兒（彩筆） 四、無題（盛世、盛林）	一、朱有燉（誠齋樂府） 二、元人（彩筆情辭） 三、無名氏（盛世新聲，雍熙樂府，盛世詞林）
同右	秦失邦基	一、咏三分（摘艷） 二、諸葛平蜀（雍熙） 三、無題（盛世）	一、丘汝成（詞林摘艷） 二、無名氏（盛世新聲，雍熙樂府）
同右	漏盡銅龍	一、美麗（摘艷） 二、佳人（類選） 三、憶美人（北紀） 四、無題（盛世、詞謔、雍熙、白雪、廣韻選、盛林）	一、唐以初（詞林摘艷） 二、于伯淵（北宫詞紀，詞林白雪） 三、元人（詞謔，南北詞廣韻選） 四、無名氏（盛世新聲，雍熙樂府，盛世詞林，群音類選）
同右	嬌艷名娃	一、仲春席上……（誠齋） 二、風情（摘艷） 三、贈麗人（雍熙） 四、贈美妓（彩筆） 五、無題（盛林、盛世）	一、朱有燉（誠齋樂府，詞林摘艷，彩筆情辭） 二、無名氏（雍熙樂府，盛世新聲，盛世詞林）

一、黃峨（楊升庵夫婦散曲） 二、喬吉（杜牧之詩酒揚州夢雜劇，一笑散，改定元賢傳奇，古名家雜劇，繼志齋刊本，元曲選，柳枝集，揚州叢刊）	錦纜龍舟	一、維揚風月（夫婦） 二、揚州夢（改定、古名、繼志、元曲、柳枝、一笑、揚州）	同右
一、黃峨（楊升庵夫婦散曲） 二、無名氏（鄭月蓮秋夜雲窗夢雜劇，孤本元明雜劇，詞林摘艷，詞謔）	驕馬吟鞭	一、雲窗夢（孤本、摘艷、詞謔） 二、無題（夫婦）	同右
一、景時珍（北曲拾遺） 二、無名氏（雍熙樂府，詞珍雅調）	聖人道良賈深藏	一、嘲鹽商（雍熙、詞珍） 二、無題（北拾）	同右
一、丘汝晦（詞林摘艷） 二、無名氏（盛世詞林）	月朗風清	一、月下聽琴（摘艷） 二、無題（盛林）	同右
一、王九思（碧山新稿） 二、劉龍田（詞珍雅調）	暮景桑榆	一、園亭避暑有感因勸少年（新稿）	同右

	二、園林避暑勉好事者詞（詞珍）		
繡帶引（套）	一、閨情（萃雅、三籟） 二、題情（合編、太霞） 三、無題（新譜）	驀忽地雙眉暗鎖	一、沈璟（吴騷合編，太霞新奏，南詞新譜） 二、錢鶴灘（吴歈萃雅，南音三籟）
繡帶兒（套）	一、燈下思情（昔鹽） 二、怨别（萃雅、怡春錦）	燈兒下低頭自忖	一、張鳳翼（吴歈萃雅，怡春錦） 二、無名氏（昔昔鹽）
繡停針（合套）	一、夏景（摘艷、類選、北紀） 二、大四景夏（雍熙） 三、無題（盛林）	院落春餘	一、王文昌（北宫詞紀） 二、無名氏（詞林摘艷，雍熙樂府，群音類選，盛世詞林）
懶畫眉（套）	一、送别（南紀、韻選、太霞） 二、送美（彩筆） 三、題情（合編）	落日遥岑淡烟孤	一、沈璟（彩筆情辭，吴騷合編） 二、無名氏（南宫詞紀，南詞韻選，太霞新奏）

同右	一、幽會（唾窗、南紀、昔鹽、韻選） 二、風情（萃雅、逸響、三籟、奏雅） 三、幽期（合編） 四、幽歡（彩筆） 五、無題（先春、吳騷、白雪）	十二闌干（寶花欄十二、闌干十二）玉亭亭	一、沈仕（唾窗絨，樂府先春，南宮詞紀，吳歈萃雅，詞林逸響，彩筆情辭，南音三籟，吳騷集，吳騷合編，詞林白雪，南詞韻選，古今奏雅） 二、無名氏（昔昔鹽）
同右	一、麗情（唾窗、彩筆） 二、改定武林沈青門作（白苧） 三、題情（類選、合編） 四、愁思（萃雅、逸響、奏雅） 五、思情（二集） 六、情思（三籟）	小名兒牽掛在心頭	一、沈仕（唾窗絨，群音類選，吳騷二集，彩筆情辭，吳騷合編） 二、梁辰魚（江東白苧） 三、燕仲義（吳歈萃雅，詞林逸響，南音三籟，古今奏雅）
羅江怨（令）	一、閨情四夢八空（摘艷） 二、相思（雍熙） 三、閨中四夢八空（南紀） 四、閨怨（合編、太霞、	一、懨懨病漸濃 二、伊西我在東 三、恩情逐晚風 四、惺惺似懵懂	一、孫百川（萬錦清音） 二、散曲（舊編南九宮譜，九宮大成南北詞宮譜） 三、舊詞（吳騷合編）

	萬錦） 五、無題（舊譜、金瓶梅、新譜、大成）		四、林招得傳奇（南詞新譜録首曲） 五、無名氏（詞林摘艷，雍熙樂府，金瓶梅詞話，南宮詞紀，太霞新奏）
同　右	一、冬思（二集） 二、閨情（合編） 三、無題（夫婦）	一、空亭（庭）月影斜 二、黄昏畫角歇 三、青山隱隱遮 四、關山望轉賒	一、楊慎（楊升庵夫婦散曲） 二、黄峨（吴騷二集，吴騷合編）
願成雙（套）	一、春思（摘艷、北紀） 二、無題（盛世、盛林）	春初透花正結	一、蘭楚芳（詞林摘艷，北宮詞紀） 二、無名氏（盛世新聲，盛世詞林）
蟾宫令（令）	一、得子嵩中秋……（誠齋） 二、題情（雍熙） 三、無題（盛世）	小窗前風雪兼加	一、朱有燉（誠齋樂府） 二、無名氏（盛世新聲，雍熙樂府有八首，此爲其中第三首）
同　右	一、夏夜（誠齋） 二、無題（盛世）	步閑堦散髮披襟	一、朱有燉（誠齋樂府） 二、無名氏（盛世新聲）

同右	一、秋景二十詠（誠齋） 二、無題（盛世）	上高樓閑對秋風	一、朱有燉（誠齋樂府） 二、無名氏（盛世新聲）
同右	一、題劉長史白雲小藁（誠齋） 二、歸隱（雍熙） 三、無題（盛世）	想當年長史劉醇	一、朱有燉（誠齋樂府） 二、無名氏（盛世新聲，雍熙樂府歸隱有四首，此爲第三首）
同右	一、閨怨（註釋西廂、音釋西廂） 二、無題（廣正譜、大成）	冷清清人在西廂	一、湯式（北詞廣正譜，元明小令鈔） 二、無名氏（新刊奇妙全相註釋西廂記，元本題評音釋西廂記北詞廣正譜，九宮大成，南北詞宮譜）
鶯啼序（套）	一、閨情（類選） 二、秋悲（雍熙） 三、秋思（萃雅） 四、秋閨（合編） 五、初秋（韻選） 六、情（南九宮） 七，無題（盛林）	梧桐一葉初凋	一、孫百川（吴騷合編） 二、王雅宜（吴歈萃雅） 三、樂府（新編南九宮詞） 四、無名氏（雍熙樂府，群音類選，南詞韻選，盛世詞林）

同右	一、題情（可雪、南紀） 二、風情（雍熙） 三、閨情（類選、合編） 四、夜景題情（昔鹽） 五、幽閨別恨（萃雅、逸響、奏雅） 六、別恨（三籟） 七、情（南九宮） 八、憶別情郎（一枝） 九、無題（秋碧、三徑、先春、韻選、吴騷、争奇）	孤幃一點殘燈	一、陳鐸（可雪齋稿，秋碧樂府，群音類選，南宮詞紀，吴歈萃雅，詞林逸響，吴騷集，吴騷合編，南音三籟，南詞韻選，古今奏雅，樂府先春，南詞新譜收滴溜出隊一首） 二、樂府（新編南九宮詞） 三、無名氏（三徑閑題，樂府争奇，雍熙樂府，昔昔鹽，詞林一枝）
鬬鵪鶉（套）	一、惜別（北紀） 二、憶別（彩筆） 三、送別（萬錦） 四、無題（夫婦）	分手東橋	一、黄峨（楊升庵夫婦散曲） 二、楊慎（北宮詞紀，彩筆情辭，萬錦清音）
同右	一、勸子弟收心（梨雲） 二、譏子弟（摘艷、北紀） 三、勸人收心（雍熙、類選） 四、無題（盛林）	往常時伴了些珠履瓊簪	一、陳鐸（梨雲寄傲，詞林摘艷，北宮詞紀） 二、無名氏（雍熙樂府，盛世新聲，群音類選，盛世詞林）

同右	一、賞金陵八景（可雪、北紀） 二、詠金陵（摘艷） 三、金陵八景（雍熙） 四、無題（盛林、盛世）	帝業南都	一、陳鐸（可雪齋稿，詞林摘艷，北宮詞紀，北詞廣正譜收青山口一首） 二、無名氏（盛世新聲，雍熙樂府，盛世詞林）
同右	一、壽對山舅六十四（雙溪） 二、壽康對山太史（北紀）	風月閒身	一、張錬（雙溪樂府） 二、呂涇野（北宮詞紀）
鬬寶蟾（套）	一、題情（合編） 二、思情（昔昔鹽） 三、無題（先春、吴騷）	兩字鴛鴦	一、馮二酉（吴騷集，吴騷合編，樂府先春） 二、無名氏（昔昔鹽）
同右	一、冬暮題情（可雪、昔鹽、南紀、奏雅） 二、閨情（類選、名詞） 三、寄情梅雪（萃雅、三籟） 四、咏梅（逸響、珊珊） 五、冬閨（合編） 六、暮冬（韻選） 七、無題（三徑、先春、争奇、吴騷）	點檢梅花	一、陳鐸（可雪齋稿，南詞韻選，群音類選，南宮詞紀，吴騷集，吴歈萃雅，詞林逸響，吴騷合編，南音三籟，樂府先春，古今奏雅） 二、劉東生（珊珊集） 三、無名氏（三徑閑題，昔昔鹽，樂府名詞，樂府争奇）

作者姓名字號籍貫索引

本索引按作者姓名字號首字的筆畫數排列。括號内係作者别名或字號。下欄數字爲書中頁碼。

一、筆畫索引

筆畫檢字

一　畫　一
二　畫　丁卜二七
三　畫　于
四　畫　王文毛中方太
五　畫　左史丘白包玄申皮
六　畫　朱全仲牟伍米曲
七　畫　谷李宋辛沈吕何沐吴邢汪杜余佘收扶
八　畫　林邵周金宛呼宗兩東
九　畫　胡施范弭姜侯重茅俞段恒姚洗南
十　畫　唐晏畢祝徐夏袁馬秦孫高殷倪席凌郝翁
十一畫　張陳康常陸曹梁崔莫郭盛屠許梅章陶清
十二畫　湯彭湛雲黄馮程景喬費傅湖賀嵇
十三畫　楊賈解虞萬董葉禄楚
十四畫　趙蔡廖寧臧齊熊漁
十五畫　劉鄭潘蔣歐醉
十六畫　錢蕭龍燕駱
十七畫　韓謝薛
十八畫　瞿簡闕儲
十九畫　羅
二十畫　蘇
二十一畫　蘭顧

一　畫

一　齋（朱厚炫）　安徽鳳陽…………　一五三三

二　畫

丁　綵（前溪）　山東諸城……………　三二八二

丁惟恕（心田）　山東諸城……………四三三九
卜世臣（大臣　大荒　長公　孝裔　藍水　蘭史
　大荒逋客）　浙江嘉興………四三〇〇
二酉山人…………………………五〇三二
七樂生（東吴畸人七樂生）…………五二一五

三　畫

于慎思（無妄　航隱）　山東東阿
　……………………………………三二五二

四　畫

王子一………………………………一
王　僎（廷貴　思軒）　江蘇常州………四五八
王　越（世昌）　河南濬縣…………四五〇
王春泉…………………………四七〇
王　鏊（濟之　守溪　拙叟）　江蘇吴縣
　……………………………………四八五
王　麒（騏　仁瑞　野堂）　陝西鳳翔
　……………………………………九二五
王九思（敬夫　渼陂　紫閣山人　碧山野叟）
　陝西鄠縣……………………九五二
王　田（舜耕　西樓）　山東濟南………二一五
文徵明（璧　徵仲　衡山）　江蘇蘇州
　……………………………………一一三二
王　磐（鴻漸　西樓）　江蘇高郵………七七八
王守仁（伯安　陽明）　浙江余姚……一一八四
王廷相（子衡　平厓　浚川　秉衡　河濱丈人）
　河南蘭考……………………一一九二
王　教（庸之、中川）　河南祥符……一四六三
王宗正（海月）……………………一七七七
王　寵（履仁　履吉　雅宜　雅宜山人）
　江蘇蘇州……………………一九一四
王　問（子裕　仲山）　江蘇無錫……一九六九
文　彭（壽承　三橋）　江蘇蘇州……一九七六
王　寅（淮孺　仲房　亮卿　十嶽山人）
　安徽歙縣……………………二一六〇
王　交（徵久、龍田、同齋）　浙江慈溪
　……………………………………二六〇七
王子安…………………………二八六七
王元和…………………………二八七〇
王世貞（元美　鳳洲　弇州山人）

江蘇太倉……………………二九一六
王克篤（菊逸）　山東東平……………二九二〇
王錫爵（元馭　荆石）　江蘇太倉……三三三四
王穉登（伯穀　百谷　吴中情奴）
江蘇武進…………………………三三三八
王驥德（伯良　伯驥　方諸生　玉陽生
秦樓外史　方諸仙史　鹿陽外史
玉陽仙史）　浙江紹興………三六一六
毛　良（舜臣）…………………………一一八八
王　徵（良甫　葵心　一道人）　陝西涇陽
……………………………………四二九〇
王端淑（玉映　映然子　青蕪子）
浙江紹興…………………四七七〇
王化隆（真如子）　四川廣漢…………四三一八
王　屋（畹　孝峙）　浙江嘉善………四八三七
王文舉……………………………………四八六〇
中分樹主人………………………………四八六二
方　鳳（時鳴　改亭）　江蘇崑山……一五〇七
方洗馬……………………………………四九六二
王　藻（子章　中中子）　浙江金華……一九〇
王文昌　遼寧遼陽……………………二二
太平野史…………………………………四九六四
毛蓮石……………………………………四九六六
王一鵬（西園　九萬　西園野夫）
上海松江………………………一四六一
王　謨（玉陽）　浙江蕭山……………五〇八六
方　氏……………………………………五一一九
王厚之……………………………………五一二一
王　異（權　無功）　陝西合陽………五一二三
方汝浩（清溪道人）　河南洛陽………五一八四

五　畫

左　贊（時翊）　江西南城……………四五四
史　忠（廷直　敦翁　癡仙　癡翁　癡癡道人）
江蘇南京…………………………四六三
史　沐……………………………………一四五九
史立模（季弘　雁峰）　浙江餘姚……二〇一一
史直夫……………………………………二八七三
丘汝成……………………………………二八七五
丘汝晦……………………………………二八八二
包應龍……………………………………二八八五
史　檠（叔考）　浙江紹興……………三二六二

玄虛子……一五三四
申時行（汝默　瑤泉　休休居士）江蘇蘇州……三四〇五
皮光淳（元素）　江蘇南京……三九六四
丘田叔……四五三九
白石山主人……四五四〇

六　畫

朱　權（大明奇士　涵虛子　丹丘先生　臞仙）安徽鳳陽……二九五
朱有燉（誠齋　全陽子　老狂生　全陽道人　全陽老人　錦窠老人）　安徽鳳陽……三〇二
朱瞻基　安徽鳳陽……四四二
朱應登（升之　淩谿）　江蘇寶應……一四五四
朱應辰（拱之　振之　淮海　逍遥館主人）江蘇寶應……一四八三
朱厚照　安徽鳳陽……一七九七
江一桂（伯馨　白石）　安徽婺源……一六一一
朱讓栩　安徽鳳陽……二〇五〇
朱曰藩（子价　射陂）　江蘇寶應……二〇四五
朱憲爀……二六〇一
朱載堉（伯勤　勾曲山人）　安徽鳳陽……三四〇七
仲龍子（仲龍子老更狂）……一五三七
朱慶梀……四四七四
牟清溪……四八六七
朱世徵（長卿）　江蘇崑山……四九三〇
朱廷玉……四九五五
伍灌夫……四九六八
朱鏡如……五〇八九
米仲詔……四五四一
曲癡子（沖和居士）　浙江杭州……四五八〇

七　畫

谷子敬　江蘇南京……二五
李唐賓（玉壺道人）　江蘇揚州……四九
李昌祺（禎　僑庵）　江西廬陵……二九〇
沈　貞（貞吉　南齋　陶庵　陶然道人）江蘇蘇州……四四九
李東陽（賓之　西涯）　湖南茶陵……四七八

吕景儒……………………九四八
何　瑭（粹夫　柏齋）　河南武陟……一一九六
吕　柟（大楝　仲木　涇野）　陝西高陵……一四六五
沈　仕（懋學　子登　野筠　青門　青門山人　東海迷花浪仙）　浙江杭州……一六三〇
沐　崧（希甫　石岡）……一七九七
李元陽（仁甫　仁夫　中谿）　雲南大理……一九六二
李一元（初岡）……一九七四
李　鈞（芝山）……二〇〇九
李　丙（徐丙　子南　半谿）　浙江長興……二〇一三
吳復菴……三二五七
吳廷翰（崧伯　嵩伯　崇伯　蘇原　蘇原山人）　安徽無爲……二〇二四
吳承恩（汝忠　射陽山人）　江蘇淮安……二〇四〇
李開先（伯華　中麓　中麓子　中麓放客　中麓山人　中麓老樵　中麓病夫）　山東章丘……二〇六二
邢一鳳（伯羽　雉山）　江蘇南京……二三〇五
李春芳（子實　石麓）　江蘇興化……二三〇八
吳　懋（德懋　高河）　雲南大理……二六二五
吳　嶔（宗高　崑麓）　江蘇武進……二六二七
吳國寶（萬湖）　安徽無爲……二七一九
李日華（實甫）　江蘇吳縣……二八五三
吳國倫（明卿　川樓　南嶽山人）　湖北陽新……二八五九
汪道昆（伯玉　玉卿　南明　南溟　太函　函翁）　安徽歙縣……二八六〇
李　贄（載贄　卓吾　宏甫　温陵居士）　福建晉江……二九八七
沈袾宏（佛慧　蓮池　雲棲大師　蓮池大師）　浙江杭州……三三四六
吕　坤（叔簡　新吾）　河南寧陵……三四六二
吳拱宸（襄宗　華陽散人）　江蘇鎮江……五一八三
杜子華（圻山　圻山山人）　江蘇無錫……三四七三
宋登春（應元　海翁　鵝池生）　河北新河

……二六三五
李維楨（本寧）　湖北京山……三七二二
沈　璟（伯英　聃和　寧菴　詞隱生）　江蘇吳江……三七八〇
李　登（士龍）　江蘇南京……二九〇九
李應策（成可　蒼門）　陝西蒲城……三九六八
沈　瓚（子勺　定庵）　江蘇吳江……四一〇五
汪廷訥（昌期　昌朝　無如　坐隱先生　全一真人　清癡叟　無無居士）　安徽休寧……四一八八
杜大成（允修　山狂　山狂生）　江蘇南京……四二二四
沈　珂（祥止　巢逸）　江蘇吳江……四二七二
沈　演（叔敷　何山）　浙江湖州……四二七八
佘　翘（聿雲）　安徽銅陵……四二八〇
宋楙澄（幼清）　上海……四二八二
沈静専（曼君）　江蘇吳江……四五五四
余壬公……四五五七
吳載伯……四五六七
沈君謨（蘇門）　江蘇吳江……四七六二
沈則平（子平）……四七七三
沈自徵（君庸　漁陽先生）　江蘇吳江……四七八四
李子昌……四八七〇
李文蔚……四八七五
李愛山……四八七七
收春主人……四八八〇
沈一貫（肩吾　蛟門）　浙江鄞縣……三二四九
李集虚……四九二〇
李復初……四九五七
李元實……四五三八
扶　摇……四九七三
沈　嵊（孚中　會古　唵庵　唵庵孚中道人）　浙江杭州……五〇一六
吳無咎……五〇四二
何西來……五〇四四
李翠微　陝西米脂……五〇八二
沈清狂……五〇九四
李文瀾……五一三三
李文燭（晦卿　夢覺道人）　江蘇丹徒……四四七九
沈凌雲……五一四七

李　樸（繼白）　陝西朝邑……………四四七七
李　清（映碧　心水　天一居士）
　江蘇興化……………五〇〇六
沈滄雨……………五一五六
杜文焕（弢武　日章）　江蘇崑山……四七六三
汪　膺（元御　玉淙）　江蘇蘇州……………
　……………五〇〇三
辛　升（克羽）　江蘇無錫……………四八〇一

八　畫

林廷玉（粹夫　南澗）　福建福州……………四九〇
邵　寶（國賢　二泉）　江蘇無錫……………八七三
周　瑞（秋汀）　江蘇崑山……………一七七九
金　鑾（在衡　白嶼）　甘肅隴西……一七九九
周天球（公瑕　幼海）　江蘇蘇州……二五九九
宗　臣（子相　方城）　江蘇揚州……二八六五
周履靖（逸之　梅墟　螺冠子　梅顛道人
　梅顛居士）　浙江嘉興……三五五九
宛瑜子（周之標之號）　江蘇蘇州……四五〇六
呼文如（祖）　湖北武漢……………四五三四
兩峰主人……………四九三一
林石崗……………五一三五
邵涵遠……………五一五九
金木散人……………五一八〇
周　楫（清源　濟川子）　浙江杭州……………
　……………五二〇八

九　畫

郗　經（仲誼　仲義　玩齋　西清居士
　觀夢道士）　甘肅隴西……………三〇
胡用和　河南修武……………二六三
施子安（彥端　肇瑞　耐庵）　江蘇興化
　……………四三
胡賓竹……………四六〇
范　甫（唐山）……………二〇一五
弭來夫（子方　少菴）　山東章丘……二一四一
姜　恩（君賜）　四川廣安……………二〇三〇
姜　寶（廷善　惟善　鳳阿）　江蘇丹陽
　……………二六〇四
胡以正……………二六三一
胡仁廣……………四四七五
侯正夫……………二八八七

胡汝嘉（懋禮　沁南　秋宇）　江蘇南京……三〇二〇
胡文焕（德甫　德文　全菴　全道人　別琴居士　西湖醉漁）　浙江杭州……三三四八
重陽真人……一五四三
俞安期（策　公臨　羨長）　江蘇吴江……三七四六
范允臨（長倩　長白）　江蘇蘇州……四一一九
胡　松（汝茂　柏泉）　安徽滁州……二一三七
茅　溱（平仲　平甫）　江蘇鎮江……四二三二
俞宛綸（君宣）　江蘇蘇州……四四八五
施紹莘（子野　峰泖浪仙）　上海松江……四五八三
范　垣（伯師）　陝西合陽……四一二三
段顯之……四八八三
俞　彦（仲茅　容自　柳下老人）　江蘇南京……四四八〇
恒軒老人……四九三二
范晶山……四九三四
姚小涞……四九七四
洗　塵……一四四七
南　峰……五〇七四
范壺貞（淑英　蓉裳）　江蘇蘇州……四一八四

十畫

唐　復（以初　冰壺道人）　江蘇鎮江……二三九
晏　鐸（振之）　四川富順……四三六
孫　艾（世節　西川）　江蘇常熟……四八八
祝允明（希哲　枝山　枝指生）　江蘇蘇州……八七四
徐遵誨……八九八
徐　霖（子仁　髯仙　九峰道人）　上海松江……九〇四
夏　暘（汝霖）　江西貴溪……九一〇
徐文昭（雲崖）　江西廣昌……九二七
夏文範（瑩玉　湖山）　江西新建……九三四
唐　寅（伯虎　子畏　六如　逃禪仙史　桃花庵主　六如居士）　江蘇蘇州……一一四二
馬　理（伯循　溪田）　陝西三原……一二〇六
夏　言（公謹　桂洲）　江西貴溪……一五六三

孫承恩（貞父　毅齋）　上海松江……一五二五
袁崇冕（西野）　山東章丘……一六二四
馬一龍（負圖　孟河　玉華子）　江蘇溧陽……二〇一六
徐　階（子升　少湖　存齋）　上海松江……二一三四
徐敷詔（廷渙　定庵）　四川閬中
馬　惠　山東章丘……二一三六
唐順之（應德　義修　荆川）　江蘇武進……二二三一一
秦時雍（堯化　復菴）　安徽亳縣……二二五五四
孫　樓（子虛　百川）　江蘇常熟……二二六〇九
徐　渭（文清　文長　天池　田水月　青藤山人）　浙江紹興……二七五九
高應玘（仲子　仲純　筆峰　筆峰子）　山東章丘……二七六六
殷士儋（正甫　文通　棠川先生）　山東濟南……二七九六
徐知府……二八八九
孫斯億（兆孺　雲夢山人）　湖南華容……三〇二九
殷　都（無美　斗墟　斗虛）　上海嘉定……三〇三七
畢　木（子近　舜石）　山東淄川……三四六七
倪民悦（公甫　少江）　江蘇南京……三二六〇
孫胤伽……四四七二
馬丹陽真人……一五五〇
馬守真（湘蘭　月嬌　玄兒　湘蘭子）　江蘇南京……三七二七
袁宗道（伯修）　湖北公安……四一四一
徐　媛（小淑）　江蘇蘇州……四一七二
徐維敬（惺予　惺宇）　安徽鳳陽……四二二七
高　濂（深甫　瑞南　瑞南居士　桃花漁長　千墨主　湖上桃花漁　萬花居）　浙江杭州……二九六〇
孫峽峰　山東安丘……四四〇三
馬佶人（吉甫　更生　亘生　斐堂擷芳主人）　江蘇吴縣……四四六一
徐士俊（野君）　浙江仁和……四九九〇
席浪仙（浪仙子　天然癡叟）……四八三一
凌濛初（玄房　初成　稚成　凌波　波厈　即空觀主人）　浙江吴興……四五四三

高志學（承學　石樓）江蘇南京……三〇二六
孫起都（子京　幼如）江蘇南京……四一六八
孫　湛（子真）安徽徽州……四一七〇
馬　綬……五〇五四
夏完淳（復　存古　小隱　靈首　靈胥）
　上海松江……五一二八
秦冰澳……五一三七
郝湘娥……五一四九
翁吉爩（裴郎）福建永春……五〇一三

十一畫

陳克明……四六
張全一（君寶　玄素　三丰　張邋遢）
　遼寧阜新……二五五
盛從周……二六九
陳　完（仲完　簡齋）福建長樂……二八二
張　弼（汝弼　東海）上海松江……四六二
章　懋（德懋　楓山　闇然子　穀濱遺老）
　浙江蘭谿……四六九
陳　鐸（大聲　秋碧　七一居士）
　江蘇邳縣……四九九
陳　沂（宗魯　魯南　石亭　小坡　石亭居士）
　浙江寧波……一一一二
康　海（德涵　對山　太白山人　浒東漁夫
　滸西山人）陝西武功……一二〇八
張　含（愈光　禺山　半谷　月塢　禺同山人）
　雲南保山……一四六七
張　禄（天爵　元倖　友竹山人　蒲東山人）
　江蘇吴江……一四八〇
陸　深（景　子淵　儼山）上海……一四五六
康　梧……一五〇五
陸世明　江蘇蘇州……一七七八
張伯純……一六一二
張　治（文邦　龍湖）湖南茶陵……一六二七
張　寰（允清　石川）江蘇崑山……一六一五
康　河（德清　漳川　漳川居士）
　陝西武功……一七九四
張恒純（隱君　文臺）江蘇崑山……一七八二
常　倫（明卿　樓居子）山西沁水
　……一八六九
張　鍊（伯純　太乙　雙溪　雙溪漁人）
　陝西武功……二二一三

陸　治（叔平　包山　包山子）　江蘇吴縣……一九六四
陸之裘（象孫　箕仲　南門）　江蘇太倉……二〇一九
張南溟　湖北均縣……二一四〇
陳　儒（宗道　方溪）　江蘇常熟……二一四二
張誠菴　山東章丘……二五五三
陳　鶴（鳴野　鳴軒　九皋　海樵　海鶴　水樵生　海樵山人）　浙江紹興……二六一六
曹　氏……二六三三
梁辰魚（伯龍　少白　少伯　仇池外史）　江蘇昆山……二六三六
曹大章（一呈　含齋）　江蘇金壇……二七六二
曹孟修……二八九二
崔子一……二八九六
張　氏……二八九八
張善夫……二九〇一
陳所聞（藎卿）　江蘇南京……三八三一
張鳳翼（伯起　伯子　靈墟　靈墟先生　泠然居士）　江蘇蘇州……二九八九
張佳胤（肖甫　崌崍山人）　四川銅梁……三〇一八
陳　全　江蘇南京……三〇三一
陳翰林……三〇三六
張曼倩……四四七〇
莫是龍（雲卿　廷韓　秋水　後明　碧山樵）　上海松江……三五一九
郭汝平……一五五四
張解元……三六八三
許樂善（修之）　上海松江……三五四五
陳朝佐……一五五六
屠　隆（長卿　緯真　赤水　鴻苞居士　一衲道人　由拳山人　蓬萊仙客　娑羅主人）　浙江寧波……三六〇六
陸應暘（樵子　江左樵子）　上海……四四六四
陳與郊（廣野　隅陽　玉陽　禺陽　虞陽　玉陽仙史　高漫卿　任誕軒　任誕先）　浙江海寧……三六九九
盛敏耕（伯年　壺林）　江蘇南京……三七一八
張四維（治卿　午山　五山　屏山　五山秀才）　江蘇南京……三七二五

張守中（叔原　裕齋）　江蘇高郵……三二七七
許次紓（然明　南華）　浙江杭州……三七二九
梅鼎祚（彥和　禹金　勝樂道人）
安徽宣城……三七三四
陳繼儒（仲醇　眉公　麋公　白石山樵）
上海松江……四一一三
張炳濬（儀昭　訒庵）　陝西涇陽……四四一六
張瘦郎（野青）　湖北黃陂……四八〇四
張以誠（君一　瀛海）　上海松江……四五〇四
張　琦（楚　楚叔　叔文　騷隱生　騷隱居士
松臞老人　西湖居士　白雪齋主人）
浙江杭州……四七七九
張旭初（嶺樵　半嶺道人）　浙江杭州
……四八五四
張積潤（次璧）　上海松江……四八五九
許應亭（石屋　子夏）　浙江杭州……二三〇三
張叔元……四八八五
張春陽……四九二二
張峒初……四九二三
陳五岳……四九二四
陸　洙（滄浪　秋水）　江蘇興化……八〇七
張廷臣（元忠　玉山　玉山子　六拙居士）
江蘇太倉……四九三六
張茅亭……四九三八
陶　唐（陶區）　江蘇崑山……四九四〇
張芳洲……四九六〇
張葦如……四九七七
陳子龍（懋中　臥子　人中　軼符　大樽
於陵孟公）　上海松江……五〇〇八
陳子升（喬生　中洲　南雪　智山　中洲居士
智山道人）　廣東廣州……五〇一八
梁孟昭（夷素）　浙江杭州……五〇三六
清河漁父……五〇四六
張文介（惟守）　浙江龍游……五〇四九
張伯瑜……五〇五四
張君平……五〇五七
張孺彝……五〇五九
張　栩（叔周　夢子）　浙江杭州……五〇九六
張景嚴（瀨濱）　江蘇溧陽……五一一八
許彥輔……五一三九
張舜臣（熙伯）　山東章丘……二三〇一
陳石坡……五一四一

陸廣明（無界　青章）　江蘇蘇州……五一五四
郭丸封……五一七六
陸人龍（君翼）　浙江杭州……五〇一一

十二畫

湯　式（舜民　菊莊）　浙江象山……五一
黄　淮（宗豫）　浙江永嘉……二八四
黄潤玉（孟清　南山）　浙江寧波……四三九
彭　澤（濟物）　甘肅蘭州……八六四
湛若水（元明　甘泉）　廣東增城……九四一
黄　峨（秀眉）　四川遂寧……一九七九
馮惟敏（汝行　海浮）　山東臨朐……二三〇九
馮敏効（忠卿　季山　繼山　天谷山人）　浙江平湖……三五二六
黄洪憲（懋中　葵陽）　浙江嘉興……三五五七
程可中（仲權　中權）　安徽休寧……四一四三
湯顯祖（義仍　義人、義、義少、義父、義叔　若士　海若　晦若　清遠道人　繭翁）　江西臨川……三七四三
馮夢禎（具區　開之　真實居士）　浙江嘉興……三七二〇
黄祖儒（祖孺　叔初）　江蘇南京……三九五二
黄戍儒（參鳳）　江蘇南京……四一六五
景翩翩（三昧）　江西南城……四二二九
景時珍……四二八六
馮夢龍（猶龍　耳猶　子猶　龍子猶　墨憨子　顧曲散人　姑蘇詞奴　詹詹外史　浮白主人　墨憨齋主人）　江蘇蘇州……四四二三
黄方胤（方儒　方蔭　方印　醒狂　醒狂散人）　江蘇南京……四五三六
喬臥東……四八九五
湯三江　江蘇江陰……四九四二
湯東野……四九四五
馮喜生……四五四二
馮廷槐（德符　二酉　二酉山人）　浙江杭州……四九四六
喬臥泉……四九五一
費廷臣（勝之）……四九五三
馮延年（千秋）　浙江杭州……五〇三三
傅玄泉……五〇六八
湯傳楹（子輔　卿謀）　江蘇蘇州……五〇七二

湖西主人……五〇七六
賀五良……五一二五
嵇一庵……五一六四
嵇行若……五一六六
嵇高也……五一六七
程豈一……五一六九

十三畫

賈仲明（仲名　雲水散人　雲水翁）　山東淄博……一九三
楊　訥（暹　景賢　景言　汝齋）　浙江杭州……二二四
楊　賁（彦華　景言　春風道人）　安徽合肥……二二九
楊文奎……二三五
詹時雨（晚進王生）　福建……二六七
解　縉（大紳　縉紳）　江西吉水……二八九
虞　臣（元凱　竹西）　江蘇崑山……四七三
楊　傑（廷俊　立齋）　山西平定……四七六
楊一清（應寧　邃菴　石淙）　雲南廣南……四九四
萬　勛（著　柳溪）　遼寧遼陽……八一〇
楊循吉（君謙　君卿　南峰山人）　江蘇吴縣……八一六
楊廷和（介夫　石齋）　四川新都……八三五
楊應奎（文焕　澠谷　蹇翁）　山東益都……一五〇九
楊　慎（用修　升庵）　四川新都……一六七八
楊　惇（用敍　敍庵）　四川新都……一七七四
楊　慥（用能　未庵）　四川新都……一九一二
楊　儀（夢羽）　江蘇常熟……一七七四
楊爾曾（聖魯　雉衡山人　夷白主人）　浙江杭州……五一八八
董其昌（玄宰　思白　香光居士）　上海松江……四一〇〇
葉　華（茂原　金粟頭陀）　山東曲阜……四二四二
董斯張（遐周）　浙江吴興……四七七七
楊德芳　江蘇揚州……四八九七
禄　洪　雲南……四一三五
楊文岳（斗望）　四川南充……四七九四
董如瑛……五〇六〇

董貞貞……五〇六一
葉小鸞（瓊章　瑤期　煮夢子）江蘇吴江……五〇六二
虞味蔗……五〇八〇
虞交俞……五一四三
楚　妓……五一五〇
楊景輝……五一七八

十四畫

漁隱主人（西湖漁隱主人）……五一七九
趙　寬（栗夫　半江）江蘇吴江……八〇九
廖道南（嗚吾　玄素）湖北蒲圻……一九二六
寧　齋（寧齋老人）山西太原……二九〇三
臧允中……二九一三
臧用和……二九一四
蔡國珍（汝聘　見麓）江西奉新……三〇二二
趙南星（夢白　儕鶴　清都散客）河北元氏……三七四八
齊小碧……四九〇六
趙近山……四九〇八
趙毅陽……四九二六
趙晉峰……四九五四
熊秉鑑（元明　紫珍）江蘇蘇州……四七九三

十五畫

劉　兑（東生）浙江紹興……一〇
劉龍田　山東……二〇三五
劉　守（脩亭　百亭）山東濟寧……九四三
劉良臣（堯卿　鳳川）山西芮城……一五八四
劉天民（希尹　函山）山東濟南……一六一八
劉泰之（大昌　珥江）四川成都……一六二二
鄭若庸（中伯　仲伯　虚舟　虚舟山人　蛣蜣生）江蘇崑山……一七八三
劉效祖（仲修　念庵）山東惠民……二七七〇
潘士藻（去華　雪松）安徽婺源……三五二一
鄭墟泉……四九一〇
劉汝佳（無美　紫芝）安徽無爲……四二六四
劉　然……四四七六
鄭　琰（翰卿）福建閩縣……三六八一
鄭心材（敬仲　思泉）浙江海鹽……四二八四
鄭　鄤（謙之　峚陽）江蘇武進……四八〇二
劉　氏　湖北……五一二七

蔣瓊瓊……五一五一
醉西湖心月主人……五二〇九

十六畫

錢　福（與謙　鶴灘）上海松江……九〇〇
蕭古潭……一五五八
歐陽陰惟（玉甫）江西吉安……四四六八
龍　膺（君善　君御　朱陵　場庵　㶏公
　綸叟　綸㶏先生　太虛里人　洞口漁郎
　偃骨無學人　㶏人　醒翁　漁仙長）
　湖南常德……四二〇七
燕仲義（質甫）江蘇吴縣……二七五六
駱永叔……五一四五
錢古民（林屋道人）……五一七七

十七畫

謝　遷（于喬　木齋）浙江餘姚……四八一
韓邦奇（汝節　苑洛）陝西大荔……一四六九
韓邦靖（汝慶　五泉）陝西大荔……一七七三
薛廷寵（汝承　萃軒）福建福清……二二九九
謝　讜（正卿　獻忠　海門　蓋山子）
　浙江上虞……二五五〇
薛論道（譚德　蓮溪　蓮溪居士）
　河北易縣……三〇三九
薛　崗（岐峰　金山野人）山東益都……三三八一
謝　雙……五〇六三
薛素素……五〇六四
薛常吉……五〇六五

十八畫

瞿　佑（祐　宗吉　存齋）浙江杭州……二七四
簡紹芳（西畧）江西新喻……二〇二一
闞　思（九思　何思　仲通　虛白）
　浙江吴興……四一〇三
儲紫虛……四九二八

十九畫

羅欽順（允升　整菴）江西泰和……九三二

羅洪先（達夫　念菴）江西吉水……二一三九

二十畫

蘇子文……四九一五

二十一畫

蘭楚芳　西域……三三
顧鼎臣（仝　九和　未齋）江蘇崑山……一一九〇
顧　璘（華玉　東橋　東橋居士）江蘇蘇州……一四五二
顧應祥（惟賢　箬溪）浙江長興……一六〇八
顧夢圭（武祥　雍里）江蘇崑山……二〇二二
蘭陵笑笑生……二八一七
顧大典（道行　衡宇　衡寓　恒獄）江蘇吴江……三五五三
顧乃大（彦容）上海松江……四五七九
顧養謙（益卿　沖菴）江蘇南通……三五二四
顧鑑中……一五六一
顧正誼（仲方　亭林　瀼西居士）上海松江……三六八五
顧憲成（叔時　涇陽）江蘇無錫……三七七七
顧起元（太初　璘初　武陵仙史　遯園居士）江蘇南京……四二七三
顧長芬……五〇六七
顧木齋……五〇八四

二、异名録

筆畫檢字

一畫　一
二畫　二十七人九
三畫　三士于大山千小子
四畫　斗六文方天元太木五友中日午升仁仇介公心丹月勾少以允水
五畫　半立玄平玉未正去甘世本石田由用仝白包幼
六畫　汝次冰守耳吉老亘西在百存夷朱竹仲休任全如同聿
七畫　沁沖冷宏良赤圻孝更吴別岐孚坐廷何伯佛含希君即改

八畫 河沂波治泠初於宗定宛玩肩青兩武長芝林
枝松東臥叔卓具昌明秀秉念金糺姑函孟
九畫 恒洞前彥亭亮若茂苑南耐拱柏柳貞禺思秋
香禹弇後屏眉承
十畫 涇浮海娑浚凌高祜祖唐秦珥荊真桂桃振栗
峰脩射航茷
十一畫 惟清深淮涵淑祥鹿聃梅逍虛野晦崇崧崑曼
唵國偃敘參陶巢
十二畫 惺渼湖湘溫詞敦斐堯萃華著菊壺場賁雲軼
棠紫景晚蛣蛟筆策舜無智喬復然猶勝象開
陽隅裕
十三畫 澠漳滄羨義道誠新雍達瑞載萬敬雅楚蓉虞
嵩雉稚與會愈詹逸遐
十四畫 滸漁粹賓寧瑤碧夢蒲葵壽裴對鳴箕箬僑肇
鳳綸質熙
十五畫 瑩禛廣髯蓮蓬樓墨儀德徵衡遯魯履緯
十六畫 龍邃璘整醒遲儕錦縉翰
十七畫 濟鴻應麋蹇懋螺嶺隱謙闇
十八畫 瓊藍藎擷簡雙璧鵝
十九畫 瀛瀨譚癡騷繭
二十畫 瀍蘇獻繼
二十一畫 顧蘭權鶴
二十二畫 臞
二十四畫 靈
二十五畫 觀

一畫

一呈（曹大章）
一衲道人（屠隆）
一道人（王徵）
一齋（朱厚炫）

二畫

二西（馮廷槐）
二西山人（馮廷槐）
二泉（邵寶）
十嶽山人（王寅）
七一居士（陳鐸）
人中（陳子龍）
九和（顧鼎臣）
九思（闞思）

九峰道人（徐　霖）
九　皋（陳　鶴）
九　萬（王一鵬）

三　畫

三　丰（張全一）
三　昧（景翩翩）
三　橋（文　彭）
士　龍（李　登）
于　喬（謝　遷）
大　匡（卜世臣）
大　昌（劉泰之）
大明奇士（朱　權）
大　荒（卜世臣）
大荒逋客（卜世臣）
大　棟（吕　聃）
大　縉（解　縉）
大　樽（陳子龍）
大　聲（陳　鐸）
山　狂（杜大成）
山狂生（杜大成）
千　秋（馮延年）
川　樓（吴國倫）
小　坡（陳　沂）
小　淑（徐　媛）
小　隱（夏完淳）
子　淵（陸　深）
子　近（畢　木）
子　勺（沈　瓚）
子　升（徐　階）
子　方（弭來夫）
子　仁（徐　霖）
子　平（沈則平）
子　价（朱曰藩）
子　京（孫起都）
子　相（宗　臣）
子　畏（唐　寅）
子　真（孫　湛）
子　南（李　炳）
子　虚（孫　樓）
子　野（施紹莘）
子　猶（馮夢龍）

子登（沈仕）
子裕（王問）
子實（李春芳）
子衡（王廷相）
子章（王藻）

四畫

斗虛（殷都）
斗望（楊文岳）
斗墟（殷都）
六如（唐寅）
六拙居士（張廷臣）
文邦（張治）
文長（徐渭）
文清（徐渭）
文通（殷士儋）
文焕（楊應奎）
文臺（張横純）
方印（黄方胤）
方蔭（黄方胤）
方溪（陳儒）
方城（宗臣）
方諸生（王驥德）
方諸仙史（王驥德）
方儒（黄方胤）
天池（徐渭）
天爵（張禄）
元明（湛若水）
元忠（張廷臣）
元明（熊秉鑑）
元美（王世貞）
元素（皮光淳）
元馭（王錫爵）
元御（汪廣）
元凱（虞臣）
太乙（張鍊）
太初（顧起元）
太函（汪道崑）
太虛里人（龍膺）
木齋（謝遷）
五山（張四維）
五山秀才（張四維）

五　泉（韓邦靖）
天谷山人（馮敏効）
天一居士（李　清）
友竹山人（張　禄）
中　川（王　教）
中　伯（鄭若庸）
中　洲（陳子升）
中洲居士（陳子升）
中　谿（李元陽）
中　麓（李開先）
中麓子（李開先）
中麓山人（李開先）
中麓老樵（李開先）
中麓放客（李開先）
中麓病夫（李開先）
中中子（王　藻）
中　權（程可中）
日　章（杜文焕）
午　山（張四維）
升　之（朱應登）
升　庵（楊　慎）
仁　瑞（王　麒）
仁　夫（李元陽）
仁　甫（李元陽）
仇池外史（梁辰魚）
介　夫（楊廷和）
公　甫（倪民悦）
公　瑕（周天球）
公　謹（夏　言）
公　臨（俞安期）
心　水（李　清）
心　田（丁惟恕）
丹丘先生（朱　權）
月　塢（張　含）
月　嬌（馬守真）
勾曲山人（朱載堉）
少　白（梁辰魚）
少　江（倪民悦）
少　谷（張文介）
少　伯（梁辰魚）
少　湖（徐　階）
少　菴（弭來夫）

以初（唐復）
允升（羅欽順）
允修（杜大成）
允清（張寰）
水樵生（陳鶴）

五畫

半江（趙寬）
半谷（張含）
半嶺道人（張旭初）
半谿（李丙）
立齋（楊傑）
玄房（淩濛初）
玄兒（馬守真）
玄宰（董其昌）
玄素（廖道南）
玄素（張全一）
平仲（茅溱）
平甫（茅溱）
平厓（王廷相）
玉甫（歐陽陰惟）
玉卿（汪道崑）
玉映（王端淑）
玉華子（馬一龍）
玉山（張廷臣）
玉陽（王謨）
玉陽（陳與郊）
玉陽生（王驥德）
玉陽仙史（陳與郊）
玉陽仙史（王驥德）
玉淙（汪膺）
玉壺道人（李賓唐）
玉遮山人（王穉登）
未庵（楊慥）
未齋（顧鼎臣）
正甫（殷士儋）
去華（潘士藻）
甘泉（湛若水）
世節（孫艾）
世昌（王越）
本寧（李維楨）
石川（張寰）

石　岡（沐　崧）
石　亭（陳　沂）
石亭居士（陳　沂）
石　屋（許應亨）
石　淙（楊一清）
石　樓（高志學）
石　齋（楊廷和）
石　麓（李春芳）
田水月（徐　渭）
由拳山人（屠　隆）
用　修（楊　慎）
用　能（楊　慥）
用　敍（楊　惇）
幼　清（宋楙澄）
仝（顧鼎臣）
白　石（江一桂）
白石山樵（陳繼儒）
白雪齋主人（張　琦）
白　嶼（金　鑾）
包　山（陸　治）
包山子（陸　治）
幼　如（孫起都）
幼　海（周天球）

六　畫

汝　行（馮惟敏）
汝　承（薛廷寵）
汝　忠（吴承恩）
汝　默（申時行）
汝　弼（張　弼）
汝　茂（胡　松）
汝　節（韓邦奇）
汝　慶（韓邦靖）
如　聘（蔡國珍）
汝　齋（楊　訥）
汝　霖（夏　暘）
江左樵子（陸應暘）
次　璧（張積潤）
冰壺道人（唐　復）
守　溪（王　鏊）
耳　猶（馮夢龍）
吉　甫（馬佶人）

老狂生（朱有燉）
亘　生（馬佶人）
西　川（孫　艾）
西　涯（李東陽）
西　野（袁崇冕）
西清居士（郱　經）
西湖居士（張　琦）
西湖醉漁（胡文焕）
西湖漁隱主人（漁隱主人）
西　樓（王　田）
西　樓（王　磐）
西　罍（簡紹芳）
西園野夫（王一鵬）
在　衡（金　鑾）
存　齋（徐　階）
存　齋（瞿　佑）
百　川（孫　樓）
百　谷（王穉登）
百　亭（劉　守）
存　古（夏完淳）
成　可（李應策）
夷　素（梁孟昭）
夷白主人（楊爾曾）
同　齋（王　交）
兆　孺（孫斯億）
朱　陵（龍　膺）
竹　西（虞　臣）
仲　山（王　問）
仲　子（高應玘）
仲　方（顧正誼）
仲　木（吕　柟）
仲　名（賈仲明）
仲　完（陳　完）
仲　伯（鄭若庸）
仲　房（王　寅）
仲　修（劉效祖）
仲　純（高應玘）
仲　通（闞　思）
仲　茅（俞　彦）
仲　義（郱　經）
仲　醇（陳繼儒）
仲　誼（郱　經）

仲　權（程可中）
休休居士（申時行）
任誕先（陳與郊）
任誕軒（陳與郊）
聿　雲（佘　翹）
全一真人（汪廷訥）
全陽子（朱有燉）
全陽老人（朱有燉）
全陽道人（朱有燉）
全　菴（胡文焕）
全道人（胡文焕）

七　畫

沁　南（胡汝嘉）
宏　甫（李　贄）
良　甫（王　徵）
赤　水（屠　隆）
圻　山（杜子華）
圻山山人（杜子華）
孝　峙（王　屋）
孝　裔（卜世臣）
肖　甫（張佳胤）
更　生（馬佶人）
克　羽（辛　升）
吴中情奴（王穉登）
改　亭（方　鳳）
見　麓（蔡國珍）
沖和居士（曲癡子）
沖　菴（顧養謙）
岐　峰（薛　崗）
坐隱先生（汪廷訥）
廷　俊（楊　傑）
廷　直（史　忠）
廷　貴（王　倎）
廷　善（姜　寶）
廷　韓（莫是龍）
廷　涣（徐敷詔）
何　思（關　思）
何　山（沈　演）
伯　子（張鳳翼）
伯　玉（汪道崑）
伯　循（馬　理）

伯安（王守仁）
伯年（盛敏耕）
伯羽（邢一鳳）
伯良（王驥德）
伯虎（唐寅）
伯英（沈璟）
伯修（袁宗道）
伯起（張鳳翼）
伯師（范垣）
伯純（張鍊）
伯華（李開先）
伯勤（朱載堉）
伯穀（王穉登）
伯龍（梁辰魚）
佛馨（江一桂）
伯驥（王驥德）
佛慧（沈袾宏）
含齋（曹大章）
希尹（劉天明）
希甫（沐崧）
希哲（祝允明）

君一（張以誠）
君建（周之標）
君宣（俞琬綸）
君賜（姜恩）
君卿（楊循吉）
君庸（沈自徵）
君善（龍膺）
君御（龍膺）
君謙（楊循吉）
君翼（陸人龍）
君寶（張全一）
即空觀主人（淩濛初）

八畫

河濱丈人（王廷相）
浒東漁父（康海）
波斤（淩濛初）
泠然居士（張鳳翼）
治卿（張四維）
初成（淩濛初）
初岡（李一元）

於陵孟公（陳子龍）
宗　吉（瞿　佑）
宗　高（吴　嶔）
宗　豫（黄　淮）
宗　魯（陳　沂）
宗　道（陳　儒）
定　庵（沈　瓚）
宛瑜子（周之標）
肩　吾（沈一貫）
玩　齋（郱　經）
青　門（沈　仕）
青門山人（沈　仕）
青　章（陸廣明）
青燕子（王端淑）
青藤山人（徐　渭）
長　公（卜世臣）
長　卿（朱世徵）
長　白（范允臨）
長　卿（屠　隆）
長　倩（范允臨）
幸　菴（彭　澤）
兩　山（毛　良）
武　祥（顧夢圭）
武陵仙史（顧起元）
芝　山（李　鈞）
林屋道人（錢古民）
枝　山（祝允明）
枝指生（祝允明）
松臞老人（張　琦）
東　生（劉　兑）
東林先生（顧憲成）
東　海（張　弼）
東海迷花浪仙（沈　仕）
東　橋（顧　璘）
臥　子（陳子龍）
叔　文（張　琦）
叔　簡（吕　坤）
叔　平（陸　治）
叔　考（史　槃）
叔　敷（沈　演）
叔　初（黄祖儒）
叔　周（張　栩）

叔時（顧憲成）
叔原（張守中）
卓吾（李贄）
忠卿（馮敏効）
具區（馮夢禎）
昌朝（汪廷訥）
昌期（汪廷訥）
明卿（吴國倫）
明卿（常倫）
季弘（史立模）
季山（馮敏効）
秀眉（黄峨）
秉衡（王廷相）
念庵（劉效祖）
念庵（羅洪先）
金山野人（薛崗）
金粟頭陀（葉華）
氿庵（張炳溍）
姑蘇詞奴（馮夢龍）
函山（劉天明）
函翁（汪道昆）
孟清（黄潤玉）
孟河（馬一龍）

九畫

恒獄（顧大典）
洞口漁郎（龍膺）
前溪（丁綵）
彦容（顧乃大）
彦華（楊賁）
彦端（施子安）
亭林（顧正誼）
亮卿（王寅）
春風道人（楊賁）
若士（湯顯祖）
茂原（葉華）
苑洛（韓邦奇）
南山（黄潤玉）
南明（汪道昆）
南溟（汪道昆）
南門（汪道昆）
南峰山人（楊循吉）

南　華（許次紓）
南　雪（陳子升）
南　澗（林廷玉）
南　齋（沈　貞）
南嶽山人（吴國倫）
耐　庵（施子安）
拱　之（朱應辰）
柏　泉（胡　松）
柏　齋（何　瑭）
柳下老人（俞　彦）
柳　溪（萬　勛）
貞　父（孫承恩）
貞　吉（沈　貞）
峑　陽（鄭　鄤）
禺　同（張　含）
禺同山人（張　含）
禺　陽（陳與郊）
思　軒（王　僎）
思　白（董其昌）
思　泉（鄭心材）
映然子（王端淑）
映　碧（李　清）
秋　水（莫是龍）
秋　水（陸　洙）
秋　汀（周　瑞）
秋　宇（胡汝嘉）
秋　碧（陳　鐸）
修　之（許樂善）
香光居士（董其昌）
禹　金（梅鼎祚）
弇州山人（王世貞）
後　明（莫是龍）
負　圖（馬一龍）
屏　山（張四維）
眉　公（陳繼儒）
承　學（高志學）

十畫

涇　野（吕　柟）
涇　陽（顧憲成）
時　翊（左　贊）
時　鳴（方　鳳）

浮白主人（馮夢龍）
海月（王宗正）
海門（謝讜）
海若（湯顯祖）
海浮（馮惟敏）
海翁（宋登春）
海樵（陳鶴）
海樵山人（陳鶴）
海鶴（陳鶴）
娑羅主人（屠隆）
浚川（王廷相）
淩波（淩濛初）
淩谿（朱應登）
益卿（顧養謙）
高河（吴懋）
高漫卿（陳與郊）
祐（瞿祐）
祖（呼文如）
祖孺（黄祖儒）
唐山（范甫）
容自（俞彦）
秦樓外史（王驥德）
珥江（劉泰之）
荆川（唐順之）
荆石（王錫爵）
華陽散人（吴拱宸）
真如子（王化隆）
真實居士（馮夢禎）
桂洲（夏言）
桃花漁長（高濂）
振之（朱應辰）
振之（晏鐸）
栗夫（趙寛）
峰泖浪仙（施紹莘）
航隱（于慎思）
脩亭（劉守）
射陽山人（吴承恩）
弢武（杜文焕）

十一畫

惟善（姜寶）
惟賢（顧應祥）

惟　守（張文介）
清　源（周　楫）
清都散客（趙南星）
清遠道人（湯顯祖）
清癡叟（汪廷訥）
清溪道人（方汝浩）
庸　之（王　教）
深　甫（高　濂）
淮　海（朱應辰）
淮海先生（朱應辰）
淮　孺（王　寅）
涵虛子（朱　權）
淑　英（范壺貞）
祥　止（沈　珂）
鹿陽外史（王驥德）
聃　和（沈　璟）
雪　松（潘士藻）
梅　墟（周履靖）
梅顛居士（周履靖）
梅顛道人（周履靖）
逍遥館主人（朱應辰）
虛　白（闞　思）
虛　舟（鄭若庸）
虛舟山人（鄭若庸）
野　青（張瘦郎）
野　筠（沈　仕）
野　君（徐士俊）
晦　若（湯顯祖）
晦　卿（李文燭）
崇　伯（吴廷翰）
崧　伯（吴廷翰）
崑　麓（吴　欽）
崌崍山人（張佳胤）
曼　君（沈静專）
唵　庵（沈　嵊）
唵庵孚中道人（沈　嵊）
國　賢（邵　寶）
偃骨無學人（龍　膺）
敍　庵（楊　惇）
通微顯化真人（張全一）
參　鳳（黄戍儒）
張邋遢（張全一）

陶　區（陶　唐）
陶　菴（沈　貞）
陶然道人（沈　貞）
巢　逸（沈　珂）

十二畫

惺　予（徐維敬）
惺　宇（徐維敬）
渼　陂（王九思）
湖上桃花漁（高　濂）
湖　山（夏文範）
湘　蘭（馬守真）
温陵居士（李　贄）
詞隱生（沈　璟）
敦　翁（史　忠）
斐　堂（馬佶人）
堯　化（秦時雍）
堯　卿（劉良臣）
萃　軒（薛廷寵）
華　玉（顧　璘）
著（萬　勛）
菊　莊（湯　式）
菊　逸（王克篤）
壺　林（盛敏耕）
裕　齋（張守中）
場　庵（龍　膺）
夤夢子（葉小鸞）
雲（王守仁）
雲水翁（賈仲明）
雲水散人（賈仲明）
雲　卿（莫是龍）
雲　崖（徐文昭）
雲棲大師（沈袾宏）
雲夢山人（孫斯億）
敬　仲（鄭心材）
軼　符（陳子龍）
雁　峰（史立模）
棠川先生（殷士儋）
紫閣山人（王九思）
紫　芝（劉汝佳）
景　言（楊　訥）
景　言（楊　賁）

景　賢（楊　訥）
景（陸　深）
晚進王生（詹時雨）
蛣蜣生（鄭若庸）
蛟　門（沈一貫）
筆　峰（高應玘）
策（俞安期）
筆峰子（高應玘）
舜　民（湯　式）
舜　耕（王　田）
無　功（王　異）
無　如（汪廷訥）
無　美（殷　都）
無　界（陸廣明）
無　妄（于慎思）
無　美（劉汝佳）
無無居士（汪廷訥）
智　山（陳子升）
智山道人（陳子升）
喬　生（陳子升）
復（夏完淳）
復　菴（秦時雍）
然　明（許次紓）
猶　龍（馮夢龍）
勝　之（費廷臣）
勝樂道人（梅鼎祚）
象　孫（陸之裘）
開　美（殷　都）
開　之（馮夢禎）
陽　明（王守仁）
隅　陽（陳與郊）

十三畫

澠　谷（楊應奎）
滰　川（康　河）
滰川居士（康　河）
滄　浪（陸　洙）
羨　長（俞安期）
義　仍（湯顯祖）
義　修（唐順之）
溪　田（馬　理）
鳴　吾（廖道南）

道行（顧大典）
誠齋（朱有燉）
新吾（吕坤）
雍里（顧夢圭）
達夫（羅洪先）
瑞南（高濂）
瑞南居士（高濂）
載贄（李贄）
蒼門（李應策）
萬湖（吴國寶）
葵陽（黄洪憲）
敬夫（王九思）
雅宜（王寵）
雅宜山人（王寵）
楚（張琦）
楚叔（張琦）
楓山（章懋）
聖魯（楊爾曾）
虞陽（陳與郊）
嵩伯（吴廷翰）
蓉裳（范壺貞）
雉山（邢一鳳）
雉衡山人（楊爾曾）
稚成（淩濛初）
與謙（錢福）
會古（沈嵊）
舜石（畢木）
舜臣（毛良）
愈光（張含）
詹詹外史（馮夢龍）
逸之（周履靖）
遐周（董斯張）

十四畫

滸西山人（康海）
漁仙長（龍膺）
漁陽先生（沈自徵）
粹夫（何瑭）
粹夫（林廷玉）
賓之（李東陽）
寧菴（沈璟）
寧齋老人（寧齋）

瑤　泉（申時行）
瑤　期（葉小鸞）
碧山樵（莫是龍）
碧山野叟（王九思）
夢覺道人（李文燭）
夢　子（張　栩）
夢　白（趙南星）
夢　羽（楊　儀）
蒲東山人（張　禄）
葵　心（王　徵）
壽　承（文　彭）
對　山（康　海）
裴　郎（翁吉熻）
鳴　軒（陳　鶴）
箕　仲（陸之裘）
箬　溪（顧應祥）
質　甫（燕仲義）
僑　庵（李昌祺）
肇　瑞（施子安）
鳳　川（劉良臣）
鳳　阿（姜　寶）
鳳　洲（王世貞）
綸　叟（龍　膺）
綸灊先生（龍　膺）
熙　伯（張舜臣）

十五畫

瑩　玉（夏文範）
禎（李昌祺）
廣　野（陳與郊）
髯　仙（徐　霖）
轂濱遺老（章　懋）
毅　齋（孫承恩）
蓮　池（沈袾宏）
蓮池大師（沈袾宏）
蓮　溪（薛論道）
蓮溪居士（薛論道）
蓬萊仙客（屠　隆）
樓居子（常　倫）
墨憨子（馮夢龍）
墨憨齋主人（馮夢龍）
儀　昭（張炳濬）

德父（胡文焕）
德甫（胡文焕）
德符（馮廷槐）
德涵（康海）
德清（康河）
德懋（章懋）
德懋（吴懋）
徵久（王交）
徵仲（文徵明）
衡山（文徵明）
衡宇（顧大典）
衡寓（顧大典）
遯園居士（顧起元）
魯南（陳沂）
履仁（王寵）
履吉（王寵）
緯真（屠隆）

十六畫

龍湖（張治）
龍田（王交）

龍子猶（馮夢龍）
龍江（沈一貫）
邃菴（楊一清）
璘初（顧起元）
翰卿（鄭琰）
樵子（陸應暘）
整菴（羅欽順）
醒翁（龍膺）
醒狂（黄方胤）
醒狂散人（黄方胤）
遲（楊訥）
儕鶴（趙南星）
錦窠老人（朱有燉）
縉紳（解縉）

十七畫

濟之（王鏊）
濟川子（周楫）
濟物（彭澤）
鴻苞居士（屠龍）
鴻漸（王磐）

謙之（鄭　鄤）
襄宗（吴拱宸）
應元（宋登春）
應寧（楊一清）
應德（唐順之）
麋公（陳繼儒）
蹇翁（楊應奎）
懋中（黄洪憲）
懋中（陳子龍）
懋學（沈　仕）
懋禮（胡汝嘉）
螺冠子（周履靖）
嶺樵（張旭初）
闇然子（章　懋）
隱君（張恒純）

十八畫

瓊章（葉小鸞）
藍水（卜世臣）
藎卿（陳所聞）
擷芳主人（馬佶人）
簡齋（陳　完）
雙峰（毛　良）
雙溪（張　鍊）
雙溪漁人（張　鍊）
鵝池生（宋登春）
璧（文徵明）

十九畫

瀛海（張以誠）
瀨濱（張景嚴）
譚德（薛論道）
癡仙（史　忠）
癡翁（史　忠）
癡癡道人（史　忠）
騷隱生（張　琦）
騷隱居士（張　琦）
藺翁（湯顯祖）

二十畫

灥人（龍　膺）
灥公（龍　膺）

蘇　門（沈君謨）
蘇　原（吴廷翰）
蘇原山人（吴廷翰）
獻　忠（謝讜）
繼　白（李朴）
繼　山（馮敏效）

二十一畫

顧曲散人（馮夢龍）
蘭　史（卜世臣）
鶴　灘（錢福）
儼　山（陸深）

二十二畫

臞　仙（朱權）

二十四畫

靈　首（夏完淳）
靈　胥（夏完淳）
靈　墟（張鳳翼）
靈墟先生（張鳳翼）

二十五畫

觀夢道士（郑經）

三、籍貫分佈表

省區	今地	縣市
直隸京師	河北	新河
		元氏
		易縣
直隸南京	江蘇	南京
		江寧
		溧陽
		淮安
		邳縣
		揚州
		高郵
		寶應
		興化
		蘇州

吳縣
吳江
崑山
南通
常熟
太倉
常州
武進
無錫
江陰
鎮江
丹徒
丹陽
金壇

上海

松江
嘉定

安徽

鳳陽
亳縣
合肥
無爲

歙縣
宣城
徽州
休寧
婺源

山東

濟南
章丘
淄博
惠民
曲阜
濟寧
東平
益都
臨朐
安丘
諸城

山西

太原
平定
芮城
沁水

河南

蘭考
濬縣
修武
武陟
祥符

陝西

涇陽
鄠縣
高陵
武功
米脂
大荔
合陽
鳳翔

甘肅

隴西
蘭州

四川

成都
新都
南充
銅梁
富順
遂寧
廣漢
廣安
閬中

江西

新建
貴溪
南城
廣昌
奉新
臨川
廬陵
泰和
吉水
新喻
吉安

湖廣

湖北

陽新
京山
武漢

黄陂
公安
均縣
蒲圻

湖南

茶陵
華容
常德

浙江

杭州
仁和
海寧
吴興
嘉興
蘭谿
嘉善
長興
紹興
蕭山
餘姚
寧波
上虞

慈溪
象山
平湖
龍游

福建

福州
長樂
福清
晉江

廣東

廣州
增城

雲南

大理
保山
廣南

遼東

遼寧

遼陽
阜新

西域

其他

曲牌及使用此曲牌之作品首句索引

本索引按曲牌（套數僅首曲）首字及有關作品首句筆畫數排列。筆數相同則依起筆、（點）一（横）丨（直）丿（撇）乙（折）順次排列。一牌多名者，悉照原作所用曲牌名，另標曲牌異名。括號内爲作者姓名。

一、檢索表

一畫

一口氣……六七〇二
一半兒……六七〇二
一江風……六七〇三
一枝花……六七〇八
一枝花帶折桂令……六七一六
一封書……六七一六
一封書犯……六七一八
一封書帶過雁兒落……六七一八
一封歌……六七一八
一剪梅……六七一八
一機錦……六七一八

二畫

二犯月兒高……六七一八
二犯江兒水……六七一九
二犯柳摇金……六七二〇
二犯桂枝香……六七二〇
二犯梧桐樹……六七二〇
二犯傍妝臺……六七二〇
二犯簇御林……六七二一
二郎神……六七二一
二郎試畫眉……六七二五
二賢賓……六七二五
十一聲……六七二五
十二月……六七二五
十二月帶過堯民歌……六七二五

十二紅……六七二四
十棒鼓……六七二四
十樣錦……六七二四
十段錦……六七二四
人月圓……六七二四
七犯玲瓏……六七二四
七賢過關……六七二六
八不就……六七二六
八聲甘州……六七二六
八聲甘州歌……六七二七
九迴腸……六七二七
九換頭……六七二七
九重歡……六七二七
九疑山……六七二七

三畫

三十腔……六七二七
三仙橋……六七二七
三段子……六七二七
三番玉樓人……六七二八
三學士……六七二八
下山虎……六七二八
大迓鼓……六七二八
大勝樂……六七二八
大德歌……六七二八
兀由干底里曼……六七二八
兀沙格……六七二八
上小樓……六七二八
上小樓帶過滿庭芳……六七三一
上馬踢……六七三一
上清歌……六七三一
山羊轉五更……六七三一
山花子……六七三一
山坡羊……六七三三
山坡裏羊……六七四〇
山坡羊過青歌兒……六七四一
山坡羊帶步步嬌……六七四一
山桃紅……六七四一
山漁燈犯……六七四一
千秋歲……六七四一
小桃紅……六七四一
小措大……六七四五

小梁州……六七四五
小梁州帶過風入松……六七四八
女子上陽臺……六七四八
女冠子……六七四八
也都苦巴里迷失……六七四八

四畫

六幺序……六七四八
六幺令序……六七四八
六犯清音……六七四九
六犯碧桃花……六七四九
六國朝……六七四九
天上謡……六七四九
天下樂……六七四九
天香引……六七四九
天浄沙……六七五〇
太平令……六七五二
太平花……六七五二
太平歌……六七五二
太師引……六七五二
太師接學士……六七五三
太常引……六七五三
太清歌……六七五三
不是路……六七五三
不是路攙過掉角兒……六七五三
五月紅樓别玉人……六七五三
五玉枝……六七五三
五供養……六七五三
五更轉……六七五四
五拗子……六七五四
公子醉東風……六七五五
月上海棠……六七五五
月中花……六七五五
月兒高……六七五五
月雲高……六七五五
月照山……六七五五
少年遊……六七五六
水仙子……六七五六
水仙子帶過折桂令……六七六七
水紅花……六七六七
水龍吟……六七六八

五畫

半面二郎神……六七六八
永團圓……六七六八
玉江引（對玉環帶過清江引）……六七六八
玉枝供……六七六九
玉抱肚……六七六九
玉芙蓉……六七七七
玉溪清……六七八〇
玉嬌枝（玉交枝）……六七八〇
玉嬌枝帶過四塊玉……六七八一
玉簫令……六七八一
甘州歌……六七八一
甘草子……六七八二
古輪臺……六七八二
本序……六七八二
石竹花……六七八二
石榴花……六七八二
瓦盆兒……六七八三
四犯黃鶯兒……六七八三
四犯傳言玉女……六七八三
四門子……六七八三
四拗子……六七八三
四季花……六七八四
四季春……六七八四
四季盆花燈……六七八四
四朝元……六七八四
四園春……六七八四
四塊玉……六七八四
四塊玉過罵玉郎感皇恩採茶歌……六七八五
四塊金……六七八五
四邊静……六七八六
四换頭……六七八六
叨叨令……六七八六
白樂天九歌……六七八七
白練序……六七八七
白鶴子……六七八八
仙子步蟾宫（水仙子帶折桂令）……六七八八
仙桂引（水仙子帶折桂令）……六七八九
生查子……六七九〇
出隊子……六七九〇
玄妙歌……六七九〇

六畫

江兒水……六七九〇
江頭金桂……六七九一
亦木兒塔哈……六七九一
字字錦……六七九一
百字令……六七九一
西方樂……六七九一
西江月……六七九一
西地錦……六七九二
西河柳……六七九二
西湖兩六橋……六七九二
西雙合歌調……六七九二
早鄉詞……六七九二
回鸞歌……六七九二
朱履曲……六七九二
伊州三台令……六七九五
行香子……六七九五
羽調排歌……六七九六
好事近……六七九六
如夢令……六七九六

七畫

快活三帶過朝天子……六七九六
快活三帶過朝天子四邊靜……六七九七
快活年……六七九七
汲沙尾……六七九七
沁園春……六七九七
沉醉東風……六七九七
孝南枝……六八〇七
孝南歌……六八〇七
折桂令……六八〇七
折桂令帶過清江引……六八一八
折桂令後帶急三槍……六八一八
折桂朝天令……六八一八
折腰一枝花……六八一八
村裏迓鼓……六八一八
巫山一段雲……六八一九
巫山十二峰……六八一九
忒忒令……六八一九
步步入江水……六八一九
步步嬌……六八一九

步蟾宮……六八二五
呆骨朵……六八二五
牡丹春……六八二五
禿廝兒……六八二六
皂旗兒……六八二六
皂羅袍……六八二六
那吒令……六八二八
何滿子……六八二八
尾犯序……六八二八

八　畫

泣顏回……六八二八
沽美酒……六八二九
沽美酒帶過太平令……六八二九
沽美酒帶過快活年……六八三〇
河西六娘子……六八三〇
河西水仙子……六八三二
河南韻……六八三三
油葫蘆……六八三四
夜行船……六八三四
夜行船序……六八三五
宜春引……六八三五
宜春令……六八三五
宜春樂……六八三六
初生月兒……六八三六
青天歌……六八三六
青玉案……六八三六
青杏子……六八三六
青衲襖……六八三六
青哥兒……六八三六
青哥兒攜四邊静……六八三七
武陵春……六八三七
長相思……六八三七
芙蓉花……六八三七
花桑樹……六八三七
者刺古……六八三七
松下樂……六八三七
東風江水……六八三七
東甌令……六八三七
兩頭蠻……六八三七
拍兒答亦刺思……六八三八
虎兒序……六八三八

金甌醉……六八四七
金錢花……六八四七
金蕉葉……六八四七
金殿喜重重……六八四七
金盞兒……六八四七
金絡索……六八四五
金梧桐……六八四五
金索掛梧桐……六八四四
金段子……六八四四
金扭絲……六八四四
金字經……六八四一
金衣公子……六八四〇
金井梧桐……六八四〇
征胡兵……六八四〇
念奴嬌序……六八三九
念奴嬌……六八三九
凭闌人……六八三九
侍香金童……六八三九
佳人捧玉盤……六八三八
知秋令……六八三八
刮地風……六八三八
胡十八……六八五一
珍珠馬……六八五一
春閨怨……六八五一
春雲怨……六八五〇
春風俏臉兒……六八五〇
祆神急……六八五〇
美櫻桃……六八五〇
美中美……六八五〇
亭前柳……六八五〇
恨更長……六八五〇

九畫

阿姑令……六八五〇
姐姐寄封書……六八五〇
姐姐帶六么……六八五〇
刷子帶芙蓉……六八四九
刷子序犯……六八四九
刷子序……六八四九
迎仙客……六八四七
金鶯轉……六八四七
金甌線解醒……六八四七

耍孩兒……六八五二
柰子花犯……六八五三
相公愛……六八五三
柳外樓……六八五四
柳葉兒……六八五四
柳搖金……六八五四
柳營曲……六八五五
柳陌行……六八五五
哈剌那阿孫……六八五五
哈哈孩……六八五六
秋江送……六八五六
秋風紅葉兒（即紅葉兒）……六八五六
秋風第一枝……六八五六
香柳娘……六八五七
香遍滿……六八五七
香羅帶……六八五七
看花會……六八五七
重疊字雁兒落過得勝令……六八五八
後庭花……六八五八
後庭花兼青哥兒……六八五八
風入松……六八五八
風雲會四朝元……六八五九
紅衲襖……六八五九
紅葉兒……六八六一
紅錦袍……六八六一
紅繡鞋……六八六一
紅繡鞋兼北紅繡鞋……六八六四

十畫

浪淘沙……六八六四
浣溪劉月蓮……六八六七
淩波仙……六八六七
粉孩兒……六八六九
粉蝶兒……六八七〇
高陽臺序……六八七二
祝英臺序……六八七三
素帶兒（白練序）……六八七三
馬鞍兒……六八七三
馬蹄花……六八七三
秦樓月……六八七三
桂枝香……六八七三
桂花遍南枝……六八八一

桂山秋月……六八八一
桃源憶故人……六八八二
桃花浪……六八八二
破齊陣……六八八二
剔銀燈……六八八二
哨遍……六八八二
迴文普天樂……六八八二
倘秀才……六八八三
倚馬待風雲……六八八三
針線箱……六八八三
納木兒賽罕……六八八三
降黃龍……六八八三
桃源憶故人……六八八三

十一畫

惜奴嬌序……六八八三
清江引……六八八三
混江龍……六八九六
淘金令……六八九六
梁州……六八九六
梁州令……六八九六
梁州序……六八九六
梁州新郎……六八九七
梁沙潑大香……六八九八
麻郎兒……六八九八
望江南（歸塞北）……六八九八
望吾鄉……六八九九
望遠行……六八九九
寄生草……六八九九
乾荷葉……六九〇二
乾荷葉跨調山坡羊……六九〇二
連珠塞鴻秋……六九〇二
梧桐樹……六九〇二
梧桐葉……六九〇三
梧桐秋夜打瑣窗……六九〇三
梧葉兒……六九〇三
梧葉墮羅袍……六九〇六
梧葉襯紅花……六九〇六
梧蓼金羅……六九〇六
梅花引……六九〇七
雪中梅……六九〇七
雪裏梅……六九〇七

掛枝兒……六九〇七
掛金索……六九〇八
掛真兒……六九〇八
採茶歌……六九〇八
掃晴娘……六九〇八
捲簾雁兒落……六九〇九
捲簾雁兒落帶得勝令……六九〇九
逍遥令……六九〇九
逍遥樂……六九〇九
啄木兒……六九〇九
啄木鸝……六九一〇
得勝令……六九一〇
魚遊春水……六九一一
脱布衫……六九一二
脱布衫帶過小梁州……六九一二
開天門……六九一三

十二畫

減字木蘭花……六九一三
善知識……六九一三
普天樂……六九一三
湘妃引……六九一九
湘妃遊月宫……六九一九
琥珀貓兒墜……六九一九
堯民歌……六九二〇
喜春來……六九二〇
喜梧桐……六九二三
喜連聲……六九二三
喜漁燈……六九二三
喜遷鶯……六九二三
黄薔薇……六九二三
黄羅歌……六九二三
黄鶯兒……六九二三
黄鶯逐山羊……六九四八
黄鶯學畫眉……六九四八
菩薩蠻……六九四八
華嚴讚……六九四八
雁沖天……六九四八
雁兒落……六九四九
雁兒落帶清江引……六九四九
雁兒落帶得勝令……六九四九
雁陣來……六九五二

雁魚錦……六九五二
雁過聲……六九五二
朝天子……六九五三
朝天歌……六九六四
朝天子攜西江月……六九六四
朝天曲……六九六四
朝中措……六九六四
朝元令……六九六五
朝元歌……六九六五
朝元歌帶朝元令……六九六八
黑麻序……六九六八
黑漆弩……六九六八
番山虎……六九六八
番馬舞西風（番馬舞秋風）……六九六九
喬牌兒……六九六九
傍粧臺……六九六九
傍粧臺犯……六九七八
集賢賓……六九七八
勝如花……六九八二
象牙床……六九八二
畫眉序……六九八二
畫眉序犯……六九八四
畫眉不盡……六九八四
畫眉畫錦……六九八四
畫眉着皂袍……六九八四
賀新郎……六九八四
賀聖朝……六九八四
御鑾歌……六九八五

十三畫

新水令……六九八六
新水令帶過折桂令……六九九一
新製嬌鶯兒……六九九一
新樣四時花……六九九一
新調山坡羊……六九九二
跨調山坡羊……六九九二
塞鴻秋……六九九二
瑞鶴仙……六九九三
聖藥王……六九九三
落梅風……六九九三
落韻鎖南枝……六九九六
萬年春……六九九六

萬年歡……六九九七
萬花方三疊……六九九七
萬歲樂……六九九七
楚江秋……六九九七
楚江秋後聯清江引……六九九八
楚江情……六九九八
楚江情帶過金字經……六九九九
楚天遥……六九九九
感皇恩……六九九九
搗練子……六九九九
園林好……七〇〇〇
催拍……七〇〇〇
傾杯玉芙蓉……七〇〇〇
傾杯賞芙蓉……七〇〇〇
解三醒……七〇〇〇
解袍歌……七〇〇一
解醒歌……七〇〇一
殿前喜……七〇〇一
殿前歡……七〇〇一
絳都春……七〇〇三
絳都春序……七〇〇三

十四畫

滿庭芳……七〇〇三
滿庭芳兼清江引……七〇〇七
滿院榴花……七〇〇八
滿江紅……七〇〇八
滿堂春……七〇〇八
滿園春……七〇〇八
漁父第一……七〇〇八
漁家傲……七〇〇八
漁燈兒……七〇〇八
端正好……七〇〇八
誦子令……七〇一〇
齊郎兒……七〇一一
賽兒令……七〇一一
瑣窗寒……七〇一二
碧玉簫……七〇一二
壽陽曲……七〇一三
榴花泣……七〇一三
對玉環……七〇一四
對玉環帶過清江引……七〇一四

對玉環帶過朝天令……七〇一五
對美人……七〇一五
滾繡毬（毬或作球）……七〇一六
銀紐絲……七〇一六
鳳鸞吟……七〇一六
鳳凰吟……七〇一六
翠裙腰……七〇一六
綿搭絮……七〇一六

十五畫

調笑令……七〇一七
慶東原……七〇一七
慶宣和……七〇一八
慶原真……七〇一九
慶太平……七〇一九
慶豐年……七〇一九
鬧十八……七〇一九
駐馬聽……七〇一九
駐雲飛……七〇二四
蔓菁菜……七〇三五
賣花聲……七〇三五
醉太平……七〇三五
醉太平帶蓮花落……七〇四四
醉中天……七〇四四
醉扶歸……七〇四四
醉花雲……七〇四五
醉花陰……七〇四五
醉春風……七〇四六
醉高歌……七〇四六
醉高歌帶紅繡鞋……七〇四七
醉翁子……七〇四七
醉歸花月渡……七〇四七
醉羅歌……七〇四七
醋葫蘆……七〇四八
撥不斷……七〇四九
賞花時……七〇五〇
賞宮花……七〇五〇
銷金帳……七〇五〇
興隆引……七〇五一
嬌鶯兒……七〇五一
劈破玉……七〇五一

十六畫

糖多令……七〇五一
憶王孫……七〇五一
憶多嬌……七〇五二
憶秦娥……七〇五二
燈月照畫眉……七〇五二
謁金門……七〇五二
曉行序……七〇五三
罵玉郎……七〇五三
罵玉郎過感皇恩採茶歌……七〇五三
錦上花……七〇五三
錦衣相思……七〇五四
錦法經……七〇五四
錦芙蓉……七〇五四
錦庭樂……七〇五四
錦堂月……七〇五四
錦堂春……七〇五五
錦堂罩畫眉……七〇五五
錦纏道……七〇五五
貓兒入御林……七〇五五
貓兒逐黃鶯……七〇五五
鮑老兒……七〇五五

十七畫

鴻門奏凱歌……七〇五五
鴻歸浦……七〇五六
賽觀音……七〇五六
霜天曉角……七〇五六
繫梧桐……七〇五六
點絳唇……七〇五六
彌陀僧……七〇五八
聯字山坡羊……七〇五八

十八畫

顏子樂……七〇五八
臨江仙……七〇五八
臨鏡序……七〇五八
鎖南枝……七〇五八
鎖南枝半插羅江怨……七〇六一
鎖窗寒……七〇六二

鏵鍬兒……七〇六二
雙雁子……七〇六二
雙雁兒……七〇六二
雙疊翠……七〇六二
繡帶引……七〇六二
繡帶兒……七〇六二
繡停針……七〇六二
歸塞北（望江南）……七〇六三

十九畫

懶畫眉……七〇六三
懶針線……七〇六八
懶鶯兒……七〇六八
寶鼎現……七〇六九
離亭宴帶歇指煞……七〇六九
鵲橋仙……七〇六九
鵲踏枝……七〇六九
願成雙……七〇六九
蟾宮……七〇六九
蟾宮令……七〇七〇
蟾宮曲……七〇七〇
羅江怨……七〇七〇
羅袍歌……七〇七二
羅袍落粧臺……七〇七二

二十一畫

鶯花皂……七〇七二
鶯啼序……七〇七二
鶯集畫臺……七〇七二
魔合羅……七〇七三
驀山溪……七〇七三

二十二畫

鷓鴣天……七〇七三
攤破金字令……七〇七四
攤破雁過聲……七〇七四

二十四畫

鬭寶蟾……七〇七四
鬭鵪鶉……七〇七四

不禁春色眼兒涎（朱有燉）……三六二
不禁春色眼兒涎（陳鐸）……五六一
玉簫何處倚朱弦（康海）……一二九一
月華先到御書樓（楊廷和）……八五一
少年豪氣訪孫吴（常倫）……一八八八
水邊楊柳路邊花（黄峨）……一九八一
西巖峒口午天涼（康海）……一二九一
多才去久寄天涯（無名氏）……五五六五
自將楊柳品題人（無名氏）……五五六四
合歡共勸手中甌（秦時雍）……二五六八
青藜曾校五車書（王九思）……九八七
枕邊冉冉口脂馨（胡文焕）……三三五七
虎龍又媾産真精（常倫）……一八八八
長河新漲漫平沙（李昌祺）……二九三
垂楊重繫紫驊騮（常倫）……一八八七
金杯美酒苦留他（黄峨）……一九八一
金神行令景蕭條（朱讓栩）……二〇五五
郃城天外火雲收（王九思）……九八七
春深剪韭待嘉賓（李應策）……四〇八四
爲從翠館過紅樓（胡文焕）……三三五七
俏心腸端的性難拿（朱有燉）……三六三

二十八畫

鸜鵒曲……七〇七六

附

失牌名……七〇七六

二、首句索引

一　畫

一口氣

只怕房先兒（趙南星）……三七五六
朝入衙門（趙南星）……三七五六

一半兒

又看鴻雁過南樓（張鍊）……二二五四
才郎何處折牆花（無名氏）……五五六六
山中歲月久埋頭（陳鐸）……五二七
小紅樓上月兒斜（黄峨）……一九八〇
天涯羞見故人書（康海）……一二九一

俏心腸端的性難拿（陳鐸）……五六一
秋波如眼柳如眉（無名氏）……五五六五
風高飛雁斷還連（李昌祺）……二九三
桃花嬌面不勝春（無名氏）……五五六五
時當清暑日初長（朱讓栩）……二〇五四
斜陽村落柳含煙（張鍊）……二二五三
湘紋香展碧雲涼（王九思）……九八七
琵琶久向別船調（胡文煥）……三三五七
晚來窗下畫蛾眉（張鍊）……二二五四
無邊春色滿宮城（朱讓栩）……二〇五四
喬才昨夜宿誰家（無名氏）……五五六五
御書樓上晚涼生（楊廷和）……八五〇
幾年遊子負歸期（秦時雍）……二五六八
幾年漂泊夢中思（金鑾）……一八三一
腰身小小意中人（黃峨）……一九八一
碧紗窗外晚風清（張鍊）……二二五四
夢迴寒月半簾櫳（無名氏）……五五六五
滿天明月雨纔收（康海）……一二九一
歌聲長憶銀箏絃（王九思）……九八七
筵前小鼓慢催花（胡文煥）……三三五七
嬌癡不解向春愁（馮延年）……五〇三三
濃雲靉靆暮天低（朱讓栩）……二〇五五
雕鞍留戀在誰家（無名氏）……五五六六
雕簷喜鵲叫喳喳（無名氏）……五五六六
薄倖何處戀牆花（無名氏）……五五六六
臨流農圃蔓瓜苗（李昌祺）……二九三
懷兒中摑惜溫存（朱有燉）……三六二
懷兒中摑惜費溫存（陳鐸）……五六一
飄零江上採蓮舟（金鑾）……一八三一
纖腰如柳臉如花（無名氏）……五五六五
纖腰恰褪綉羅裙（朱有燉）……三六二
纖腰恰褪繡羅裙（陳鐸）……五六一
觀國今逢元上賓（李應策）……四〇八四

一江風

一江風（無名氏）……五四六一
一江風。風擺動（無名氏）……五四六四
入新年（馮惟敏）……二三三〇
入新春（馮惟敏）……二三三〇
女裙釵（無名氏）……五四六一
子時那（蘭陵笑笑生）……二八一九
午時牌（蘭陵笑笑生）……二八一九

木香棚（吳國寶）……二七二四
少争圖（范垣）……四一三二
月華明（王驥德）……三六三四
且偷閑看一回南華卷（王克篤）……二九三四
且偷閑簇簇榴巾綻（王克篤）……二九三五
且偷閑插棘編籬院（王克篤）……二九三五
且偷閑萬里同雲暗（王克篤）……二九三五
卯時的（蘭陵笑笑生）……二八一九
汗巾兒（王驥德）……三六三四
自羞慚（薛崗）……三四〇〇
自尋思（無名氏）……五四六三
酉時下（蘭陵笑笑生）……二八一九
步蒼苔（無名氏）……五四六〇
別離多（中分榭主人）……四八六五
那佳人（無名氏）……五四六二
那嬌娃（張萼如）……四九八六
雨初晴（常倫）……一八九五
到春來（陳鐸）……五三〇
到秋來（陳鐸）……五三〇
到冬來（陳鐸）……五三〇
到京華（秦時雍）……二五五八
杳茫茫（梁孟昭）……五〇四〇
狀元郎（無名氏）……五四六二
恰相逢（陳所聞）……二八三六
恨寃家（馮夢龍）……四四三五
恨重疊（無名氏）……五四六三
恨薄情（無名氏）……五四六一
爲才郎（無名氏）……五四六三
爲多情（劉效祖）……二七九〇
俏寃家（劉兑）……一一
穿着繡弓鞋（無名氏）……五四六二
悔當初（秦時雍）……二五五八
病沉沉（無名氏）……五四六二
病沉痾（無名氏）……五四六三
病難捱黄臉燈前態（李開先）……二〇六三
病難捱不語更新態（李開先）……二〇六三
病難捱憔悴因誰態（李開先）……二〇六三
病難捱縱酒疏狂態（李開先）……二〇六三
病難捱瘦比黄花態（李開先）……二〇六三
病難捱舞劍英雄態（李開先）……二〇六三
病難捱瘦菊擎霜態（李開先）……二〇六四
病難捱市井塵俗態（李開先）……二〇六四

病難捱自負平生態（李開先）…………二〇六四
病難捱宋玉悲秋態（李開先）…………二〇六四
病難捱折挫十年態（李開先）…………二〇六四
病難捱冤業腌臢態（李開先）…………二〇六四
病難捱萬狀還千態（李開先）…………二〇六四
病難捱忙處倉皇態（李開先）…………二〇六五
病難捱萬里奔馳態（李開先）…………二〇六五
病難捱筆掃雲烟態（李開先）…………二〇六五
病難捱白雁長蛇態（李開先）…………二〇六五
病難捱減卻精神態（李開先）…………二〇六五
病難捱買卜分憂態（李開先）…………二〇六五
病難捱廝攘蜂蝶態（李開先）…………二〇六五
病難捱百歲浮雲態（李開先）…………二〇六五
病難捱猶豫狐疑態（李開先）…………二〇六六
病難捱黃葉知時態（李開先）…………二〇六六
病難捱壯志風雲態（李開先）…………二〇六六
病難捱學得呆癡態（李開先）…………二〇六六
病難捱滿目炎涼態（李開先）…………二〇六六
病難捱遠效漁翁態（李開先）…………二〇六六
病難捱日日懷人態（李開先）…………二〇六六
病難捱甘受貧窮態（李開先）…………二〇六七
病難捱垂首悽惶態（李開先）…………二〇六七
病難捱不似青春態（李開先）…………二〇六七
病難捱休弄顛狂態（李開先）…………二〇六七
病難捱霜露添愁態（李開先）…………二〇六七
病難捱瘦影伶仃態（李開先）…………二〇六七
病難捱只爲風狂態（李開先）…………二〇六七
病難捱世態無常態（李開先）…………二〇六七
病難捱不作寒門態（李開先）…………二〇六八
病難捱身世沉浮態（李開先）…………二〇六八
病難捱放浪莊周態（李開先）…………二〇六八
病難捱柳絮飛狂態（李開先）…………二〇六八
病難捱窮困盧生態（李開先）…………二〇六八
病難捱剔透玲瓏態（李開先）…………二〇六八
病難捱情盡因嬌態（李開先）…………二〇六八
病難捱傀儡牽絲態（李開先）…………二〇六九
病難捱交債知交態（李開先）…………二〇六九
病難捱半夜風雷態（李開先）…………二〇六九
病難捱愁態非嬌態（李開先）…………二〇六九
病難捱永夜獨眠態（李開先）…………二〇六九
病難捱省事絶憂態（李開先）…………二〇六九
病難捱文字方家態（李開先）…………二〇六九

病難捱驕己矜人態（李開先）……二〇六九
病難捱軟款刁鑽態（李開先）……二〇七〇
病難捱市虎三人態（李開先）……二〇七〇
病難捱風捲白雲態（李開先）……二〇七〇
病難捱枉受辛勤態（李開先）……二〇七〇
病難捱虐政狼蛇態（李開先）……二〇七〇
病難捱村落蕭條態（李開先）……二〇七〇
病難捱雪案螢窗態（李開先）……二〇七〇
病難捱不看今生態（李開先）……二〇七一
病難捱覽勝尋芳態（李開先）……二〇七一
病難捱啜哄千方態（李開先）……二〇七一
病難捱無是無非態（李開先）……二〇七一
病難捱頓改乜斜態（李開先）……二〇七一
病難捱落帽重陽態（李開先）……二〇七一
病難捱五柳先生態（李開先）……二〇七一
病難捱掙脱柳榆態（李開先）……二〇七一
病難捱學個安詳態（李開先）……二〇七二
病難捱可笑寒儒態（李開先）……二〇七二
病難捱妓女紅顏態（李開先）……二〇七二
病難捱並蒂蓮花態（李開先）……二〇七二
病難捱恨夜懷春態（李開先）……二〇七二
病難捱搖擺腰肢態（李開先）……二〇七二
病難捱結社周貧態（李開先）……二〇七二
病難捱揩破拳頭態（李開先）……二〇七三
病難捱金谷尋芳態（李開先）……二〇七三
病難捱歌頌禎祥態（李開先）……二〇七三
病難捱貓鼠同眠態（李開先）……二〇七三
病難捱腆着胸脯態（李開先）……二〇七三
病難捱放蕩身軀態（李開先）……二〇七三
病難捱署印權官態（李開先）……二〇七三
病難捱苦恨豪民態（李開先）……二〇七三
病難捱救火飢寒態（李開先）……二〇七四
病難捱念爾妖嬈態（李開先）……二〇七四
病難捱怨雨尤雲態（李開先）……二〇七四
病難捱二意三心態（李開先）……二〇七四
病難捱寡宿孤眠態（李開先）……二〇七四
病難捱興寐朝夕態（李開先）……二〇七四
病難捱徹底澄清態（李開先）……二〇七四
病難捱轉日迴天態（李開先）……二〇七五
病難捱逆旅乾坤態（李開先）……二〇七五
病難捱虎鬬龍争態（李開先）……二〇七五
病難捱勝有磨跎態（李開先）……二〇七五

病難捱王粲飄零態（李開先）……二〇七五
病難捱暗想胡兒態（李開先）……二〇七五
病難捱趨熱窮寒態（李開先）……二〇七五
病難捱鼎足三分態（李開先）……二〇七五
病難捱尖嘴輕薄態（李開先）……二〇七六
病難捱骨格非凡態（李開先）……二〇七六
病難捱跳出藩籬態（李開先）……二〇七六
病難捱百媚千嬌態（李開先）……二〇七六
病難捱氣岸雄豪態（李開先）……二〇七六
病難捱月露風雲態（李開先）……二〇七六
病難捱鴻雁連珠態（李開先）……二〇七六
病難捱春晚扶犂態（李開先）……二〇七七
病難捱恨壓眉頭態（李開先）……二〇七七
病難捱萬樣媒婆態（李開先）……二〇七七
病難捱苦口甜舌態（李開先）……二〇七七
病難捱閉户凄涼態（李開先）……二〇七七
病難捱把住飄蓬態（李開先）……二〇七七
病難捱清減清秋態（李開先）……二〇七七
病難堪（薛崗）……三四〇〇
夏初來（陳鐸）……五三〇
倚危樓（無名氏）……五四六一
倚欄杆（范垣）……四一三二
望天涯（劉效祖）……二七九〇
掩紗厨（范垣）……四一三二
眼巴巴（無名氏）……五四六四
喜歸盧（范垣）……四一三二
紫雲臺（吴國寶）……二七二四
景無窮（無名氏）……五八七六
雁南來（秦時雍）……二五五九
解元郎（無名氏）……五四六二
會元郎（無名氏）……五四六二
夢悠悠（無名氏）……五四六三
摘金簪（薛崗）……三四〇〇
鳳鸞交（中分榭主人）……四八六五
瘦亭亭（無名氏）……五四六三
憶多嬌（無名氏）……五四六一
燕呢喃（薛崗）……三四〇〇
整金釵（無名氏）……五四六〇
縷金衣（吴國寶）……二七二四
繡羅鞋（無名氏）……五四六一
露香亭（吴國寶）……二七二四

一枝花（占春魁）

一生酒裡眠（無名氏）……六一〇一
一箇擬秋娘共品題（陳鐸）……七一五
一輪寒日沉（湯式）……一五六
人從白岳來（陳所聞）……三八八六
人間月影清（無名氏）……六一三五
人間福德全（馮惟敏）……二四七三
人間兜率宫（無名氏）……六一三二
九關四海人（無名氏）……六一七九
三千丈蕭蕭白髮生（湯式）……一四八
三春和暖天（朱有燉）……四一四
三萬六千日有限期（湯式）……一四八
三生悟舊緣（汪廷訥）……四一九八
大招牌蘇小卿（程可中）……四一五九
大揚旛做道場（王磐）……八〇三
山林中山雀飛（無名氏）……六一七九
山門雜往來（陳鐸）……六六二
山深草木繁（無名氏）……六一六三
山圍一姓村（王寅）……二二〇〇
山林中山鳥飛（楊爾曾）……五一九八
千秋枉夢愁（葉華）……四二五〇
千秋玳讌開（陳所聞）……三八九二
千峰雪片飄（王寅）……二二〇三
久存忠孝心（朱有燉）……四一五
也曾將百體篆填滿龍鳳箋（馮惟敏）……二五〇五
王潭園閒坐（王寅）……二二〇三
天空碧水澄（陳鐸）……六三九
天官賜福辰（楊慎）……一七三二
天香豈浪誇（陳鐸）……六六〇
天然性格寬（無名氏）……六一二三
不沾朝野名（陳鐸）……七一八
不沾濡渴望濃（萬勛）……八一二
不採商山芝（陸廣明）……五一五四
不從方外遊（湯式）……一三一
不參禮懂禪（湯式）……一二五
不禁愁楊柳眉（寧齋）……二九〇四
不登冰雪堂（王磐）……七九七
手曾將千眼佛緑柳瓶（湯式）……一五四
毛錐紫兔毫（無名氏）……六一四六
今年老似去年（無名氏）……六〇九一
心如出水蓮（張全一）……二五八

心如明月懸（朱有燉）……三九七
心懷雨露恩（湯式）……一二八
心懷間闊憂（無名氏）……六一四〇
丹青仕女圖（無名氏）……六一三八
丹宵綵鳳來（康海）……二三〇六
月明滄海珠（唐復）……二四七
半生溪上居（無名氏）……六一四四
玉温成軟欵情（朱有燉）……三八四
左右依兩壁山（胡用和）……二六三
世俗云諸葛心（無名氏）……六〇八五
巧堆雲鬢雅（無名氏）……六一五七
巧藏天地春（無名氏）……六一二九
正逢冬暮天（陳鐸）……六六四
正楊柳成陰覆短牆（陳鐸）……六四四
田堪季子耕（陳所聞）……三九〇六
四圍瑪瑙城（王磐）……七九九
生成百媚嬌（無名氏）……六一六五
生成性格喬（陳鐸）……六五九
仕宦的則説仕宦的强（無名氏）……六一八〇
白鄰鄰萬頃波（無名氏）……六一七四
包含着世外情（陳鐸）……七一九
出西方自在天（湯式）……一五三
江山眼界寬（無名氏）……六〇九七
江城歲欲殘（陳所聞）……三九〇二
江湖老姓名（湯式）……一三二
池開銀鏡浮（王克篤）……二九四八
池塘睡錦鴛（無名氏）……六〇七六
衣冠家世雄（無名氏）……六〇九八
安排下翠迴紋鵲尾爐（無名氏）……六一一四
西方列宿名（無名氏）……六一六九
西風昨夜生（無名氏）……六〇八一
夷山風月情（朱有燉）……三九七
光還合浦珠（王九思）……一〇六八
因求大道玄（張全一）……二五九
年程忒淺促（陳鐸）……六六八
先明天地機（張全一）……二五八
休言白玉堂（湯式）……一一四
休言雨露恩（湯式）……一二二
休言瑪瑙石（無名氏）……六一四五
休提藝不高（陳鐸）……六六六
休將斑竹題（朱有燉）……四一八
自憐王粲狂（湯式）……一二六

行持造化功（張全一）……二五七
好恩情花上花（黄峨）……一九九四
汪汪江海心（湯式）……一二八
言詞蜜鉢甜（無名氏）……六一三九
赤優鉢羅功德如來（無名氏）……五三五六
形軀一粒微（萬勛）……八一三
別離了風月鄉（無名氏）……六〇七五
囫圇一太極（無名氏）……六一三七
兵分閩海符（陳所聞）……三九〇一
你不辭三巴行路難（陳所聞）……三九〇三
你本是西園公子豪（陳所聞）……三八九七
君恩十畝宅（陳鐸）……六五九
妖嬈體態輕（無名氏）……六〇九六
波澄木葉飛（康海）……一三〇七
泥融燕子飛（無名氏）……六一一〇
卒律律狂風就地來（陳鐸）……六六四
官居八輔臣（朱有燉）……四一九
非貪鸚鵡盃（無名氏）……六〇九一
炎涼歹世情（陳鐸）……六六六
青鬖鬖垂楊近畫樓（湯式）……一三二
長歌陟岵詩（湯式）……一二九
花枝翡翠籠（無名氏）……六一三七
花堪消遣愁（無名氏）……六一〇二
花殘雙鳳分（無名氏）……六一五八
花間杜宇啼（王田）……二二〇
芳姿膩膩嬌（湯式）……一一六
芳卿細細聽（湯式）……一一九
兩堤煙垂柳（朱有燉）……三九一
事詞章舊有名（陳鐸）……六四五
來親彌撒經（無名氏）……五四〇七
明經侍孔牆（無名氏）……六〇八三
和風動碧天（康海）……一三〇四
和風麗日新（無名氏）……六一一九
知音自古稀（馮惟敏）……二四八四
依經内外科（鄭墟泉）……四九一三
征衣綉蟒蟠（無名氏）……六一三五
金風送早涼（楊循吉）……三二四
金風送晚涼（無名氏）……六〇七一
金鑾殿上臣（無名氏）……六〇八五
門前十畝桑（無名氏）……六一四四
門闌喜氣多（楊廷和）……八五七
孤單殺晝長人恨賒（張瘦郎）……四八一六

阻鶯朋隔燕儔（無名氏）……六一七〇
恰三陽漸暖辰（朱有燉）……三八六
恰離了杏花村竹塢溪（無名氏）……六〇七七
洪鈞轉管莩（朱有燉）……四一一
家無二頃田（陳所聞）……三八九八
宮廷喜氣多（朱有燉）……三八八
美聲譽馳名燕子樓（無名氏）……六一三四
姿雄百獸藏（楊循吉）……八二一
爲傭藝業低（陳鐸）……六六一
春色近粉牆（無名氏）……六一一七
春風滿鳳城（無名氏）……六〇九六
春含九畹芳（湯式）……一三三
春愁黯色中（無名氏）……六一七七
珍奇上苑花（朱有燉）……四一五
玳筵排翡翠屏（朱有燉）……三八五
英雄濟世才（無名氏）……六〇九四
南無觀世音（殷士儋）……二八〇五
相思海樣寬（無名氏）……六一五六
柳眉新月彎（無名氏）……六二八
柳陰中高噪蟬（無名氏）……六一五二
括造化攢成赤兔毫（湯式）……一三四
甚疎狂舊姓名（于慎思）……三三五三
昨日個剛懸鬱壘圖（黃祖儒）……三九六二
笑當白髮年（王寅）……二二〇〇
思量可意人（無名氏）……六一一九
星曆曆花鈿簇翠圓（湯式）……一一五
重開不夜天（王磐）……八〇〇
重逢羊馬年（馮惟敏）……二四八三
秋光冷畫屏（無名氏）……六一五九
秋風静草堂（無名氏）……六一四八
香披錦帶亭（施紹莘）……四六五八
香纏疊雪紗（無名氏）……六一一二
皇都錦綉城（陳鐸）……七二七
風月中起戰争（無名氏）……六一七四
風月長存一寸心（湯式）……一一二
風吹散楚岫雲（侯正夫）……二八八七
風吹菡萏香（無名氏）……六一二〇
風流誰可如（無名氏）……六〇七九
風流蹴踘場（無名氏）……六一三三
風流體態嬌（無名氏）……六一〇八
風寒翡翠幃（無名氏）……六〇七八
風輕銀漢清（無名氏）……六一一〇

風塵素淨身（無名氏）……六一六九
眉麓翠葉稠（朱有燉）……三九六
紅舒臉上桃（湯式）……一二一
幽尋村市南（王寅）……二一九九
飛騰鸞鳳林（王九思）……一〇六〇
海棠嬌膏雨滋（無名氏）……六〇七四
記相逢紫陌中（無名氏）……六一五五
高攀錦綉鞍（無名氏）……六一二一
唐時萬柳池（吴承恩）……二〇四二
容枯粉漸消（無名氏）……六一二五
送飛瓊下九天（湯式）……一五四
祥雲護紫宸（無名氏）……六一二三
祥煙罩綺筵（康海）……一三八二
朔風狂撼地軸（無名氏）……六一〇〇
秦山遠皺眉（楊廷和）……八五八
草色繡如茵（王寅）……二二〇二
草堂外嵐光映日妍（陳鐸）……七一六
荒城小過活（馮惟敏）……二五二一
真疎狂李太白（王春泉）……四七一
恩情美艷嬌（無名氏）……六一四一
烏雲綰髻鴉（朱有燉）……三九四
胸藏十萬兵（無名氏）……六〇八四
能推綉户開（無名氏）……六一四三
紛紛瑞靄飄（無名氏）……六一七七
清光亂乳鴉（陳鐸）……六四九
清風臥榻孤（陳鐸）……七一八
清標玉結成（無名氏）……六一六七
渚育鱸鯉鰱鰷（許樂善）……三五四九
粗布袍罩體寬（陳鐸）……七二五
乾坤一美髯（陳所聞）……三八九三
乾坤老棟梁（王磐）……八〇二
乾坤旺氣高（無名氏）……六〇七三
乾坤鍾秀靈（王九思）……一〇八五
研精孔孟書（無名氏）……六〇八六
捲風雲八陣圖（王磐）……八〇〇
常教酒欠錢（金鑾）……一八六〇
常懸捧日心（馮惟敏）……二四七二
常尋灞岸梅（陳鐸）……六四六
虛空園清淨王如來（無名氏）……五三五四
眼舒隨意花（湯式）……一一三
崢嶸倚上流（湯式）……一三〇
得指教三遷好住居（湯式）……一五二

温柔玉有香（朱有燉）……三八九
温柔素質過（無名氏）……六一五四
温柔竊玉心（朱有燉）……三九四
寒生夾布衾（無名氏）……六一六二
寒威正解權（金鑾）……一八三二
粧孤的大廝八（無名氏）……六一五七
馮驩長嘆吁（無名氏）……六〇九〇
黄花助酒情（朱有燉）……三九三
黄金架海梁（無名氏）……六一三〇
菊開九日前（王磐）……八〇三
散清芬烟月中（湯式）……一五五
朝登燕子樓（無名氏）……六一六四
堪嗟和氏冤（湯式）……三三
雲光滿帝畿（杜大成）……四二二四
雲封乞巧樓（程可中）……四一六〇
雲遮庾嶺遥（王磐）……八〇一
雲遮緑瑣窗（無名氏）……六一六一
雲臺舊策勳（金鑾）……一八三九
揣着片嬌花寵柳心（無名氏）……六一五三
晚霞魚尾紅（無名氏）……六一〇九
黑呼通陰霾半夜天（馮惟敏）……二四八二
黑姿姿雲鬟鳳髻高（無名氏）……六一一八
黑樓舡翡翠屏（無名氏）……六〇九二
黑漫漫離恨天（湯式）……一一七
無多怎紮縛（陳鐸）……六六七
舒開張嵌江梅斑竹席（無名氏）……六一一三
畫堂中列翠鬟（無名氏）……六〇八八
畫堂銀燭燒（無名氏）……六一六三
畫樓閑悶轉添（無名氏）……六一二八
統三軍將帥能（無名氏）……六〇六九
絲絲楊柳垂（無名氏）……六一一七
絲輕雪縷衣（無名氏）……六一四八
費盡了我同胞一體心（無名氏）……六一七三
新荷點緑錢（康海）……一三〇五
新栽數畝瓜（陳鐸）……六五五
詩成奪錦袍（陳鐸）……七〇三
詩翁狀事情（陳鐸）……六六一
詩書勤講習（無名氏）……六〇八三
詩傳紅葉秋（孫湛）……四一七一
雍容黄閣姿（湯式）……一二七
慈瓔珞功德王如來（無名氏）……五三五六
瑤池淡粉妝（朱有燉）……四一〇

楚人抱着愁（無名氏）……六一六八
楚臺雲風刮殘（無名氏）……六〇七二
當日箇龍飛第一年（殷士儋）……二八〇七
暖烘烘春繁芍藥苗（無名氏）……六二九
跡雖羈宵壤間（馮惟敏）……二四五八
盟山土底埋（無名氏）……六〇九九
運春雲陣陣消（無名氏）……六一七二
蜀道難長懷李太白（湯式）……一三〇
蜀都錦繡鄉（朱讓栩）……二〇六〇
蜂黃散曉晴（朱有燉）……三九五
亂飄來燕塞邊（王磐）……七九八
羣山列翠屏（無名氏）……六一四七
慵聽玉殿鞭（馮惟敏）……二四四三
滿長空玉葉飄（無名氏）……六〇八九
漁翁在碧深深波浪間（無名氏）……六一〇三
漁樵厭苦辛（無名氏）……六一四六
漫漫柳絮飛（無名氏）……六〇九五
説窈窕端然窈窕（無名氏）……六一〇五
瘦身軀難打捱（朱有燉）……四〇八
瘦身軀難打捱（陳鐸）……七二四
碧玲瓏透月窗（湯式）……一二四
蓉城明月軒（范甫）……二〇一五
蓊鬱鬱居庸疊翠峰（無名氏）……六一一一
輕帆灔澦堆（湯式）……一四七
輕柔縞淡粧（湯式）……一一三
輕盈壓翠鸞（無名氏）……六〇七三
輕輕柳絮飛（無名氏）……六一二二
團花獸錦袍（無名氏）……六一二八
舞東風楊柳腰（無名氏）……六一六〇
與朋友擇善交（無名氏）……六〇九四
銀杏葉凋零鴨脚黃（詹時雨）……二六七
銀磨鳳翅盔（無名氏）……六〇七六
嫩寒生花底風（湯式）……一一〇
綰烏雲髻巧盤（無名氏）……六一七一
綸竿度歲華（無名氏）……六一二六
潮生玉馬來（湯式）……一五一
潑烟花心性索（無名氏）……六一六〇
潭潭宰相居（陳鐸）……六八九
談文孔孟徒（無名氏）……六〇八七
誰能離世綱（無名氏）……五四一四
論風流蹴踘場（無名氏）……六一六六
璇樞貫玉繩（黃潤玉）……四四〇

撇不下風月場（張鍊）…………二二九〇
殢行雲半霎愁（程可中）…………四一五八
磐石鞏固基（無名氏）…………六二〇
鋤瓜畦訪邵平（朱有燉）…………三九〇
嬌滴滴千金玉體輕（陳鐸）…………六五三
蕋珠宮蒼龍對月吟（無名氏）…………六一六六
燕泥沾白象牀（湯式）…………一一〇
擎天架海梁（丘汝成）…………二八七七
樵夫在堆藍翠雲錦鄉（無名氏）…………六一〇三
霖霖不暫停（無名氏）…………六一四二
噪晴蛙枉叫嚎（湯式）…………一二四
錦囊寬閑鳳琴（湯式）…………一四九
緣底事謫離方丈臺（湯式）…………一一六
僁僁懶畫眉（無名氏）…………六〇九三
聲嚦嚦鶯啼楊柳枝（無名氏）…………六一三二
霜翎雪握成（朱有燉）…………三八六
檜當軒作翠屏（湯式）…………一三五
雖居草木中（無名氏）…………六一三九
鞦韆近粉墻（無名氏）…………六一五一
鷺毛雪鋪砌堦（無名氏）…………六一四九
歸命禮香春常德佛（無名氏）…………五三四八
歸命禮金華威德佛（無名氏）…………五三四八
歸命禮因王香窟佛（無名氏）…………五三四九
歸命禮普音聲如來（無名氏）…………五三五一
歸命禮無邊聲如來（無名氏）…………五三五二
歸命禮虛空德如來（無名氏）…………五三五二
歸命禮威功德如來（無名氏）…………五三五三
歸命禮叫力王如來（無名氏）…………五三五四
歸命禮作論議如來（無名氏）…………五三五五
懷仁義涉獵孔聖書（無名氏）…………六一五一
韻悠悠寒蛩短砌吟（無名氏）…………六一三六
麒麟閣上臣（湯式）…………一一八
離西天極樂邦（無名氏）…………六一二七
離匣星斗寒（陳鐸）…………六五四
難尋子弟錢（陳鐸）…………六六三
麗春園有世情（湯式）…………一二〇
羅浮山接渺茫（湯式）…………一五〇
羅浮山接渺茫（楊慎）…………一七三五
羅幃中恩愛濃（無名氏）…………六一五四
鵬霄九萬里（無名氏）…………六一〇六
鵰翎鳳翅盔（無名氏）…………六一三一
勸金杯竹葉春（陳鐸）…………七〇〇

辭歸緑野堂（許樂善）……三五四八
飄零在海角邊（無名氏）……六一〇六
攔門柳色新（張錬）……二二八九
鰲功翰墨鮮（無名氏）……六一〇四
蘭舟纜白沙（王寅）……二二〇四
蘭房物已空（無名氏）……六〇九八
護煙霞丹谷深（王寅）……二二〇五
露瀼瀼萬籟沉（湯式）……一三五
權收八陣圖（王寅）……二一九八
巍巍九鼎臣（湯式）……一一九
纔逢冬月天（陳鐸）……六六五
靈源隱帝畿（金鑾）……一八五六
鬢垂銀繭絲（王寅）……二二〇一
攬將天上雲（湯式）……一五二
鱠魚把釣吞（黃潤玉）……四四一

一枝花帶折桂令

秋風高掛洞庭帆（袁宗道）……四一四一

一封書（秋江送別）

一更裡月兒高（無名氏）……五四二一
一更裏月在天（朱載堉）……三四四八
二更裡月兒圓（無名氏）……五四二一
二更裏月兒圓（朱載堉）……三四四九
七娘子進繡房（無名氏）……五四二一
人皆畏夏日（無名氏）……五八三九
三更裡月兒清（無名氏）……五四二一
三更裏月兒明（朱載堉）……三四四九
王家妓洛仙（宛瑜子）……四五一九
元宵夜看罷燈（無名氏）……五四一九
五更裡月兒收（無名氏）……五四二一
五更裏月兒沉（朱載堉）……三四四九
天津衛姐兒多（無名氏）……五四二〇
生和死兩下相嘆（蘭陵笑笑生）……二八一七
四更裡月兒歪（無名氏）……五四二一
四更裏月兒斜（朱載堉）……三四四九
青溪畔小舟（金鑾）……一八〇五
青溪畔小堂（金鑾）……一八〇五
青溪畔小園（金鑾）……一八〇五
青溪畔小庵（金鑾）……一八〇五
芳亭日影長（王九思）……九七九
折脚雁順水魚（無名氏）……五四二〇
卦與籤兩下裡都無靈驗（無名氏）……五四一七

紗牕月影昏（張茅亭）……………………四九三九
紗牕月影移（張茅亭）……………………四九三九
紗牕月影圓（張茅亭）……………………四九三九
紗牕月影澄（張茅亭）……………………四九三九
紗窗外鳥啼（王驥德）……………………三六二七
情人去扯住衣（無名氏）…………………五四一九
梅花弄曉寒（王九思）……………………九七九
推窗看二更天（無名氏）…………………五四一八
梨花院日遲（常倫）………………………一八九〇
開舡後往下摇（無名氏）…………………五四一九
陽關曲易終（楊慎）………………………一七一一
黄昏後點上燈（無名氏）…………………五四一九
雍生拜少華（秦時雍）……………………二五六七
葡萄釀味濃（常倫）………………………一八八九
愁脈脈（無名氏）…………………………五四一八
裝作玉堂人（李應策）……………………四〇八二
潭潭相府門（李應策）……………………四〇八三
簾兒外眼兒睃（無名氏）…………………五四一八
簾兒内换綉鞋（無名氏）…………………五四一九
檳榔去不茴香（無名氏）…………………五四一七
離亭宴未終（張含）………………………一四六八
男兒漢性氣剛（無名氏）…………………五四二〇
牀兒側枕兒偏（無名氏）…………………五四二〇
和風動小園（王九思）……………………九七九
相思病幾時休（無名氏）…………………五四二〇
玲瓏唱我詞（王九思）……………………九七九
春山蹙（無名氏）…………………………五四一八
恓惶淚兩淚流（無名氏）…………………五四二〇
紅綾被象牙床（無名氏）…………………五四一九
風光入眼新（楊慎）………………………一七〇四
風月事最難調（無名氏）…………………五四一八
高唐曉夢終（沐崧）………………………一七九七
高樓上滿街市（無名氏）…………………五四一八
高樓上望下瞧（無名氏）…………………五四二〇
宫花插帽斜（李應策）……………………四〇三三
書中意你自知（無名氏）…………………五四一九
紗牕日影紅（楊桀）………………………四七六
紗牕日影殘（楊傑）………………………四七六
紗牕日影沉（楊傑）………………………四七七
紗牕日影東（張茅亭）……………………四九三八
紗牕日影高（張茅亭）……………………四九三八
紗牕日影西（張茅亭）……………………四九三八

鞦韆下正撞他（無名氏）……………五四一九
懸弧又誕朝（王鏊）……………四八六

一封書犯

池冰泮乍暖（陳鐸）……………六三七
朔風勁透幙（陳鐸）……………六八六
驚一葉墜井（陳鐸）……………六九三

一封書帶過雁兒落

你姐姐真個乖（無名氏）……………五四二二

一封歌

金風動暑收（康海）……………一三四五

一剪梅

人生百歲世間稀（朱載堉）……………三四二九
山底有草流水兒（李應策）……………四〇〇七
千斤重擔幾時丟（朱載堉）……………三四二九
多少英雄枉用心（朱載堉）……………三四二九
同年同日又同窗（凌濛初）……………四五四五
何不静坐玩高松（朱載堉）……………三四二九
依山靠水房數間（朱載堉）……………三四三〇
草滿中庭苔滿牆（無名氏）……………五八七七
紅日三竿正好眠（朱載堉）……………三四三〇
高脚長身粉面妝（無名氏）……………五四六四
軒窗幽暇合襟期（李應策）……………四〇一五
緑蔭深處結茅軒（朱載堉）……………三四三〇
緬想人生在世間（朱載堉）……………三四三〇
瀟湘店外鬼來呵（無名氏）……………五八三六

一機錦

雲雨歇（無名氏）……………六一八一

二　畫

二犯月兒高

一自成歡偶（張鍊）……………二二五二
一從輕分散（無名氏）……………五四二四
小院花陰護（薛崗）……………三三九四
小院香風過（馮惟敏）……………二三九九
月冷青松殿（梁辰魚）……………二六八九
月缺重門静（馮惟敏）……………二四〇〇
玉宇明河漫（馮惟敏）……………二四〇一
玉宇清如洗（康海）……………一四二五
我愛春光好（無名氏）……………五四二二

我愛蘭花好（無名氏）……五四二二
我愛月兒好（無名氏）……五四二三
我愛泉聲好（無名氏）……五四二三
夜永銀河燦（薛崗）……三三九三
夜夜閑惆悵（馮惟敏）……二四〇〇
夜雨芭蕉戰（無名氏）……五四二四
門外雕鞍邁（馮惟敏）……二四〇〇
風掃簷前鐵（張鍊）……二二五二
風振窗鈴响（無名氏）……五四二三
紅粉多薄命（馮惟敏）……二四〇〇
酒暖瓊杯落（薛崗）……三三九四
海榴開紅焰（無名氏）……五四二四
送別長亭柳（唐寅）……一一五一
記得桃源去（朱應辰）……一四八五
梧葉飄金井（張鍊）……二二五二
梧葉飄金井更長夜人静（無名氏）……五四二三
歌罷桃花扇（馮惟敏）……二四〇〇
畫閣環朱翠（薛崗）……三三九三
畫閣空粧遍（無名氏）……五四二五
煙鎖垂楊院（唐寅）……一一五〇
園苑飄紅雨（唐寅）……一一五〇
遠樹寒蟾下（馮惟敏）……二四〇一
夢想巴陵勝（康海）……一四三三
暗藏相思字（丁惟恕）……四三七八
綉陌花開遍（無名氏）……五四二四
髻綰香雲擁（唐寅）……一一五一
曉夢誰驚覺（張鍊）……二二五二
懶把鴛鴦織（無名氏）……五四二三
簷鐵金風鬪（丁惟恕）……四三七〇

二犯江兒水（梅花清瘦、雙令江兒水）

心旌相向（景翩翩）……四二三九
因打流鶯時分（無名氏）……五五二九
年當桃李（俞宛綸）……四四八八
君家聰俊（徐士俊）……四九九三
炎蒸天氣（蘭陵笑笑生）……二八二八
花容月豔（蘭陵笑笑生）……二八二八
門前車馬（俞宛綸）……四四八八
相思滋味（施紹莘）……四六六六
風流聰俊（梁辰魚）……二六五二
陌花如繡（俞宛綸）……四四八八
宫花争笑（李清）……五〇〇七

凌波微步（俞宛綸）……四四八八
記得他霧鬢雲鬢（周天球）……二五九九
娘行清秀（梁辰魚）……二六五二
羞把菱花來照（無名氏）……五五二九
常記的當初相聚（無名氏）……五五二八
梅花相問（蘭陵笑笑生）……二八二九
捱過了炎蒸天氣（陳鐸）……五二九
捱徹相思時候（常倫）……一八九三
減盡了花容月豔（陳鐸）……五二九
悶把幃屏來靠（無名氏）……五五二八
悶把幃屏來靠（蘭陵笑笑生）……二八四〇
幾遍把梅花相問（陳鐸）……五三〇
槐陰庭院（蘭陵笑笑生）……二八二八
歌喉清峭（李清）……五〇〇七
懊恨薄情（無名氏）……五五二八
靜悄悄槐陰庭院（陳鐸）……五二九
蘭陵風韻（徐士俊）……四九九三
瓊官玉府（方汝浩）……五一八四
靈臺紫府（周履靖）……三五六一

二犯柳搖金

韶光明媚（無名氏）……五五二九

二犯桂枝香（桂花襲袍香）

月懸冰鏡（秦時雍）……二五六五
池塘晝永（秦時雍）……二五六四
秋娘兼總（張葦如）……四九七九
風情難改（沈璟）……三七八三
浮生猶勁（張葦如）……四九七九
閒堂標韻（張葦如）……四九八〇
韶光似酒（秦時雍）……二五六四
踏青見此（張瘦郎）……四八〇六
舊愁稍可（殷都）……三〇三七
頹楊秋貢（張葦如）……四九八〇
鴛鴦霜重（秦時雍）……二五六五

二犯梧桐樹

瑤池出素莖（沈瓚）……四一〇七

二犯傍粧臺

一日九迴腸（無名氏）……五四二五
一別杜韋娘（秦時雍）……二五八六
七月火西流（馮惟敏）……二三四一
三日出村行（馮惟敏）……二三四二

小書生龐兒齊整（馮夢龍）……四四二九
不與俗沈浮（陳所聞）……三八六四
不睡數流螢（王寵）……一九一五
今宵月在畫樓前（陳所聞）……三九一〇
丹桂野堂開（夏言）……一五六四
玉漏報初更（丁惟恕）……四三六七
池館客淹留（陳所聞）……三八四三
含笑捧歌鐘（王寵）……一九一四
那日畫橋東（王寵）……一九一五
花下一尊開（夏言）……一五六四
恨匆匆（馮惟敏）……二五〇一
春來無處不飛花（無名氏）……五四二五
後樂小園開（夏言）……一五六四
幽閣百花濃（王寵）……一九一四
高會畫堂中（馮惟敏）……二三四二
流水遶孤村（馮惟敏）……二三四一
涼雨洗平沙（馮惟敏）……二三四二
景淒涼（周瑞）……一七七九
無事且啣杯（馮惟敏）……二三四二
無語淚闌干（張鳳翼）……三〇一〇
畫橋東（張鳳翼）……二九九四
睡朦朧（張鳳翼）……二九九三
遡儒宗（陳所聞）……三八五〇
緊隨行（卜世臣）……四三〇〇
醉鄉侯（陳所聞）……三八五一
數流螢（張鳳翼）……二九九四
興翩翩（陳所聞）……三八五〇
懷抱向誰開（夏言）……一五六四
獸爐紅（張鳳翼）……二九九四
竇錦樣綢繆（沈仕）……一六三二
驟雨惱春花愁聞（無名氏）……五四二五

二犯簇御林

冰肌秀（無名氏）……五五二四
液池内（無名氏）……五五二四
瑶池畔（無名氏）……五五二三
霜下傑（無名氏）……五五二四

二郎神

人不見（唐寅）……一一六四
人歸後（顧起元）……四二七五
才郎去緑鬢蓬鬆懶去梳（沈仕）……一六六二
才郎去緑鬢嫦娥懶去梳（潘士藻）……三五二一

才聚首（張叔元）……四八八八
天若肯（沈璟）……三八〇七
文葩葉（醉西湖心月主人）……五二〇九
分違久（吴載伯）……四五七三
分鸞鏡（楊慎）……一七三九
冬至後（無名氏）……五九二四
西風裏（施紹莘）……四七三五
西風緊（高濂）……二九七二
朱闌右（徐媛）……四一七九
何元朗（沈璟）……三七八八
芭蕉裏（陳鐸）……七二九
花如夢（施紹莘）……四七〇六
松筠茂（周履靖）……三五七四
相別久（翁吉熓）……五〇一三
奇觀處（馮敏効）……三五三七
和衣睡（施紹莘）……四六九四
春纔好（施紹莘）……四六五三
春到後（黄峨）……一九九三
春消繳（伍灌夫）……四九七一
春時候（俞宛綸）……四四九七
春情蕩（宛瑜子）……四五三二
春雲卷（施紹莘）……四七四六
相逢久（梁辰魚）……二六七二
南園暮（張瘦郎）……四八一九
咱和你（吴載伯）……四五七五
秋風起（施紹莘）……四六六九
秋雲冷（董斯張）……四七七八
秋雲浄（徐維敬）……四二二七
秋氣潑（陸應暘）……四四六六
重門悄（陳繼儒）……四一一六
容瀟洒（王化隆）……四三二九
朔風凛（杜子華）……三五一二
紗窗内（俞安期）……三七四六
娱清晝（葉華）……四二五四
章臺柳（王驥德）……三六六六
寄來書（唐順之）……二二一一
寄書來（無名氏）……五九二五
強游遨（醉西湖心月主人）……五二一二
偏僥倖（清河漁父）……五〇四六
從那日（張文介）……五〇五二
粧成否（顧正誼）……三六九六
寒衾峭（張旭初）……四八五五

黃花底（張文介）……五〇五〇
晴雲斂（楊慎）……一七四四
景蕭索（楊訥）……二二七
煙花夢（施紹莘）……四七二六
新睡起（金鑾）……一八六二
嗟呀他心憂貌苦（王化隆）……四三三〇
傷春否（顧正誼）……三六九四
銅壺轉（梁辰魚）……二六七〇
憐同蒂（陳所聞）……三九四四
憐花病（施紹莘）……四六二五
縈懷抱（陳所聞）……三九〇九
燈夕後（無名氏）……五九二六
靜悄悄（王寵）……一九一六
錦堂裡（無名氏）……六二八九
鴛鴦夢（王驥德）……三六六七
薰風爽（汪膺）……五〇〇四
簫聲杳（朱應辰）……一四九〇
爐熏裊（錢福）……九〇〇
纔歡媾（張栩）……五一〇二

二郎試畫眉

長安遠（王驥德）……三六六八

二賢賓

春深也（陳子升）……五〇二六

十一聲

臘梅花正襯簾兒外（施紹莘）……四七四四

十二月

玉宇澄清（廖道南）……一九三三
我和你恩情最親（宋楙澄）……四二八三
喜帝日長膺寶録（廖道南）……一九五八
歌豳風民情勤苦（廖道南）……一九五九
稽首無比威德佛如來（無名氏）……五三二四
寶筵春曉（廖道南）……一九二九
鸞翔玄圃（廖道南）……一九二九

十二月帶過堯民歌

淡氤氳爐烟縹緲（無名氏）……五五九四
這的是金山豫章（無名氏）……五五九四
您笑俺藜羹不糝（仲龍子）……一五三七
您笑俺爲人懶散（仲龍子）……一五三七
遥山隱隱（無名氏）……五五九五

十二紅（十二時　十二峰　十二樓　十二闌干）

一團花看看消瘦（施紹莘）……四六七〇
乍相逢銀燈一笑（徐士俊）……四九九七
冷瀟瀟風狂雨驟（王驥德）……三六二六
伴孤燈三更情況（陳鐸）……六五二
病難勝酒愁無奈（俞宛綸）……四四八五
照孤衾寒燈半滅（林石崗）……五一三五
愛春宵千金難討（張君平）……五〇五七
雞聲兒啼來孤帳（吴載伯）……四五七七

十棒鼓

一心稱佛號（無名氏）……五三二三
至心稱佛號（無名氏）……五三二三
行厨演撒（朱有燉）……三一一
同聲稱佛號（無名氏）……五三二三
如來弘誓願（無名氏）……五三二三
門兒外簾兒前（無名氏）……五七三二
恰西風到了梧葉初凋（朱有燉）……三〇九
海老夢撒（朱有燉）……三一二
笑咱老的（朱有燉）……三一二
稽首歸命禮無比月如來（無名氏）……五三二四

十樣錦（一片錦）

今宵夢偏驚孤影（張鳳翼）……三〇〇九
河橋路征帆初掛（高濂）……二九八三
幽窗下沉吟半晌（祝允明）……八八四
秦樓上月明如水（梅鼎祚）……三七三七
隋堤上依依敗柳（許次紓）……三七三二
嘆冰輪一痕初破（高濂）……二九七三
燈兒下低頭自忖（張鳳翼）……三〇一一
離粧閣又元日節到（吴載伯）……四五六九

十段錦

俏冤家生的出類拔萃（蘭陵笑笑生）……二八四一

人月圓（青衫濕）

好風兩日相迎送（楊慎）……一七二二

七犯玲瓏

一從辭鳳樓（李一元）……一九七四
三冬擁翠樓（張寰）……一六一六
山花近小樓（顧應祥）……一六〇八

山風欲滿樓（顧應祥）……一六〇九
山圍水上樓（李丙）……二〇一三
江梅綻早芳（祝允明）……八七八
同雲暗小樓（李一元）……一九七五
休搥黃鶴樓（楊慎）……一七一八
沉沉十二樓（陳與郊）……三七〇九
君詩趙倚樓（楊慎）……一七一七
長夏御書樓（劉泰之）……一六二二
芭蕉映粉牆（祝允明）……八七七
芙蓉翠館僊（梁辰魚）……二六五四
金風入畫樓（李鈞）……二〇一〇
金風度海樓（顧應祥）……一六〇九
金風透瑣牕（祝允明）……八七七
昏昏倦倚樓（楊慎）……一七〇二
春風花滿樓（張寰）……一六一五
春滿蕋珠樓（劉泰之）……一六二二
南薰薦敞樓（李丙）……二〇一四
思歸白兔樓（楊慎）……一七一八
秋聲起畫樓（張寰）……一六一六
凍合廣心樓（劉泰之）……一六二三
朔風入畫樓（李鈞）……二〇一〇
夏雲光滿樓（張寰）……一六一六
乘春上畫樓（楊惇）……一七七五
條風入畫樓（李鈞）……二〇〇九
涼飈盪庾樓（楊惇）……一七七六
清風寫韻樓（劉泰之）……一六二三
情多莫上樓（楊慥）……一九一二
荷香滿畫樓（楊慥）……一九一三
梨花亂撲樓（楊慥）……一九一三
曾修五鳳樓（楊慎）……一七一八
曾鄰五鳳樓（陳與郊）……三七〇八
寒光凍玉樓（楊慎）……一七〇二
寒風宋玉樓（無名氏）……五四六五
琳宮驀地逢（梁辰魚）……二六五三
悲鴻度小樓（楊慎）……一七〇二
雲中百尺樓（楊惇）……一七七六
登高倦倚樓（楊慥）……一九一三
新紅上海棠（祝允明）……八七七
愁登天際樓（李一元）……一九七五
團團月掛樓（李丙）……二〇一四
誰將軟玉纏（景翩翩）……四二三〇
衝寒獨倚樓（顧應祥）……一六〇九

凝妝上翠樓（楊慎）……一七〇一
懨懨病轉加（祝允明）……八七八
邀賓池上樓（李一元）……一九七四
霜清謝朓樓（楊惇）……一七七六
薰風入畫樓（李鈞）……二〇〇九
嚴凝白雪樓（李丙）……二〇一四

七賢過關

炎天夏日長（劉兑）……一一
金風暑漸消（劉兑）……一一
春風花草香（劉兑）……一〇
朔風早凜冽（劉兑）……一一
雕簷風馬馳（梁辰魚）……二六五〇

八不就

恰收燈又近清明（施紹莘）……四六〇二
映窗紗雪間梅花（施紹莘）……四六〇三
海棠開燕子初來（張琦）……四七七九
看酴醾自占柔條（施紹莘）……四六〇二
菊花開北雁南來（張琦）……四七七九
聽寒蛩聲滿牀頭（施紹莘）……四六〇二

八聲甘州（瀟瀟雨）

弓弓鳳鞋（無名氏）……五八四二
天長地久（王九思）……一〇九六
玉盤金餅（祝允明）……八八〇
古道長堤（無名氏）……五八四四
冰輪懸鏡（楊慎）……一七三二
因緣簿冷（沈璟）……三七九〇
如醉如癡（沈仕）……一六五五
良宵霽景（吳國寶）……二七五〇
長空霧捲（康海）……一三一四
長亭執手（沈則平）……四七七三
東風太猛（無名氏）……五八四三
春光艷陽（陳鐸）……七二〇
相思無底（沈仕）……一六五七
相思難守（李維楨）……三七二二
紅樓繡榜（梁辰魚）……二六九六
幽懷悄悄（康海）……一四二八
幽思悄悄（顧養謙）……三五二四
海天月上（陳所聞）……三九二三
高秋月朗（陳所聞）……三九一九

梨花小雨（杜子華）……三五一五
陰陰月上（張瘦郎）……四八〇四
夢醒羅帳（席浪仙）……四八三四
鴛鴦牒上（施紹莘）……四七〇四
雕欄玉井（文徵明）……一一三七
鶯喉乍逞（無名氏）……五八四二
歡游賞心（無名氏）……六〇一九

八聲甘州歌（甘州歌）

眠思夢想（無名氏）……五八四〇
歸來正好（畢木）……三四六九

九迴腸（六時理針線）

一從他春絲牽掛（張鳳翼）……二九九一
一從他相逢月下（張鳳翼）……二九九一
爲一點香生九畹（史槃）……三二六四
扇春心誰家花樣（張葦如）……四九八一
苦心兒終朝寧耐（高濂）……二九六一
待天風泊舟江上（陳所聞）……三八四一
對燈兒幾番思想（高濂）……二九六〇
鬢兒邊黃花不戴（施紹莘）……四六八六

九重歡

瑶光貫月（夏言）……一五七一

九換頭

春風燕子樓（常倫）……一九〇七

九疑山

江東日暮雲（梁辰魚）……二七〇二

三　畫

三十腔

飛龍九五（無名氏）……五八七九
喜遇吉日（無名氏）……五八七七
薄情種（祝允明）……八八七

三仙橋

一從他每死後（王化隆）……四三二〇

三段子

只爲斜陽晚霞（馮敏効）……三五四三
乍看得天高夜永（李應策）……三九九二
看這溪邊縷紗（馮敏効）……三五四三

離不得這雲岑石磴（李應策）…………三九九一

三番玉樓人

風擺動簷間馬（無名氏）…………五五六六

三學士（玉堂人）

只得含情從母命（王化隆）…………四三二四

下山虎

山深地僻（馮敏効）…………三五四三
仙郎別後（馮敏効）…………三五四二
時光似箭（無名氏）…………五九五六

大勝樂（大聖樂　滿園春）

把一床絃索塵埋（無名氏）…………五四六五
活冤家難遣心窩（馮夢龍）…………四四三八
愛尖如筍露參差（卜世臣）…………四三〇三

大德歌

他去了許多時（無名氏）…………五七三三
春日賞花開（無名氏）…………五七三二

大迓鼓

執經門謝客三千（李應策）…………四〇六四
離塵造就洞庭舡（李應策）…………四〇六三

兀由干底里曼

南無師子喜佛（無名氏）…………五三〇四
南無安穩愛佛（無名氏）…………五三〇四
南無功德步佛（無名氏）…………五三〇四
南無多寶妙佛（無名氏）…………五三〇五
南無華勝步佛（無名氏）…………五三〇五

兀沙格

南無師子奮迅吼佛（無名氏）…………五三一〇
南無普見一切法佛（無名氏）…………五三一〇
南無除世畏覺悟佛（無名氏）…………五三一〇
南無無量德具足佛（無名氏）…………五三一〇
南無成就一切義佛（無名氏）…………五三一〇

上小樓

十五國風（無名氏）…………五六〇四
人之內體（無名氏）…………五六〇二
人生稟天地正理（無名氏）…………五六〇二
人倫道理（無名氏）…………五六〇一
人稟得五行秀氣（無名氏）…………五六〇〇

人與飛潛動植（無名氏）……五六〇一
人道我貪花戀酒（楊爾曾）……五一九六
九十日春光尚在（李應策）……四〇四六
三綱五常（無名氏）……五六〇三
大親佛（無名氏）……五二八〇
大遊佛（無名氏）……五二七九
大能佛（無名氏）……五二八〇
大强精進勇猛佛（無名氏）……五二八一
大幢佛（無名氏）……五二七八
上光佛（無名氏）……五二七八
天秩有禮（無名氏）……五六〇五
不偏不倚（無名氏）……五六〇一
太極初生兩儀（無名氏）……五六〇〇
心中性理（無名氏）……五六〇三
孔仲尼因他魯史（無名氏）……五六〇四
去聖遠異端並起（無名氏）……五六〇六
本待要經天緯地（無名氏）……五六〇六
叮叮噹噹鐵馬敲（無名氏）……五五九九
忙呼侍妾（無名氏）……五五九七
忙舒玉手（無名氏）……五五九七
匡君愛國（無名氏）……五六〇三
西湖左側（無名氏）……五五九六
自光佛（無名氏）……五二七九
我也曾名題虎榜（彭澤）……八六九
我今日單來度你（楊爾曾）……五一九五
我住的是茅庵草厦（無名氏）……五五九八
我喜的是茅庵草臺（無名氏）……五五九八
我愛的是高山流水（無名氏）……五六〇〇
我愛的是山水清幽（楊爾曾）……五一八八
我勸你隨時過活（彭澤）……八六九
芳容酒持（朱有燉）……三四三
東周衰不能振起（無名氏）……五六〇五
東籬逝矣（康海）……一二四四
忽霹靂雷驚蟄啟（李應策）……四〇四八
到春來山花豔媚（無名氏）……五六〇〇
金閨視草（康海）……一二四四
春纖款搊（無名氏）……五五九七
若說他功勞汗馬（無名氏）……五五九八
若說他風流李白（無名氏）……五六〇〇
爲人間平分秋色（李應策）……四〇四八
南無普照十方世界佛（無名氏）……五二七八
南無無礙藥樹威德佛（無名氏）……五二七九

家住在青山嶺東（彭澤）……八六九
家住在青山嶺邊（彭澤）……八六九
家住在青山嶺那答（彭澤）……八六九
家住在終南勝境（無名氏）……五五九七
家住在深山曠野（無名氏）……五五九八
家住在深山洞裏（無名氏）……五五九八
家居四壁（無名氏）……五六〇七
格物致知（無名氏）……五六〇六
俺住在茅庵草標（無名氏）……五五九九
俺將這猿心馬意（無名氏）……五五九九
浄音佛（無名氏）……五二七七
浄聲佛（無名氏）……五二七七
乾坤坎離（無名氏）……五六〇四
眼見的他香消玉肌（無名氏）……五五九六
您愛的是金章紫綬（無名氏）……五五九八
馮魁富豪（無名氏）……五六〇一
曾子傳述聖經（無名氏）……五六〇六
普明佛（無名氏）……五二七八
堪恨無情杜宇（無名氏）……五五九五
趁著這青山緑水（彭澤）……八六九
敬兄悌長（無名氏）……五六〇二
南無不可量實體勝佛（無名氏）……五二七九
南無大力龍翼從好佛（無名氏）……五二七九
南無遠離怖畏毛豎佛（無名氏）……五二八〇
南無成就佛寶功德佛（無名氏）……五二七六
南無大衆自在勇猛佛（無名氏）……五二七七
南無自在轉一切法佛（無名氏）……五二七七
南無觀見一切境界佛（無名氏）……五二七七
南無不可思議法身佛（無名氏）……五二七八
南無諸覺疆界應飾佛（無名氏）……五二七八
南無普光佛智慧勝佛（無名氏）……五二八〇
南無大慧力王佛（無名氏）……五二八〇
南無旃檀窟莊嚴勝佛（無名氏）……五二八〇
南無慧幡勝王佛（無名氏）……五二八一
南無世尊如來佛（無名氏）……五三一一
貞潔有恥（無名氏）……五六〇三
風流廝貪（無名氏）……五五九六
流鶯未起（無名氏）……五五九六
家住在青山嶺南（彭澤）……八六八
家住在青山嶺北（彭澤）……八六八
家住在青山嶺頭（彭澤）……八六八
家住在青山嶺西（彭澤）……八六八

無情孏孏（無名氏）……五五九九
聖人設教（無名氏）……五六〇一
想爺娘天恩罔極（無名氏）……五六〇二
虞夏舊典（無名氏）……五六〇四
鄒孟軻生於戰國（無名氏）……五六〇六
碧森森新篁脱穎（李應策）……四〇四六
碧團團鰲山皎月（李應策）……四〇四八
説鉛汞堅牢固久（無名氏）……五六〇七
説鉛汞真成至寶（無名氏）……五六〇七
鴇兒從來性乖（無名氏）……五五九九
翠巍巍青山緑水（無名氏）……五五九八
論語言學而時習（無名氏）……五六〇五
慧光佛（無名氏）……五二七九
覷了他文章似海（無名氏）……五六〇一
辭却了龍樓鳳闕（陳朝佐）……一五五六

上小樓帶過滿庭芳

想着那青蠅結黨（張鍊）……二二四五

上馬踢

金天霽爽開（卜世臣）……四二〇四

上清歌

仰賴聖人（廖道南）……一九五〇
桂殿玲瓏（張治）……一六二八
雲捧宸居（廖道南）……一九三七
鳳囿龍渠（廖道南）……一九五四

山羊轉五更

到秋來添些情味（王驥德）……三六三五
擬長門佳期還誤（王驥德）……三六三九

山花子

甘棠蔽芾詩堪咏（劉龍田）……二〇三五
白雪密洒歌樓瓦（無名氏）……五四四九
老臣此日歸田野（夏言）……一五七五
明良幸際唐虞盛（劉龍田）……二〇三五
春來幾度花前醉（朱應辰）……一四八七
幽蘭不比閑花柳（秦時雍）……二五五五
幽蘭不比閑花草（秦時雍）……二五五五
浮瓜沉李真閒灑（無名氏）……五四四九
書中説往瓢城去（朱應辰）……一四八七
梁園草木多蕃勝（劉龍田）……二〇三五

從今夢繞章臺去（朱應辰）……一四八七
從來不見幽蘭面（秦時雍）……二五五五
循良第一推賢令（劉龍田）……二〇三五
尋芳拾翠遊情雅（無名氏）……五四四九
尋芳愛把幽蘭採（秦時雍）……二五五五
開緘偶見雲卿字（朱應辰）……一四八七
團圓皓月誰持把（無名氏）……五四四九
緑陰深處池亭小（夏言）……一五八一

山坡羊（山坡裏羊　蘇武持節）

一世雖然有命（薛論道）……三〇四六
一生別無活計（薛論道）……三〇六五
一向來不曾和冤家面會（蘭陵笑笑生）……二八二一
一身不朝不市（薛論道）……三〇六五
一線松竹門路（薛論道）……三〇四三
一種情根迤逗（文徵明）……一一三三
一點芳心拖逗（無名氏）……五四九三
一腔赤軒旂可對（李應策）……四〇四〇
二十年柳街花巷（薛論道）……三〇五四
二十箇春秋冬夏（常倫）……一八七四
十載寒窗獨傍（薛論道）……三〇四三
人道黄金可愛（薛論道）……三〇五三
人活到三十五六（朱載堉）……三四一八
九十韶光春透（禄洪）……四一三五
三更鼓打（張鍊）……二二三四
三思人之六蔽（薛論道）……三〇六〇
士大夫飽食終日（薛論道）……三〇六二
大塊原來一氣（薛論道）……三〇六六
山和水水和山廝環廝輳（常倫）……一八七四
已矣乎人間閒事（常倫）……一八七三
小丫頭誰人不愛（無名氏）……五四八九
天宫難近（楊廷和）……八五一
天様高雄心消盡（薛論道）……三〇四九
日永風清庭院（劉良臣）……一六〇〇
日色風光淡蕩（劉良臣）……一六〇一
日短風寒歲暮（劉良臣）……一六〇一
日暖風柔時候（康海）……一二五六
日暖風輕晴晝（劉良臣）……一六〇〇
日遲遲春光明媚（薛論道）……三〇四八
孔夫子手打心仰天長嘆（朱載堉）……三四一七
孔夫子聽此言心中焦躁（朱載堉）……三四一八

中秋將近（楊廷和）……………………八五一
心地好不在你喫齋把素（丁綵）………三三一七
心懷悒怏（無名氏）…………………五六一〇
月兒缺星兒不缺（無名氏）……………五四八五
月在天邊雲黯（無名氏）………………五四八六
今古陳摶一睡（薛論道）………………三〇五五
玉門迢雖蹄犇綻（薛論道）……………三〇五七
正三更我做個好夢兒（朱載堉）………三四二三
去髮留鬚除煩惱（無名氏）……………五四九一
功名爲務（朱有燉）……………………三一〇
世間人睁眼觀見（朱載堉）……………三四二一
可意人兒（趙南星）……………………三七五八
可意人有甚麽仙丹妙藥（丁綵）………三三一一
打破功名一弄（薛論道）………………三〇六三
叫一聲青天（蘭陵笑笑生）……………二八二四
田園荒廢（湯式）………………………九三
只爲功名牽掛（秦時雍）………………二五六八
四堵容膝一舍（薛論道）………………三〇四〇
禾田耘遍（朱有燉）……………………三二七
生來不知富貴（薛論道）………………三〇六六
他本是天生騏驥（薛論道）……………三〇五七
冰肌消痒裙兒掩過（無名氏）…………五四八五
冰輪高駕（湯式）………………………九四
有一朝時來運到（薛論道）……………三〇五〇
有財神聞此言傳與前面（朱載堉）……三四一八
有財神聽此言微微冷笑（朱載堉）……三四一八
老夫人不須焦躁（楊爾曾）……………五二〇二
圪染鬼從天降下（朱載堉）……………三四二二
早知幾心安身浄（薛論道）……………三〇四四
早知幾回頭頻看（薛論道）……………三〇四五
早知幾休貪薄宦（薛論道）……………三〇四四
早知幾從容恬退（薛論道）……………三〇四四
因他思量的我憔瘦（無名氏）…………五九二八
因甚的龐兒憔瘦（丁惟恕）……………四三五七
年年説秋來就是俺愁人一限（丁綵）
……………………………………………三三一五
自古成名忠孝（薛論道）………………三〇六〇
自古誰興誰廢（薛論道）………………三〇四六
自俄然看看到此拜諸天（無名氏）……五四九〇
自知足夠了便罷（朱載堉）……………三四一五
自恨五行不通不至（無名氏）…………五四八七
自慘然左有文殊右普賢（無名氏）……五四八九

自慘悽忍飢受凍見矢志（無名氏）……五四九〇
自嗟哦低頭搵淚拜彌陀（無名氏）……五四九〇
再休提講命算卦（朱載堉）……三四一六
再休提親切至厚（朱載堉）……三四二二
多少花衢柳陌（薛論道）……三〇五三
危樓月湧（張鍊）……二二三四
好長眉眉髮鬚長不過膝（無名氏）……五四九一
好花兒又被强風吹落（無名氏）……五四八七
好威嚴一顆明珠也會别（無名氏）……五四九〇
好剛强眼空天地（丁綵）……三二八九
出山門左有拾得右寒山（無名氏）……五四九二
没來由卞和閒恨（常倫）……一八七三
冷閣餘香猶峭（吴嶔）……二六二八
冷清清孤燈廝守（張鳳翼）……二九九〇
冷颼颼朔風如箭（薛論道）……三〇四九
冷蕭蕭彤雲暗淡（丁惟恕）……四三七五
初相交在桃園兒裏結義（蘭陵笑笑生）……二八二二
忘卻功名塵慮（薛論道）……三〇四三
扳樣東西實難調治（丁綵）……三三〇四
見幾個貪財行貨（薛論道）……三〇五八
困懵騰輪着不撑達的星照（沈璟）……三七八七
告東君你休嗔俺叫（丁綵）……三三〇〇
告爹行停嗔息怒（蘭陵笑笑生）……二八二六
我平生好説實話（朱載堉）……三四二四
我和尚發了善（康海）……一三〇三
我抱窮愁把他白頭依傍（陳所聞）……三八七五
我聽見金雀兒花前高哨（蘭陵笑笑生）……二八二二
但得不貧不富（薛論道）……三〇四一
但把眉頭踈放（薛論道）……三〇六三
你性情兒隨風倒舵（無名氏）……五四九二
你這等無明徹夜（王九思）……九七七
身穿百衲衣（無名氏）……五四九一
君子不憂不懼（薛論道）……三〇六一
那風月場那個不愛（凌濛初）……四五四五
油光水滑天生的尖細（丁綵）……三二八九
怕的是黄昏時候（丁惟恕）……四三七八
怕秋來秋來的好快（丁綵）……三二九八
夜迢迢月明人静（胡文焕）……三三五五
青銅鏡隔窗兒難照（無名氏）……五四八八
青山外伏鸞隱鵠（李應策）……三九八六

具的是藍盃杏酩（李應策）……………四〇三七
非是英雄豪放（薛論道）……………三〇四三
長天炎熱（朱有燉）……………………三一〇
長江東注（湯式）…………………………九四
花外鵲聲飛送（虞臣）……………四七三
花褪殘紅香瘦（文徵明）……………一一三三
花錢酒債（無名氏）……………五六一〇
兩兩黄鸝聲送（禄洪）……………四一三六
兩情濃銷金帳裡鏖戰（無名氏）……五四八九
雨過花枝明媚（王九思）……………九七七
雨過庭槐生緑（康海）……………一二五六
雨過緑槐庭院（康海）……………一四二六
雨瀟瀟凉秋時節（梁孟昭）…………五〇三八
到而今嘗着滋味（薛論道）…………三〇五五
到春來西津河水下（彭澤）…………八六六
到夏來西津河水漲（彭澤）…………八六六
到秋來西津河水落（彭澤）…………八六七
到冬來西津河水凍（彭澤）…………八六七
拂青萍寒生秋鏡（薛論道）…………三〇五六
肯排山南山北偃（韓邦靖）…………一七七三
明月梧桐金井（唐寅）……………二四九
使盡黄公三略（王九思）……………九七七
金鼎香消寶篆（湯東野）……………四九四五
命世才因他斷送（薛論道）…………三〇五四
忽聽玉龍交戰（薛論道）……………三〇六七
姐姐你在開元兒家（蘭陵笑笑生）……二八二四
姐姐似釣魚人在釣臺上行坐（無名氏）
……………………………………五四八七
姐姐生得嬌態（無名氏）……………五四八八
姐姐聽朱苓一言訴與（無名氏）……五四八五
孤鴈兒你在半空中哀怨（無名氏）……五四八八
洒仁風輕摇漫布（薛論道）…………三〇五六
指望人家衣凍的我渾身打顫（朱載堉）
……………………………………三四二一
栖惶淚把錦裙襴濕遍（無名氏）……五四八四
恨春歸無計留（禄洪）……………四一三六
前程漆暗（無名氏）……………五六〇八
爲子當尊親教（薛論道）……………三〇五二
爲君難爲臣不易（薛論道）…………三〇五一
春日園林遊宴（薛論道）……………三〇六六
春染郊原如繡（文徵明）……………一一三三
柳細風搓柔綫（王九思）……………九七七

相交了一場俺没敢辜恩負義（丁綵）
……三三三二
甚麽人做下這箇愁字（丁綵）……三三九三
昨日個風狂雨驟（丁惟恕）……四三五七
昨夜金風潛遞（薛論道）……三〇四七
咱兩箇相交從來情順（丁綵）……三三一三
看了他一言一動（薛論道）……三〇五四
看破浮生如戲（薛論道）……三〇五五
看破浮生虚幻（薛論道）……三〇四一
重陽已過（楊廷和）……八五二
秋將盡黄花漸瘦（丁綵）……三三九六
信迢迢無些憑準（唐寅）……一一四八
促織促織天生您何用（丁綵）……三三九九
急煎煎書傳驛傳（湯三江）……四九四二
遁脱吕蒙悒怏（薛論道）……三〇四二
風兒疎喇喇吹動（陳鐸）……七二三
風雨簑衣一件（薛論道）……三〇六五
風和月幾年無分（丁綵）……三三一四
風淅瀝雁聲如訴（高濂）……二九七一
眉頭不下（無名氏）……五六〇九
凌波羅襪（無名氏）……五六〇八
煙花寨委實的難過（蘭陵笑笑生）……二八二三
悽惶淚灑着説話（趙南星）……三七五八
記匆匆霎時成就（梁辰魚）……二六四二
高卧白雲山下（薛論道）……三〇四四
高軒來過（楊廷和）……八五一
病淹淹難醫療的模樣（梁辰魚）……二六四三
造化本乎一氣（薛論道）……三〇五四
拿雲手布袍寬褪（薛論道）……三〇四九
怨先王有才無幹（丁綵）……三三一二
閃得我不尷不尬（胡文焕）……三三五五
氣重重把天公相問（薛論道）……三〇四九
深夜廣寒更漏（薛論道）……三〇六一
清夜金波如畫（薛論道）……三〇六七
清閒可尚（無名氏）……五六〇八
粗衣飯隨時掤拽（薛論道）……三〇五九
情占羅帕（無名氏）……五六〇九
情和愁纏人沉醉（唐寅）……一一四九
惜青春青春虚度（薛論道）……三〇六〇
悽惶淚我哭的天高地厚（朱載堉）……三四一九
這西津四時景致（彭澤）……八六七
這小秀才有些兒怪樣（凌濛初）……四五四五

宿世姻緣俺今生纔會（趙南星）……三七五八
剪鵝毛雪花片片（無名氏）……五四八九
梅花絃一絲一片（陳子升）……五〇二七
捲楊花拿不住你情性（馮夢龍）……四四四一
捲絲竿寒波不釣（秦時雍）……二五六四
掩重門獨看明月（王九思）……一〇三二
冤業相逢（趙南星）……三七五七
冤家你不來白悶我一月（蘭陵笑笑生）……二八二三
冤家冤家我爲你（丁綵）……三三三二
常言道人離鄉賤（無名氏）……五四八六
眵糊着眼了將你迷戀（丁綵）……三三一五
欲承歡難追尋生前模樣（陳所聞）……三八七五
貧窮也罷（無名氏）……五六〇八
鳥度炎雲如墜（薛論道）……三〇四七
參透了乾坤玄奧（薛論道）……三〇四五
晝歸來不昏不夜（薛論道）……三〇五六
蚤嘗着莊家滋味（薛論道）……三〇四五
通判的無音無信（無名氏）……五四八六
將羊兒長收在圈兒裏（楊爾曾）……五一九五
窗下雞鳴天曉（唐寅）……一一四七
湛清流碧天垂象（秦時雍）……二五六三
渡海難雖難猶易（朱載堉）……三四二〇
悲風成陣（無名氏）……五六一〇
喜孜孜玉人來到（張鳳翼）……二九九〇
報君恩一身何吝（薛論道）……三〇五二
雲埋山麓（朱有燉）……三二七
黄氏到了那森羅寶殿（蘭陵笑笑生）……二八二六
鴈初來偏他好叫（丁綵）……三三二一
鴈南飛多聲多氣（丁綵）……三三一七
雅抱山林風度（薛論道）……三〇四四
惹長空晴雲如絮（秦時雍）……二五六三
晚風狂晴光不定（秦時雍）……二五六四
黑鬢朱顔如畫（王九思）……九七八
筆下龍蛇放浪（薛論道）……三〇四二
進房來四下觀看（蘭陵笑笑生）……二八二三
進房來四下静由不的我悄嘆（蘭陵笑笑生）……二八二五
鄉間老兒進城來閑遊閑戲（朱載堉）……三四二四
悶葫蘆一摔箇粉碎（常倫）……一八七三

疎林葉風颭滿地（丁綵）……三三一八
羨煙花章臺幽雅（楊德芳）……四九〇二
羨新蟬聲音嘹亮（丁綵）……三三九四
煖融融溼香肌體（唐寅）……一一四八
意中人兩下裏懸心掛意（蘭陵笑笑生）……二八二二
意懸懸一心牽掛（史立模）……二〇一一
意惺惺怕分離的相送（施紹莘）……四五八八
詩一聯清心明性（薛論道）……三〇五九
新酒殘花迤逗（唐寅）……一一四七
遠澗風鳴寒漱（文徵明）……一一三四
想人生空忙了一世（楊爾曾）……五一九二
想人生光陰能有幾（楊爾曾）……五二〇一
想殺人異常風味（丁綵）……三三〇七
想當初姻緣錯配（蘭陵笑笑生）……二八二一
想當初有駟馬高車（楊爾曾）……五一九九
想檳榔相思成病（無名氏）……五四八四
想嬌兒想的我無顛無倒（蘭陵笑笑生）……二八二五
搗衣聲頻頻不住（丁綵）……三三八四
搗寒衣尋思不定（丁綵）……三三八五
盟結沙汀鷗鷺（薛論道）……三〇六三
路迢迢藍關不到（楊爾曾）……五一九九
路兒長走的我馬乏人倦（丁綵）……三三〇九
煙花寨風流無限（朱載堉）……三四一九
亂紛紛簾櫳風絮（梁辰魚）……一六四二
亂紛紛梧桐飄蕩（薛論道）……三〇四九
矮矮茅屋蓬户（薛論道）……三〇四一
傳話的人兒聽我囑咐（丁綵）……三三二四
漫崢嶸十來載人間仕宦（常倫）……一八七三
敲才心斜（無名氏）……五六〇七
說新年也不是深溝陡澗（朱載堉）……三四一九
寧爲菜羹寒士（薛論道）……三〇六四
碧雲窩冰輪初上（駱永叔）……五一四五
静陰陰夕陽初下（梁辰魚）……二六四二
熬這頂鬏髻如同熬紗帽（無名氏）……五四九三
夢中人不謙不恕（無名氏）……五四一三
嘗記得老彭祖（無名氏）……五四九二
對月明千羞萬恨（丁惟恕）……四三六八
對青山虛亭閒立（薛論道）……三〇四〇
對青山虛亭閒坐（薛論道）……三〇三九
對青山虛亭閒步（薛論道）……三〇四〇

對青山虛亭閒臥（薛論道）……………三〇四〇
對青燈展書相問（薛論道）……………三〇六二
嘆人世陰晴不定（常倫）……………一八七四
歎世情其實可笑（朱載堉）……………三四二一
嘆紅塵好教我心中冷淡（朱載堉）……三四一七
嘆人生枯榮難料（朱載堉）……………三四一七
睡昏昏不思量茶飯（唐寅）……………一一四八
睡昏昏如痴如醉（顧大典）……………三五五三
僧房且過（無名氏）……………五六〇九
嫩緑芭蕉庭院（唐寅）……………一一四九
潮聲乍響（張錬）……………二二三三
誰不待官封萬户（薛論道）……………三〇四二
誰不待青雲甲第（薛論道）……………三〇四二
誰不待封侯拜將（薛論道）……………三〇四一
誰不待簪纓世胄（薛論道）……………三〇四一
誰不欲千鍾門户（薛論道）……………三〇五一
誰不欲不嫉不妒（薛論道）……………三〇五〇
誰不欲兒孫多順（薛論道）……………三〇五一
誰不欲金珠盈目（薛論道）……………三〇五〇
誰道歡伯無害（薛論道）……………三〇五三
論人臣立身行志（薛論道）……………三〇五二
窮的我慌了把老天祝讚（朱載堉）……三四二三
醉醺醺無天無地（薛論道）……………三〇六五
醉醺醺無昏無晝（薛論道）……………三〇六四
醉醺醺無牽無掛（薛論道）……………三〇六四
醉醺醺無醒無寐（薛論道）……………三〇六四
數過清明春老（唐寅）……………一一四九
罷琴書静觀塵性（薛論道）……………三〇六三
傻獃子休咲俺不濟（丁綵）……………三三〇四
熨斗兒熨不展眉尖摺皺（無名氏）……五四九三
嬌滴滴一團風味（梅鼎祚）……………三七三八
樂的是秋收春種（薛論道）……………三〇四六
樂淘淘連朝酒興（常倫）……………一八七四
緑肥紅瘦（無名氏）……………五六一〇
緑森森槐陰如砌（薛論道）……………三〇四八
緑槐高黄昏庭院（王九思）……………一〇三二
憶伯牙高山逸興（薛論道）……………三〇六二
燒罷紙把鳳頭鞋跌綻（蘭陵笑笑生）
……………二八二五
燒罷紙淚珠兒亂滴（蘭陵笑笑生）……二八二六
燕子粧樓春曉（唐寅）……………一一四八
歷盡風波世道（薛論道）……………三〇四六

擁旌麾鱗鱗隊隊（薛論道）……三〇五七
默默輕寒消盡（薛論道）……三〇四七
雕梁燕語間清晝（祿洪）……四一三五
學取劉伶不戒（沈璟）……三七八一
鴛鴦鏡塵埋了難照（無名氏）……五四八八
講甚麼官卑官大（常倫）……一八七四
謝家莊盡作秦舍（薛論道）……三〇五九
瓊花天邊斜度（康海）……一二五六
舊門神將新門神埋怨（朱載堉）……三四一八
聰明潛心顏孟（薛論道）……三〇六一
蕭寺晨鍾聲驟（文徵明）……一一三三
彌勒菩薩笑嘻嘻（無名氏）……五四九一
縮不來迢迢道路（丁綵）……三三〇六
轉廊西低頭無語拜觀音（無名氏）……五四九〇
蹙雙蛾不耐煩的情況（朱鏡如）……五〇九二
關情白雲零露（康海）……一二五六
勸世人休結交有錢富漢（朱載堉）……三四二〇
嚦嚦鵑啼深樹（薛論道）……三〇四六
簾兒私下（無名氏）……五六〇八
辭別了繁華朝市（薛論道）……三〇四五
鏡兒鏡兒你是個響叮噹的材料（無名氏）……五四九四
驅馳何甚（湯式）……九四
鬣子鬣子你生的其實古怪（朱載堉）……三四二三
巍巍乎勢傾華岳（薛論道）……三〇五八
鐵馬疎簷嘹喨（薛論道）……三〇四八
聽盡靈山鐘鼓聲（無名氏）……五四九一
聽醮樓鼕鼕鼓歇（李應策）……三九九七
竊香的撩蜂撥蠍（沈璟）……三八一〇
纖手尋常相挽（唐寅）……一一四八
鬫懷縈掛（湯式）……九四
廳前犬叫（無名氏）……五六〇九
豔陽天春光蕩漾（薛論道）……三〇五八

山坡裏羊（山坡羊）

人活百歲（朱有燉）……三一一一
水亭閒眺（朱有燉）……三一一〇
失時休懊（無名氏）……五六一一
先生何故（常倫）……一八七五
朱軒兩廈（朱有燉）……三一一〇
前度劉郎重聚（張栩）……五〇九八

春朝春夜（常倫）……一八七五
困來高卧（朱有燉）……三一一
常無饑餓（朱有燉）……三一一
黃蜂報曉（朱有燉）……三一一
落日昏鴉成陣（無名氏）……五九二七
膏粱供奉（朱有燉）……三一〇
輕飄飄駕東風的桂檝（俞宛綸）……四四九八
簾櫳四面（常倫）……一八七五
露春蔥桃腮紅嫩（張栩）……五一〇〇

山坡羊過青歌兒

聖朝三代（無名氏）……五六一一

山坡羊帶步步嬌

燒罷紙小脚兒連踩（蘭陵笑笑生）……二八二七
燒罷紙滿眼淚墮（蘭陵笑笑生）……二八二七

山桃紅（天下夭桃）

大明一統錦華夷（無名氏）……五四八〇

山漁燈犯

燈如畫人如蟻（李翠微）……五〇八二

千秋歲

上下交歡燕禮成（廖道南）……一九四六
前星光映紫微星（夏言）……一五七〇
聖主乘龍御萬邦（廖道南）……一九四一

小桃紅（平湖樂　採蓮曲　武陵春　絳桃春）

□□□□□花人也（楊應奎）……一五一三
一天好事定今宵（無名氏）……五七一五
一天星斗煥文章（無名氏）……五七二五
一行白鷺上青天（陳鐸）……五五五
一鈎香踐落花塵（唐復）……二四六
一輪明月照南樓（無名氏）……五七一六
一聲吹下彩雲輕（唐復）……二四六
人生最苦是別離（無名氏）……五七二三
千里良人信一張（無名氏）……五七二六
小溪泛盡却山行（陳鐸）……五五五
小生一一訴衷情（無名氏）……五七一四
小生未報大師恩（無名氏）……五七二三
小生雖看幾行書（無名氏）……五七二〇
小喬得配意中人（無名氏）……五七〇一

夕陽樓閣蘸平湖（湯式）……八三
六丁拔劍舞天風（唐復）……二四六
之官千里赴西秦（無名氏）……五七二九
夫人你去自量度（無名氏）……五七一四
不分舊剪與新裁（陳鐸）……五九八
不做美的老尊姑（無名氏）……五七二七
不達時務逞輕薄（無名氏）……五七一二
五湖高興動扁舟（無名氏）……五七〇〇
牛郎織女短歡娛（楊慎）……一七一五
月明花影舞婆娑（無名氏）……五七〇五
月明垓下楚歌悲（無名氏）……五七〇〇
月移花影上窗虛（無名氏）……五七一二
水流金谷柳絲垂（無名氏）……五七〇一
水晶簾篏玉鈎垂（唐復）……二四七
半窗花影月三更（無名氏）……五七一七
古來夫婦主於恩（無名氏）……五七二四
可憐眼見老無歸（無名氏）……五七〇六
只因紅粉一嬌姿（無名氏）……五七一三
叮嚀行坐守閨房（無名氏）……五七一八
母親囑咐恁兒知（無名氏）……五七二二
江東逐客（梁辰魚）……二六九七
江風吹雨響颼颼（湯式）……八三
衣冠猶帶御爐香（無名氏）……五七二八
有情怕甚隔年期（無名氏）……五七一六
地靈人傑豈空言（康海）……一二九二
此書莫怪小丫鬟（無名氏）……五七一一
因緣未遂落虛名（無名氏）……五七二九
朱輪皂蓋兩行排（無名氏）……五七二九
先生何苦自傷懷（無名氏）……五七一〇
竹林深隱地仙居（陳鐸）……五五六
好貌佳句被詩魔（無名氏）……五七〇二
志誠空抱尾生梁（無名氏）……五七一三
折得蟾宮桂一枝（無名氏）……五七二六
別愁離恨滿胸懷（無名氏）……五七二五
低頭無語嘴孤楜（無名氏）……五七二一
你偏好勝遇咱敵（無名氏）……五七〇八
沿岡驀嶺路崎嶇（無名氏）……五七二四
夜香燒罷月明中（無名氏）……五七一〇
長河縈抱翠巖高（康海）……一二九二
花如荷蓋倚春風（朱有燉）……三四四
花前月下偶相逢（朱有燉）……三四九
花陰柳影過東牆（無名氏）……五七〇五

青桐紫茜掃煙煤（陳鐸）…………五九七
兩山排闥送青來（陳鐸）…………五五五
雨花臺畔聚寶城垓（張鳳翼）…………三〇〇〇
雨窗驚夢勝庭梧（無名氏）…………五七〇二
東君初試柳條風（楊廷和）…………八三七
東君培養牡丹芽（楊慎）…………一七〇六
典墳秦火化爲塵（陳鐸）…………五九六
往來着你費心機（無名氏）…………五七二三
金鑾曉日聽臚傳（無名氏）…………五七二五
忽聞喜鵲噪林梢（無名氏）…………五七二六
周彝商鼎輞川圖（陳鐸）…………五九八
姑蘇臺上望姑蘇（湯式）…………八三
承恩親自日邊來（無名氏）…………五七二八
孤城一帶鎖寒烟（湯式）…………八三
客中遣悶訪禪扃（無名氏）…………五七〇三
音書不帶雁行斜（無名氏）…………五七〇二
帝鄉又得授新衣（無名氏）…………五七二七
恰纔兵退得安然（無名氏）…………五七〇九
春風送爾遠朝天（無名氏）…………五七二二
春寒惻惻掩重門（無名氏）…………五七一六
春闈二月選場開（無名氏）…………五七二五
封皮拆破自詳觀（無名氏）…………五七二二
若還你到母親前（無名氏）…………五七一八
柳腰纖瘦舞東風（朱有燉）…………三四九
南柯夢裡避風波（無名氏）…………五七〇二
故人書寄到轅門（無名氏）…………五七〇七
咬文嚼字賣查梨（無名氏）…………五七〇四
星沙舊國（梁辰魚）…………二六六八
幽齋明月照黄昏（無名氏）…………五七一〇
看罷才郎寄來書（無名氏）…………五六九九
紅稀緑暗總關愁（無名氏）…………五七一一
流蘇帳冷繡幃空（朱有燉）…………三五〇
酒酣如意碎珊瑚（常倫）…………一八八七
海棠枝上月兒斜（無名氏）…………五七一七
海棠庭院正歡濃（朱有燉）…………三四九
送君三月赴神京（無名氏）…………五七二三
迷留没亂眼纔交（無名氏）…………五七二四
家家扶得醉人歸（陳鐸）…………五五五
家翻宅亂鬧啾啾（無名氏）…………五七一九
高燒銀燭照紅粧（無名氏）…………五七一七
素雲葉剪曉霜侵（無名氏）…………五七〇二
馬頭垂淚出神京（無名氏）…………五六九九

就將東尾把詩題（無名氏）……五七一二
揉眉揾眼捧金波（無名氏）……五七〇九
東心蘭蕋與全堅（陳鐸）……五九六
紫袍玉帶掛金魚（無名氏）……五七二八
悶來倚遍畫闌干（無名氏）……五七〇五
問別無甚表衷腸（無名氏）……五七二七
象生妙手本行家（陳鐸）……五九八
陽臺夢斷碧雲遮（無名氏）……五七〇一
給孤園裏遇神仙（無名氏）……五七〇三
幾年流滯九江濱（無名氏）……五七〇〇
溪藤半幅皎秋霜（陳鐸）……五九七
新篁搖緑兩三梢（陳鐸）……五五五
禁城值暑夜傳宣（無名氏）……五六九九
零零細雨洒芭蕉（無名氏）……五六九九
暗想昔日配春嬌（陳鐸）……七三二
暗思金屋配合春嬌（王元和）……二八七〇
節毛唊盡鬢毛斑（無名氏）……五七〇〇
愁斟悶酒腸欲斷（無名氏）……五七〇一
傭人以牧短衣褐（無名氏）……五七〇二
傳消寄信請咱來（無名氏）……五七一三
羣山萬壑一茅亭（常倫）……一八八七
馬蹄香襯落花塵（無名氏）……五七〇三
恭修尺牘訴愚懷（無名氏）……五七〇七
桃腮杏臉暈臙脂（朱有燉）……三五九
乘龍喜得棟樑材（無名氏）……六三三三
夏初天氣晝偏長（無名氏）……五七二一
恁今成就好夫妻（無名氏）……五七二二
恁爺豪氣慣乾坤（無名氏）……五七二一
紗窗風透越思量（楊慎）……一七一五
清白相國重當朝（無名氏）……五七一八
淹淹潤潤走將來（無名氏）……五七〇四
着牀卧枕在他鄉（無名氏）……五七一五
這場煩惱怎周折（無名氏）……五七一九
情書寫就帶愁封（無名氏）……五七一五
情緣心事兩相忘（無名氏）……五七二〇
聊陳蔬酒表予衷（無名氏）……五七〇九
從今不惹這風聲（無名氏）……五七一五
從來劣性軟不欺（無名氏）……五七〇七
既然老母許爲親（無名氏）……五七〇六
既然嬭嬭問根苗（無名氏）……五七一九
尊兄何苦至於斯（無名氏）……五七一四
尊前敢掉巧舌頭（無名氏）……五七一九

疎星淡月畫樓懸（常倫）……………一八八七
滿懷鬱悶帶愁歸（無名氏）……………五七一〇
鳳隻鸞孤不成雙（無名氏）……………五七〇一
蔡倫創造已多年（陳鐸）……………五九七
澗泉松竹蔽山高（無名氏）……………五七〇〇
養女從來氣不長（無名氏）……………五七二〇
鄭恒你好傻不答（無名氏）……………五七二七
誰知你箇小冤家（無名氏）……………五七一三
誰將香雪製芳叢（湯式）……………八二
暫辭長老出禪門（無名氏）……………五七〇四
嬌娥一捻粉團香（湯式）……………八二
諠天鈸鼓鬧連朝（無名氏）……………五七〇五
龍涎沉腦共安息（陳鐸）……………五九八
磨牙費口逞能言（無名氏）……………五七二一
静籠棋局最多情（佘翹）……………四二八〇
據鞍躍馬統精兵（無名氏）……………五七〇八
錦袍曾醉鳳凰樓（無名氏）……………五七〇一
錦牋寫就鳳求凰（無名氏）……………五七一一
點溪荷葉疊青錢（陳鐸）……………五五五
燈花連夜爲誰新（無名氏）……………五七一八
鬟雲斜嚲鳳釵垂（無名氏）……………五七一七
聰明當鑒妾之言（無名氏）……………五七一一
霜毫斑管寫情書（無名氏）……………五六九九
豐年倉廪漫堆積（陳鐸）……………五九七
鞦韆院落夜沉沉（無名氏）……………五七一六
鎗刀圍住古菩提（無名氏）……………五七〇六
離家又早許多時（無名氏）……………五七二四
離鄉背井病淹煎（無名氏）……………五七一四
顛危性命在分毫（無名氏）……………五七〇八
辭家曉出洛陽城（無名氏）……………五七〇三
權時袒了錦袈裟（無名氏）……………五七〇七
驚聞人馬鬧垓垓（無名氏）……………五七〇六

小措大

桂堂東畔（梁辰魚）……………二六九四
暗潮拍岸（羅欽順）……………九三二
敲冰進舫（史槃）……………三二六七

小梁州（梁州）

工夫一粒水磨鋼（陳鐸）……………六一〇
天風吹我上巉巖（湯式）……………六九
天低風静日昏昏（湯式）……………六九
水雲蕩漾浸明霞（無名氏）……………五五四四

出爐入火百十回（陳鐸）……六〇八
白鷗磯畔一漁家（陳鐸）……五一〇
白鷗磯畔一漁船（陳鐸）……五一〇
白鷗磯上一漁蓑（陳鐸）……五一〇
白鷗磯上一漁竿（陳鐸）……五一〇
冰壺光漏水晶寒（無名氏）……五五四四
吴桑柔細繭新繅（陳鐸）……六〇九
武夷和雨採春叢（陳鐸）……六〇八
花下清歌月下彈（湯式）……六九
枕痕一線玉生紅（劉效祖）……二七八六
枕痕一線界胭脂（劉效祖）……二七八六
枕痕一線界芙蓉（劉效祖）……二七八六
枕痕一線粉香殘（劉效祖）……二七八六
東風蕩蕩雨霏霏（陳鐸）……五三五
亭皐一葉下驚秋（無名氏）……五五四四
春滿瑶臺錦繡芳（朱有燉）……三三八
南無善護幢王佛（無名氏）……五二六七
南無一切普威佛（無名氏）……五二六七
南無善護諸門佛（無名氏）……五二六八
南無水月光明佛（無名氏）……五二六八
南無無量音聲佛（無名氏）……五二六八
南無無量翼從佛（無名氏）……五二六九
南無名稱最尊佛（無名氏）……五二六九
南無三界雄勇佛（無名氏）……五二六九
南無無量山王佛（無名氏）……五二七〇
南無無量慧成佛（無名氏）……五二七〇
秋風江上棹孤舟（湯式）……六八
秋風江上棹孤航（湯式）……六八
風吹行色馬蹄輕（瞿佑）……二七五
海棠庭院夜初深（陳鐸）……五〇一
酒籬食壘列成行（陳鐸）……六〇九
減銀雙鐙錦鞍橋（陳鐸）……六一〇
得高歌處且高歌（金鑾）……一七九九
得留連處且留連（金鑾）……一八〇〇
得酕醄處且酕醄（金鑾）……一八〇〇
得猖狂處且猖狂（金鑾）……一八〇〇
得朦朧處且朦朧（金鑾）……一八〇〇
得糊塗處且糊塗（金鑾）……一八〇〇
得粧呆處且粧呆（金鑾）……一八〇一
得安身處且安身（金鑾）……一八〇一
得便宜處且便宜（金鑾）……一八〇一
閒雲收彩暮天青（瞿佑）……二七八

喜看這山與雲齊（朱瞻基）……………四四三
趁青春培養的紫芝生（常倫）…………一八九三
黄昏微雨浄塵沙（湯式）………………六九
雲安麯米甕頭春（陳鐸）………………六〇八
喜慶筵前福禄臻（朱有燉）……………三三一
晚粧樓上醉離殤（湯式）………………六七
嵐光結翠映横塘（無名氏）……………五五四四
無千無萬聚庭堦（馮惟敏）……………二三三八
象牙玳瑁與紋犀（陳鐸）………………六〇九
開元天子好奢華（湯式）………………七〇
畫舡兒撑入在柳陰凉（無名氏）………五五四四
鉛華光浄蠟膏新（陳鐸）………………六〇九
碧紗窗外月朦朧（秦時雍）……………二五五四
碧紗窗外月光華（秦時雍）……………二五五四
碧紗窗外月團圞（秦時雍）……………二五五四
碧紗窗外月昏黄（秦時雍）……………二五五四
碧紗窗外月兒低（陳鐸）………………四九九
碧紗窗外月兒高（陳鐸）………………五〇〇
碧紗窗外月兒明（陳鐸）………………五〇〇
碧紗窗外月兒斜（陳鐸）………………五〇〇
碧紗窗外月兒圓（陳鐸）………………五〇〇
碧紗窗外月兒歪（陳鐸）………………五〇〇
碧紗窗外月兒孤（陳鐸）………………五〇〇
碧紗窗外月兒昏（陳鐸）………………五〇〇
碧紗窗外月兒陰（陳鐸）………………五〇一
碧紗窗外月兒纖（陳鐸）………………五〇一
碧紗窗外月朦朧（陳鐸）………………五〇一
碧紗窗外月如鈎（陳鐸）………………五〇一
蒲芽尚短柳條長（陳鐸）………………五〇一
麪糊紙剪様週全（陳鐸）………………六一〇
稽首廣光明智作佛（無名氏）…………五二六八
稽首日然燈上勝佛（無名氏）…………五二六九
稽首勝莊嚴大德佛（無名氏）…………五二六九
稽首喜菩提戒步佛（無名氏）…………五二六九
稽首觀無量境界佛（無名氏）…………五二七〇
稽首波頭摩上勝佛（無名氏）…………五二六七
稽首寶光明勝快佛（無名氏）…………五二六七
稽首妙彌留住智佛（無名氏）…………五二六七
稽首覺華幢智炬佛（無名氏）…………五二六八
稽首阿樓那奮迅佛（無名氏）…………五二六八
舊時知己已無多（康海）………………一二六九
篷窗風急雨絲絲（湯式）………………六八

臨風閣內俏人兒（湯式）……………………七〇
攀鞍欲上更躊躕（程可中）……………四一四七
鬱金美酒豔陽天（康海）…………………一二六八

小梁州帶過風入松

人生七十古來稀（康海）…………………一二六一
白雲何處訪丹丘（張鍊）…………………二三四五
百年三萬六千場（康海）…………………一二六二
淡風縹渺月如篩（張鍊）…………………二三四五
眼前世事亂紛紛（張鍊）…………………二三四四
幾年無事傍江湖（康海）…………………一二六二
數聲啼鳥囀庭柯（張鍊）…………………二三四四
興來徙倚盼庭柯（康海）…………………一二六一

女子上陽臺

郎才女貌（祝允明）……………………………八七九

女冠子（孤雁飛　孤飛雁　蓬萊仙　雙鳳翹）

太平寰宇（無名氏）……………………………五八九三

也都苦巴里迷失

南無日龍歡喜佛（無名氏）……………………五三〇六
南無智聲幢攝佛（無名氏）……………………五三〇七
南無力光明意佛（無名氏）……………………五三〇七
南無能破諸畏佛（無名氏）……………………五三〇七
南無離虛空畏佛（無名氏）……………………五三〇七

四　畫

六幺序

歸命禮下方師子如來（無名氏）………………五三四二
歸命禮金剛藏諸如來（無名氏）………………五三四三
歸命禮大震聲聖如來（無名氏）………………五三四三
歸命禮雲自在聖如來（無名氏）………………五三四四
歸命禮不虛力聖如來（無名氏）………………五三四四
歸命禮自在力聖如來（無名氏）………………五三四四
歸命禮無礙眼聖如來（無名氏）………………五三四四
歸命禮蓮華提聖如來（無名氏）………………五三四五
歸命禮無邊嚴聖如來（無名氏）………………五三四五

六幺令犯

春生曉堂半簾風細（張景嚴）…………………五一一八
春生曉堂燕嬌鶯姹（張景嚴）…………………五一一八
梨花淡粧（沈仕）………………………………一六五〇

六犯清音（六犯宮詞　六犯碧桃花）
小窗雲重（虞交俞）……五一四三
仙桃霞麗（范晶山）……四九三四
玄陰膚發（何西來）……五〇四四
波澄新碧（卜世臣）……四三〇四
芙蓉開殿（范晶山）……四九三四
長空烟散（周履靖）……三六〇一
是真和假（程可中）……四一四三
琅玕細截（史槃）……三二六五
倦抛針線（施紹莘）……四五九三
瑣窻人静（李日華）……二八五四
翠梧風墮（史槃）……三二六三
繡簾雲捲（梁辰魚）……二六五五
六犯碧桃花（六犯宮詞　六犯清音）
華林百種（梁辰魚）……二六四九
六國朝
金風疏柳（朱有燉）……四〇八
風吹羊角（無名氏）……六〇二九
祥光縈繞（朱有燉）……四〇三
園林秋景（朱有燉）……四〇五
天上謡
日月走東西（朱權）……二九九
天下樂（天下歡）
九重樂奏萬化開（廖道南）……一九四五
萬靈朝拱接清都（廖道南）……一九四二
敬頂禮妙見樂説莊嚴大月佛（無名氏）……五二九四
如頂禮善住香寶光明大海佛（無名氏）……五二九五
天香引（折桂令）
正青春已遂功名（湯式）……六一
去年旅邸中秋（湯式）……六〇
乍相逢同是雲萍（湯式）……五九
先生樂道閑居（湯式）……六〇
任逍遥洛下耆英（馮惟敏）……二三二三
足音稀空谷跫然（馮惟敏）……二三二二
送君行匹馬西風（馮惟敏）……二三二二
記相逢楊柳樓心（湯式）……五九

一天雲淡風輕（左贊）……四五七
大河分限西東（康海）……一二九四
土炕柴煨榾柮（朱有燉）……三〇九
口吸一味清風（姜恩）……二〇三二
小船新酒活魚（朱有燉）……三〇九
山中採藥歸來（朱有燉）……三〇八
山林迥隔紅塵（朱有燉）……三〇八
山間十畝桑麻（康海）……一二九五
天涯萬里情腸（康海）……一二九四
王官恰對蒼崖（康海）……一二九四
不貪紫閣黄扉（楊廷和）……八五二
不貪萬户侯封（楊廷和）……八五二
不貪一品三公（楊廷和）……八五二
不貪食禄千鍾（楊廷和）……八五二
玉容嬌傾國傾城（無名氏）……五七三〇
去年花下相逢（無名氏）……五七三一
瓦瓶剩酒香飄（張鍊）……二二三九
只憑應付尋錢（陳鐸）……六一二
白沙翠竹人家（左贊）……四五七
充傜本是鄉民（陳鐸）……六一二
西鄰社酒纔香（張鍊）……二二三九
旅途中邂逅相知（湯式）……六一
砥中流玉立如拳（湯式）……五八
望三山遠似蓬萊（湯式）……六二
望三山遠似瀛洲（湯式）……六二
望三山遠似蓬壺（湯式）……六二
望三山遠似蓬瀛（湯式）……六二
望三山霧鎖雲屯（湯式）……六二
望三山霧繞雲迷（湯式）……六三
望三山霧鎖雲連（湯式）……六三
望三山霧鎖雲埋（湯式）……六三
問西湖昔日如何（湯式）……五八
湖光湛湛連天（劉良臣）……一五八五
羡江都自古神州（湯式）……五九
亂雲堆出禪關（湯式）……六〇
葭灰動大地春風（湯式）……六一
解塵纓笑入詞林（馮惟敏）……二三三二
興飄然杖策何之（馮惟敏）……二三三三
樹動名劍閣嵯峨（馮惟敏）……二三三三

天净沙（塞上秋）

一番細雨和風（楊廷和）……八五二

同雲布滿高崖（朱有燉）……………………三〇九
名園處處鶯花（張鍊）……………………二二三九
丟抛我一頃田（姜恩）……………………二〇三二
劣冤家百媚千嬌（無名氏）………………五七三〇
收拾鎖杻刑罰（陳鐸）……………………六一二
良宵一刻千金（楊慎）……………………一七二六
汨羅失志休嗟（康海）……………………一二九五
巡更不離梆籌（陳鐸）……………………六一一
房前檜柏屯門（朱有燉）…………………三〇九
青山一抹殘霞（朱有燉）…………………三〇八
青春驀地何之（康海）……………………一二九四
花邊恣飲高歌（康海）……………………一二九五
來時節妻囑付（姜恩）……………………二〇三二
長林細雨濛濛（張鍊）……………………二二三九
知音就是知心（常倫）……………………一八九七
近山近水人家（湯式）……………………九七
枯松倒掛懸崖（李昌祺）…………………二九〇
臥看松嶺雲生（康海）……………………一二九五
笑談間語話清高（無名氏）………………五七三〇
風光人世瑶池（康海）……………………一二九三
風闌不放天晴（楊廷和）…………………八五二
看他表裏河山（康海）……………………一二九四
追隨酒聖詩豪（康海）……………………一二九四
孤村煙柳青帘（康海）……………………一二九五
幽居喜絶纖塵（李昌祺）…………………二九〇
海棠開褪嬌姿（朱有燉）…………………三〇八
莎裀十里初芳（朱有燉）…………………三〇九
桂花影裏金波（楊慎）……………………一七二六
哥哥大大娟娟（黄峨）……………………一九八七
娟娟大大哥哥（黄峨）……………………一九八七
袖中數顆丹砂（康海）……………………一二九三
倦游柳岸停車（左贊）……………………四五七
栽松已見孫枝（康海）……………………一二九三
通識各色牙行（陳鐸）……………………六一二
荼蘼白雪攢攢（朱有燉）…………………三〇八
描眉掠鬢精神（陳鐸）……………………六一一
逍遥誰識予心（無名氏）…………………五七三一
斜陽數曲漁歌（朱有燉）…………………三〇九
閒來吟望遥峰（康海）……………………一二九三
探井泉好寒洌（姜恩）……………………二〇三二
黄花丹桂争開（左贊）……………………四五七
尋幽爲看山來（李昌祺）…………………二九〇

疎狂愁值春殘（無名氏）……五七三〇
當官待立公堂（陳鐸）……六一一
鳴泉松外遥聞（康海）……一二九四
想那讀書秀才（姜恩）……二〇三二
催租頻下郵亭（陳鐸）……六一三
滿懷病勢愁煩（朱有燉）……三〇八
翠岧嶢天近山椒（湯式）……九七
澄江冷浸餘霞（李昌祺）……二九〇
嬌滴滴體態妖嬈（無名氏）……五七三〇
緑楊枝底尋春（湯式）……九八
曉風香露樓臺（楊慎）……一七二六
錫牌出入隨身（陳鐸）……六一二
霜天曉角聲殘（楊慎）……一七二七
爇竈時燒榾柮（李昌祺）……二九〇
離脱了煙瘴方（姜恩）……二〇三二
贓罰常有收積（陳鐸）……六一一

太平令（荒草地）

大須彌佛如來（無名氏）……五三一八
妙化音佛如來（無名氏）……五三一八
金殿上彤雲靉靆（夏言）……一五七二
念農桑衣食之本（廖道南）……一九四八
香光明佛如來（無名氏）……五三一八
無礙音佛如來（無名氏）……五三一八
極高王佛如來（無名氏）……五三一七
敬歸依須彌如來（無名氏）……五三一七
敬頂禮普光如來（無名氏）……五三一七
敬頂禮寶輪如來（無名氏）……五三一七
敬頂禮無礙如來（無名氏）……五三一八
敬頂禮離憂如來（無名氏）……五三一八
敬頂禮秋光如來（無名氏）……五三一八
敬頂禮名親如來（無名氏）……五三一八
勤樹藝歲年豐穰（廖道南）……一九五二
誕明禋天監元后（廖道南）……一九三九
寶彌樓佛如來（無名氏）……五三一七

太平花

闌干曲（王驥德）……三六三八

太平歌

鶯穿柳（沈璟）……三八〇六

太師引

身將老觀場有幾（無名氏）……五四六六

花飛陌上春將盡（高濂）……二九六八
怎丟開（張瘦郎）……四八一二
太師接學士
禪窟中藏其用（沈珂）……四二七二
太常引
紫薇華蓋擁蓬萊（無名氏）……五二一七
太清歌
仙掌日華浮動（張治）……一六二八
長至節開黄道（廖道南）……一九三七
帝室弘開天苑（廖道南）……一九五三
萬方民樂時雍（廖道南）……一九四〇
萬方國盡來庭（廖道南）……一九四四
瑞麥嘉瓜臻瑞（廖道南）……一九五〇
不是路（賺）
徒壁深谿（無名氏）……五四一三
歡笑淘淘（楊爾曾）……五二〇一
不是路攜過掉角兒
汲水烹茶（李應策）……四〇〇三
金鼓喧天（李應策）……四〇三四
五月紅樓別玉人
匆匆節序（王驥德）……三六二四
五玉枝
離愁萬疊（俞宛綸）……四四九二
五供養
大莊嚴（蘭陵笑笑生）……二八三五
北方衆佛金色王佛（無名氏）……五二二二
西方衆佛無量壽佛（無名氏）……五二二二
至心頂禮釋迦牟尼佛（無名氏）……五二二〇
至心頂禮普光明佛（無名氏）……五二二〇
至心頂禮大瑠璃佛（無名氏）……五二二〇
至心頂禮善華王佛（無名氏）……五二二〇
至心頂禮法光明佛（無名氏）……五二二〇
至心頂禮大然燈佛（無名氏）……五二二一
至心頂禮大光明佛（無名氏）……五二二一
至心頂禮浄嚴身佛（無名氏）……五二二一
至心頂禮大莊嚴佛（無名氏）……五二二一
至心頂禮大修行佛（無名氏）……五二二一

至心頂禮大精進佛（無名氏）……………五二二一
至心頂禮大牟尼佛（無名氏）……………五二二一
至心頂禮妙莊嚴佛（無名氏）……………五二二一
至心頂禮喜莊嚴佛（無名氏）……………五二二一
至心頂禮妙光明佛（無名氏）……………五二二一
至心頂禮普然燈佛（無名氏）……………五二二一
至心頂禮智光明佛（無名氏）……………五二二一
至心頂禮寶莊嚴佛（無名氏）……………五二二一
至心頂禮普華光佛（無名氏）……………五二二一
至心頂禮無量諸佛（無名氏）……………五二二一
至心頂禮最上諸佛（無名氏）……………五二二一
至心頂禮善世諸佛（無名氏）……………五二二一
至心頂禮金色華佛（無名氏）……………五二二二
至心頂禮妙勝諸佛（無名氏）……………五二二二
至心頂禮妙光明佛（無名氏）……………五二二二
至心頂禮無垢光佛（無名氏）……………五二二二
至心頂禮金剛堅佛（無名氏）……………五二二二
至心頂禮平等行佛（無名氏）……………五二二二
至心頂禮解脱幢佛（無名氏）……………五二二二
至心頂禮法勝王佛（無名氏）……………五二二二
至心頂禮無憂懷佛（無名氏）……………五二二二
至心頂禮作諸方佛（無名氏）……………五二二三
至心頂禮寶燈王佛（無名氏）……………五二二三
至心頂禮火光明佛（無名氏）……………五二二三
至心頂禮梵光明佛（無名氏）……………五二二三
至心頂禮智香勝佛（無名氏）……………五二二三
至心頂禮放光明佛（無名氏）……………五二二三
東方衆佛堅王華佛（無名氏）……………五二二一
南方衆佛師子聲佛（無名氏）……………五二二二
道中尊玉清（蘭陵笑笑生）……………二八三六
達摩師（蘭陵笑笑生）……………二八三五
經中尊上清（蘭陵笑笑生）……………二八三六
龐居士（蘭陵笑笑生）……………二八三六
釋迦佛（蘭陵笑笑生）……………二八三五

五更轉

一更裏端坐（楊爾曾）……………五一八九
二更裏（楊爾曾）……………五一八九
三更裏（楊爾曾）……………五一九〇
五更裏天（楊爾曾）……………五一九〇
四更裏更妙（楊爾曾）……………五一九〇

五拗子

鳳友鸞交（無名氏）……………六四六九

公子醉東風
珠履自那日王孫筵綺（張積潤）……四八五九
月上海棠
玉樓花影清秋夜（朱有燉）……三一三
似嫌黃菊千枝放（朱有燉）……三一四
青娥銀燭高燒者（朱有燉）……三一四
瑶光乍轉芳枝上（朱有燉）……三一四
月中花
更深静悄（張善夫）……二九〇一
花街柳市（張善夫）……二九〇二
疎狂忒煞（張善夫）……二九〇二
勤兒推磨（張善夫）……二九〇一
月兒高（攤破月兒高）
不怕傷人道（無名氏）……五四二六
我女須年少（無名氏）……五四二七
似玉如花貌（無名氏）……五四二六
花星偏照（施紹莘）……四六四五
甚懷食不好（無名氏）……五四二六
看蓮開池沼（無名氏）……五四二六
這樣閑煩惱（無名氏）……五四二六
堦下笙歌奏（無名氏）……五四二七
舊日已榮耀（無名氏）……五四二六
月雲高
井梧風剪（張伯瑜）……五〇五四
月上梧桐樹（施紹莘）……四五九八
匆匆得見（梁辰魚）……二六三七
別情無限（王穉登）……三三三八
吞聲寧耐（康海）……一二六五
春風初覺（宛瑜子）……四五〇九
花明春晝（陳所聞）……三八三六
柳營花陣（馮夢龍）……四四二四
晝長人倦（張伯瑜）……五〇五四
象床豹枕（吴國寶）……二七五一
意中人遠（張伯瑜）……五〇五四
想你侵晨起（王驥德）……三六三〇
夢魂初覺（梁辰魚）……二六三六
獸寒香篆（張伯瑜）……五〇五五
驀然一見（宛瑜子）……四五〇九
月照山
一枕寒燈傍（卜世臣）……四三〇二

人生大數豈能逃（薛論道）……三〇九一
人生五十鬢邊秋（王寅）……二一六四
人生苦樂命安排（康海）……一二七四
人情世事最堪傷（薛論道）……三〇八八
人從今夜不須醒（金鑾）……一八一六
七兒五女止三存（康海）……一二七八
大姦天地膽包籠（薛論道）……三〇九八
上花臺何必禮謙謙（無名氏）……五七三四
山林風月許來寬（康海）……一二七七
山居久與世情違（丁惟恕）……四三七九
乞求官府免差役（陳鐸）……五八一
小小兒養就鯤鵬（李應策）……四〇六八
小園初試碧桃花（金鑾）……一八一五
小橋西岸野人家（康海）……一二一五
小鐺茶熟緑波嬌（王寅）……二一六六
子牙守定釣魚臺（無名氏）……五七四一
子孫相約事耕耘（楊廷和）……八四一
六十將近老形骸（薛論道）……三〇八六
六十五歲賀生辰（康海）……一二七九
文章今古震乾坤（薛論道）……三一〇一
元元造化理之常（陳鐸）……五八二
一川楊柳碧如煙（無名氏）……五七三四
一年難得兩中秋（常倫）……一八七〇
一村桑柘一村烟（無名氏）……五七四一
一官未盡一官來（無名氏）……五七四〇
一枝穠豔露凝香（朱有燉）……三三九
一隻小艇一綸竿（薛論道）……三〇九六
一琴鳴盡一高歌（薛論道）……三〇九六
一朝別酒送行舟（無名氏）……五七四一
一間茅舍一蓬牕（薛論道）……三〇九六
一溪流水一重山（康海）……一二一五
一溪流水繞茅亭（楊廷和）……八四〇
一横明月正横秋（薛論道）……三一〇三
一輪海上鏡新磨（陳鐸）……五六二
一聲鼓角一聲愁（陸應暘）……四四六五
一灣煙水一林丘（薛論道）……三〇九七
一灣煙水界塵埃（薛論道）……三〇八七

少年遊

笑臉開花（馬守真）……三七二七

水仙子（凌波仙　凌波曲　馮夷曲　湘妃引　湘妃怨　凌波仙子）

天公還我好生涯（施紹莘）……………………四六〇一
天生材質果非常（無名氏）……………………五七三九
天生神異賦長庚（薛論道）……………………三一〇一
天時人事兩相因（薛論道）……………………三〇九五
太平閑殺老神仙（常倫）……………………一八七〇
木蘭船且灣在漢江頭（楊慎）…………………一七一三
不欠沽酒買花錢（丁惟恕）……………………四三七九
不爲霖雨答商湯（王寅）……………………二一六八
不酸不醋老風流（康海）……………………一二七七
五年相守在邊城（瞿佑）……………………二一七六
五年相守在山齋（瞿佑）……………………二一七六
中年已過覺辛酸（薛論道）……………………三〇八六
日世界佛如來（無名氏）……………………五三四二
日輪趓住下坡車（王世貞）……………………二九一八
手中終日和煙煤（陳鐸）……………………五八一
今春喜值六旬年（康海）……………………一二七七
今年喜值六十三。自在逍遥好放酣（康海）……………………一二七八
今年喜值六十三。花酒鄉中力尚堪（康海）……………………一二七八
今年喜值六十三。白髮蕭蕭不耐簪（康海）……………………一二七八
今年喜值六十三。肯向紅塵苦換甘（康海）……………………一二七九
今年初度事堪怡（康海）……………………一二七九
月上花枝悶倚樓（無名氏）……………………五七三六
月池坊表面龍山（楊廷和）……………………八四一
月來斜照小簾櫳（無名氏）……………………五七三六
月明偏照小書房（薛論道）……………………三〇九五
月明偏照小書軒（薛論道）……………………三〇九五
月明偏照小書牕（薛論道）……………………三〇九四
月明偏照小書齋（薛論道）……………………三〇九四
月明閒照小紅樓（朱有燉）……………………三五四
月明閒照小亭軒（朱有燉）……………………三五四
月明閒照小簾櫳（朱有燉）……………………三五四
月明閒照小窗紗（朱有燉）……………………三五四
月明閒照小池塘（朱有燉）……………………三五四
月明閒照小闌干（朱有燉）……………………三五四
月明閑照小紅樓（陳鐸）……………………五五九
月明閑照小亭軒（陳鐸）……………………五五九
月明閑照小簾櫳（陳鐸）……………………五五九
月明閑照小窗紗（陳鐸）……………………五六〇

月奩初揭鏡光寒（黄淮）……二八六
月娟娟空上海棠枝（韓邦奇）……一四六九
月移光透碧牕紗（無名氏）……五七三五
月滿空庭夜景妍（無名氏）……五七三六
少年行動走如飛（陳鐸）……五四〇
少年慣走鬪雞場（王寅）……二一六九
比着漢賈誼才學（李應策）……三九九九
半窗花氣浸人香（張鍊）……二二二二
玉門迢遞敝征衫（薛論道）……三〇八七
玉奴行酒雪兒歌（康海）……一二七七
玉纖銀甲撚冰絲（康海）……一二七五
巧粧梳自做約婚媒（薛崗）……三三八五
巧琢象首玉泥重（王九思）……一〇二四
去忙鞴下寶雕鞍（無名氏）……五七三九
功名已弄半截蛇（張鍊）……二二二〇
功成行滿奏簫韶（無名氏）……五七四〇
世人只想位名高（薛論道）……三〇九八
田園將蕪正歸來（薛論道）……三〇八七
白蓮深暎粉牆低（金鑾）……一八一六
白雲高處誦黄庭（薛論道）……三一〇二
白雲堆裏訪蓬萊（薛論道）……三〇八七
包藏青鳳口中酥（金鑾）……一八一六
江村漁火對愁眠（無名氏）……五七四一
老天不許滅天驕（薛論道）……三〇八九
老翁商賈作生涯（陳鐸）……五六七
西風吹起舊征袍（薛論道）……三〇八九
西風吹妾妾及夫（薛論道）……三〇九二
西風吹妾妾身單（薛論道）……三〇九二
西風吹妾妾憂郎（薛論道）……三〇九二
西風吹妾妾憐君（薛論道）……三〇九二
西風帶露透孤幃（薛論道）……三一〇二
西風帶露透香閨（薛論道）……三一〇一
西風帶露透紗窗（薛論道）……三一〇一
西風帶露透鮫綃（薛論道）……三一〇一
百花影裏引紅粧（張鍊）……二二二一
百年三萬六千春（薛論道）……三〇九九
百年三萬六千秋（薛論道）……三一〇〇
百年三萬六千冬（薛論道）……三一〇〇
百年三萬六千埸（薛論道）……三〇九九
百年三萬六千番（康海）……一二一六
百般憂念百般難（楊廷和）……八四二
有花有酒且消愁（丁惟恕）……四三三九

有花無月月含羞（陳鐸）……五六八
早抽身離了荆棘坡（丁惟恕）……四三四九
同心結作鳳頭鞋（楊慎）……一七〇一
年年不住幾翻飛（薛論道）……三一〇三
自從胤子返泉鄉（康海）……一二七六
朱門應是勝柴扉（薛論道）……三〇八八
朱唇疊唱謫仙詞（張鍊）……二二二一
朱闌深護小房櫳（陳鐸）……五五〇
全憑城社據爲家（薛論道）……三〇九七
名園極品信非常（無名氏）……五七三八
弟兄齊壽古稀年（王寅）……二一六九
忘機遣興謾高歌（無名氏）……五七三七
忘機遣興謾優游（無名氏）……五七三七
忘機遣興謾陶情（無名氏）……五七三七
忘機遣興謾從容（無名氏）……五七三七
扶摇萬里上雲霄（常倫）……一八六九
岑樓山色雨初晴（王九思）……九五四
我只説秀才模樣（李應策）……三九八一
你本是追風趁日紫驊騮（陳全）……三〇三三
身如文綺嘴如錐（薛論道）……三一〇四
佛佛佛衆如來（無名氏）……五三四一
吕洞賓背定寶刀（李應策）……四〇七六
泠泠象板粉兒敲（王九思）……九五三
波斯見着認尊堂（程可中）……四一四八
空心頭髮慣沉香（無名氏）……五七四〇
夜來微雨過庭堦（陳鐸）……五四〇
放高歌陣陣繞梁聲（薛崗）……三三八五
初離海角水晶丸（陳鐸）……五六二
奉回真劑色奇絶（陳鐸）……五四一
青天不舉夜縱横（薛論道）……三一〇四
花枝似臉臉如花（楊慎）……一七〇一
花開百日在花叢（黄祖儒）……三九五四
花朝閣下牡丹開（徐敷詔）……二一五八
花愁酒病幾時休（無名氏）……五七四一
東山佳句紫泥封（張鍊）……二二二二
東山風月豈尋常（薛論道）……三〇九六
東山風景最清幽（薛論道）……三〇九六
東山高處最逍遥（薛論道）……三〇九六
東山清處最幽然（薛論道）……三〇九六
東門廣種邵平瓜（張鍊）……二二二〇
東家壁土恰塗交（陳鐸）……五八四
雨涼翡翠藕花浮（楊慎）……一七二七

雨餘庭院晚涼生（康海）……一二七七
兩輪日月掌中梭（張鍊）……二二二〇
抹朱塗墨幾十年（陳鐸）……五七九
抱詩筒慣熟過衡門（王寅）……二一七一
虎皮交椅象牙牀（無名氏）……五七四〇
虎牢關三戰逞英雄（無名氏）……五七三三
虎鬚雪紐彩絲緣（王九思）……九五三
呪着符水用元神（陳鐸）……五八三
明珠一顆儘堪誇（王寅）……二一六七
佳人一貌不尋常（陳全）……三〇三三
佳人鬪草墜金釵（楊慎）……一七二八
門前車馬鬧轟轟（薛論道）……三〇九八
屈原沉墜汨羅江（張鍊）……二二二一
恰纔富貴便驕人（薛論道）……三〇九五
前人積德後人收（王九思）……一〇一五
扁舟常是釣蒹葭（陳鐸）……五六八
郎君每一箇箇要便宜（無名氏）……五七三四
神仙無分覓丹梯（李應策）……三九七〇
春蛾窗下翠痕低（王九思）……一〇二三
英雄回首即神仙（楊慎）……一七〇八
英雄回首路非遥（康海）……一二七五
茅堦暖景色融融（李應策）……四〇四〇
草堂歡宴夜將更（康海）……一二七六
城邊燈火幾家樓（金鑾）……一八一五
故山無限好生涯（楊廷和）……八四〇
南無釋迦牟尼佛（無名氏）……五二三一
南無火光慧滅昏闇佛（無名氏）……五二三二
南無一切衆生導師佛（無名氏）……五二三二
南無善住如意積王佛（無名氏）……五二三二
南無歡喜自在聲德佛（無名氏）……五二三二
南無清浄寶光佛（無名氏）……五二三二
南無波頭摩華佛（無名氏）……五二三二
南無六十二毗留羅佛（無名氏）……五二三三
南無一切同名普光佛（無名氏）……五二三三
南無一切同名日王佛（無名氏）……五二三三
南無八千威德佛（無名氏）……五二三三
南無降伏憍慢佛（無名氏）……五二三二
南無銀幢蓋王佛（無名氏）……五二三三
南無精進寂静佛（無名氏）……五二三三
南無虚空莊嚴佛（無名氏）……五二三三
南無摩尼功德佛（無名氏）……五二三三
南無龍自在王佛（無名氏）……五二三四

南無娑羅威德佛（無名氏）……五二三四
南無無垢瑠璃佛（無名氏）……五二三四
南無俱蘇摩成佛（無名氏）……五二三四
南無善跡善化佛（無名氏）……五二三四
南無見一切義佛（無名氏）……五二三四
南無度一切疑佛（無名氏）……五二三四
南無俱蘇摩通佛（無名氏）……五二三五
南無無量精進佛（無名氏）……五二三五
南無功德勝藏佛（無名氏）……五二三五
南無華勝藏香勝藏佛（無名氏）……五二三五
南無離世間幢佛（無名氏）……五二三五
南無虛空光明佛（無名氏）……五二三五
南無甘露光明佛（無名氏）……五二三五
南無放光明幢佛（無名氏）……五二三五
南無法力光明佛（無名氏）……五二三六
南無師子吼聲佛（無名氏）……五二三六
南無法無垢月佛（無名氏）……五二三六
南無聚集日輪佛（無名氏）……五二三六
南無莎利羅上佛（無名氏）……五二三六
南無香象奮迅佛（無名氏）……五二三六
南無波頭摩手佛（無名氏）……五二三六
南無金剛處勢佛（無名氏）……五二三七
南無上喜實喜佛（無名氏）……五二三七
南無善清淨慧佛（無名氏）……五二三七
南無海慧住慧佛（無名氏）……五二三七
南無堅慧勝積佛（無名氏）……五二三七
南無金剛徧照十方佛（無名氏）……五二三七
南無法界師子光明佛（無名氏）……五二三七
南無最後釋迦牟尼佛（無名氏）……五二三七
南無一切龍摩尼藏佛（無名氏）……五二三八
南無二萬同名拘鄰佛（無名氏）……五二三八
南無三萬同名能勝佛（無名氏）……五二三八
南無摩訶彌留力藏佛（無名氏）……五二三八
南無甘露威德光明佛（無名氏）……五二三八
相逢醉舞袖郎當（王寅）……二一六六
柳絲長難繫下江船（王寅）……二一六六
勁根老節信非常（無名氏）……五七三八
星冠朱履出塵囂（無名氏）……五七三九
昨宵曲指自量度（薛論道）……三〇九〇
盼得苜蓿菜芽黃（李應策）……三九七七
則盼着鴻鵠沖霄（李應策）……三九七五
看來禽獸喜山林（薛論道）……二〇八七

秦樓謝宇敗還成（薛論道）……二〇九〇
馬蹄金鑄就虎頭牌（無名氏）……五七四〇
珠簾曉日上銀鉤（朱有燉）……三三一
茜裙低掩鳳頭彎（王九思）……一〇二三
恩波池上燕遊時（楊廷和）……八四一
蚩尤遍插五方旗（王世貞）……二九一八
飢寒飽暖順人情（陳鐸）……五八〇
紛飛六出舞梨花（無名氏）……五七三七
添些歸芍血全生（金鑾）……一八一八
淫心兒逼綽的無些貪（無名氏）……五七三五
清明節届賞花時（無名氏）……五七三六
清風明月是知交（無名氏）……五七四〇
清晨喜鵲噪雕簷（張鍊）……二二二一
梁園輕霧溼征衫（朱有燉）……三五七
這仙姬生長紫霞峰（王寅）……二一六五
這無瑕原是美人貽（王寅）……二一六五
乾相思心緒亂如絲（楊慎）……一七一三
曹彬去平了江南（李應策）……四〇四四
逐朝編織快如流（陳鐸）……五八二
掀髯無語自量度（薛論道）……三〇八九
常開笑口杜分司（陳鐸）……五六八
重陽籬菊綻金黃（無名氏）……五七三六
香醪未遂獻霞觴（王寅）……二一六六
卸除簪珥拜蓮臺（陳鐸）……五八三
秋光漸老歲將更（康海）……一二七六
秋風又遞故人書（康海）……一二一六
風曳旌頭絳尾犛（李應策）……三九七三
風流自是愛風流（薛論道）……三〇九三
狠厥丁挖幾處陷人坑（陳鐸）……五二七
眉來眼去意綢繆（薛論道）……三〇九三
紅樓閒阻二年餘（常倫）……一八七三
浮生六十尚紅顏（王寅）……二一七〇
海棠枝上月兒歪（陳鐸）……五一一
高倚嵐屏翠映巔（李應策）……三九九〇
送來火腿十分佳（陳鐸）……五四〇
送來薰腿與燒鵝（金鑾）……一八一七
粉團兒刮做了土團兒（朱有燉）……三六五
凍雲催雪起山腰（康海）……一二一五
庭前玉樹已成林（王寅）……二一六七
家家户户有靈魂（陳鐸）……五八〇
素心願守玉堂春（王九思）……一〇三四
素羅新製小香囊（陳鐸）……五一一

常驚走馬到臨崖（薛論道）……三〇八七
虛名枉被世人猜（常倫）……一八七〇
野航恰受兩三人（楊廷和）……八四〇
眼前光景眼前情（薛論道）……三〇九七
逞風情只當做玉纖纖（王寅）……二一六八
閑中追憶舊同群（康海）……一二八〇
彩霞聲繞鳳凰簫（王九思）……一〇二四
貨挑賣繡逐家纏（陳鐸）……五八二
偷聞葺個小書齋（施紹莘）……四六〇二
您胡行您胡做您胡猜（無名氏）……五七三四
悠悠吸水橫蜺蝀（李應策）……三九七四
悤悤策馬向長安（常倫）……一八七〇
從來金谷羨石崇（薛論道）……三〇九〇
從來濁婦慣撇清（薛論道）……三〇九七
得高歌處且高歌（薛論道）……三〇九四
得逍遥處且逍遥（薛論道）……三〇九四
得從容處且從容（薛論道）……三〇九四
得優遊處且優遊（薛論道）……三〇九四
貧窮富貴固前因（薛論道）……三〇九五
習閒成懶懶成癡（常倫）……一八七〇
陷人坑內並頭蓮（程可中）……四一四六
湘娥斑竹薛濤牋（金鑾）……一八一五
渭城曙色一川麗（李應策）……三九七〇
寒來布草體權遮（程可中）……四一四八
黃金臺下是非多（馮惟敏）……二三九七
黃雲天亂剪鶴翎飛（王寅）……二一六八
萬方安堵樂康寧（廖道南）……一九三九
朝廷命我事征伐（薛論道）……三〇九一
朝廷命我統三軍（薛論道）……三〇九一
朝廷命我鎮邊關（薛論道）……三〇九一
朝廷拜我領元戎（薛論道）……三〇九一
朝朝紈扇寫新詩（金鑾）……一八一七
朝醒殢殺老神仙（常倫）……一八七二
煮茶方陸氏在遺編（王寅）……二一七〇
雲低彩檻鳳凰樓（朱有燉）……三二二
雲莊春老半籬花（程可中）……四一四七
雲情雨意兩相投（薛論道）……三〇九三
雲篇裁翦一囊收（張錬）……二二二〇
雲鬢斜插短金釵（無名氏）……五七三八
晚粧眉黛月如鉤（楊慎）……一七〇三
喧喧簫鼓慶長年（康海）……一二七六
紫竹白紗甚逍遥（蘭陵笑笑生）……二八三六

紫泥封不要淡文章（王九思）…………九五四
紫金丹駐赤靈砂（金鑾）…………一八一六
紫金爐内篆烟微（無名氏）…………五七四一
紫貂鞲靮手中拿（陳鐸）…………五六六七
紫檀半面掩吴孃（王寅）…………二一六五
紫檀雕就蘂珠仙（無名氏）…………五七三三
黑沈沈寒霧壓城頭（朱有燉）…………三五一
買花日日醉湖船（金鑾）…………一八一七
買花錢旋換女娘情（陳鐸）…………五二七
無常那有替一遭（薛論道）…………三〇九一
喬才何處弄風騷（薛論道）…………三一〇三
喬才何處賣風流（薛論道）…………三一〇二
喬才何處戀絃歌（薛論道）…………三一〇三
喬才何處戀嬌娲（薛論道）…………三一〇三
須知天地亦一朝（薛論道）…………三〇九〇
須知富貴等浮雲（薛論道）…………三〇九〇
畫堂歌舞慶生辰（常倫）…………一八六九
畫堂蠟吐日光輝（常倫）…………一八六九
尋常三五一般圓（陳鐸）…………五六二
尋龍倒水費殷勤（陳鐸）…………五八三
閒來自笑老顛狂（王九思）…………九九七
閑茶浪酒雨雲鄉（陳鐸）…………五八三
開疆展土報明君（薛論道）…………三〇九八
試凴彩筆印規模（陳鐸）…………五八〇
當年各負氣横秋（王寅）…………二一六七
當歸半夏紫紅石（蘭陵笑笑生）…………二八三六
新來學會做山翁（薛論道）…………三〇九九
新來學會做狂夫（薛論道）…………三〇九九
新來學會做漁樵（薛論道）…………三〇九九
新來學會棹漁歌（薛論道）…………三〇九九
新詩一首素心空（薛論道）…………三〇九二
新詩一首喜琳琅（薛論道）…………三〇九三
新詩一首語驚人（薛論道）…………三〇九二
新詩一首罷琴書（薛論道）…………三〇九三
落花不見采蓮舟（韓邦奇）…………一四七四
煙霞深處陋三公（薛論道）…………三一〇〇
烟霞深處訪玄真（薛論道）…………三一〇〇
烟霞深處結蝸廬（薛論道）…………三一〇〇
烟霞深處結鷗盟（薛論道）…………三一〇〇
睡起槐陰疑夢境（李應策）…………三九七四
雅栖人宿夜深闌（無名氏）…………五七三八
矮闌干花簇就錦屏風（無名氏）…………五七三三

遠峰一帶碧雲寒（王九思）……一〇二四
蒼松職掌大夫權（馮惟敏）……二三九七
蒼鶻兒迴翥煙霄（李應策）……三九七五
槎𥻗慄竹手足捷（陳鐸）……五八四
團花六瓣要分撒（陳鐸）……五八二
團團月出徑無塵（李應策）……三九七四
鳳山西畔力耕亭（楊廷和）……八四一
銀華鐵幹信非常（無名氏）……五七三八
銀箏絃斷鎖紅樓（朱有燉）……三八一
算來還是守寒微（薛論道）……三〇八八
種成瓊島四時花（陳鐸）……五六七
與君今夕乍相逢（金鑾）……一八一八
與君真是死生交（康海）……一二一六
寫閑愁閑愁寫寫千般寫到一千般（無名氏）……五七三五
窮道自有命安排（王九思）……一〇一五
誰是騎青牛的老聃（李應策）……四〇四二
論疎狂端的是我疏狂（康海）……一二一七
論聲名不忝宋王曾（康海）……一二七五
霓裳人聽一聲歌（陳鐸）……五六二
模兒裏何日印將來（陳鐸）……五二八
會談天跳不出一空囊（馮惟敏）……二三九七
傻癡奴自迷歇腳（李應策）……四〇一〇
愛堯南玄豹潛蹤（李應策）……四〇三六
筵間休道酒如泉（康海）……一二七五
腥羶何敢易天朝（薛論道）……三〇八九
滿街泥濘馬難騎（陳鐸）……五四一
滿天明月四圍山（康海）……一二七九
說子陵江湖性氣高（李應策）……四〇三二
端陽美景值炎天（無名氏）……五七三六
瘦身軀祇可一羊裘（王九思）……九五四
瘦伶仃伶仃瘦消磨盡一捻兒腰肢（無名氏）……五七三五
敲才但與些話兒甜（無名氏）……五七三四
碧山學士早還家（楊廷和）……八四〇
碧空如洗晚雲消（康海）……一二一七
碧芭蕉掩映竹邊居（無名氏）……五七三三
壽香一炷降天仙（無名氏）……五七四二
壽星高掛在堂前（無名氏）……五七四二
壽筵前雖是少癡倈（康海）……一二七七
輕離錦帳挽行舟（無名氏）……五七三九
赫赫勳猷朝槿花（丁惟恕）……四三七五

數椽茅舍豈云卑（薛論道）……三〇八九
閱耕亭外遠山青（楊廷和）……八四一
閱耕亭子占高臺（楊廷和）……八四一
閱耕亭子對清溪（楊廷和）……八四一
閱耕亭上閱耕時（楊廷和）……八四一
潤吐緑煙纔折柳（李應策）……四〇三二
嬌滴滴葵花出粉牆（丁惟恕）……四三四五
嬌娃微露短牆頭（薛論道）……三〇九三
憶當年今日下瀛洲（常倫）……一八七〇
謀生性拙只佯狂（王寅）……二一六九
龍樓鳳闕美輕肥（薛論道）……三〇八九
燕山尊酒人俱改（李應策）……三九七四
燕支嬌染海棠花（王寅）……二一七〇
蹄心常把快刀修（陳鐸）……五八〇
曉星殘月影清流（丁惟恕）……四三四五
積功不死事非謡（無名氏）……五七三九
鴻門會上一張席（張鍊）……二二二一
謝家昆弟總能詩（康海）……一二一五
營營狗狗苦貪求（薛論道）……三〇九〇
趨朝履市亂慌慌（薛論道）……三〇八八
還丹有訣詎難逢（康海）……一二七八
點嬌唇一顆赤瓊珠（薛崗）……三三八五
蠅頭蝸角鬧穰穰（薛論道）……三〇八八
縈麻窩呼作賽朝鞋（馮惟敏）……二三九七
舊時知己幾人存（康海）……一二一六
臨川縣雙漸戀蘇卿（無名氏）……五七三四
臨行上馬話別時（無名氏）……五七三九
蹙湘裙八幅引魂旛（薛崗）……三三八五
翻雲覆雨太炎涼（薛論道）……三〇八八
離筵酒罷話叮嚀（無名氏）……五七三九
瓊林曾聽碧雲璈（王九思）……九五四
瓊樓斜掛月如鈎（常倫）……一八七〇
藕絲兒縛虎是難縛（無名氏）……五七三五
穩騎白鹿下瑶池（王九思）……九五三
簷兒鬆解會收拾（陳鐸）……五八一
爐中燒上馬牙香（陳鐸）……五八一
勸君名利少干涉（薛論道）……三〇九八
鶯花寨打起一面皂鵰旗（楊訥）……二二二五
韶光晦迹抱經綸（陳鐸）……五七九
癩牛兒蔽車一乘（李應策）……四〇三八
鐵蒺藜鋪地不堪踏（陳鐸）……五六八
驕奢貧賤轉浮沉（薛論道）……三〇九五

讀書好企慕顔淵（李應策）……四〇五四
聽風松隔水笙簧（李應策）……四〇五七
纖柔玉手撒紅牙（陳鐸）……五六七
纖腰恰褪繡羅裙（朱有燉）……三五八
靈山會上本無傳（薛論道）……三一〇二
靈筠萬尺覆雲房（康海）……一二七五

水仙子帶過折桂令（仙桂引　仙子步蟾宮　湘妃遊月宮帶折桂令）

一個烟花娘娜豔詞頭（無名氏）……五七四二
一拳打脱鳳凰籠（王九思）……九五二
九秋明月照金波（金鑾）……一八一〇
千嬌百媚俏冤家（無名氏）……五七四三
不明不暗唱陽關（黄峨）……一九九二
西池纔見翠荷殘（陳鐸）……五四九
有客獻扶桑一寸甚（李應策）……三九七七
牡丹爛熳彩霞濃（陳鐸）……五六五
並頭蓮池上錦鴛行（朱有燉）……三一三
並頭蓮池上錦鴛行（陳鐸）……五六六
怪蟠溪封土輔周王（王寅）……二一六二
青天白日打燈籠（馮惟敏）……二四三七
金風吹減芰荷凋（陳鐸）……五六六
狀元榜眼探花郎（金鑾）……一八一〇
風吹楊柳翠簾櫳（陳鐸）……五六六
風流常占錦屏春（金鑾）……一八〇九
淡娥眉休畫鏡臺前（王寅）……二一六四
寄生江左有流風（王寅）……二一六三
逞精神日日在褲襠裏跑（陳全）……三〇三二
湖邊旅食正栖遲（王寅）……二一六三
黄塵笑殺魯諸生（王寅）……二一六三
溪邊茅屋倚孤松（趙南星）……三七五四
萬花臺上正中秋（朱有燉）……三六〇
園林處處放璚花（陳鐸）……五六六
遥憐北海飲方豪（金鑾）……一八〇九
聞君多病臥山莊（金鑾）……一八三一
藍田日暖曉煙深（范垣）……四一二五
舉鍾鼎是誰分緣（李應策）……三九七二

水紅花（折紅蓮）

兀良一黛遠山青（無名氏）……五四九四
弓鞋襪小步難行（無名氏）……五四九四
吟題詩句那才能（無名氏）……五四九五

永團圓

我愛他容嬌（常倫）……一八九七

玉江引（對玉環帶清江引）

一品高官（馮惟敏）……二三三〇
五夜朝班（薛崗）……二三八二
月滿良宵（薛崗）……二三八一
立定根基（馮惟敏）……二三三一
世路悠悠（馮惟敏）……二三三〇
仕路蹊蹺（薛崗）……二三八二
百口分踈（馮惟敏）……二三三一
有眼無睛（馮惟敏）……二三三一
志氣冲天（薛崗）……二三八三
我戀青春（馮惟敏）……二三一九
春種秋收（薛崗）……二三八二
氣力千鈞（薛崗）……二三八三
倒了房宅（馮惟敏）……二三四五
喜得秋成（馮惟敏）……二三四五
畫閣簫笙（薛崗）……二三八二
閥閱相當（薛崗）……二三八二
論地談天（馮惟敏）……二三三〇

憶昔歌舞宴樓臺（無名氏）……五四九四

水龍吟

五色祥雲擁六龍（陸深）……一四五七
五色祥雲捧玉皇（廖道南）……一九四〇
玉律陽回景運新（廖道南）……一九四〇
玉殿風傳俎豆香（張治）……一六二八
虎敔龍麾鼓吹喧（廖道南）……一九四九
香霧氤氳紫閣重（廖道南）……一九四四
春滿雕盤獻玉桃（廖道南）……一九三六
紫禁瓊筵暖應冬（廖道南）……一九三六
萬户千門啓建章（廖道南）……一九四四
寶殿金爐瑞靄浮（廖道南）……一九三五
無色祥雲捧玉皇（夏言）……一五六九
萬宇秋聲轉玉墀（張治）……一六二七
養老休農聖主筵（廖道南）……一九五三

五　畫

半面二郎神

腰圍減（王驥德）……三六七〇

學問才華（馮惟敏）……………………二三二〇

玉枝供

一勾纖軟（王厚之）……………………五一一二

玉抱肚

一天新爽（金鑾）……………………一八二五
一年嘉慶（馮惟敏）……………………二三三〇
一官不大（薛論道）……………………三三二四
一些滋味（陳鐸）……………………五四八
一衰一勝（薛論道）……………………三三二九
一朝參破（薛論道）……………………三三三三
一憂一懼（薛論道）……………………三三三〇
一場恩愛（梁辰魚）……………………二六四六
十分愁病（吴國寶）……………………二七二七
十年愁塊（張萁如）……………………四九八〇
人兒去也（趙南星）……………………三七五九
人兒清爽（秦時雍）……………………二五五六
人情可嘆（薛論道）……………………三二三九
人閑清晝（李登）……………………二九〇九
小亭低亞（施紹莘）……………………四五八九
三秋分半（薛崗）……………………三三九七
才稱王佐（薛論道）……………………三三二三
口甜心硬（薛論道）……………………三三四二
山川依舊（陳所聞）……………………三八五〇
山青水緑（馮惟敏）……………………二三九三
山明水秀（馮惟敏）……………………二三九三
山圍水繞（馮惟敏）……………………二三九三
山村水舍（馮惟敏）……………………二三九三
山青水緑蓋幾間矮矮茅廬（丁惟恕）
……………………四三四七
山隣水近（薛論道）……………………三三二六
千山擁護（丁惟恕）……………………四三四七
千層愁悶（吴國寶）……………………二七二七
文章休弄（徐敷詔）……………………二一五三
王孫哀怨（徐敷詔）……………………二一五二
井桐秋早（沈仕）……………………一六四五
不成不就（薛論道）……………………三三三五
不須苦挣（王克篤）……………………二九三七
不須倔強（王克篤）……………………二九三七
五更難到（沈仕）……………………一六四六
五陵豪貴（沈仕）……………………一六四二
月明星朗（無名氏）……………………五五三一

月明如晝（俞彦）……四四八一
月明霄漢（徐敷詔）……二一五三
月娥風韻（馮惟敏）……二四三二
心中焦躁（馮惟敏）……二四三五
心殘性忍（薛論道）……三二四三
心腸走滚（薛論道）……三二四一
心腸使碎（薛論道）……三二四一
少年時候（李登）……二九一一
少魂失智（薛論道）……三二四〇
幻塵滌去（薛論道）……三二二六
立心不善（馮惟敏）……二四三六
玉盤如鏇（薛論道）……三二三七
功名榮耀（薛論道）……三二三四
四簷風鬧（沈仕）……一六四六
且休題那話（吴國寶）……二七二八
仙家滋味（薛論道）……三二三二
仙源如待（陳所聞）……三八七一
他曾許我（趙南星）……三七五九
匆匆心事（王驥德）……三六三八
江山如舊（徐敷詔）……二一五〇
江關羈旅（梁辰魚）……二六四四
冰肌瘦損（金鑾）……一八二五
冰輪飛擸（薛崗）……三三九八
汗巾留帶（沈仕）……一六四三
安排青眼（陳鐸）……六二一
西風吹送（徐敷詔）……二一五二
西風雁字（高濂）……二九六二
西風無賴（陳所聞）……三八五二
西湖載酒（徐敷詔）……二一五一
百畝緊相連（朱載堉）……三四五四
耳邊盟誓（沈仕）……一六四三
有舡不漏（薛論道）……三二二七
光陰頻换（薛崗）……三三九八
年光先占（俞彦）……四四八二
年華夢裏（梁辰魚）……二六四八
危樓獨倚（陳鐸）……六二〇
舌尖念破（薛論道）……三二四一
休生閑氣（薛論道）……三二三九
行期無定（梁辰魚）……二六四七
合歡幾時（趙南星）……三七五九
全嬌絶嫩（施紹莘）……四五八九
多君青眼（陳所聞）……三八七〇

多時不見（馮惟敏）……二四三五
如如風範（陳所聞）……三八七〇
如癡似醉（薛論道）……三二四二
良緣判定（范壼貞）……四一八四
村居鄰院（高濂）……二九六二
走頭没路（馮惟敏）……二四三四
更闌人静（沈仕）……一六四七
把謝公遥問（陳所聞）……三八五〇
抽籤討卦（馮惟敏）……二四三五
旱逢雨降（無名氏）……五五三一
別來容貌（金鑾）……一八二五
別離如夢（沈仕）……一六四一
別離懊恨（吴國寶）……二七二七
牡丹香褪（沈仕）……一六四四
君心忒忍（陳鐸）……六二〇
君心忒狠（薛論道）……三二四二
壯懷激烈（薛論道）……三二三六
壯懷難剖（薛論道）……三二三六
壯懷難破（薛論道）……三二三五
壯懷難遇（薛論道）……三二三五
妙齡之際（馮惟敏）……二四三三
河清難待（陳所聞）……三八四九
河梁分袂（秦時雍）……二五六七
官家成敗（薛論道）……三二三四
夜深清悄（陳所聞）……三八四〇
夜香燒罷（無名氏）……五五三〇
性兒裂瓦（秦時雍）……二五五六
青山堪畫（丁惟恕）……四三四七
青山雅秀（丁惟恕）……四三四七
青溪大隱（汪廷訥）……四一八九
長途秋盡（梁辰魚）……二六四三
芰荷亭上（薛論道）……三二三七
幸然同調（陳所聞）……三八七四
花宫竹院（徐敷詔）……二一五三
花容月面（扶摇）……四九七三
花容月貌（馮惟敏）……二四三三
花神可問（吴國寶）……二七二八
花箋一紙（梁辰魚）……二六四五
花街柳巷（薛論道）……三二三八
花營柳寨（薛論道）……三二三八
東風楊柳（沈仕）……一六四八
枕邊三唱（高濂）……二九六二

枝枝交影（楊慎）……一六九八
兩眉不放（薛論道）……三二三五
岳陽奇勝（徐敷詔）……二一五一
物來順受（薛論道）……三二三〇
佳人才子（金鑾）……一八二五
佳人何處（扶摇）……四九七三
佳期有定（薛論道）……三二四三
佳期有幸（薛論道）……三二四三
佳期良遇（薛論道）……三二四三
佳期非偶（薛論道）……三二四三
金台遊宴（徐敷詔）……二一五三
金波燦燦（薛論道）……三二三六
金陵鐘阜（徐敷詔）……二一五一
姓張名珙（無名氏）……五五三〇
牀寒被冷（薛論道）……三二三八
孤山曾種（陳所聞）……三八四九
孤身猶寄（梁辰魚）……二六四四
孤幃獨守（金鑾）……一八二六
前生少欠（薛論道）……三二四一
宫眉城髻（楊慎）……一六九八
音塵間阻（吴國寳）……二七二七
扁舟夏口（徐敷詔）……二一五一
爲貪閒耍（梁辰魚）……三六四七
苔痕迷徑（徐敷詔）……二一四九
春心蕩漾（無名氏）……五五三一
春雲遮映（陳鐸）……六二一
封侯滋味（薛論道）……三二三四
故人千里（梁辰魚）……二六四四
故人别去（梁辰魚）……二六四八
相思難治（陳鶴）……二六一七
相思情債（金鑾）……一八二五
相思潦倒（吴嶔）……二六二七
柳濃花顫（施紹莘）……四五八九
南詞北唱（馮惟敏）……二四三三
風流江左（汪廷訥）……四一九〇
風流慷慨（陳所聞）……三八七一
負心玉塊（馮惟敏）……二四三四
陌頭楊柳（陳鐸）……六二〇
浮生虚幻（薛論道）……三二三〇
浮雲飛盡（陳所聞）……三八五〇
高堂明鏡（徐敷詔）……二一四八
高秋時序（徐敷詔）……二一五三

酒闌人静（徐敷詔）……二一四八
海棠纔賞（徐敷詔）……二一四九
神仙無分（薛論道）……三二三二
神奸鬼詐（薛論道）……三二四二
粉瑩香膩（馮廷槐）……四九四六
追歡買笑（薛論道）……三二三八
桃塢名妓（宛瑜子）……四五二〇
桃源無路（施紹莘）……四五九〇
衷情冗冗（梁辰魚）……二六四五
晁錯多智（薛論道）……三二三二
倚樓孤悶（徐敷詔）……二一五三
笑他心性（金鑾）……一八二四
能容乃大（薛論道）……三二三一
紗櫥月上（無名氏）……五五三一
這般難見（沈仕）……一六四四
深秋堪賦（梁辰魚）……二六四三
深情幽怨（扶摇）……四九七三
清明將到（吳國寶）……二七二八
清明節届（吳國寶）……二七二八
清明已過（吳國寶）……二七二八
清和時序（沈仕）……一六四三
清涼堪玩（薛崗）……三三九八
清溪故里（俞彦）……四四八一
渚宫非故（俞彦）……四四八〇
麻姑何在（徐敷詔）……二一五一
淒淒冷冷（高濂）……二九六三
淒涼時候（薛論道）……三二三七
情詩題遍（陳所聞）……三八四〇
冤家心變（馮惟敏）……二四三四
冤家難見（吴嶔）……二六二八
荷花香噴（無名氏）……五五三二
乾坤浩蕩（薛論道）……三二三八
梅花香噴（無名氏）……五五三二
虚心冷氣（薛論道）……三二四三
虚名薄利（薛論道）……三二三七
偶然睡起（徐敷詔）……二一四九
欲修家信（梁辰魚）……二六四五
魚兒生受（梁辰魚）……二六四五
逢場作戲（陳鐸）……五四八
逢觀不喜（施紹莘）……四五九〇
梨花庭院（丁惟恕）……四三七三
梨花標韻（馮廷槐）……四九四七

悠悠自在（薛論道）……………………三三二三一
釣魚何羨（薛論道）……………………三三二二七
雀臺高峻（梁辰魚）……………………二六四六
問名和姓（施紹莘）……………………四五八九
湘簾高掛（陳鐸）………………………六二〇
寒庭秋老（沈仕）………………………一六四五
詞林翹楚（陳所聞）……………………三八七二
黄花如許（陳所聞）……………………三八七一
黄花香噴（無名氏）……………………五五三二
黄昏將傍（無名氏）……………………五五三〇
朝來樓上（徐㪚詔）……………………二一四九
超然朗悟（陳所聞）……………………三八七一
雲沉風驟（高濂）………………………二九六三
摇摇將近（蘇子文）……………………四九一六
殘岡斷隴（徐㪚詔）……………………二一五一
晴空飛鏡（薛論道）……………………三三三六
晚風篩閃（俞彦）………………………四四八二
單身獨自（馮惟敏）……………………二四三四
喬才薄倖（馮惟敏）……………………二四三五
無成無敗（薛論道）……………………三三二七
無名無利（薛論道）……………………三三二七
無災無障（薛論道）……………………三三二八
無災無禍（薛論道）……………………三三二七
無投無奔（沈仕）………………………一六四四
無拘無繫（薛論道）……………………三三二八
無明無夜（薛論道）……………………三三二九
無昏無晝（薛論道）……………………三三二九
無音無信（薛論道）……………………三三四一
無剛無欲（薛論道）……………………三三二九
無偏無倚（薛論道）……………………三三二七
無牽無掛（薛論道）……………………三三二七
無聊無賴（馮惟敏）……………………二四三五
無愁無悶（薛論道）……………………三三二九
無端消瘦（沈仕）………………………一六四七
無慚無愧（薛論道）……………………三三三四
無憂無慮（薛論道）……………………三三二八
無營無幹（薛論道）……………………三三三〇
無聲無臭（薛論道）……………………三三二八
無優無劣（薛論道）……………………三三二八
無驚無怕（薛論道）……………………三三二八
無譽無毀（薛論道）……………………三三二八
無情獨我（梁辰魚）……………………二六四七

無情鶯燕（陳鐸）……五四八
無端見了（趙南星）……三七五九
短長難聽（高濂）……二九六三
閑身閑過（薛論道）……三二三〇
閒堦攜手（趙南星）……三七五九
悶懷顛倒（沈仕）……一六四五
尋思百計（徐敷詔）……二一四八
畫樓初曉（沈仕）……一六四五
陽關休唱（梁辰魚）……二六四七
陰晴難料（薛論道）……三二二九
絶情太甚（薛論道）……三二四二
新裁輕素（沈仕）……一六四三
意兒慵懶（秦時雍）……二五五六
烟花光景（薛論道）……三二三九
烟花風浪（薛論道）……三二四〇
烟花情况（薛論道）……三二四〇
烟花圈套（薛論道）……三二三九
烟花腔調（薛論道）……三二四〇
烟花腔範（薛論道）……三二四〇
烟花最狠（薛論道）……三二四〇
烟花滋味（薛論道）……三二四〇
道場和哄（無名氏）……五五三〇
楊花心性（無名氏）……五五三二
蒙塵含垢（薛論道）……三二三一
當時分首（金鑾）……一八二五
當年王粲（梁辰魚）……二六四六
當年弱冠（徐敷詔）……二一五三
暖風輕扇（施紹莘）……四五八八
園林暮景（徐敷詔）……二一四八
蛾眉雙皺（馮惟敏）……二四三五
蜂嫌蝶怨（薛論道）……三二三八
愁心遥送（陳鐸）……六二一
愁心漸長（吴國寶）……二七二七
愁心難整（吴國寶）……二七二七
傳來人信（施紹莘）……四五八八
亂峰千頃（俞彦）……四四八一
經綸罷手（李登）……二九一二
滿堂喧哄（梁辰魚）……二六四四
滿樓花影（徐敷詔）……二一四八
漢卿不妙（無名氏）……五五三一
窩弓暗箭（陳鐸）……五四八
精細休逞（薛論道）……三二四一

瑤華蒙垢（馮廷槐）……四九四七
輕綃低繫（沈仕）……一六四二
趙家今燕（馮惟敏）……二四三三
碧灣波媚（范壺貞）……四一八四
銀河瀉影（無名氏）……五五三三
聞君有恙（無名氏）……五五三一
翠雲烘染（俞彥）……四四八二
嫩雲烘柳（沈仕）……一六四七
潤仙喬勢（馮惟敏）……二四三四
誰非誰是（薛論道）……三三四二
誰將誰賣（薛論道）……三三二九
廣陵燈後（徐敷詔）……二一五二
曉臺如畫（馮惟敏）……二四三三
數奇非偶（薛論道）……三三三一
舞兒風韻（楊慎）……一六九八
舞裙低映（沈仕）……一六四七
緑池風凹（沈仕）……一六四六
緑梅青杏（徐敷詔）……二一四九
緑雲堆鬢（沈仕）……一六四四
緑窗低亞（陳鐸）……六二〇
緑遮紅映（楊慎）……一六九八
緑絲金線（楊慎）……一六九七
闤門艤棹（徐敷詔）……二一五二
憑欄獨立（薛論道）……三三三七
龍江浩渺（無名氏）……五五三三
龍爭虎鬭（薛論道）……三三三五
磨光刮垢（薛論道）……三三三六
燈牕埋首（陳所聞）……三八七七
燕多屠狗（陳所聞）……三八七四
蕭蕭郎馬（王驥德）……三六三八
蕭蕭庭院（徐敷詔）……二一五三
機中織錦（金鑾）……一八二六
機關打破（薛論道）……三三三三
機關識破（薛論道）……三三三四
擒拏縱放（薛論道）……三三四二
牆花路柳（薛論道）……三三三二
頻頻書寄（馮夢龍）……四四二六
薄情心變（無名氏）……五五三三
襄陽佳麗（徐敷詔）……二一五一
霜天如洗（高濂）……二九六三
繁華銷滅（俞彥）……四四八一
蠅頭微利（陳鐸）……五四八

瞻前顧後（薛論道）……三二三五
雙眸剪水（馮廷槐）……四九四七
雙雙蘭槳（梁辰魚）……二六四六
歸期未準（金鑾）……一八二五
懷珍堪售（陳所聞）……三八七四
譙樓聲動（高濂）……二九六三
痴迷心性（陳鐸）……五四八
龐兒聰俊（秦時雍）……二五五六
羅衣寬褪（陳鐸）……六二〇
蟾光如練（薛論道）……三二三六
難捱長夜（馮惟敏）……二四三四
難描難畫（沈仕）……一六四六
鏡花浮翠（沈仕）……一六四二
蘭湯初試（沈仕）……一六四二
饒人一命（馮惟敏）……二四三五
躊躕悶想（無名氏）……五五三二
躊躕暗想（無名氏）……五五三一
驚回殘夢（沈仕）……一六四一
鶯啼時候（楊慎）……一六九八
鶯啼時候（陳鐸）……六二一
鑑湖佳趣（薛論道）……三二三三
繡窗頻掩（俞彥）……四四八二
艷陽天道（丁惟恕）……四三七七

玉芙蓉

七篇錦綉才（薛崗）……三三九二
三山列畫屏（王克篤）……二九三六
山人今又來（馮惟敏）……二三六〇
山空夜氣高（徐敷詔）……二一四七
千山鳥道無（馮惟敏）……二三九四
千金一刻春（馮惟敏）……二三二五
文光射斗杓（薛崗）……三三九二
天空鴈字懸（馮惟敏）……二三九四
天時暗裏那（無名氏）……五四四四
友山醉似泥（馮惟敏）……二三六〇
平疇麥浪匀（馮惟敏）……二三九四
田間禾黍乾（丁惟恕）……四三六〇
他鄉即故鄉（馮惟敏）……二三六一
冰絲削藕新（王驥德）……三六一七
江山雨後嘉（徐敷詔）……二一四七
同雲素幕垂（沈仕）……一六五一
因他意兒別（馮惟敏）……二四一六

行人陌上心（秦時雍）……二五五七
言合意不合（馮惟敏）……二四一五
初爻小半添（陳子升）……五〇二二
初添野水涯（馮惟敏）……二三四三
村城井水乾（馮惟敏）……二三四三
村醪不論巡（程可中）……四一四四
喫他無限虧（馮惟敏）……二四一六
我愛他形容細又圓（陳所聞）……三八三五
長天暑未消（金鑾）……一八三〇
長松藉石撐（陳所聞）……三八六二
花尖勾五分（王驥德）……三六三二
花前有暗期（吴國寶）……二七二三
花前携手時誓與花常對（吴國寶）……二七二三
花前携手時願與花相似（吴國寶）……二七二四
花神送異香（馮惟敏）……二四二九
枝頭梅子黄（丁惟恕）……四三四三
松盤翡翠稠（陳所聞）……三八六二
東皇節序新（薛崗）……三三九三
東風動客衣（馮敏效）……三五三六
東風柳絮飄（蘭陵笑笑生）……二八一八
東籬菊艷開（李日華）……二八五四
些些櫻顆嬌（王驥德）……三六一七
明月透紗窗（丁惟恕）……四三七三
明珠莫暗投（陳所聞）……三八四二
岩頭曉日昇（薛崗）……三三九三
垂髫被主恩（杜文焕）……四七六三
牧童遥指時（秦時雍）……二五五七
孤舟帶雪行（程可中）……四一四四
秋風雁陣哀（馮敏效）……三五三四
恰纔慶雨澤（馮惟敏）……二三四三
封家十八姨（馮惟敏）……二三四四
春光滿繡幃（馮惟敏）……二三六一
春風芳草香（丁惟恕）……四三四二
春風歲歲來（金鑾）……一八二九
玲瓏雲母牀（王驥德）……三六一八
茅檐燕壘合（馮惟敏）……三三九三
南薰乍入樓（陳所聞）……三八四二
相思病漸深（劉效祖）……二七八七
相思病未休（劉效祖）……二七八七
相思病漸賒（無名氏）……五四四五
相思病轉添（沈仕）……一六五三
相思病轉添每日心頭念（無名氏）……五四四五

相思恨會遲（無名氏）……五四四四
垂楊隱暮鴉（沈仕）……一六三四
看花翠磴迷（王驥德）……三六一八
香風不斷絶（無名氏）……五四四三
香薰緑玉篝（王驥德）……三六一八
風吹蕉尾翻（蘭陵笑笑生）……二八一八
風前柳絲勾（無名氏）……五四四四
風清木葉秋（沈仕）……一六三四
風簾玉馬敲（沈仕）……一六三四
紅舒臉上桃（卜世臣）……四三一四
紅塵車馬諠（秦時雍）……二五五七
幽蘭擅國香（馮惟敏）……二四二九
浮生水聚萍（無名氏）……五四四四
浮生類轉蓬（周履靖）……三五八一
庭除積雨收（王克篤）……二九三七
桃花玉面驄（沈仕）……一六三三
柴桑舊尹家（俞彦）……四四八四
清高碧玉堂（薛崗）……三三九二
莓苔玉露涼（無名氏）……五四四四
梨花散亂飛（蘭陵笑笑生）……二八一八
笛聲正諧和（薛崗）……三三九三
斜啣半月梳（施紹莘）……四五九一
陰雲萬里無（馮惟敏）……二三四四
湘簾捲暮霞（無名氏）……五四四五
曾經玉手拈（施紹莘）……四五九一
琱床綺縠連（王驥德）……三六一九
雲際落冰花（丁惟恕）……四三四三
雲屏畫燭明（徐敷詔）……二一四七
黄花遍地開（蘭陵笑笑生）……二八一八
殘紅水上飄（李日華）……二八五三
殘燈照鳳幃（金鑾）……一八三〇
尋春到野庭（無名氏）……五四四三
鄉山海曙迷（薛崗）……三三九二
新涼咽暮蟬（金鑾）……一八三〇
新荷沼内翻（李日華）……二八五三
新詞信口歌（秦時雍）……二五六七
烟輕蓼穗灘（薛崗）……三三九二
烟籠杜宇魂（沈仕）……一六三三
煙霞氣味新（杜文焕）……四七六三
猿啼兩岸魂（陳所聞）……三八三五
鳩來屋上鳴（馮惟敏）……二三四四
漫空柳絮飛（李日華）……二八五四

端詳我共伊（程可中）……四一四四
寧陵月正明（秦時雍）……二五五八
歌傳碧玉簫（無名氏）……五四四四
銅爐火未紅（王驥德）……三六一八
銅龍夜半催（徐㪍詔）……二一四八
樓頭禁鼓殘（王驥德）……三六一九
餘香冷絳綃（張鳳翼）……二九九三
衝開七里灘（馮惟敏）……二三四三
燈前歲月容（沈仕）……一六三三
霜降水痕收（丁惟恕）……四三四三
霜酣野樹明（陳所聞）……三八七三
簧凋學鳳笙（沈仕）……一六三四
難將性兒拿（馮惟敏）……二四一六
難將風雨調（馮惟敏）……二三四四
鶯翻柳葉稠（陳所聞）……三八四二
讀書期聖賢（無名氏）……五四四五

玉溪清（清江引）

□當温風透疏牖（朱讓栩）……二〇五一
玉露金風月過酉（朱讓栩）……二〇五二
花間春來處處有（朱讓栩）……二〇五一
寒冬夜來客連叩（朱讓栩）……二〇五二

玉嬌枝（玉交枝）

白門楊柳（陳所聞）……三八七二
池塘過雨（夏言）……一五六七
光風霽月（馮惟敏）……二三九二
年光偷眼（俞彦）……四四八三
彤雲密佈（蘭陵笑笑生）……二八四三
波澄太液（夏言）……一五六七
夜涼如洗（夏言）……一五六六
青山如畫（周履靖）……三五九五
青山綿衍（俞彦）……四四八三
青樓滋味（無名氏）……五九四〇
雨生新漲（陳所聞）……三八四九
刺桐花底（楊慎）……一六九〇
佳人堪愛（宛瑜子）……四五一四
春風秋月（馮惟敏）……二三九一
春程搖曳（馮敏効）……三五三七
風來月上（馮惟敏）……二三九二
風前月下（馮惟敏）……二三九二
風亭月館（馮惟敏）……二三九二

風情月貌（馮惟敏）……二三九二
清風明月（馮惟敏）……二三九一
尋花問柳（馮敏効）……三五二九
畫船蘭槳（俞彦）……四四八三
滿山如繡（馮敏効）……三五三〇
嘲風咏月（馮惟敏）……二三九二
嫦娥堪愛（宛瑜子）……四五一一
蝗螂河尾（楊慎）……一六九〇
瓊樓玉宇（夏言）……一五六七
蟾蜍光裏（楊慎）……一六九〇
歸命禮明燈如來（無名氏）……五三二九
歸命禮燈明如來（無名氏）……五三二九
歸命禮仙勝如來（無名氏）……五三二九
歸命禮龍仙如來（無名氏）……五三三〇
歸命禮善思如來（無名氏）……五三三〇
鷓鴣啼起（楊慎）……一六九〇

玉嬌枝帶過四塊玉

夫人利害（無名氏）……五五七五
春宵無價（無名氏）……五五七六
紅蓮白蓮（無名氏）……五五七六
梅香乖劣（無名氏）……五五七五
躭擱青春年少（無名氏）……五五七四
猛聽的杜鵑啼報（無名氏）……五五七七
猛聽的知音同報（無名氏）……五五七八
猛聽的寒蟬高噪（無名氏）……五五七八
猛聽的山童來報（無名氏）……五五七八
黃花初放（無名氏）……五五七七
書生本分（無名氏）……五五七五
敲才死勢（無名氏）……五五七五
瓊花梅花（無名氏）……五五七七

玉簫令

鳳友鸞交（無名氏）……六四六九

甘州歌

天容我嬾（施紹莘）……四六一〇
心慵意懶（常倫）……一八九四
彤雲萬頃（陳所聞）……三九〇九
金風送暑（夏言）……一五八〇
春山翠遶（王九思）……一〇五九
春眠方曉（王寵）……一九一七
幽窗自省（秦時雍）……二五八一

衷腸悶損（王化隆）……四三一九
郵亭煙柳（常倫）……一九〇六
殘星破冥（王化隆）……四三二五
登山渡嶺（周履靖）……三五九三
烟波萬里（周履靖）……三五八二
園亭可假（李應策）……四〇三一
愛我幽暇（李應策）……四〇二七
興亡盛敗（夏完淳）……五一三〇
暫停客馬（李應策）……四〇三一
歸來未晚（王與）……四五八

甘草子

芭蓬下（無名氏）……五五四五
薰風蕩（無名氏）……五五四五

古輪臺

没來由（沈璟）……三七九八
色鮮妍（無名氏）……五八三四
問當時（沈璟）……三七九九
氣騰淩（李應策）……三九八四

本序

漫天風雨送新愁（李開先）……二〇九七

石竹花

佳人何處情鬼肝魔（翁吉熓）……五〇一四
相思最苦（史槩）……三二七三
從他別後（茅溱）……四二三八

石榴花

千秋神物（葉華）……四二五三
世情參破（胡文煥）……三三五九
波心華館（趙南星）……三七七一
佳期重會（無名氏）……五八六九
相思終日（無名氏）……五八七〇
風清日麗（周履靖）……三五八三
俺倚著這碧紗窗讀一會案頭書（徐敷詔）……二一四三
俺搦著這紫霜毫溻一會涴溪箋（徐敷詔）……二一四三
俺披著這黑羊裘看一會早梅枝（徐敷詔）……二一四三
俺扶著這烏藤杖踏一會種瓜園（徐敷詔）……二一四四
俺擁著這黄紬被數一會五更雞（徐敷詔）……二一四四

……二一四四
俺抱著這朱弦琴彈一會採芝歌（徐敷詔）……二一四四
俺掃著這翠筠軒延一會看花人（徐敷詔）……二一四四
俺戴著這青箬笠栽一會早春花（徐敷詔）……二一四四
俺倚著這白石枕聽一會囀枝鶯（徐敷詔）……二一四四
俺曳著這綠荷衣訪一會隱君家（徐敷詔）……二一四四
梅花小蠟（張鳳翼）……二九九四
晴光淑氣（胡文煥）……三三六〇
楚天雲浄（陳所聞）……三九一二
傷春未已那更又傷秋（王田）……一一二五
碧桃花外忽聽一聲鐘（沈璟）……三八二三
懷人千里（陳所聞）……三九〇八
巉巖深夐（周履靖）……三五六〇
聽殘玉漏展轉動人愁（胡汝嘉）……三〇二〇

瓦盆兒

一從分散（唐寅）……一一七二
西陵渡口（史槃）……三二六九
相思到底（高濂）……二九六五
宮砂小印（陳子升）……五〇二二
教人對景（李集虛）……四九二〇
虛堂坐雨（梁辰魚）……二六八五
瞥間又早落紅滿地晚春天（卜世臣）……四三〇六

四犯黃鶯兒

他直恁太情切（無名氏）……五九二九

四犯傳言玉女

短亭分手（楊慎）……一七一六
櫻桃紅小（楊慎）……一七一五

四門子

稽首釋迦牟尼如來（無名氏）……五三四〇
歸命禮無邊光如來（無名氏）……五三四一

四拗子

十月烏鴉排陣（無名氏）……五五三五
十一月朔風如箭（無名氏）……五五三五
十二月三冬景暮（無名氏）……五五三五

四季花

花下緑茵鋪（陳子升）……五〇二一
秋雨過空墀（沈璟）……三七九四
寒氣透疎櫺（梁辰魚）……二六九九
愁他春態暗關情（楊一清）……四九九四
瀟瑟小欄干（張瘦郎）……四八二八

四季春

南無龍德大心佛（無名氏）……五二八六
南無龍吼普稱佛（無名氏）……五二八六

四季盆花燈

纖指巧安排（王驥德）……三六三一

四朝元

功成名遂（朱有燉）……三一九
衣冠奕世（朱有燉）……三一八
春光明媚（朱有燉）……三一八
粉郎姣麗（俞宛綸）……四四九三
清和天氣（朱有燉）……三一九

四園春

料峭東風開小桃（李子昌）……四八七二

四塊玉（普天樂）

斤兩兒飄（蘭楚芳）……三二
玉天仙美女成何濟（無名氏）……五五七九
石爲誓金爲盟（金木散人）……五五八〇
石崇世無雙（無名氏）……五五八〇
江山萬里成何濟（無名氏）……五五八〇
李白好貪盃（無名氏）……五五七九
我事事村（蘭楚芳）……三二
武陵花（陸治）……一九六六
雨不絶（楊廷和）……八四九
春歸去（吴國寶）……二七四六
信物存（王子安）……二八六七
紂王寵妲己（無名氏）……五五七九
效比翼（無名氏）……六一八三
草厦低（無名氏）……六一八二
砌遍谷黄金成何濟（無名氏）……五五八〇
致仕歸（楊廷和）……八四九
貨物收（無名氏）……五五七九
開玳筵（康海）……一三八三
進退機（楊廷和）……八四九

意思兒真（蘭楚芳）……三二
萬卷中（楊廷和）……八四九
敬歸依堅城佛（無名氏）……五二九六
敬歸依生王佛（無名氏）……五二九六
敬歸依堅王佛（無名氏）……五二六九
敬歸依聞名佛（無名氏）……五二九六
敬歸依真聲佛（無名氏）……五二九六
楊貴妃捧硯成何濟（無名氏）……五五七九
遠水明如鏡（楊慎）……一七二五
雙漸貧（蘭楚芳）……三三
霸主楚王孫（無名氏）……五五八〇

四塊玉罵玉郎感皇恩採茶歌

任意行安心坐（康海）……一二六三

四塊金

三峰齊峙（李應策）……四〇五九
江湖散人（王九思）……九八八
初相見時（無名氏）……五五三四
芳亭主人（王九思）……九八八
芙蓉好寨（王九思）……九八八
花枝怯寒（王九思）……九八九
披錦拖玉（李應策）……四〇六七
青雲致身（康海）……一二六七
金風一寨（康海）……一三〇一
客夢纔醒（康海）……一三〇二
前生想咱（無名氏）……五五三三
春風可人（康海）……一三〇一
眠沙枕石（王九思）……九八九
恩多怨多（無名氏）……五五三四
朔風釀雪（康海）……一三〇一
許我陶陶（李應策）……四〇五八
涼亭賞懷（王九思）……九八八
情書到日（無名氏）……五五三四
崔生使錢（王九思）……九八九
裁冰翦雪（王九思）……九八八
博塞投壺（康海）……一三〇二
黃金滿籯（康海）……一四二七
園亭可人（康海）……一二六六
敲冰煮茶（康海）……一三〇二
槐陰滿庭（康海）……一二六七
酷暑撩人（康海）……一三〇二
劉伶好酒（無名氏）……五五三四

薰風惱懷（康海）……一三〇一
鼕鼕塞外（李應策）……四〇六七

四邊静（中央閙）

天啟嘉祥（廖道南）……一九三五
白鷗園上風光好（夏言）……一五七八
因些閑話（無名氏）……五六一三
更闌人静（無名氏）……五六一四
佳人安在（無名氏）……五六一三
國祚萬年（陸深）……一四五八
違咱嚴假（無名氏）……五六一三
繡簾不掛（無名氏）……五六一四

四换頭

赤緊的因説閒話（蘭陵笑笑生）……二八三二

叨叨令

一尊別酒辭君去（無名氏）……五五四六
了相思一夜游（子）（屠隆）……三六〇六
夕陽芳草長亭路（無名氏）……五五四六
方信道書中自有黃金屋（無名氏）……五五四八
不來時懶把蛾眉畫（無名氏）……五五四七
日逐去服吟哦誦離騷追風雅（李應策）……三九九一
今日箇高車駟馬長安陌（王克篤）……二九三三
玉腕消鬆了黃金釧（無名氏）……五五四七
叮嚀約定偷期話（無名氏）……五五五〇
只爲着舌頭尖口嘴多（劉天民）……一六一八
白衣蒼狗時時幻（王克篤）……二九三二
有會兒鼓瑤琴弄雲璈新腔調（李應策）……三九九一
冷時節冷的在冰稜上卧（陳全）……三〇三一
我是箇惜翎毛背錦天邊鷂（無名氏）……五五四八
佛世尊如來（無名氏）……五三一五
青山廓外張良志（無名氏）……五五五一
長干橋畔梁王寺（無名氏）……五五五〇
東來的也寫在牆兒上（無名氏）……五五四五
拈拈恰恰人來倦（無名氏）……五五五〇
金烏半墜啣山玉（無名氏）……五五四九
孤孤另另獨對殘燈照（無名氏）……五五四九
爲頭兒鳳求鸞鸞求鳳斯迤逗（張鍊）……二二八八

春來杜甫尋芳醉（無名氏）……五五五一
春暮歸去無尋路（無名氏）……五五四六
南無至解脱善端嚴佛（無名氏）……五二七二
南無無量遊戲神通佛（無名氏）……五二七二
南無寶月明佛華天佛（無名氏）……五二七三
南無孔雀音佛天光佛（無名氏）……五二七三
南無衆上王佛端嚴佛（無名氏）……五二七三
南無大金仙一切世間佛（無名氏）……五二七〇
南無無量法雲孔王佛（無名氏）……五二七一
南無無量諸天流布佛（無名氏）……五二七一
南無無量不動慧光佛（無名氏）……五二七一
南無無量金剛知山佛（無名氏）……五二七一
南無無量上師子音佛（無名氏）……五二七二
淹淹水裏金山寺（無名氏）……五五五一
淮陰侯滅楚爲元帥（無名氏）……五五五一
羞羞答答懶把菱花照（無名氏）……五五四九
紫燕兒梁上肩相並（無名氏）……五五四七
畫簷間玎玎璫璫鐵馬兒鬧（無名氏）……五五四八
寫一筆走龍蛇帶草連真字（無名氏）……五五四八
熱時節熱的在蒸籠裏坐（無名氏）……五五四六
錦幃不如新栽樹（無名氏）……五五四七
選場開一舉把龍門跳（無名氏）……五五四八
韓信功不如張良計（無名氏）……五五五一
鐘聲殘窗外鷄兒叫（無名氏）……五五五〇
歡歡喜喜多少恩和愛（無名氏）……五五四九

白樂天九歌

從別後（王驥德）……三六二三

白練序（素帶兒）

西風裏（梁辰魚）……二六五八
沉吟久（關思）……四一〇三
長空渺（陶唐）……四九四〇
花初放（無名氏）……五八五六
東風軟（梁辰魚）……二六五七
金風巧（史槃）……三二六六
春光早漏洩（顧鼎臣）……一一九〇
春如綺（施紹莘）……四六四一
春社後（吳國寶）……二七五二
春烟暖（方洗馬）……四九六二
春飄泊（高濂）……二九六四

若耶溪（無名氏）……五八五五
南枝杪（吴國寶）……二七五三
相思擔（陳石坡）……五一四一
秋風起（王驥德）……三六五四
秋容澹（余壬公）……四五六二
重門掩（張瘦郎）……四八〇七
清明後（張鳳翼）……二九九九
涼飈送（顧正誼）……三六九三
湘雲捲（顧正誼）……三六九三
殘月冷（沈瓚）……四一〇六
晴霞起（沈璟）……三七九五
蓮花瓣（王驥德）……三六六五
窺青眼（顧木齋）……五〇八四

白鶴子

方知三教理（朱有燉）……三一七
玉簪香滿徑（朱有燉）……三一七
先天真一氣（朱有燉）……三一七
求名的空自攘（左贊）……四五五
金風殘暑退（朱有燉）……三一六
金風飄敗葉（朱有燉）……三六九
和風開柳眼（朱有燉）……三六九
紅鉛與白汞（朱有燉）……三一七
書齋涼氣爽（朱有燉）……三一七
寂心無象染（朱有燉）……三一七
荷衰青蓋偃（朱有燉）……三一七
欲知鉛汞體（朱有燉）……三一七
欲修千歲壽（朱有燉）……三一七
黄婆心不順（朱有燉）……三一七
達得玄機了（朱有燉）……三一七
碧雲催晚意（朱有燉）……三一七
薰風清竹塢（朱有燉）……三六九
嚴風如箭急（朱有燉）……三六九
劚雲山蕨嫩（左贊）……四五五

仙子步蟾宫（水仙子帶折桂令）

山田薄地負輕犁（丁惟恕）……四三四〇
山光水色列幃屏（丁惟恕）……四三三九
小丫鬟吹着盞短檠燈（馮惟敏）……二四〇九
白綿單展做了黑泥條（馮惟敏）……二四一三
汗巾兒展作錦雲箋（馮惟敏）……二四〇八
老虔婆準備下意兒歪（馮惟敏）……二四一〇

再來不值半文錢（馮惟敏）……二四一二
並頭蓮栽向碧窗紗（馮惟敏）……二四〇五
俏姨夫換了箇禿姨夫（馮惟敏）……二四一三
酒太公站立俺門傍（馮惟敏）……二四〇九
高擎綵鳳一鈎香（馮惟敏）……二四〇五
馬蹄金造就耳剜兒（馮惟敏）……二四〇八
虔婆禱告拜神祇（馮惟敏）……二四一一
剛團圓一片月兒斜（馮惟敏）……二四一二
俺也曾買綾羅裁了些可身衣（馮惟敏）……二四一〇
針尖兒挑繡些霓裳（馮惟敏）……二四〇四
鬼胡尤打扮箇俏冤家（馮惟敏）……二四一一
雪冰肌淺露紫葡萄（馮惟敏）……二四〇三
堂堂相貌土星高（馮惟敏）……二四一四
雲鬟半嚲翦烏金（馮惟敏）……二四〇四
無官方顯一身輕（馮惟敏）……二三六七
葛巾釃酒醉顏酡（丁惟恕）……四三四〇
暖雲窩緊把兩邊遮（馮惟敏）……二四〇七
嬌紅新染鳳仙花（馮惟敏）……二四〇六
整犀梳生怕齒兒抓（馮惟敏）……二四〇三
錦重重繡被展紅鴛（馮惟敏）……二四〇六
篆香壺常把酒兒描（馮惟敏）……二四〇七
邊聲初奏紫宸朝（馮惟敏）……二三六七

仙桂引（水仙子帶折桂令）

一床衾枕一床冰（薛崗）……三三八四
一番期約一番違（薛崗）……三三八三
一層雲樹一層遮（薛崗）……三三八四
一遭別去一遭憂（薛崗）……三三八四
一個家添足畫成蛇（丁惟恕）……四三四八
大年初一好晴明（馮惟敏）……二三二九
大年初一雪花飄（馮惟敏）……二三五六
元宵十五好晴天（馮惟敏）……二三二九
元宵十五雪花飛（馮惟敏）……二三五六
利合名原是是非胎（丁惟恕）……四三五一
高談闊論不投機（丁惟恕）……四三五一
想當年怕盤弄這條蛇（馮惟敏）……二三八一
矮團標俯仰弄煙霞（馮惟敏）……二三八一
曉窗開曙色映茅簷（丁惟恕）……四三四七
魍魎魑魅逞英雄（丁惟恕）……四三六〇
鷗盟常共水雲親（馮惟敏）……二三二四
靈匏聲價重鴟夷（馮惟敏）……二三五五

生查子

嵐光濕布袍（楊景輝）…………五一七八

出隊子

有一個唐朝的李白（無名氏）…………五五四二
有一個良言中不納（無名氏）…………五五四二
有一個石崇那廝膽大（無名氏）…………五五四三
有一個英雄楚霸王（無名氏）…………五五四三
至心頂禮東方阿閦如來（無名氏）…………五三四〇
至心頂禮金剛步積如來（無名氏）…………五三四〇
林泉深邃（朱權）…………二九九
若説道幽軒精緻（朱讓栩）…………二〇五六
若説道幽軒清暇（朱讓栩）…………二〇五七
若説道幽軒日月（朱讓栩）…………二〇五七
若説道幽軒平淡（朱讓栩）…………二〇五七
若説道幽軒誠正（朱讓栩）…………二〇五七
想人似燈（無名氏）…………五五四三
想人似雲（無名氏）…………五五四三
想人似風（無名氏）…………五五四三
想人似花（無名氏）…………五五四三
想人似雪（無名氏）…………五五四三
想人似月（無名氏）…………五五四三
圖王争帝（湯式）…………九六
憐香惜玉（湯式）…………九六
錢神湧論（湯式）…………九六
麴生堪愛（湯式）…………九五

玄妙歌

紫石峰高（李應策）…………四〇九七

六　畫

江兒水（岷江緑　清江引）

一自交遊後（無名氏）…………五五三五
五月榴花吐（徐媛）…………四一七七
月下踈梅影（宛瑜子）…………四五〇七
郎莫開船者（馮夢龍）…………四四二六
望青烟一點（夏完淳）…………五一二九
梅福幽栖處（陳所聞）…………三八七五
寒食厨無火（徐媛）…………四一七七
媚臉芙蓉褪（范允臨）…………四一二〇
輕絮鵝毛疊（徐媛）…………四一七八
夢冷流蘇帳（范允臨）…………四一二〇

對此應知態（宛瑜子）……四五一五
霧捲冰天薄（徐媛）……四一七八

江頭金桂

自嘆我蹉跎半老（馮夢龍）……四四五四
向只道武陵溪遠（醉西湖心月主人）……五二一〇
我自分今生緣淺（張栩）……五〇九七
你自負胸中耿耿（王化隆）……四三二四
昔曾向山陰移棹（沈璟）……三八二七
非是我聲吞氣飲（王化隆）……四三二二
爲學本希賢希聖（王化隆）……四三二四
猛省得東君薄倖（無名氏）……五五三六
曾邂逅城隅月下（沈璟）……三八二〇
最苦是深閨人静（張琦）……四七八一
誰着你當初相見（陸之裘）……二〇一九
憶昔日房櫳遥見（張栩）……五〇九七

亦木兒塔哈

至心頂禮勝聲思惟佛（無名氏）……五三〇五
至心頂禮照輪光明佛（無名氏）……五三〇五
至心頂禮天甘露光佛（無名氏）……五三〇六
至心頂禮菩提光明佛（無名氏）……五三〇六
至心頂禮甘露光明佛（無名氏）……五三〇六

字字錦

勾消宿世緣（施紹莘）……四七三六
東風二月天（無名氏）……五九三〇
秋來怕倚闌（梁辰魚）……二七〇三
羣芳綻錦鮮（楊賁）……二三三

百字令

太平時序（無名氏）……五二一六

西方樂

金粟兒種將來鬱鬱蒼蒼（葉華）……四二四五

西江月

一生榮辱有數（朱載堉）……三四四七
内府衢花綾表（蘭陵笑笑生）……二八二〇
牛膝蟹爪甘遂（蘭陵笑笑生）……二八一九
立志順乎天理（朱載堉）……三四四七
石崇夜夢落馬（朱載堉）……三四四七
自幼乖滑伶俐（蘭陵笑笑生）……二八二〇
君子失時不利（朱載堉）……三四四七

抱着肚兒自在（朱載堉）……………三四四八
面似芙蓉月映（醉西湖心月主人）……五二一二
記得春來遊賞（朱載堉）……………三四四七
紗帳香飄蘭麝（蘭陵笑笑生）………二八二〇
莫逞英雄好漢（朱載堉）……………三四四八
軟弱立身之本（朱載堉）……………三四四八
積善乃遺後慶（朱載堉）……………三四四八

西河柳

紅粉肌（朱有燉）……………………三三一八
膽志矜（朱有燉）……………………三三一九
寶貨盈（朱有燉）……………………三三一八
溵灩觴（朱有燉）……………………三三一八
體態嬌（無名氏）……………………五八四五

西地錦

簾幙瑞煙籠罩（蔡國珍）……………三〇二三

西湖兩六橋

火樹烘春冰輪皎（張栩）……………五一〇六
緑水青山松陰下（朱權）……………三〇〇

西雙合歌調（朝元樂）

柳底風微（劉守）……………………九四三

早鄉詞

竹溪長（康海）………………………一二八七
坐湖濱（康海）………………………一二八八
涑湖漁（康海）………………………一二八七
望方山（康海）………………………一二八七
飯胡麻（康海）………………………一二八七
緑波明（康海）………………………一二八七
撥檀槽（康海）………………………一二八八

回鸞歌

帝苑五雲翔（廖道南）………………一九六〇

朱履曲（珠履曲　紅繡鞋）

一口氣吹開雲散（無名氏）…………五六二四
一代英雄楚項（無名氏）……………五六一八
一疋絹鞋幫剛勾（無名氏）…………五六二二
一曲秋詞口讖（無名氏）……………五六二〇
一夜溪橋粉布（唐復）………………二四一
一帶林泉淡浄（無名氏）……………五六一九

十二營練就熊羆（李應策）……三九九五
八公山未聞鶴唳（李應策）……四〇〇九
七十歲紅鸞入運（無名氏）……五六二〇
七寶床曾頒御饌（李應策）……四〇一三
九里青林如障（唐復）……二四〇
山頂上一座古廟（無名氏）……五六二四
千里吹簫吴郡（蕭古潭）……一五五八
小大姐生得來可喜（無名氏）……五六一七
小大姐緣何挑薺（王田）……一一一六
也不着拜玉堂騎出金馬（李應策）……四〇〇九
也懶去作耳目供奉玉階（李應策）……四〇一八
文字虛花些口識（無名氏）……五六二〇
水雲鄉天開圖畫（楊訥）……二二六
世人從今參破（無名氏）……五六一六
本分隨緣且過（無名氏）……五六一五
可那五爪雞清朝鳴鳳（李應策）……四〇一八
由説鬧攘攘駟馬千乘（李應策）……四〇〇八
交枝艾斜遷朱户（無名氏）……五六二三
忙張張才回三徑（李應策）……四〇〇八
有錢米的渾如靴楦（蕭古潭）……一五五八
因甚麼蓬鬆鬚髻（無名氏）……五六二二
好飲尋常酒債（無名氏）……五六二〇
好笑居上公抹時宗匠（李應策）……三九九七
李太白能文繕寫（楊訥）……二二七
廷尉司蕭何械繫（韓邦奇）……一四七八
住處靠深溪淺澗（無名氏）……五六一六
我也曾披金甲坐鎮玉關（韓邦奇）……一四七七
我也號真贛嶽峙西京（李應策）……三九九四
我也愛藜藿虎豹還山（李應策）……四〇二一
我向山居逍遥自在（無名氏）……五六一四
我愛的是青山疊翠（無名氏）……五六一五
汲長孺南陽臥治（李應策）……三九九五
身子兒生的來偏瘦（王田）……一一一六
那一箇賞玩在銷金帳下（朱有燉）……三四八
東説魯焚了巫玨（李應策）……四〇二一
怕摇碎床頭梧影（李應策）……四〇一五
長江水流不盡心事（無名氏）……五六一七
長彎彎宫腰媚楚（無名氏）……五六一八
金井畔梧桐飄墜（無名氏）……五六二四
金燦爛高低僧刹（楊訥）……二二六
争不多徵九奏續了韶樂（李應策）……四〇一七
恨緑柳鶯啼春晝（無名氏）……五六二二

恨明皇誰吊真妃（李應策）……四〇〇九
計一悟真心脩道（無名氏）……五六一五
要富貴不能富貴（無名氏）……五六二三
挑不起男兒重擔（李應策）……四〇〇六
則爲我今朝不快（無名氏）……五六一七
看來咱着不得權門齷齪（李應策）……三九九四
看到芙蓉池款款蜻蜓（李應策）……四〇一七
笑端揆苞苴勾當（李應策）……四〇〇一
香風暖鶯啼晴晝（唐復）……二四〇
香馥馥櫻桃半顆（王九思）……九九七
秋霜冷金英開綻（唐復）……二四〇
風纔定江村雲淡（無名氏）……五六二三
飛六出平鋪街市（朱有燉）……三四七
秦臺望蕭郎偕鳳（李應策）……四〇〇七
荷的是人世三太（李應策）……四〇〇八
草亭前磨一會鐵硯（林廷玉）……四九一
晃簾幙水光湧湧（林廷玉）……四九一
倚龍顏數批鱗甲（李應策）……四〇〇六
乘興去雖然美話（朱有燉）……三四七
望孤雲悠揚遠岫（一齋）……一五三三
麥穮浪工勤禾嫁（一齋）……一五三三
描不就蜂腰螺髻（陳朝佐）……一五五六
逐不去大奸巨惡（李應策）……四〇一三
造律蕭何拜相（無名氏）……五六一八
貪春色蓬鬆鬌髻（無名氏）……五六二二
款款地分開羅帳（無名氏）……五六一七
喜住靜悄悄清幽庵觀（無名氏）……五六一六
喜節序平生快樂（李應策）……四〇一三
喜遇着太平時世（王九思）……一〇〇三
想我直天階夜聽金鑰（李應策）……四〇二二
想那具二難還幷四喜（李應策）……四〇一四
黃菊留情元亮（無名氏）……五六一八
蛛結網金風淅淅（無名氏）……五六二四
黑虎丹藏歸石竇（林廷玉）……四九〇
傀儡棚眼前耍戲（林廷玉）……四九一
畫板輕金蓮雙壓（王九思）……一〇〇三
悶與漁樵談話（無名氏）……五六一五
悶騰騰爐煙獨對（李應策）……四〇一四
幾葉黃花詩興（無名氏）……五六一九
溪上垂鈎呂望（無名氏）……五六一八
溜星眼偷傳心事（無名氏）……五六二一
愛灑灑故人高蹈（李應策）……四〇一八

稚子村姑荷蕢（無名氏）……五六一九
鉛與汞結成一塊（無名氏）……五六二五
腰繫着檳榔縷帶（無名氏）……五六一六
遠水遥山爲樂（無名氏）……五六一五
遠望着難描難畫（無名氏）……五六一六
竭民膏山積海藏（李應策）……四〇〇四
輕巧似空中飛燕（王九思）……一〇〇四
厭城市塵埃攘攘（林廷玉）……四九一
對寒鐙邊城今夜（韓邦奇）……一四七五
翠袖舞金釵將墜（無名氏）……五六二一
燒餅臉石灰抹就（無名氏）……五六二一
誰不待金章紫綬（楊訥）……二二七
誰肯學言而有信（無名氏）……五六二三
誰啟那周公金匱（李應策）……四〇二一
誰敢近驪龍五采（李應策）……四〇一四
憑誰鎮玉關掃蕩邊疆（李應策）……四〇一七
踏瑞雪蹇驢破帽（朱有燉）……三四七
樂毅腰金入相（無名氏）……五六一八
緑檜青松相近（無名氏）……五六一五
鴛枕歪蓬鬆鬌髻（無名氏）……五六二三
識進退人生有命（林廷玉）……四九一
嚴子陵慣趨拳勢（王九思）……一〇〇四
簾外花香荳蔻（無名氏）……五六一九
嚲雲髻瓊簪斜溜（無名氏）……五六二一
護樵舍幾叢薜荔（林廷玉）……四九一
懸碧漢一彎月影（朱有燉）……三四九
覺半世盧生幻夢（林廷玉）……四九〇
襯落花山雲滿地（林廷玉）……四九一

伊州三台令（鶯啼序）

思量你好辜恩（無名氏）……五九三一

行香子

今日殘春（康海）……一三九八
四海爲心（康海）……一四一二
仙道同人（康海）……一三九六
名利貪婪（無名氏）……六三八〇
忽起秋聲（康海）……一四一〇
得也心焦（無名氏）……六三八一
菊滿東籬（康海）……一四一一
朝也相思（陳鐸）……七一四
塲圃功完（康海）……一三九七
歲月傾跌（康海）……一三九四

羽調排歌

日暖樓臺（沈仕）……一六三二
別酒歌殘（沈仕）……一六五四
何處春來（陳與郊）……三七一五
枕列珊瑚（喬卧東）……四八九五
野渡扁舟（喬卧東）……四八九五
第一嬌娃（唐寅）……一一五〇
第一嬌娃（祝允明）……八七五
萬里西風（卜世臣）……四三〇一
嫋嫋形骸（祝允明）……八七四
碧酒金尊（夏言）……一五七七
鳳嘴銜鈎（沈仕）……一六五三
數盡花開（沈仕）……一六五三
緑颭鶯梭（沈仕）……一六五三
緑酒歌殘（沈仕）……一六五二
鐵馬簷前（喬卧東）……四八九五
鶴帳香消（沈仕）……一六五四
鬢落金鈿（喬卧東）……四八九六

好事近（顏子樂　翠圓枝　杏壇三操）

人去莫登樓（梁辰魚）……二六九一
人境結精廬（歐陽陰惟）……四四六八
六出舞長空（周履靖）……三六〇二
花館貯多嬌（梁辰魚）……二七〇〇
風月兩無功（李文蔚）……四八七五
風雪蕩梅花（高濂）……二九七六
書寄秣陵賒（梁辰魚）……二六八〇
兜的上心來（陳鐸）……六三八
雲雨杳無踪（唐寅）……一一六六
雲雨正堪親（張栩）……五一〇一
貂錦換宮粧（卜世臣）……四三一五
烟柳拂旗亭（施紹莘）……四七三三
瞥見繡筵前（陳所聞）……三九一一
翹首望風雲（陳所聞）……三九四一

如夢令

正好歡娛彩幔（無名氏）……五八三三
叵耐天公搬弄（陳與郊）……三七〇九

七　畫

快活三帶過朝天子

老人星奉玉勑（無名氏）……五六二五

捲江湖才思高（無名氏）……五六二六
想凌烟閣上人（無名氏）……五六二五

快活三帶過朝天子四邊静

有丹青怎下筆（無名氏）……五六二六
忒風流忒俊雅（無名氏）……五六二七

快活年

小小船兒棹滄波（朱有燉）……三二一六
牛背斜陽短笛歌（朱有燉）……三二一六
百萬青蚨怨根芽（朱有燉）……三三三〇
好色荒淫不成家（朱有燉）……三二一九
志氣昂昂逞豪家（朱有燉）……三三三〇
挑月穿雲入煙蘿（朱有燉）……三二一六
納了官糧少差科（朱有燉）……三二一六
傳滿清香玉梅枝（朱有燉）……三〇三
瘦影清香散春晴（朱有燉）……三〇三
醉後神昏眼睛花（朱有燉）……三二一九

汲沙尾（刷子序）

佳節百禎集（無名氏）……五八五七

沁園春

瑞靄祥雲環禁闈（曹氏）……二六三三

沉醉東風

一個巴到晚簷前鬧攘（陳鐸）……五三三
一箇和魯智深同時落髮（無名氏）……五七五三
一天恨眉頭暗鎖（薛論道）……三一三五
一陣陣鶯歌燕舞（王磐）……七八〇
一處處鶯邀燕請（王磐）……七八二
一尊酒能除妄想（張鍊）……二二一八
一會家從頭自忖（劉效祖）……二七八八
一會家從頭自揣（劉效祖）……二七八九
一會家從頭自剖（劉效祖）……二七八九
一會家從頭自數（劉效祖）……二七八九
一醉酒天寬地窄（薛論道）……三一三二
二十年初戰科場（王寅）……二一八五
十五年客生金斗（王寅）……二一八五
十數日何曾見影（王九思）……一〇二一
七十年雄心未已（王寅）……二一八六
七尺低低板牀（湯式）……七六
八十年量猶未老（王寅）……二一八六

八句詩吟窮了賈島（王越）……………四五一
八字眉垂垂壽毫（李應策）……………三九七七
人面前瞞神下鬼（金鑾）……………一八〇八
人爲你生煩惹惱（薛論道）……………三一二六
人爲你名虧行損（薛論道）……………三一二六
人爲你東奔西走（薛論道）……………三一二六
人爲你跋山渡海（薛論道）……………三一二六
入門來説虚調謊（薛論道）……………三一三九
九十年相逢盡許（王寅）……………二一八六
三十年三上南都（王寅）……………二一八五
三十年間故人（湯式）……………七六
三千個煙花隊伍（張鍊）……………二二一九
三萬日時間過了（康海）……………一二一二
三萬日尋常過了（王九思）……………一〇〇七
大小樣桫楠細選（陳鐸）……………六一三
大限到來難避（無名氏）……………五七五四
下場引方才告繳（陳鐸）……………六一三
小詞訟三鍾薄酒（陳鐸）……………六一四
小童子生來俊雅（金鑾）……………一八〇七
口角兒何曾沾着佛法（金鑾）……………一八三二
千里馬終遭羈鞚（夏暘）……………九一九
也不想長生不老（康海）……………一二八九
也不是石家的緑珠風韻（黄峨）……………一九八九
也不愛披襟散髮（楊廷和）……………八四九
也不羨雕梁畫斗（馮惟敏）……………二三九六
也休道誰南誰北（薛論道）……………三一二九
也是咱前生幸美（無名氏）……………五七五三
也是咱前生分福（無名氏）……………五七五三
也是咱前生有情（無名氏）……………五七五三
斗酒釃無勞再買（康海）……………一二一三
六十年薊北驅馳（王寅）……………二一八六
六尺軀不逮曹交（李應策）……………三九七六
心坦坦厚人薄己（無名氏）……………五七四九
五十年參究禪宗（王寅）……………二一八五
五百載天生尚父（康海）……………一二一二
不如意十常八九（薛論道）……………三一二九
不念想其實念想（無名氏）……………五七五二
不得你見官無理（薛論道）……………三一二七
不得你赤身露體（薛論道）……………三一二七
不得你英雄本色（薛論道）……………三一二七
不得你箝舌閉口（薛論道）……………三一二七
歹心腸天生碎瑣（張鍊）……………二二一七

日西飛長繩難繫（夏暘）……九二一
日出後當場曬起（陳鐸）……六一三
今夜淒涼有幾（康海）……一二一四
玄都觀風霜易老（王磐）……七八二
巧笑處偏宜搵口（無名氏）……五七五二
巧機關藏頭露尾（劉效祖）……二七八九
甘一味清安澹泊（無名氏）……五七四八
甘澹泊無驕無諂（無名氏）……五七四五
打扮的腔兒整齊（無名氏）……五七五〇
四十年坐破青氈（王寅）……二一八五
四時中除冬夜永（常倫）……一八七七
他生的金蓮半扎（無名氏）……五七五三
他生的婷婷嬝嬝（無名氏）……五七五〇
他那裏出玉笋輕舒彩箋（王九思）……一〇二〇
他那裡憂愁爲我（無名氏）……五七五二
他那裡雙關拒堵（薛論道）……三一四〇
他那裡歡娛戲耍（薛論道）……三一三七
他既然隨風舵倒（薛論道）……三一三九
印芳塵纖纖樣淺（薛論道）……三一三四
羊腸路天寬地窄（薛論道）……三一二五
守行市隨時不肯（陳鐸）……六一五
守空幃鸞孤鳳寡（薛論道）……三一三五
安排下琴棋書畫（無名氏）……五七四七
老師婆瞞神謊鬼（劉效祖）……二七八九
再休提官高位顯（薛論道）……三一二五
西王母蟠桃送酒（薛論道）……三一三一
西王母離了東島（無名氏）……五七五一
在誰行如魚似水（薛論道）……三一三七
在誰家貪花戀酒（薛論道）……三一三八
有人才雖無衣錦（無名氏）……五七四九
有心的逢着有心（陳鐸）……五一九
有你時人人見喜（薛論道）……三一二七
有你時肥羊美酒（薛論道）……三一二六
有你時眉揚氣吐（薛論道）……三一二六
有你時紅纓白馬（薛論道）……三一二六
列簪纓兵壇將老（無名氏）……五七四三
竹杖子難隨駟馬（王九思）……九六一
竹門外遥山呈秀（夏暘）……九一九
自甘分飲水啜菽（夏暘）……九二〇
行一步值金萬兩（無名氏）……五七五二
名與利難尋佈擺（劉效祖）……二七七四
羽墨色呼稱玄鳥（楊循吉）……八一七

收拾起前遮後擁（薛論道）……三一二五
如花貌天香異種（薛論道）……三一三四
好懶散心無拘累（無名氏）……五七四七
折柳郵亭獨嶼（康海）……一二一四
把雲外青山旋買（陳鐸）……五二〇
步芳堦金蓮樣小（無名氏）……五七五一
困綿綿愁身怕起（薛論道）……三一三五
足不躡官河驛路（夏暘）……九二〇
吹不斷荷香滾滾（王磐）……七八一
呈國色雕欄露清（朱有燉）……三三三
兵之困九邊若此（薛論道）……三一三二
使不出軍門計策（金鑾）……一八〇六
何處覓閬苑瀛洲（夏暘）……九二〇
但得箇歡娛縱酒（常倫）……一八七六
但逢人高高舉手（薛論道）……三一二九
伶俐殺舌甜意巧（王九思）……一〇二一
我則見赤焰焰長空噴火（金鑾）……一八〇七
坐黃昏酒後烹茶（夏暘）……九二〇
那里也伴衰草狐踪兔跡（陳鐸）……五〇三
性不願繁華受享（王寅）……二一八〇
泛遠水衰蒲敗葦（朱有燉）……三八二
放數斗光飛御苑（王磐）……七七九
怕待看蛾眉妒寵（劉效祖）……二七七四
青天外蟾光漸低（陳鐸）……五〇三
青瑣闥争三分震倒（王磐）……七七九
青鏡裏常睄瘦影（王九思）……九八〇
長共短全不在我（薛論道）……三一二九
長洲苑花明劍戟（湯式）……七三
花正發蟾含半規（陳鐸）……五〇二
花香細閒階人靜（楊廷和）……八五〇
花衕衕鶯兒燕子（常倫）……一八七七
芳徑側紅英散錦（張鍊）……二二一七
芭蕉上蕭蕭雨聲（陳鐸）……五二〇
東川老才名山斗（劉良臣）……一五八六
東洋海波濤滾滾（劉效祖）……二七七四
兩三番魂托杜宇（薛論道）……三一三六
兩隻手常持玉斝（王九思）……九六〇
抱甕汲清泉灌圃（湯式）……七四
枕山阿衡門高敞（無名氏）……五七四六
非是俺心腸窄小（薛論道）……三一三六
非是俺癡心懵懂（薛論道）……三一三八
昌黎馬天高地險（薛論道）……三一二五

明湛湛青燈照影（王九思）……九五九
明暮野青山彩霞（王九思）……九六〇
門巷外旋栽楊柳（劉效祖）……二七七五
門對著金天玉闕（彭澤）……八六八
争名利瞞心昧己（劉效祖）……二七八九
受皇家泥金鳳草（無名氏）……五七四三
垂柳外低低粉牆（陳鐸）……五〇二
兒女事隨緣幸了（康海）……一二八九
知己酒重斟痛飲（劉良臣）……一五八六
使不出軍門計策（金鑾）……一八〇六
往日情全然盡改（薛論道）……三一三八
往常時他來敬我（薛論道）……三一三七
金羽麗飛當翠柳（楊循吉）……八一七
金粉翅天生華美（楊循吉）……八一八
金鵲鏡三分鬢改（湯式）……七三
金機響空閨玉梭（蘭楚芳）……三三
承明殿争隨豹尾（李應策）……三九七三
阿監泣清冰玉碗（湯式）……七三
洗耳向窗前碧灣（常倫）……一八七七
美酒兒時閒送來（陳鐸）……五二〇
恨只恨冤家性野（薛論道）……三一三七
訃音至傷心萬端（湯式）……七五
爲功名忠肝抖抖（薛論道）……三一三〇
爲功名氣冲牛斗（薛論道）……三一三〇
爲功名探穴虎口（薛論道）……三一三〇
爲功名腰折五斗（薛論道）……三一三〇
爲多情剜心摘膽（無名氏）……五七四五
拂水面千條柳絲（陳鐸）……五〇四
春馥馥野花綉地（王克篤）……二九二五
茅屋低微吟既可（康海）……一二一三
英雄漢披風冒雨（薛論道）……三一二八
甚可悲無邊苦海（薛論道）……三一三〇
要好時其實就好（金鑾）……一八〇八
耐歲寒千林有幾（薛論道）……三一三二
挑一個劉伶酒壺（王九思）……九六一
背地裏瞞神諕鬼（張錬）……二二一七
是非場休争人我（無名氏）……五七四六
盼不來魚沉雁杳（薛論道）……三一三六
畏四知冰清水冷（薛論道）……三一二八
映晴旭千重異錦（朱有燉）……三四五
昨宵雨月還皎皎（王寅）……二一七九
拜辭了龍樓鳳閣（薛論道）……三一二四

看了他一身貴顯（薛論道）……三一四〇
看了他名韁利鎖（薛論道）……三一三九
看了他官高禄美（薛論道）……三一四〇
看了他争南戰北（薛論道）……三一四〇
看了他高車駟馬（薛論道）……三一四〇
看了他眠遲起早（薛論道）……三一四〇
看了他煩煩惱惱（薛論道）……三一四〇
看了他營營狗狗（薛論道）……三一三九
香馥馥緑荷滿池（無名氏）……五七四七
香疊屑韶華滚滚（王磐）……七八一
秋水共長天一色（康海）……一二一三
待月的佳人命薄（陳鐸）……五一九
垂柳村邊水通（王九思）……一〇一四
風細細凉侵碧紗（陳鐸）……五二〇
風細細穠芳麗景（劉良臣）……一五八五
飛柳岸蘆花滚滚（王磐）……七八一
紅葉塢家家賣酒（王磐）……七八三
紅繡榻朱闌翠繞（王九思）……一〇二〇
海眼靈泉滴瀝（湯式）……七五
海棠花開還未開（鄭若庸）……一七八九
消困悶茶煮銅鐺（夏暘）……九二一
凌煙閣何曾見你（王九思）……九六〇
穿一領麄麄布袍（王越）……四五一
宦海闊煙波萬頃（王九思）……九五九
高枕聽芭蕉奏雨（王磐）……七八〇
祝華封八埏九有（薛論道）……三一三一
庭院悄風摇緑楊（陳鐸）……五〇二
拳來大黄皮嫩雞（湯式）……七四
素質全勝艶姿（湯式）……七六
桃杏色烘開酒興（王克篤）……二九二五
桃花渡佳人流翠（馮延年）……五〇三四
連城璧混同碔砆（夏暘）……九二〇
破衲襖剛能袖手（劉效祖）……二七八九
破陸續青衫旋補（湯式）……七四
挹瑶池金漿玉醴（薛論道）……三一三一
柴門犬時常護守（王九思）……一〇一四
時常裏深居簡出（劉良臣）……一五七九
剛凝眺風生樹杪（楊廷和）……八五〇
骨肉親參商卯酉（薛論道）……三一二八
恩與愛登時頓脱（陳鐸）……五二一
氣布袋裝着快滿（張鍊）……二二一八
借村醪猶堪半醉（王寅）……二一七九

倘無信須當退悔（陳鐸）……五一九
倚着他伶牙俐齒（薛論道）……三一三八
倚着他糖舌蜜口（薛論道）……三一三八
俺也曾投壺打馬（薛論道）……三一三三
俺也曾狐朋狗友（薛論道）……三一三三
俺也曾眠花卧柳（薛論道）……三一三二
俺也曾銀箏象板（薛論道）……三一三三
狼虎隊幾乎着手（金鑾）……一八〇六
留不住烏飛兔走（楊廷和）……八五〇
展花箋川毫未寫（薛論道）……三一三五
清氣壓王維舊譜（無名氏）……五七四九
淺淡粉匀施靚粧（湯式）……七六
净灑掃蒼苔門徑（夏暘）……九一九
這兩日相思病倒（無名氏）……五七四五
這些時逢人就躲（金鑾）……一八〇八
這相思不疼不癢（薛論道）……三一三三
這相思非干爲我（薛論道）……三一三三
這相思越添越有（薛論道）……三一三三
這相思殘生未保（薛論道）……三一三四
這煩惱越添越有（無名氏）……五七五一
這壁廂鷹牙鷂爪（劉效祖）……二七九〇
設盟誓千生萬死（李開先）……二〇九四
望征鴻音疏信杳（薛論道）……三一三五
望翠巘頻移坐榻（康海）……一二一三
寄身在黄塵燕市（無名氏）……五七四七
寂寂窗前月色（張禄）……一四八〇
莫不是捧硯時太白墨洒（王麒）……九二五
莊子夢輕輕按醒（王磐）……七七九
莊嶽間先開故里（馮惟敏）……二三九六
掃萬里龍沙未返（康海）……一二一四
頂半笠黄梅細雨（王磐）……七八〇
梅雨後千聲亂發（王磐）……七七八
帶春雨剛移院側（王九思）……一〇二一
帶春酒微醺半醒（王九思）……九五九
帶暮雨依依敗柳（張鍊）……二二一九
國史院咱曾視草（康海）……一二一二
眼兒裏常常見你（張鍊）……二二二〇
眼腦上恩情易合（陳鐸）……五一九
動人心紅白肉色（無名氏）……五七四五
梨花院盈盈翠鈿（無名氏）……五七四四
梨花淡鞦韆月明（無名氏）……五七五三
欲其角必然無齒（薛論道）……三一三一

貪婪的喬遷疊轉（薛論道）……三一二八
脱離了紫陌紅塵（夏暘）……九二〇
問行踪全忘汉上（王寅）……二一七九
將照影銀燈暫息（陳鐸）……五一九
陷了人常遭告發（陳鐸）……六一四
細端詳風流俊雅（薛論道）……三一三四
湘簾下輕清簫管（陳鐸）……五〇三
窗外竹低垂鳳毛（陳鐸）……五二〇
勞攘處青春易老（張鍊）……二二一八
趁花萼園林賽錦（楊循吉）……八一八
喜四季無邊景象（夏暘）……九一九
喜的是鷄肥酒熟（無名氏）……五七四八
華堂中珠圍翠繞（薛論道）……三一三一
博浪沙輪槌太早（張南溟）……二一四〇
椒柏酒沉酣未醒（王寅）……二一七九
散餘香烟消寶鼎（王克篤）……二九二五
堪笑那奸雄老瞞（無名氏）……五七四六
雲雨散巫山杳杳（張鍊）……二二一九
硬蓮米傷牙怎咬（陳鐸）……五四七
殘病馬加功喂息（陳鐸）……六一五
景好處尋花問柳（史槃）……三二六六
悲饑歲群情擾擾（李應策）……三九七三
悲碩大蕭嵩虛表（李應策）……三九七六
黑黯黯雲遮北斗（陳鐸）……五〇二
貴與賤人休挣側（張鍊）……二二一八
無事累争長競短（王克篤）……二九二四
無價值珍珠慣選（陳鐸）……六一五
喬公案磨牙費嘴（薛論道）……三一二五
進讒口天翻地滚（王九思）……一〇一四
須記的責人責己（薛論道）……三一二八
舒玉笋絲韁欵把（無名氏）……五七五二
畫堂前蜘蛛鬭巧（無名氏）……五七四五
畫閣深不聽啼鳥（湯式）……七四
開口時言談今古（無名氏）……五七四九
閑經卷常爲伴侶（陳鐸）……五二一
閒庭外移牀獨坐（楊廷和）……八五〇
陽綱疎漏而未報（無名氏）……五七四六
結茅廬棲身便了（無名氏）……五七四八
幾番家千思萬忖（薛論道）……三一三九
幾曾見折腰五斗（金鑾）……一八〇六
新篘酒時間送來（無名氏）……五七四四
詩句子時常寄寫（陳鐸）……五一九

道不同干戈便起（薛論道）……………三一二九
勤志把詩書誦講（無名氏）……………五七四九
想陳蕃高懸座榻（無名氏）……………五七四六
想當年名兒噪時（宛瑜子）……………四五二〇
想當初成雙並起（無名氏）……………五七五〇
想當初鶯儔燕侶（薛論道）……………三一三八
想當初鸞笙鳳簧（宛瑜子）……………四五〇六
想當時情膠意漆（薛論道）……………三一三九
楫耿耿銀河清淺（王克篤）……………二九二五
摇不醒鸞交鳳友（無名氏）……………五七五一
運不通黄金失色（薛論道）……………三一二八
遇白髮授經老友（王寅）………………二一八〇
愚自愚不奸不狡（薛論道）……………三一二八
愛你時懷中抱摟（陳所聞）……………三八八一
愁布袋拆開罷手（劉效祖）……………二七八九
矮簷楹無罣無礙（馮惟敏）……………二三九六
催暮景寒飈滚滚（王磐）………………七八一
鉛華樹春風甚早（湯式）………………七五
腰肢細三春緑柳（無名氏）……………五七四四
裝幾車兒羊毛筆管（康海）……………一三〇四
滿池中清波滚滚（薛論道）……………三一三六
滿百年光陰有幾（王寅）………………二一八六
漫逍遥投壺射垜（劉良臣）……………一五八六
養孟子浩然之氣（無名氏）……………五七四六
榮晝錦腰金衣紫（王九思）……………一〇〇九
説不想心中又想（薛論道）……………三一三八
説老子甲兵練曉（無名氏）……………五七四四
敲晚節千竿翠響（王磐）………………七八一
熬天上玲瓏玉髓（王磐）………………七八〇
遠閑愁三聲好好（王克篤）……………二九二四
遠聽了龍墀鳳閣（夏暘）………………九二一
榾柮火強如獸炭（夏暘）………………九二〇
輕信你糖舌蜜口（薛論道）……………三一三七
輕薄交中年漸謝（王寅）………………二一七九
殢煙花疏親慢友（張鍊）………………二二一七
摳牙鬼粟陳貫朽（薛論道）……………三一二七
厭塵海龍蛇混攘（汪廷訥）……………四一九三
照粉面常依緑水（陳鐸）………………五一八
對黄昏一簾月影（薛論道）……………三一三六
對菱花無顔落色（薛論道）……………三一三六
對語笑清華自別（金鑾）………………一八〇七
鼻凹裏砂糖怎餂（金鑾）………………一八〇八

數花甲重逢戊子（王九思）……九八〇
數萬里江湖氣色（王九思）……九九四
數椽屋藏風避雨（無名氏）……五七四六
噴香雪梨花碎剪（王九思）……一〇二一
蝸角名徒勞技痒（劉效祖）……二七七四
歎白髮新來漸長（金鑾）……一八〇六
歎萋斐還成貝錦（王九思）……九八〇
舞飄飄飛瓊亂撒（無名氏）……五七四八
鋪水面輝輝晚霞（陳鐸）……五〇四
鋪遍地緑苔芳草（無名氏）……五七四七
銷午夢清茶漱口（王磐）……七八三
緑陰陰桑榆門巷（夏暘）……九二〇
濃陰處苔痕掃破（楊廷和）……八五〇
頭上錦雲昏舞袖（程可中）……四一四九
整桶價洗漿洗擺（陳鐸）……六一四
擔驚怕官船薦新（陳鐸）……六一四
餞阿咸白頭老叟（王寅）……二一八〇
錦屏開花滿春山（夏暘）……九一九
錦帆落天涯那答（湯式）……七二
錦燦爛六橋畫舟（湯式）……七三
鴛帳冷梅花夢悄（王磐）……七八二
躲避了邛崍九坂（劉效祖）……二七七五
鳳凰去蒼梧葉枯（湯式）……七四
翠篁涼蝴蝶夢醒（張錬）……二二一九
聞理亂埋頭縮頸（金鑾）……一八〇六
緑柳外雙吟暮蟬（陳鐸）……五〇四
緑陰陰桑榆門巷（夏暘）……九二〇
實支與官糧一斗（金鑾）……一八〇七
實指望天長地久（薛論道）……三一三七
實指望姻緣永久（薛論道）……三一三八
窮福分剛消薄産（劉效祖）……二七七五
窮快活説來不假（劉效祖）……二七七五
諸般病求醫便好（無名氏）……五七五二
課蜜的成行隊擺（王磐）……七七九
誰識得青萍緑綺（夏暘）……九一八
論見景輸咱見景（金鑾）……一八〇八
論風流潘安出色（薛論道）……三一三六
論體面雜攢異骨（無名氏）……五七五〇
駟馬車虛舟飄瓦（薛論道）……三一二五
模樣兒雖然典雅（薛論道）……三一三七
撥銀箏雙籠玉笋（薛論道）……三一三四
數十年遮風庇雨（馮惟敏）……二三九六

鴛鴦浦天南地北（薛論道）……三一三五
賽笙歌鶯啼燕語（彭澤）……八六七
戴一頂平頭帽子（王九思）……一〇一四
霜信促寒蛩近牀（湯式）……七七
檀口兒櫻桃些小（無名氏）……五七五一
檀板歇聲沉鷓鴣（湯式）……七五
氈毛蹇穩如駿馬（薛論道）……三一二五
轉槐陰朱明日永（夏暘）……九一九
舊中的人人傾倒（金鑾）……一八三二
擺脱了功名樣子（無名氏）……五七四七
關心事你須自思（宛瑜子）……四五〇八
繡几上香焚寶鴨（王九思）……一〇二〇
繡榻上晴霞亂擁（王磐）……七八二
寶釧小輕籠玉粧（王九思）……一〇二〇
寶鏡缺青鸞影孤（湯式）……七五
簾影內一團窈窕（弭來夫）……二一四一
懶散中工夫別樣（無名氏）……五七四八
嬾提他禪家公案（夏暘）……九二一
鏡裏容顏漸老（常倫）……一八七七
斲輪齋辭別故里（王寅）……二一八〇
飄一葉金井梧桐（夏暘）……九一九
驀聽的蟬聲高噪（無名氏）……五七四八
露湘裙金蓮最小（薛論道）……三一三四
驚曉夢數竿翠竹（常倫）……一八七六
變山色朝夕異景（王九思）……九六〇
籠夜月千機絳紗（陳鐸）……五〇三

孝南枝（孝南歌）

行行淚（劉龍田）……二〇三六
章臺事（趙南星）……三七五三
眼球兒裏覷（趙南星）……三七五二

孝南歌（孝南枝）

情難盡（梁辰魚）……二六五三

折桂令（天香引　折桂回　步蟾宮　廣寒秋　蟾宮曲　天香第一枝　秋風第一枝　秋風第一枝）

一更初獨牧青牛（張全一）……二五五六
二十年不到南樓（無名氏）……五七五八
二十年不到梁園（無名氏）……五七五八
二更裡匹配調和（張全一）……二五五六
十年一夢邯鄲（無名氏）……五七五五

人王佛（無名氏）……五二六六
人生難得清閒（劉效祖）……二七七二
三十年狼藉狂遊（無名氏）……五七七二
三更中一陽纔萌（張全一）……二五七
下山來逐日窮忙（馮惟敏）……二三六一
下疎簾小院幽哉（常倫）……一八七二
大天佛（無名氏）……五二六六
大明佛（無名氏）……五二六四
大規模内苑傳來（陳鐸）……五八四
山林清趣誰知（劉效祖）……二七七二
山林喜見陽春（夏暘）……九一四
山林隱跡閒居（夏暘）……九一三
上高城歎息金陵（韓邦奇）……一四七〇
小吟窩正倚雲寰（王九思）……一〇一二
小壺天絶勝華清（陳鐸）……五二四
小哥哥大様村筋（張誠菴）……二五五三
小盃盤整整齊齊（無名氏）……五七七九
小庭閑何處風雷（康海）……一二一八
小桃開園苑閑遊（康海）……一二二一
小軒窗閒似蓬萊（陳鐸）……五〇六
小園亭日日狂歌（王九思）……九五六
小園亭妄擬蓬萊（王九思）……九五六
夕陽沉攜手西樓（陳所聞）……三八八一
天生你端要磨咱（黄峨）……一九八五
五更終添汞抽鉛（張全一）……二五七
支楞争絃斷休彈（無名氏）……五七六〇
日初紅影射欄干（陳鐸）……五二六
日閒何事堪爲（夏暘）……九一五
手兒閑懶動金針（無名氏）……五七五四
半生來百事無能（王克篤）……二九二〇
半生奔走紅塵（夏暘）……九一五
半生魔酒病詩癯（常倫）……一八七一
半含羞同入紗幮（無名氏）……五七七九
平生好肥馬輕裘（常倫）……一八七二
平白地樓閣千尋（馮惟敏）……二三七七
平泉莊千載稱奇（馮惟敏）……二三七七
玉肌膚軟襯酥胸（陳鐸）……五二五
玉釵分寶鑑羞看（無名氏）……五七七〇
玉樓仙暫下金門（王九思）……九五五
玉爐中火煖如春（常倫）……一八七二
正青春窈窕龐兒（無名氏）……五七八一
正和風麗日遲遲（無名氏）……五七五七

正春風布穀聲喧（康海）……一二二〇
巧名兒誰與安排（無名氏）……五七八〇
功名事一筆都勾（無名氏）……五七八三
春去也榆樹飛錢（無名氏）……五七五五
世事多少參差（劉效祖）……二七七二
可人心二八嬌娥（朱有燉）……三二一一
可人心年少嬌娃（朱有燉）……三二一一
可人心年少嬌娃（陳鐸）……五七四
可人心俊俏嬌姿（無名氏）……五七六八
可人心俊俏嬌姬（無名氏）……五七六八
可人水緑山青（夏暘）……九一四
可憐人病裏殘春（蘭楚芳）……三四
本是個看經念佛的菩薩（無名氏）……五七八二
本是箇章臺前路柳牆花（朱有燉）……三六三
瓦盃盛酒且盤桓（王克篤）……二九二三
北邙山楚漢争鋒（無名氏）……五七五五
且停杯試把歌聽（楊慎）……一七〇三
四十已去五十過（王克篤）……二九二三
四更殘飲罷醍醐（張全一）……二五七
四時景色無邊（夏暘）……九一四
仙光佛（無名氏）……五二六五
乍行來甚麽風吹（程可中）……四一四五
乍別離半霎難當（無名氏）……五七七七
生來的性懶心慵（丁惟恕）……四三五一
印香埃底樣弓弓（無名氏）……五七六二
付功名百尺竿頭（無名氏）……五七八四
仗分紅劈緑爲活（陳鐸）……五八五
出胎胞就愛奢華（丁綵）……三二八八
出褒城望望中梁（楊廷和）……八三八
江天四幙雲垂（無名氏）……五七五九
江東倦客淹留（無名氏）……五七五九
江城夏日空閑（無名氏）……五七五九
江頭躍馬塵埃（無名氏）……五七五九
老先生不愛繁華（王克篤）……二九二〇
老先生自在悠悠（無名氏）……五七七四
老先生拙計如鳩（無名氏）……五七七四
老先生身外何謀（無名氏）……五七七四
老先生事事堪留（無名氏）……五七七四
老來驚見飛蓬（夏暘）……九一五
老書生稚子山妻（無名氏）……五七七三
西湖春景偏宜（無名氏）……五七六〇
西湖夏景偏嘉（無名氏）……五七六〇

西湖秋景偏高（無名氏）……五七六〇
西湖冬景偏妍（無名氏）……五七六〇
百年人休問生涯（無名氏）……五七七一
百年身幾度青春（無名氏）……五七七三
早春天風雨瀟條（王寅）……二一七八
丟開利鏁名韁（夏暘）……九一三
自別離愁病難禁（無名氏）……五七六九
自從回到家山（夏暘）……九一四
自歸來無惱無嫌（康海）……一二一九
自傷嗟分淺緣薄（無名氏）……五七七七
自歸來農圃優游（馮惟敏）……二三三八
向通衢物攘人稠（陳鐸）……五八五
好花枝國色天香（黃峨）……一九八六
好供給繪手施呈（陳鐸）……五八五
泛金波有女同舟（楊慎）……一七一〇
没來由拜月東牆（盛從周）……二六九
没樑桶兒你也休提（無名氏）……五七五五
冷清清人在天涯（無名氏）……五七七七
杜韋娘瘦損嬌姿（張鍊）……二二二四
杜鵑啼月上三更（無名氏）……五七六九
別離話萬萬千千（無名氏）……五七八二
別離愁萬種千端（無名氏）……五七七八
助醫人門面開張（陳鐸）……五八六
困騰騰夢醒三更（丁惟恕）……四三七三
告蒼穹您是聽咱（陳鐸）……五二五
牡丹般素體輕盈（無名氏）……五七八〇
利名心一筆都勾（無名氏）……五七六六
伴淵明且醉黃花（楊慎）……一六九七
佔獨行裱褙家傳（陳鐸）……五八七
但開罇不索推拖（趙南星）……三七五四
坐名園日日開尊（康海）……一二一九
坐南軒細雨如篩（康海）……一二一九
坐棕篷朝鼓鼕鼕（姜恩）……二〇三一
並頭花春晚齊芳（陳鐸）……五二五
怕相思弄假成真（盛從周）……二七〇
怕春歸日日尋春（康海）……一二八〇
怕黃昏枕剩衾寒（無名氏）……五七六九
夜筵開玉指銀箏（常倫）……一八七二
青山深處逃名（夏暘）……九一三
長安路平原膴膴（姜恩）……二〇三一
芰荷香新雨池塘（盛從周）……二七二
枕高岡坐占鷗沙（楊慎）……一七〇九

恰相逢月正圓時（陳鐸）……………五二三
恰相逢景物新秋（于慎思）…………三二五二
恰歸來又見青春（常倫）……………一八七一
恨杜鵑聲透朱簾（無名氏）…………五七七六
恨芙蓉帳冷春宵（無名氏）…………五七七五
恨東風落盡紅蕤（康海）……………一二一八
恨無端報曉何忙（徐遵諭）…………八九九
客來時剛罷琴書（張鍊）……………二二二三
宦山城十載劬勞（瞿佑）……………二七五
恠東皇苦勒花枝（王九思）…………九五六
突看見渭陽故莊（李應策）…………三九七〇
爲別離粉悴胭憔（無名氏）…………五七七八
爲風流勾引春情（黃娥）……………一九八五
春風窈窕娘兒（無名氏）……………五七五九
玳筵前何事風流（無名氏）…………五七六五
苦合甜盡在心間（丁綵）……………三二八三
甚來由爲這些兒（程可中）…………四一四六
甚風兒吹到梅谿（陳與郊）…………三七〇六
卧煙蘿懶去逢迎（葉華）……………四二四四
相逢盡道休官（無名氏）……………五七五五
柳青娘多少尷尬（盛從周）…………二七〇
枕痕紅界破桃腮（陳鐸）……………五一四
抱一腔萬古全愁（吕坤）……………三四六二
雨聲寒秋氣瀟森（常倫）……………一八七一
兩月來不見開晴（王克篤）…………二九二二
兩般兒插翅的蛆蟲（黃祖儒）………三九五四
兩情濃準備俄延（無名氏）…………五七八〇
兩船兒分載離愁（陳與郊）…………三七〇六
到春來景物堪奇（無名氏）…………五七六六
到夏來景物偏長（無名氏）…………五七六六
到秋來景物堪憐（無名氏）…………五七六七
到冬來景物堪誇（無名氏）…………五七六七
到黃昏更鼓聲疾（無名氏）…………五七六七
拚千金價值千金（盛從周）…………二七〇
近別離怎地捱波（盛從周）…………二六九
近新來百費俱捐（馮惟敏）…………二三三八
門輕敲窗上虛彈（無名氏）…………五七六九
居鄰農圃漁家（夏暘）………………九一五
屈指數别後經年（丁綵）……………三三〇五
金剛佛（無名氏）……………………五二六五
金華佛（無名氏）……………………五二六五
洗胭脂壓盡瓊芳（無名氏）…………五七八一

柳陰中小小池亭（楊廷和）……………八三八
南樓上雁過成雙（無名氏）……………五七五六
南牕一枕高眠（劉效祖）………………二七七二
挂冠別卻皇州（夏暘）…………………九一三
是前身書鬼文仙（吕坤）………………三四六三
是誰家掌上雲英（楊慎）………………一七〇七
盼多情怪底春歸（無名氏）……………五七六一
盼佳期鎮日牽情（無名氏）……………五七六三
映碧空月影初圓（李應策）……………三九七二
看人情世態偏別（馮惟敏）……………二三三四
看花枝最好棠棃（王九思）……………九五六
怎生來不理瑤琴（常倫）………………一八七二
俏心兒忒索着迷（王九思）……………一〇二二
俏多情忒也撒乖（于慎思）……………三二五二
俏儀容不亞紅綃（無名氏）……………五七七六
俊周郎胸次非凡（于慎思）……………三二五三
待咱來仔細端詳（王九思）……………一〇二二
促行裝短劍孤裘（陳鐸）………………五二六
急流中纜住扁舟（無名氏）……………五七六四
眉山學士重來（洗塵）…………………一四四七
負心的萬代無情（無名氏）……………五七六八
負良宵誤了佳期（無名氏）……………五七七八
紅塵不到開門（劉效祖）………………二七七二
紅塵奔走多年（夏暘）…………………九一三
海天晴一帶朝霞（朱有燉）……………三三九
海雲收雪霽山青（馮惟敏）……………二三三六
海棠開新燕來時（楊慎）………………一七一一
浮生五十已無聞（王克篤）……………二九二三
浮圖正對圭峰（王九思）………………九五五
送行人西出陽關（丁惟恕）……………四三四五
朔風寒吹下銀沙（無名氏）……………五七五七
剡溪藤一片生光（楊循吉）……………八二〇
被東風老盡天台（盛從周）……………二七二
記相逢月地雲階（黄峨）………………一九八一
記相隨並枕同衾（黄峨）………………一九八一
記風流窈窕知心（黄峨）………………一九八二
記相思俊俏嬌娃（黄峨）………………一九八二
記當時遊賞仙鄉（瞿佑）………………二七九
記銷魂雁齒橋邊（楊慎）………………一七〇五
衰軀頗怯寒颷（夏暘）…………………九一五
祖鞭催行色匆匆（王克篤）……………二九二二
草堂間雅樂何如（陳鐸）………………五〇六

帶花枝笑撚花枝（無名氏）……五七七五
剔寒燈良夜深沉（薛崗）……三三八九
笑人家勞力勞心（丁惟恕）……四三七〇
笑吾生天地之間（馮惟敏）……二三三四
笑吾曹苦志勞形（張錬）……二二二四
笑相携同上西樓（無名氏）……五七七九
笑浮生何苦煎熬（王寅）……二一七七
笑當年半紙功名（馮惟敏）……二三六二
笑新來兩鬢生花（康海）……一二二一
俯清漪鏡裏波紋（無名氏）……五七六一
倩紅卿鎮日凝眸（于慎思）……三二五三
倚山臨水安居（夏暘）……九一四
倚天寒百尺危樓（無名氏）……五七七一
倚西樓冉冉離魂（吕坤）……三四六四
倚芳洲誰復相攀（李應策）……三九六九
倚清江高棟飛雲（無名氏）……五七八一
倚柴扉醉眼朦朧（無名氏）……五七六六
倚雕闌自折紅香（王九思）……一〇二二
倚雕欄倦理春雲（陳與郊）……三七〇六
倦怯怯懶整雲翹（丁惟恕）……四三五九
俺漁家樂以忘憂（陳所聞）……三八八二
俺樵夫樂以忘憂（陳所聞）……三八八二
俺農家樂以忘憂（陳所聞）……三八八二
俺牧童樂以忘憂（陳所聞）……三八八二
寄多情一根簪兒（無名氏）……五七六八
寄與他三負心那個喬人（黄峨）……一九八七
寂寂寞寞子雲居（王克篤）……二九二三
這雲山何日忘之（王九思）……一〇一二
這廝本是粗豪（無名氏）……五七八三
這闞兒無了無窮（王磐）……七九〇
這離愁半霎兒難瞞（無名氏）……五七六五
產端谿鸜目堪稱（楊循吉）……八二〇
惜花心貪看香苞（楊廷和）……八三七
望西巖古木森森（姜恩）……二〇三〇
望崦西芳草菲菲（康海）……一二八〇
望雲亭一派笙歌（常倫）……一八七一
荷兄家特地相招（王克篤）……二九二一
掩重門睡損胭脂（陳鐸）……五一四
掛崖龕雲樹叉枒（馮惟敏）……二三六二
眼看看六十生辰（丁惟恕）……四三六五
眼前寵辱休驚（劉效祖）……二七七二
眼前誰是知音（劉效祖）……二七七三

問先生歸計如何（馮惟敏）……二三八七
問先生歸計何如（馮惟敏）……二三八八
問先生何計存身（馮惟敏）……二三八八
問先生何處安歇（馮惟敏）……二三八八
問先生載酒何之（康海）……一二一八
問先生酒後何如（王世貞）……二九一七
問先生不飲何如（王世貞）……二九一七
問何如范蠡扁舟（簡紹芳）……二〇二一
問仙翁何嗜先春（朱有燉）……三二七
偶相逢花貌娉婷（無名氏）……五七七八
得安閑便是神仙（康海）……一二一八
脱綃裳初試蘭湯（無名氏）……五七七九
脚蹤兒海角天涯（常倫）……一八七一
減芳容不逞春嬌（丁惟恕）……四三五六
善歌彈事事相宜（無名氏）……五七八一
普聲佛（無名氏）……五二六六
趁青春僕轎安排（無名氏）……五七五七
喜天公有眼看人（康海）……一二八一
喜今宵節届端陽（王克篤）……二九二一
喜江南出色娉婷（無名氏）……五七八一
喜同來二妙三宜（康海）……一二八一
喜東風又送春來（康海）……一二二〇
喜重逢舜日堯年（康海）……一二一七
喜春來倚杖看山（康海）……一二八〇
喜朝中一旦除名（馮惟敏）……二三三四
喜新來萬事無干（康海）……一二一九
喜歸來正遇端陽（張鍊）……二二二三
華清池流水溶溶（楊慎）……一七〇三
黄雀風摇曳緑陰（李應策）……三九七八
棘籬低直抵碧溪（陳鐸）……五三四
鬲津河十里别君（薛崗）……三三八九
紫毫長製自蒙恬（楊循吉）……八二〇
紫毫書小研紅銷（楊慎）……一七〇七
紫雲居白露洲邊（張鍊）……二二二二
紫楓香大樣柴松（陳鐸）……五八六
晚風寒簌下珠簾（無名氏）……五七五八
喚玲瓏莫唱黄鷄（楊慎）……一六九六
喚奚奴灑掃茅齋（張鍊）……二二二三
最樂哉野外農夫（朱載堉）……三四五二
最樂哉野外山人（朱載堉）……三四五二
最樂哉野外仙翁（朱載堉）……三四五二
最樂哉野外莊家（朱載堉）……三四五二

無謀短髮漸星星（王克篤）……二九二三
傍林泉尋一處莊窠兒女們孝順爺娘（彭澤）……八六四
傍林泉尋一處莊窠擺脱了利索名繮（彭澤）……八六五
傍林泉尋一處莊窠引著俺鬧眼的娃娃（彭澤）……八六五
傍林泉尋一處莊窠地隔紅塵（彭澤）……八六五
傍林泉尋一處莊窠本分生涯（彭澤）……八六五
傍林泉尋一處莊窠屋倚青山（彭澤）……八六五
傍林泉尋一處莊窠松偃蒼龍（彭澤）……八六五
傍林泉尋一處莊窠蓋兩間小小書齋（彭澤）……八六六
傍雲林小結茅窩（王克篤）……二九二一
衆神祇見數還錢（陳鐸）……五八六
畫堂深有信難通（無名氏）……五七五五
畫堂深漏滴偏長（無名氏）……五七七五
悶無聊忽報佳音（丁綵）……三三〇五
悶無聊獨倚幃屏（無名氏）……五七六九
悶懨懨何日相逢（無名氏）……五七七七
悶懨懨愁恨多時（無名氏）……五七六七
閒身且任徜徉（劉效祖）……二七七二
閒居喜見炎光（夏暘）……九一四
閒看世態澆漓（夏暘）……九一三
賀東君不索題詩（沈自徵）……四七八五
結同心盡了今生（徐遵誨）……八九八
結茅廬正對山尖（康海）……一二一九
幾行雁字寫長空（王克篤）……二九二四
羨先生半百年華（王寅）……二一七八
羨先生花柳偷閑（薛崗）……三三八八
羨先生詩酒盤桓（薛崗）……三三八八
羨先生山水流連（薛崗）……三三八八
羨先生風月獨擔（薛崗）……三三八八
誅茆築室林邱（夏暘）……九一五
遍經過流水桃花（張鍊）……二二二四
載西湖何處西施（陳與郊）……三七〇七
萬松深護野雲隈（王克篤）……二九二四
遠離仕路朝班（夏暘）……九一四
想人生不得十全（無名氏）……五七六五
想人生最苦別離似精磚上摔碎青銅（無名氏）……五七六四
想人生最苦離別怕的是他上雕鞍（無名氏）……五七六四

……五七六四
想人生最苦離別別離處雖是匆匆（盛從周）……二七一
想人生會少離多（無名氏）……五七五七
想多情恨殺薄情（無名氏）……五七五四
想多情盼殺多情（無名氏）……五七七〇
想英雄四海爲家（楊慎）……一七〇七
想昨宵雲夢陽臺（無名氏）……五七七三
想情人別後身安（無名氏）……五七五六
想當歸一字成親（無名氏）……五七八二
想雕鞍何處追遊（無名氏）……五七七七
感皇恩致仕歸來（楊廷和）……八三八
搗玄霜模質如圭（楊循吉）……八二〇
歲寒時誰結幽盟（張鍊）……二二三三
歲華除一夜春來（王克篤）……二九二一
園亭路盡剪蒿萊（王九思）……一〇一二
遇行雲音似珠垂（無名氏）……五七七六
過甲子幾度春秋（丁惟恕）……四三七一
過青橋十里平沙（張鍊）……二二二三
亂紛紛玉蕊冰花（楊慎）……一七二一
愛元宵三五風光（無名氏）……五七五八
解紅綃初試蘭湯（陳所聞）……三八八一
解愁煩辟谷郊東（無名氏）……五七七三
粲東籬孃孃花開（呂坤）……三四六三
會騰那絹帛綾紗（陳鐸）……五八六
碧山翁近日行藏（王九思）……九九三
碧天涼大火西流（無名氏）……五七八〇
碧梧桐高護茅廬（常倫）……一八七一
瑣窗深有信難來（無名氏）……五七六二
瑣窗寒燭影搖紅（陳鐸）……五〇六
夢不到玉砌金鑾（無名氏）……五七七一
慶朱明歲歲茲辰（李應策）……三九七八
嘆人生日月如梭（無名氏）……五七六五
嘆人生石火風燈（王克篤）……二九二二
嘆人情不繫之舟（馮惟敏）……二三三四
嘆世間多少活人（無名氏）……五七七一
嘆光陰易去難留（張鍊）……二二二四
歎光陰疾似東流（王九思）……一〇一三
嘆歎成巢百樣焦勞（丁惟恕）……四三五三
歎孤臣萬里迢迢（姜恩）……二〇三〇
歎流光易去難來衣紫腰金（康海）……一二二一
歎流光易去難來昨日春歸（康海）……一二一八

歎流年易似奔濤（康海）……一二一七
歎紛紛蟻戰南柯（葉華）……四二四三
嘆盧生休夢黄粱（楊慎）……一六九七
對西風兀自凄然（趙南星）……三七五三
對青山錦繡筵開（王九思）……九五五
對菱花立傍紗窗（無名氏）……五七六三
對粧奩倦拂香塵（盛從周）……二七一
鳳釵彈衣染鶯金（無名氏）……五七七五
翠屏深兩兩紅粧（陳鐸）……五〇五
翠絲風剪緑楊稀（黄淮）……二八七
翠巍巍柏子浮煙（馮惟敏）……二三三三
翠彎彎兩道眉兒（無名氏）……五七六八
隔花陰忽聽瑶箏（無名氏）……五七七二
論干支應驗如何（馮惟敏）……二三五五
寫長空萬點歸鴉（無名氏）……五七五六
寫春聯遍帖柴門（馮惟敏）……二三三三
醉時眠醒後何之（朱有燉）……三一二
醉登樓王粲思鄉（無名氏）……五七七〇
醉酴酥午夢初回（康海）……一二二〇
數年間投老山村（馮惟敏）……二三六一
僻居事少心閒（夏暘）……九一五
舞長空瑞雪繽紛（吕坤）……三四六三
駕輕車出入皇朝（王化隆）……四三三四
樂昇平兩個詩翁（王磐）……七九〇
樂遊園嫩水嬌雲（張錬）……二二二二
緑窗前白晝沉沉（無名氏）……五七六三
憶當年落魄山中（趙南星）……三七五三
憶蓬萊奏賦前年（康海）……一二二〇
燈兒昏懶動金針（盛從周）……二七〇
燒榾柮老瓦盆中（馮惟敏）……二三三三
龍華佛（無名氏）……五二六五
醒來時日轉窗紗（常倫）……一八七一
樹王佛（無名氏）……五二六六
磣圪支蝸角虚名（趙南星）……三七五三
曉風輕露滴銀牀（朱有燉）……三一二
錦城中畫繡來游（楊廷和）……八三九
錦城中畫繡歸來（楊廷和）……八三九
錦城中畫繡行歌（楊廷和）……八三九
錦城中畫繡閒行（楊廷和）……八三九
錦筵前邂逅吴姬（王寅）……二一七八
錦機殘一幅迴紋（無名氏）……五七五四
應天佛（無名氏）……五二六五

燦文星世世重輝（馮惟敏）……二三三一

折腰一枝花

堪嗟命裡薄（無名氏）……五四六六
紫陌紅徑（蘭陵笑笑生）……二八三九

村裏迓鼓

正值着太平時序（陳鐸）……七二六
正直着麗人天氣（無名氏）……六〇一八
半生修道（無名氏）……六〇二五
他生的可人模樣（無名氏）……六〇二四
我向這水邊林下（無名氏）……六〇一七
則爲那可人心意（無名氏）……六〇二二
則爲聖皇眉壽（無名氏）……六〇一九
則俺這一生歡愛（無名氏）……六〇二三
時遇着萬年歡宴（無名氏）……六〇二〇
淮水上彩舟無數（陳鐸）……七〇一
喜兒輩丰姿雄鶩（李應策）……四〇三六
想着俺百年歡樂（無名氏）……六〇二一
想着俺數年歡愛（無名氏）……六〇二三
綠深紅暗（康海）……一三一八
龍門誰先掛錦袍（李應策）……四〇三六
燭花前喜遇多嬌（無名氏）……五七七二
燭花前攜手行來（陳鐸）……五二四
轉回頭多少時光（無名氏）……五七七二
鎖春山一段風流（無名氏）……五七六二
鎖銀屏花影重疊（陳鐸）……五二三
斷魂屬殘夢拘鈐（盛從周）……二七一
懷佳人玉壘關西（楊慎）……一七〇〇
懷佳人鐵嶺遼東（楊慎）……一七〇〇
勸齊奴休戀黃金（楊慎）……一六九七
髀香肩行出粧樓（陳鐸）……五二四
聽樓頭二鼓將過（徐遵誨）……八九八
鐵爐鐺暮扯朝拖（陳鐸）……五八五
體溫柔軟玉形骸（無名氏）……五七七六

折桂令帶過清江引

賞春晴聯轡春遊（楊慎）……一七一七

折桂令後帶急三槍

一丟丟些小亭中（趙南星）……三七五五

折桂朝天令

十年來一介書生（馮惟敏）……二三三二

巫山一段雲

巫女朝朝豔（黄峨）……一九九一

巫山十二峰

一片情雲引弄（沈璟）……三八二五
院落清明左右（梁辰魚）……二七〇一
記得當初聚首（沈璟）……三八二一
彩勝迎祥巧剪（張栩）……五一〇九
墜葉霜飇緊後（卜世臣）……四三一三
謾想年時邂逅（王驥德）……三六七六
繡閣鶯啼月曉（張瘦郎）……四八一四

忒忒令

柳搖金夭桃破蘂（無名氏）……五九四三

步步入江水

緑醑頻斟留君住（王驥德）……三六四二
懊恨當初欠相逢早（王驥德）……三六七五

步步嬌（潘妃曲）

一天秋色人家遠（丁惟恕）……四三六〇
一天秋色寒幽舍（薛論道）……三二一九
一字思長吁千口氣（無名氏）……五七八五
一自匆匆相逢後（施紹莘）……四七二九
一身萬里天涯遠（薛論道）……三二二三
一夜梧桐金風剪（梁辰魚）……二六九二
一葉梧桐驚秋早（沈璟）……三八一七
人生百歲七十少（薛論道）……三二二二
人面桃花真堪羡（宛瑜子）……四五〇九
三十年百戰仍百鍊（薛論道）……三二〇九
三十年捲破長江浪（薛論道）……三二〇九
三十年馳騁驚榆塞（薛論道）……三二〇九
三十年塵土遮雲漢（薛論道）……三二〇九
三尺青虹花前展（葉華）……四二五五
三年拋卻紅塵業（趙南星）……三七六六
大丈夫困守一簞食（薛論道）……三二二四
大丈夫困守毛錐硯（薛論道）……三二二四
大丈夫困守顔回巷（薛論道）……三二二四
大丈夫困斂鵾鵬翼（薛論道）……三二二四
上疏辭榮歸田裏（陳鶴）……二六二二
小小鴛鴦思珍偶（王驥德）……三六七三
小曲幽坊重門啓（梁辰魚）……二六八一
斗室許大閑天地（傅玄泉）……五〇六八

天生的嬌娃秀（無名氏）……五七八四
天涯何處迷歸棹（梅鼎祚）……三七三九
日暮啼煙悲杜宇（李應策）……四〇二八
手拂花箋情如醉（薛論道）……三二一八
今朝有酒今朝樂（王克篤）……二九五六
月夕花朝成虛度（劉兌）……一四
水際幽居疑浮島（施紹莘）……四六〇七
半夜蕭疎芭蕉雨（梁辰魚）……二六八三
半輪明月塵中現（王克篤）……二九五一
玉人遙憶秦樓上（吳無咎）……五〇四二
玉天仙臨凡世（無名氏）……五七八四
玉容淺淡粧梳縞（薛論道）……三二一七
玉壺一夜冰澌滿（張鳳翼）……三〇〇四
玉路金堦人争目（薛論道）……三二二五
未許芳心全灰死（施紹莘）……四六七六
世上無雙風流事（丁綵）……三三二八
世事如丸多走滚（薛論道）……三二二〇
世事如棋多成敗（薛論道）……三二一九
世事如燈多明滅（薛論道）……三二二〇
世事如環多週轉（薛論道）……三二二〇
可嘆世人無滋味（薛論道）……三二二〇
只見黃葉飄飄把墳頭覆（王化隆）……四三三二
目送香車投東去（張叔元）……四八八九
目送香車投東疾（張栩）……五一〇四
目斷秦樓吹簫侶（梁辰魚）……二六七五
四月清和葵舒瓣（趙南星）……三七七二
生來偏覓知心侶（宛瑜子）……四五一七
白雪陽春當筵奏（陳所聞）……三九一八
江南佳麗春無限（顧正誼）……三六九〇
冰肌玉骨天生下（薛論道）……三二一五
汝南花月春歸早（沈自徵）……四七八八
西望郵亭人去遠（丁惟恕）……四三六四
老圃先生閒心計（施紹莘）……四七〇三
百年富貴如飛絮（薛論道）……三二二一
有個人兒何時見（秦時雍）……二五七八
有箇人兒天生俏（秦時雍）……二五八二
同雲四塞乾坤罩（薛論道）……三二二三
同雲密佈籠庭宇（薛論道）……三二一九
朱户深深重陽後（王驥德）……三六七四
年年拜掃迷歸路（李應策）……四〇六九
自從別後無一字（薛論道）……三二一八
向平何必牽婚嫁（龍膺）……四二一二

行行珠淚青衫濕（宛瑜子）……………四五二七
劣冤家多少迷魂處（張鳳翼）…………三〇〇三
初試單衣餘寒裏（徐士俊）……………五〇〇一
杜宇無情閒合氣（沈璟）………………三八二〇
杏花深處柴門掩（薛論道）……………三二一六
吾醒吾醉從吾也（薛論道）……………三二二五
見個人兒垂楊下（無名氏）……………五九五三
別鳳離鸞驚時變（沈瓚）………………四一一〇
皂蓋烏紗多榮耀（薛論道）……………三二二五
空翠堂西龍眠處（康海）………………一二八一
雨過園林花如綉（秦時雍）……………二五七三
林靄重重秋風起（馮敏效）……………三五三〇
花落花開不管流年度（唐寅）…………一一五九
花落鶯啼春過半（無名氏）……………五九五二
花嬌玉媚天生秀（薛論道）……………三二一六
花壓雕簷春風曉（金鑾）………………一八六三
苦海茫茫深萬丈（楊爾曾）……………五二〇七
杭州有個人如玉（宛瑜子）……………四五二八
東風冉冉傳春信（趙南星）……………三七六三
東風臺榭餘寒悄（吳國寶）……………二七四一
岩花搖落東風冷（周履靖）……………三五九八
乳鴨池塘欄杆整（張瘦郎）……………四八二三
佳期約在湖山下（薛論道）……………三二一七
佳期約在黄昏後（薛論道）……………三二一七
佳期約在人初静（薛論道）……………三二一七
佳期約在重門左（薛論道）……………三二一七
前呼後擁衣冠美（薛論道）……………三二二五
春日春風閒庭院（黄祖儒）……………三九五五
春光如繡綺茵展（丁惟恕）……………四三五九
春來無處無芳草（薛論道）……………三二一八
春是人間繁華主（沈璟）………………三七八七
春意樓前雙雙到（張葦如）……………四九八五
春遊踏遍山坡路（李應策）……………四〇六九
珊瑚枝碎琅玕折（高濂）………………二九七四
相思不覺從何入（薛論道）……………三二二一
相思不覺從何至（薛論道）……………三二二一
相思不覺從何受（薛論道）……………三二二一
相思不覺從何害（薛論道）……………三二二一
相思萬縷腸千寸（薛論道）……………三二一八
持身全在心一片（薛論道）……………三二二六
笑語花前情綿邈（朱鏡如）……………五〇九〇
昨夜春歸今朝夏（王寵）………………一九一八

昨朝猶道韶光早（薛論道）……三三二二
香香馥馥櫻桃口（薛論道）……三三一六
香閨寂寞人千里（薛論道）……三三一三
香閨寂寞人何在（薛論道）……三三一四
香閨寂寞人何處（薛論道）……三三一三
香閨寂寞人南北（薛論道）……三三一二
香閨寂寞人孤另（薛論道）……三三一三
香閨寂寞人無語（薛論道）……三三一三
香閨寂寞人無寢（薛論道）……三三一三
香閨寂寞人憔悴（薛論道）……三三一三
香閨寂寞人憔瘦（薛論道）……三三一三
香閨寂寞人獨自（薛論道）……三三一二
香閨寂寞人獨卧（薛論道）……三三一三
香閨寂寞不知暑（薛論道）……三三一一
香閨寂寞朱明曉（薛論道）……三三一一
香閨寂寞如年夜（薛論道）……三三一四
香閨寂寞更偏永（薛論道）……三三一五
香閨寂寞空長嘆（薛論道）……三三一五
香閨寂寞門常扣（薛論道）……三三一四
香閨寂寞春偏困（薛論道）……三三一〇
香閨寂寞春將暮（薛論道）……三三一一
香閨寂寞春將盡（薛論道）……三三一〇
香閨寂寞春無主（薛論道）……三三〇九
香閨寂寞春幾許（薛論道）……三三一〇
香閨寂寞重門閉（薛論道）……三三一一
香閨寂寞眉常皺（薛論道）……三三一二
香閨寂寞朔風蕩（薛論道）……三三一五
香閨寂寞眠不得（薛論道）……三三一五
香閨寂寞眠不穩（薛論道）……三三一五
香閨寂寞渾如醉（薛論道）……三三一〇
香閨寂寞渾無語（薛論道）……三三一二
香閨寂寞無人共（薛論道）……三三一〇
香閨寂寞無心緒（薛論道）……三三一〇
香閨寂寞無情况（薛論道）……三三一一
香閨寂寞無情趣（薛論道）……三三一一
香閨寂寞蛾眉皺（薛論道）……三三一四
香閨寂寞愁難躲（薛論道）……三三一二
香閨寂寞憑誰解（薛論道）……三三一四
香閨寂寞憑誰語（薛論道）……三三一四
香閨寂寞薰風少（薛論道）……三三一一
香閨寂寞簾長捲（薛論道）……三三一二
香閨寂寞鱗鴻渺（薛論道）……三三一〇

秋入碧梧葉紛落（李應策）……四〇七一
風雨紛紛花飛處（王九思）……九八九
風送鶯聲春閨煖（伍灌夫）……四九六八
風流縹緲渾無主（薛論道）……三二一六
風雪松梢輕煙起（張瘦郎）……四八二五
風節花雨簾櫳悄（高濂）……二九七七
風露凝寒黃昏後（無名氏）……五九五一
海棠春困眠不足（薛論道）……三二一七
容顏憔瘦扶不起（薛論道）……三二一八
宦海茫茫京塵渺（王守仁）……一一八四
茫茫宇宙誰參透（薛論道）……三二二二
草樓蠹簡消長夏（龍膺）……四二一二
剛道東皇乘春令（朱應登）……一四五四
倚樓林薄秋風起（龍膺）……四二一二
書齋外簾前站（無名氏）……五七八四
清明節候紛華地（李應策）……四〇二八
清流一抱湍湍轉（薛論道）……三二二三
惜玉憐香成虛謬（無名氏）……五九四四
記得文無當年贈（俞宛綸）……四四九五
記得文無當年贈（沈則平）……四七七四
寂寞空閨春欲暮（馮夢龍）……四四五一
寂寞深閨人獨自（無名氏）……五七八五
密約多遭杳杳無消耗（無名氏）……五八三三
眼際人兒分離了（施紹莘）……四七三九
寃孽擔重愁城大（顧憲成）……三七七七
從來不肯逢人意（宛瑜子）……四五一九
渭北終南同歸處（王九思）……九八九
寒流石畔松門敞（程可中）……四一五一
悲歌七月秋風緊（無名氏）……五九四七
雲掩黃昏天街静（張芳洲）……四九六〇
鴈翅南飛天涯遠（無名氏）……五九四五
紫陌鶯啼清明近（陳所聞）……三八七七
紫袍象簡誰不愛（薛論道）……三二二五
紫雲臺上人年少（吴國寶）……二七三五
紫雲臺上人年少（晏鐸）……四三六
疏竹蕭蕭翻暮雨（馮敏效）……三五三〇
無端聚散如翻掌（張鳳翼）……二九九八
畫橋促膝花前坐（龍膺）……四二一二
新荷亭上人無寐（薛論道）……三二一九
試問東山誰爲主（陳所聞）……三九三九
萬竹琳琅把閑身寄（陳所聞）……三九四〇
落木哀風江城曉（唐寅）……二五六

落花飛絮年年有（薛論道）……三二二二
葉翠英黄天香秀（賀五良）……五一二五
葉葉离披和濕墜（馮敏効）……三五三〇
萬里彤雲堪圖畫（秦時雍）……二五八九
萬里浮雲净如掃（李開先）……二一〇二
萬里關山音書斷（朱曰藩）……二〇四七
萬里關山音書斷（錢福）……九〇一
萬花堆裡人年少（薛論道）……三二一五
萬點飄零堆榛莽（卜世臣）……四三一二
楚榭吴宮花開了（朱應辰）……一五〇一
楊柳枝頭黄昏月（沈璟）……三八一九
暗想當年羅帕上詩曾寫（李愛山）……四八七七
暗逗瓊葩韶光轉（汪廣）……五〇〇三
睥睨乾坤青衫舊（陳所聞）……三九三八
傷情最是長亭柳（薛論道）……三二二〇
嫩容一似春初曉（宛瑜子）……四五二五
滿目繁華春將半（唐寅）……一一五七
滿地梨花重門掩（唐寅）……一一五八
滿地香風松花老（王化隆）……四三三四
滿地黄花秋容老（施紹莘）……四六八四
滿地繁霜天將曉（唐寅）……一一五五
滿擬雙星成佳會（陳所聞）……三九四三
夢破秦樓簫聲咽（施紹莘）……四七二三
樓閣重重東風曉（唐寅）……一一五三
閣閣蛙聲池塘曉（唐寅）……一一五四
鳳去臺空人離久（吴國寶）……二七四三
銀燭秋光寒窗牖（張瘦郎）……四八二四
睡起蘭房傷新症（無名氏）……五九五四
翠被香濃春寒夜（施紹莘）……四六四八
誰醒誰醉誰先覺（薛論道）……三二二三
翩翩羅袖籠雙笋（薛論道）……三二一六
暮雨朝雲成虚幻（馮惟敏）……二五〇二
暮雨孤帆瀟湘遠（沈清狂）……五〇九四
樽前一遇香風散（薛論道）……三二一六
嘲風弄月一團喜（薛論道）……三二一六
蝶倦蜂愁鶯無語（無名氏）……五九四六
遲日簾櫳花陰轉（張瘦郎）……四八二二
緑鬢朱脣鵝黄頰（馮夢龍）……四四五三
燈前笑擁芙蓉面（董如瑛）……五〇六〇
憑着輸自己錢合鈔（王克篤）……二九五七
螢牕苦志勤習講（薛論道）……三二二六
獨擁牛衣寒猶峭（皮光淳）……三九六五

避暑崖陰清涼處（康海）……一二八一
薄命紅顔空長嘆（秦時雍）……二五七六
簇簇車馬尋春色（丁惟恕）……四三七二
轉眼韶華如飛度（黄祖儒）……三九五六
蕭索秋風秋葉舞（馮夢龍）……四四四八
簟展湘紋新凉透（吴國寶）……二七四五
簟展湘紋新涼透（楊德芳）……四九〇三
歸去來兮山林下（夏言）……一五七九
歸翼也枉蹁躚（無名氏）……五九五〇
瓊樓高處飄白雪（薛論道）……三二二〇
鐘送黄昏雞報曉（朱應辰）……一四九四
簾外雙雙幽禽語（沈璟）……三七八七
蘭皋緩步掀髯笑（趙南星）……三七六七
簾控金鈎深閨悄（文徵明）……一一三四
簾捲西風重門掩（許次紓）……三七三一
露點幽花良宵静（卜世臣）……四三〇七
勸君休把雙眉皺（薛論道）……三二二四
孽擔千鈞愁城大（傅玄泉）……五〇七〇
黯黯重雲飛不去（馮敏効）……三五三〇
歡喜冤家難相離（宗臣）……二八六五
歡喜冤家重相見（陳鶴）……二六二一
歡喜冤家重相見（張解元）……三六八三
鶯啼花落應無數（薛論道）……三三二一
鶯啼柳陌天初曉（周履靖）……三五七二
纔見春來又早春歸去（無名氏）……五九四八

步蟾宫

坎離坤兑分子午（楊爾曾）……五二〇六
捉得金精牢固閉（楊爾曾）……五二〇六

呆骨朵（靈壽杖　靈壽歌）

敬歸依覺無礙音大結髻可喜能仙悦佛（無名氏）……五二八七
敬歸依無恐畏力聚自在普覺無際願佛（無名氏）……五二八八

牡丹春

三月裏又來花又開（無名氏）……五七八五
日頭出在東（無名氏）……五七八六
今日也是春（無名氏）……五七八六
花開也是春（無名氏）……五七八五
南無大慧佛（無名氏）……五二四四
南無廣大佛（無名氏）……五二四五

南無大勝佛（無名氏）……五二四五
南無法寶佛（無名氏）……五二四五
南無法力佛（無名氏）……五二四五
南無滿月佛（無名氏）……五二四五
南無大意佛（無名氏）……五二四五
南無善意佛（無名氏）……五二四五
南無勝慧佛（無名氏）……五二四六
南無不動佛（無名氏）……五二四六
南無法性佛（無名氏）……五二四六
南無成就佛（無名氏）……五二四六
雪月精神冰玉姿（朱有燉）……三四四

禿廝兒（耍廝兒　小沙門）

東方天世界衆堅固如來（無名氏）……五三三四
稽首妙喜世界諸佛如來（無名氏）……五三三四
稽首寶聚世界諸佛如來（無名氏）……五三三四
稽首栴檀世界寶像如來（無名氏）……五三三四
稽首蓮華世界華德如來（無名氏）……五三三五
稽首住林世界寶肩如來（無名氏）……五三三五
稽首一聚世界寶聚如來（無名氏）……五三三五

皂旗兒（酒旗令）

人到中年萬事休何求（無名氏）……五七八六
人到中年萬事休心憂（無名氏）……五七八六
白酒新篘雞正肥（無名氏）……五七八六
冬景梅花雪裏開（無名氏）……五七八六
坑暖窗明草舍高（無名氏）……五七八六
坑暖窗明草舍低（無名氏）……五七八六
春日遲遲燕子飛（無名氏）……五七八六
秋景黃花滿目開（無名氏）……五七八六
夏景荷花水面開（無名氏）……五七八六
敬禮東方佛如來（無名氏）……五三二〇
敬禮西方佛如來（無名氏）……五三二〇
敬禮南方佛如來（無名氏）……五三二〇
敬禮北方佛如來（無名氏）……五三二一
敬禮上方佛如來（無名氏）……五三二一
敬禮下方佛如來（無名氏）……五三二一
敬禮十方佛如來（無名氏）……五三二一
敬禮莊嚴佛如來（無名氏）……五三二一
敬禮瑠璃佛如來（無名氏）……五三二一
敬禮慈悲佛如來（無名氏）……五三二一
德内豐嚴王如來（無名氏）……五三二〇

皂羅袍（間花袍　烏衣令）

又是一番流淚（王驥德）……三六二九

不意今番消息（李應策）…………四〇三五
夭孽曾垂兆朕（李應策）…………四〇三五
目斷鱗鴻無信（沈璟）…………三七九三
且喜南熏相望（無名氏）…………五四三〇
奴在房中悶懷（無名氏）…………五四二八
早是燈兒時節（呼文如）…………四五三四
早是鶯兒時候（呼文如）…………四五三四
早是雁兒天氣（呼文如）…………四五三四
早是雪兒飄粉（呼文如）…………四五三五
行到百花深處（宛瑜子）…………四五一二
好箇風流氣象（無名氏）…………五四三二
弄成這般世界（李應策）…………四〇三三
別後春山眉淡（沈璟）…………三七九二
東北延綿禍起（李應策）…………四〇二九
到晚孤燈點上（無名氏）…………五四二八
爲相思瘦損卿卿（黃峨）…………一九八九
爲想鸞交鳳友（祝允明）…………八七五
柳眼新青浮動（無名氏）…………五四三〇
盼殺佳期一晚（王驥德）…………三六二九
看他倒人懷抱（宛瑜子）…………四五一六
寂寞難禁長夜（無名氏）…………五八四六
這幾日神魂飄蕩（無名氏）…………五四三〇
得遇鸞凰佳配（沈璟）…………三七九三
軟弱的安閑自在（楊爾曾）…………五一九七
斜月紗窗簷外（無名氏）…………五四二九
黃氏在張家托化轉男身（蘭陵笑笑生）…………二八一七
勤學須加勉勵（無名氏）…………五四三一
勘嘆春天景致（無名氏）…………五四二九
堪嘆夏天日永（無名氏）…………五四二九
堪嘆秋天鴈叫（無名氏）…………五四二九
堪嘆冬天雪降（無名氏）…………五四二九
堪嘆薄情難料（無名氏）…………五四三二
畫角城頭三弄（無名氏）…………五四三一
惹起閒愁千種（無名氏）…………五四三〇
歲月如流迅逝（無名氏）…………五四三一
盟血纔乾輒背（李應策）…………四〇三三
暗想時光似箭（無名氏）…………五四二九
暗想恩情無限（無名氏）…………五四二八
暗想嬌姿模樣（無名氏）…………五四三〇
愛你綠雲垂秀（楊德芳）…………四八九七
愛你春山橫秀（楊德芳）…………四八九八

愛你秋波凝秀（楊德芳）……四八九八
愛你凝脂毓秀（楊德芳）……四八九八
媽媽從來堪羨（無名氏）……五四三二
禀性從來蒙昧（無名氏）……五四三一
翠被今宵寒重（無名氏）……五四三一
撥悶詩留幾卷（李應策）……四〇二九
學業休教自棄（無名氏）……五四三一
勸大人且從容（楊爾曾）……五一九七
聽啓休得惆悵（無名氏）……五四三〇

那吒令

一言兩言（李開先）……二〇九二
三椽兩椽（李開先）……二〇九二
太玄最玄（李開先）……二〇九三
良緣喜緣（李開先）……二〇九三
我若做大人（楊爾曾）……五一八九
長聯短聯（李開先）……二〇九三
得旋早旋（李開先）……二〇九三
魚鮮酒鮮（李開先）……二〇九三
晴天雨天（李開先）……二〇九三
無緣有緣（李開先）……二〇九二
當先不先（李開先）……二〇九三

何滿子

盡道小人奸狡（朱載堉）……三四五一
伎倆竿頭進步（朱載堉）……三四五一

尾犯序

小婦更娉婷（徐士俊）……四九九一
夫婿狹斜行（徐士俊）……四九九一
香氣滿簾櫳（杜子華）……三五一三
莫謂地球寬（無名氏）……五四一二
怨氣欲干虹（陳與郊）……三七〇八
銀燭繡簾明（徐士俊）……四九九一
團扇倍關情（徐士俊）……四九九一
墮落鐵山叢（陳與郊）……三七〇八
霜降頳秋容（陳與郊）……三七〇八
聽到五更鐘（陳與郊）……三七〇八

八　畫

泣顔回（杏壇三操　思亞聖）

山水鬱蒼蒼（王化隆）……四三三三
天氣暖如春（陳鐸）……七二二

見面勝聞名（施紹莘）……四七一七
東野翠烟消（謝讜）……二五五〇
花柳泛晴光（秦時雍）……二五七九
花種降瑶池（施紹莘）……四七〇七
易水小橋東（無名氏）……五四四九
和氣斗回杓（無名氏）……五八七一
風露怯青衫（沈璟）……三八二三
皇眷剪桐圭（龍膺）……四二一九
寂寞過花朝（楊慎）……一七三八
雲雨會巫峽（卜世臣）……四三〇八
無語對薔薇（無名氏）……五八七三
踈雨過蓮池（無名氏）……五八七二
萬卉花王（陳鐸）……七三〇
想起舊姻緣（趙穀陽）……四九二六
暗想配秋娘（朱廷玉）……四九五五
解語一枝花（張鳳翼）……三〇〇七
談笑有鴻儒（陳鐸）……七三六
蓬島聚羣僊（梁辰魚）……二六六〇
簾外鵲聲高（施紹莘）……四六三一
薄倖忒情雜（陳鐸）……七二八

沽美酒

仙杖迎瑞氣生（廖道南）……一九三〇
吹鳳笙耀鸞旌（廖道南）……一九三四
恰好把國事亂番騰（李應策）……四〇七〇
御筵新慶芳辰（廖道南）……一九二八
黃河清膏露凝（廖道南）……一九四八
敬禮寶海如來（無名氏）……五三一七
象緯森瑞景明（廖道南）……一九五六
熙春陽化日長（廖道南）……一九五一
碧天飛五彩霞（廖道南）……一九五五
壽域開宴蓬萊（廖道南）……一九二七
鑾禮成鳳輦停（廖道南）……一九二六
□瓊液紫金甌（廖道南）……一九五九

沽美酒帶過太平令

也好把鑑湖曲門高揭（李應策）……四〇七四
看瑶池舞素鸞（朱有燉）……三三九
紅馥馥臉襯霞（無名氏）……五七八七
做得個自在翁身無繫（李應策）……四〇七五
畫梁間補燕泥（金鑾）……一八〇一
想爲官有甚好（楊爾曾）……五一九一

傳與汝進道功休暫輟（楊爾曾）……五二〇五
滿長空瑞雪飄（無名氏）……五七八八
説杭州爲第一（無名氏）……五七八七
緑雲鬢映碧紗（金鑾）……一八〇二
劉伶何日醒（無名氏）……五七八七
寶釵横金鳳凰（無名氏）……五七八七
寶妝成鸞鵲牖（朱有燉）……三三一
釀葡萄噀酒香（金鑾）……一八〇二
纔深秋又小春（金鑾）……一八〇二

沽美酒帶過快活年

傍芳叢玉雪清（朱有燉）……三〇三
鍮石銅生性格（朱有燉）……三六四

河西六娘子

一天陰對一天晴（朱載堉）……三四三六
一日一席莫厭多（朱載堉）……三四三六
一代豪華兩鬢皤（張鍊）……二二四二
一陣雨來一陣風（朱載堉）……三四三六
二八誰家小多嬌（無名氏）……五七九〇
二八誰家窈窕娘（無名氏）……五七九〇
二八誰家女娥媓（無名氏）……五七九〇
二八誰家女妖嬈（無名氏）……五七九一
二嶺中間五柳莊（張鍊）……二二四二
十畝園林萬種花（張鍊）……二二四二
人多爲利走世間（朱載堉）……三四三五
人世難逢笑口開（馮惟敏）……二三五七
入門來將奴摟抱在懷（無名氏）……五七八九
七里灘頭把釣竿（馮惟敏）……二三八二
又吃肉來又嫌腥（朱載堉）……三四三五
大人家風範有誰如（陳鐸）……五七七
大拚着人生一百年（張鍊）……二二四一
山後頑冰不見消（朱載堉）……三四三五
千做是來萬做差（朱載堉）……三四三五
小小茅亭不甚麼寬（王九思）……九九一
也有青山也有泉（馮惟敏）……二三八三
天生下一捻兒玉娉婷（陳鐸）……五七七
天不均來地不均（朱載堉）……三四三七
不覺薰風三伏天（無名氏）……五七九二
不讀詩書不務農（朱載堉）……三四三七
日子更比樹葉多（朱載堉）……三四三七
日日花間倒玉卮（張鍊）……二二四二
日日唧盃也不妨（王九思）……九九一

玉兔金烏趕的荒（馮惟敏）……二三五七
去了多嬌好情懷（無名氏）……五七九一
央及梅香好姐姐（無名氏）……五七八九
兄弟和諧父子親（王九思）……九九八
白頭老公有幾人（朱載堉）……三四三七
水秀山明安樂窩（馮惟敏）……二三八三
百歲光陰有幾年（王九思）……九九八
有錢施些不落空（朱載堉）……三四三四
吃緊光陰不轂誕（朱載堉）……三四三六
早半世知他有甚妨（康海）……一二八五
名利機關没正經（馮惟敏）……二三五七
快樂清閒是好脩（王九思）……九九一
你是何人我是誰（朱載堉）……三四三五
禿男子頭上着棍敲（朱載堉）……三四三五
牡丹春占斷了萬花叢（陳鐸）……五七七
花吐清香柳帶煙（張鍊）……二二四三
兩字功名過耳風（馮惟敏）……二三八二
兩袖清風精利兒光（馮惟敏）……二三八二
兩意相投情掛牽（無名氏）……五七八九
兩道清溪萬種花（張鍊）……二二四二
金釵兒斜插著海棠花（陳鐸）……五七七
恨西風吹不到錦長安（金鑾）……一八二二
恰坐的三人一葦航（馮惟敏）……二三八三
柳絲柔輕颭石榴裙（金鑾）……一八二二
風不來樹不摇（朱載堉）……三四三六
爲甚哥哥帶鐵繩（朱載堉）……三四三七
海棠陰輕閃過鳳頭釵（金鑾）……一八二一
海闊天空此景亭（馮惟敏）……二三八三
破棒搥一面光（朱載堉）……三四三七
笑倒了山翁老傻瓜（馮惟敏）……二三五七
倚着門兒等他來（無名氏）……五七九一
桑落香生碧玉甌（王九思）……九九八
寄離情織不就錦囊詩（金鑾）……一八二二
這世清閒那世裏修（康海）……一二八六
這家金銀似水潮（朱載堉）……三四三四
這裡不樂那裡不樂（朱載堉）……三四三四
這裡不樂那裡樂（朱載堉）……三四三八
連朝不敢傍金甌（常倫）……一八八四
眼底光陰箭也似疾（王九思）……九九一
欲將春酒洗春愁（常倫）……一八八四
問道先生笑甚麽（馮惟敏）……二三五七
窗前日影又西斜（常倫）……一八八三

富貴窮通皆由天（朱載堉）……………三四三六
喜的相逢怕的離（無名氏）……………五七八九
堦前唧唧草蟲鳴（常倫）……………一八八四
景色春來燕子雙（無名氏）……………五七九一
閑上仙臺弄玉簫（馮惟敏）……………二三八二
閑看山人笑臉兒紅（馮惟敏）……………二三五七
畫閣摇光碧玉湖（馮惟敏）……………二三八三
畫樓空香散彩雲收（金鑾）……………一八二二
瑞雪飄飄凛冽天（無名氏）……………五七九二
葉落梧桐又早秋（無名氏）……………五七九二
敬頂禮波頭摩上尊佛（無名氏）……………五二九〇
敬頂禮拘蘇摩勝尊佛（無名氏）……………五二九〇
誇甚聰明顯甚能（朱載堉）……………三四三七
想前容易悔後遲（朱載堉）……………三四三七
聖賢書理奥深（朱載堉）……………三四三八
椿桂堂中歲月深（馮惟敏）……………二三八二
歲序相催直恁疾（康海）……………一二八五
碧紗厨低暎月兒明（金鑾）……………一八二二
翠裙兒輕束著小蠻腰（陳鐸）……………五七七
誰笑狂夫老更狂（王九思）……………九九九
誰使金來誰使銀（朱載堉）……………三四三四
誰受苦來誰受甜（朱載堉）……………三四三五
誰栽樹木誰乘凉（朱載堉）……………三四三五
醉裏乾坤到大來寬（康海）……………一二八六
軃玉温香抱滿懷（蘇子文）……………四九一六
錦重重荷花開映池塘（無名氏）……………五七八八
錦被斜搭象牙床（無名氏）……………五七八九
錦被摺在紫帳中（無名氏）……………五七九〇
錦被無心去整摺（無名氏）……………五七九〇
錦被斜倚枕頭兒挨（無名氏）……………五七九〇
錦園林春意已蕭條（金鑾）……………一八二一
避隱歸來酒興豪（張鍊）……………二二四二
龍遊淺水遭蝦戲（朱載堉）……………三四三六
懶對菱花整艷粧（無名氏）……………五七九一
繡鞋兒沁濕了露華凉（陳鐸）……………五七七
繡屏閒空負卻舞腰纖（金鑾）……………一八二二
露濕羅衣月影寒（張鍊）……………二二四三
獻歲山翁六十三（馮惟敏）……………二三二四
囑付梅香兩三遭（無名氏）……………五七九一

河西水仙子

好花羞上老人頭（楊文奎）……………二三五

河南韻

一場相交做了一場笑話（丁惟恕）……四三八八
一聲促織驚散了一天暑氣（丁惟恕）……四三八八
九曲柔腸當不的許多愁悶（丁惟恕）……四三九四
又不是入天台怎麼得合冤家相會（丁惟恕）……四三九二
也不是零珠碎玉（丁惟恕）……四三九三
不成人的貨不要來我跟前支調（丁惟恕）……四三八七
不送罷送的遠了誰陪你囬去（丁惟恕）……四三九七
五蘊皆空願把衆生暗度（丁惟恕）……四三八二
手撚着彩線在乞巧樓上（丁惟恕）……四三九三
今夕何夕人説是牛女的吉日（丁惟恕）……四三九三
分手時因甚麽天昏地暗（丁惟恕）……四三九六
甘心做戲頭着人撥弄（丁惟恕）……四三八三
四壁寒蛩驚散了我相思魂夢（丁惟恕）……四三八八
我見了兩個人在陽關大路（丁惟恕）……四三九一
我想你我疼你説不盡我心裡的景象（丁惟恕）……四三八六
即相交一個一個都着我牽腸掛意（丁惟恕）……四三八五
非烟非霧黑漫漫通天徹地（丁惟恕）……四三九一
披星戴月這一來好没滋味（丁惟恕）……四三九〇
邪了心了嬌模様俏聲音眼前裡活現（丁惟恕）……四三九二
昏慘慘添上我凄涼百倍（丁惟恕）……四三九六
春日好花飛上苑（丁惟恕）……四三九〇
相交了一場説不盡冤家携帶（丁惟恕）……四三八九
是一個西瓜可怎麽□着不□（丁惟恕）……四三九四
盼不來心上人惹起我許多愁緒（丁惟恕）……四三八四

恭喜恭喜這不是一封書至（丁惟恕）……四三八四
時不來由人輕賤（丁惟恕）……四三九五
這些時我着我的夢兒尋思成病（丁惟恕）……四三八九
眼作的禍怎麽拿着我來陪罪（丁惟恕）……四三八六
眼擎着淚把娘行哀告（丁惟恕）……四三八七
傀儡傀儡粧甚麽人物（丁惟恕）……四三八二
頡頏燕把粧樓遶遍（丁惟恕）……四三八五
遭着你百般狼籍（丁惟恕）……四三九五
橋頭老樹是誰栽植（丁惟恕）……四三八三
雜貨鋪裡見了個捻轉（丁惟恕）……四三八二
鶯兒鶯兒飛去飛來把緑陰穿破（丁惟恕）……四三八四

油葫蘆

一切諸天大海意佛（無名氏）……五二九四
千上光明最勝頂佛（無名氏）……五二九四
天下黎民仰聖德（無名氏）……六〇二六
拭鏡由他學剪白（李應策）……四〇六三
飛錫重詣梵王家（李應策）……四〇七八
無故鼕鼕鎮日喧（李應策）……四〇四一
羈身且幸脱儒冠（李應策）……四〇四一

夜行船（夜遊湖）

一世功名如夢蝶（湖西主人）……五〇七六
一片花飛減動春（無名氏）……六三八六
一對金蓮寄與伊（無名氏）……六三八六
十載窗前月下苦（無名氏）……六三八四
七十光陰報道來（王寅）……二二〇六
天上人間離恨苦（無名氏）……六三八四
太乙峰頭玉井蓮（陳鐸）……七二二
玉立亭亭太華仙（湯式）……一〇二
百花香透乍飛蝶（楊應奎）……一五一四
早年長劍事遐征（王寅）……二一九二
妙舞清歌人盡許（無名氏）……六三八三
花柳鄉中自在仙（湯式）……一〇一
和氣春風滿面郎（楊賁）……二三三二
物態多般薄似蝶（楊循吉）……八三二
春滿瑶臺瑞靄飄（無名氏）……六三八七
紅葉飄零慘素秋（康海）……一三九五

酒酹虛亭酬浪蝶（茅溱）……四二三六
席上催花送酒籌（陳鐸）……七二一
缺月風簾碎影篩（陳鐸）……七一七
射覆分題換酒籌（無名氏）……六三八九
湖上清香酒力微（無名氏）……六三八八
減盡容光知爲誰（陳鐸）……六三五
新夢青樓一操琴（無名氏）……六三八二
楚雨巫雲空悵望（無名氏）……六三八五
憶昔揚州廿四橋（陳鐸）……七三三
嬴女吹簫引鳳凰（湯式）……一〇三

夜行船序（曉行序）

百尺荒臺（王驥德）……三六七二
花滿金閶（杜子華）……三五一四
虎踞龍盤（施紹莘）……四六三四
負卻良宵（湯三江）……四九四三
清曉堂中（無名氏）……五九五五
參透先機（皮光淳）……三九六六
堪賞花朝（康海）……一四三一
萬里濤回（梁辰魚）……二六七七
艇泊江頭（周履靖）……三五八四
翠擁紅遮（朱應辰）……一四九九
綠樹鶯啼（王寅）……二一九
邊境無虞（茅溱）……四二三七
漂泊寒塘（施紹莘）……四六三九
霸業艱危（楊慎）……一七四一

宜春引

平康里（王驥德）……三六七七

宜春令

天方旱（薛崗）……三三九七
他傾城貌（王寵）……一九二一
青陽候（湯顯祖）……三七四三
花間潤（薛崗）……三三九七
金風動（周履靖）……三六〇〇
春將去（吳載伯）……四五七一
春將盡（施紹莘）……四六九七
荒村暗（薛崗）……三三九七
徐家壽（宛瑜子）……四五一八
清明後（杜子華）……三五一一
章臺路（王驥德）……三六四二
梅霖霽溽暑新（張叔元）……四八八六

梅霖霽燠暑烝（張栩）……五一一三
寒侵夜（沈則平）……四七七四
貂裘染（梁辰魚）……二六七八
想着温柔旖旎情（張鳳翼）……二九九二
韶光麗（杜文焕）……四七六四
歌纔罷（張鳳翼）……二九九二
閭閻慶（薛崗）……三三九七
燈前恨（高濂）……二九六九
燕臺駿（史槃）……三二七〇
雖然讀萬卷書（王化隆）……四三一九
歸來好覓隱緣（余壬公）……四五五七
鶯簧弄（杜文焕）……四七六四

宜春樂

牛郎遠隔絳河（王驥德）……三六四八
銀箏按（沈璟）……三七八一

初生月兒

初生月兒一似鈎（無名氏）……五六三四

青天歌

南無一寶蓋如來（無名氏）……五三四六
雷音光明王如來（無名氏）……五三四七
歸命禮寶火如來（無名氏）……五三四六

青玉案（西湖路）

微微喘息低低道（無名氏）……五七九二

青杏子（青杏兒）

何處隱冰輪（張鍊）……二二九五
別恨苦相縈（康海）……一三五五
明月上瑶堦（張鍊）……二二九三
莫怪賞來頻（張鍊）……二二九四
尊酒細論文（康海）……一三五六
膏雨潤如酥（康海）……一三四四

青衲襖

混元初生太極（曹孟修）……二八九三
聖明君過禹湯（無名氏）……五八八〇
想多嬌情性標（無名氏）……五八八一
蹙金蓮雙鳳頭（張氏）……二八九八
彈香肩鬆臂金（金鑾）……一八四九

青哥兒

將座上花氈鋪展（瞿佑）……二七八

青哥兒攜四邊静
咱本是聖朝聖朝名誎（李應策）……二九八四
武陵春（武林花）
玉欄干外日初融（朱讓栩）……二〇五七
仲春天氣暖昭融（朱讓栩）……二〇五八
杜鵑啼徹五更風（朱讓栩）……二〇五八
吼聲料峭曉來風（朱讓栩）……二〇五八
夜闌庭院月朦朧（朱讓栩）……二〇五八
明窗淨几坐樓東（朱讓栩）……二〇五八
和風淡蕩曉陽濃（朱讓栩）……二〇五八
春光初到北堂中（朱讓栩）……二〇五八
春容滿眼數千重（朱讓栩）……二〇五八
香散風飄三月雨（無名氏）……五五二四
滿院梨花恒帶雨（無名氏）……五五二四
曉行紫陌趁東風（朱讓栩）……二〇五七
長相思
彌風朝（施紹莘）……四七二〇
芙蓉花
敬歸依恭調佛（無名氏）……五二八八
敬歸依勝親佛（無名氏）……五二八八
花桑樹
南無智慧光明佛（無名氏）……五二九九
敬禮阿樓那勝佛（無名氏）……五二九九
敬禮無垢稱王佛（無名氏）……五二九九
敬禮無量自在佛（無名氏）……五三〇〇
敬歸依華光佛（無名氏）……五三〇〇
者刺古
揀山林深處居（楊景輝）……五一七八
松下樂（水仙子）
年來何事太清閒（陳繼儒）……四一一四
佳人玉腕枕香腮（沈璟）……三七八二
黄冠白麈最清閒（陳繼儒）……四一一三
蓑衣竹籬最清閒（陳繼儒）……四一一三
歸來重整舊生涯（楊文岳）……四七九四
東風江水
剖鸞釵輕教折群（沈君謨）……四七六二
東甌令
真嬌豔（漁隱主人）……五一七九

兩頭蠻

一披蓑（李應策）……四〇九四
大登科（李應策）……四〇九三
上諫坡（李應策）……四〇九三
上玉樓（李應策）……四〇九六
山蒼蒼（李應策）……四〇九六
干居頭（李應策）……四〇九六
不自由（李應策）……四〇九五
日療愁（李應策）……四〇九五
交我愁腸（無名氏）……五四四八
吃不愁（李應策）……四〇九四
多病多愁（無名氏）……五四九八
竹不凡（李應策）……四〇九五
武六成（李應策）……四〇九四
冠兒不戴懶梳粧（無名氏）……五四六七
莫來由（李應策）……四〇九四
望田疇（李應策）……四〇九五
得亦愁（李應策）……四〇九四
朝鳴珂（李應策）……四〇九三
堪憐堪愛（無名氏）……五四四七
想緣由（李應策）……四〇九五
興也豪（李應策）……四〇九五
聲說不的（無名氏）……五四四八

拍兒答亦刺思

南無無邊智佛（無名氏）……五三〇九
南無無邊寶佛（無名氏）……五三〇九
南無須彌刼佛（無名氏）……五三〇九
南無金剛藏佛（無名氏）……五三〇九
南無無須惱佛（無名氏）……五三〇九

虎兒序

懨懨病久（無名氏）……六四七〇

刮地風

南無空性自在如來（無名氏）……五三四一
敬歸依諸德佛如來（無明史）……五三四一

知秋令（梧葉兒）

户列青絲檜（湯式）……九八
月晃銀河淡（湯式）……九八

佳人捧玉盤

自沉吟（無名氏）……五八七四

侍香金童

情寄小詞中（無名氏）……五八九七
黄菊綻東籬（無名氏）……五八九五
瑞氣滿皇都（無名氏）……五八九六
簾炙淚珠乾（張栩）……五〇九八

憑闌人

小殿昨宵天氣凉（朱有燉）……三〇四
月照珠簾垂玉鈎（朱有燉）……三〇四
西望長安天際頭（康海）……一二九三
休教宫髻學鸞粧（黄峨）……一九八〇
休教鶯語學鸞聲（黄峨）……一九八〇
休教眉黛掃鸞煙（黄峨）……一九八〇
休教楊柳學鸞腰（黄峨）……一九八〇
竹塢笙歌傍水涯（康海）……一二九三
門外高槐垂嫩黄（朱有燉）……三〇四
酒力禁持頭懶擡（朱有燉）……三〇四
着罷殘碁茶一甌（朱有燉）……三〇四
萬縷春情攬夜眠（康海）……一二九三
翠竹參差小院幽（康海）……一二九二
獨上高臺凝望中（朱有燉）……三〇四
戲撥琵琶窗下聽（朱有燉）……三〇四
點破蒼苔牆角螢（朱有燉）……三〇四
寶鼎香殘秋夜深（朱有燉）……三〇四
露冷池塘秋水澄（朱有燉）……三〇四

念奴嬌（太平歡　古梅曲　百字令　無俗念　酹江月）

冰肌勝雪（無名氏）……六二七六
胎含幾畹（醉西湖心月主人）……五二一〇
真山真水（殷士儋）……二八一一
園林雨過（無名氏）……六二七五

念奴嬌序

大江逝水（無名氏）……五八九八
予家烟水（施紹莘）……四七一〇
江天望裏（余壬公）……四五六四
江南媚景（徐士俊）……四九九三
同雲萬里（顧夢圭）……二〇二二
孤影南枝乍冷（王化隆）……四三二七
長空萬里（王化隆）……四三三一
烟波萬頃（陳所聞）……三九二六
桃花萬樹（陳所聞）……三九二五

山瘦水泠泠（楊慎）……一六九四
山徑遇佳人（丁綵）……三二九七
山翠合漣漪（楊慎）……一六九四
丰韵海棠嬌（楊慎）……一七一六
休笑俺胡謅（丁綵）……三三〇九
良夜客相過（楊慎）……一七〇九
把酒憶山莊（顧乃大）……四五七九
我欲問禺同（楊慎）……一六九五
含淚謝冰人（丁綵）……三三一九
苦竹對黃蘆（楊慎）……一六九五
香雨錦簾櫳（楊慎）……一七二七
風急雁分飛（丁綵）……三三〇七
張燭兕明瓊（楊慎）……一六九五
幾度過黃昏（馮敏効）……三五三二
幾度遇芳春（馮敏効）……三五三二
楊柳暗波光（楊慎）……一六九四
豪氣上雲程（馮敏効）……三五三二
碧塢接金天（楊慎）……一六九四
寫字不成行（丁綵）……三三〇六
磨墨數十番（丁綵）……三三〇六
憶昔拜先生（馮敏効）……三五三一

淮南叢桂（陳所聞）……三九一五
停橈渡口（周履靖）……三五九〇
陰晴萬古（施紹莘）……四六六四
湖天過雨（汪廷訥）……四一九九
湖光清淺（馮廷槐）……四九四九
愁聽吹笛關山（王化隆）……四三二七
龍荒萬里（梁辰魚）……二六七三
麗譙落月（王田）……一一二六

征胡兵（犯胡兵）

天涯芳草王孫去（梁辰魚）……二六四八
西江春水舟如箭（梁辰魚）……二六四九

金井梧桐

世事如棋換（徐文昭）……九二八
林橘乘金彈（徐文昭）……九二八
陰極陽初動（徐文昭）……九二七
轉眼春光去（徐文昭）……九二八

金衣公子（黃鶯兒）

一自受遺經（馮敏効）……三五三一
山水遶周圍（丁綵）……三二九四

獨倚異鄉樓（楊愼）……一六九五
燦爛畫堂中（丁綵）……三二九七
曖曖遠人村（楊愼）……一六九四
蹭蹬度流年（丁綵）……三二九四
纔得進儒門（馮敏効）……三五三二

金字經（西番經　閱金經）

一竿爲活計（無名氏）……五五八五
一更裏不來也直等得月上來（無名氏）……五五八六
一更裏不來也翠眉兒愁玉顰（無名氏）……五五八七
二更裏不來也等得寒露凉（無名氏）……五五八六
二更裏不來也被窩兒裏作念他（無名氏）……五五八七
人生百歲七十稀（無名氏）……五五九〇
又感起相思病（無名氏）……五五九一
三斗朝天去（無名氏）……五五八〇
三更裏不來也起身兒吹滅燈（無名氏）……五五八七
三更裏不來也照紗窗凉月明（無名氏）……五五八七
三簷傘下（無名氏）……五五九〇
王魁短命（無名氏）……五五九〇
夫人聽我説根源（蘭陵笑笑生）……二八三〇
夫人聽説淚不乾（蘭陵笑笑生）……二八三〇
五更裏不來也好教人心内焦（無名氏）……五五八七
五更裏不來也下西廂殘月低（無名氏）……五五八八
五臺山上有他那一萬僧（無名氏）……五五八八
五臺山上有他那松樹多（無名氏）……五五八八
手按銀筝坐（無名氏）……五五八三
今日要摇椿（無名氏）……五五八八
月明西廂下（無名氏）……五五八二
石頭一塊（無名氏）……五五八九
瓦釜芹羹美（李昌祺）……二三〇
四更裏不來也夢兒裏夢見他（無名氏）……五五八七
四更裏不來也和殘更个畫鼓兒敲（無名氏）……五五八七

白下留跡少（李昌祺）……二三〇
共效于飛願（無名氏）……五五九一
□□□在哉（無名氏）……五五八五
此處撇新蕊（郭汝平）……一五五五
自從別離後（無名氏）……五五八二
冷落鴛鴦合（郭汝平）……一五五四
冷覷籬邊鶍（常倫）……一八八一
我來山中宿（無名氏）……五五八六
我是張果老的徒弟（無名氏）……五五八九
我銀壺瓶裏酒（無名氏）……五五八九
我茶褐羅的傘兒下（無名氏）……五五八九
夜宿在平康巷（無名氏）……五五九一
雨氣疏簾外（楊廷和）……八四八
雨意斑鳩喚（李昌祺）……二九二
呀古今從頭不唱（無名氏）……五五八九
呀古今從頭唱起（無名氏）……五五八九
帕羅啼痕在（無名氏）……五五八四
門掩斜陽暝（李昌祺）……二三〇
故人音書斷（無名氏）……五五八二
南無寶光明（無名氏）……五二二八
南無然燈火（無名氏）……五二二九
南無諦寶幢（無名氏）……五二二九
南無浄妙聲（無名氏）……五二二九
怎受得淒涼況（無名氏）……五五九一
後園燒香罷（無名氏）……五五八五
風流滿面（無名氏）……五五九〇
紅娘何處（無名氏）……五五九一
記得當初話（郭汝平）……一五五五
倚定欄干立（郭汝平）……一五五四
寂寞深宮内（無名氏）……五五八三
這家裏春糯酒（無名氏）……五五八八
華嚴海會（無名氏）……五五八九
盛把田園置（無名氏）……五五八一
動殺不如静（常倫）……一八八〇
做了傷情淚（無名氏）……五五九一
馮魁有鈔（無名氏）……五五九〇
窗紙風遍透（楊慎）……一七二〇
富貴人争羨（常倫）……一八八一
黄蕊呈金盞（朱有燉）……三一四
殘月樓頭照（常倫）……一八八〇
紫袍金帶（無名氏）……五五九〇
紫檀歌金縷（無名氏）……五五八二

畫眉人何處（無名氏）……五五八一
滅楚功非易（無名氏）……五五八一
道人山中住（無名氏）……五五八六
載酒尋芳徑（無名氏）……五五八四
萬里瑶天浄（無名氏）……五五八四
敬禮諸摩尊（無名氏）……五二二四
敬禮毗迦摩（無名氏）……五二二四
敬禮槃頭華（無名氏）……五二二四
敬禮闍耶天（無名氏）……五二二四
敬禮毗舍浮（無名氏）……五二二五
敬禮諸方天（無名氏）……五二二五
敬禮那伽天（無名氏）……五二二五
敬禮菩提光（無名氏）……五二二五
敬禮金光明（無名氏）……五二二五
敬禮光明王（無名氏）……五二二五
敬禮須尼多（無名氏）……五二二五
敬禮婆羅王（無名氏）……五二二五
敬禮因那陀（無名氏）……五二二六
敬禮須菩提（無名氏）……五二二六
敬禮須彌王（無名氏）……五二二六
敬禮摩尼珠（無名氏）……五二二六
敬禮婆伽羅（無名氏）……五二二六
敬禮栴檀雲（無名氏）……五二二六
敬禮毗尼稱（無名氏）……五二二六
敬禮菩提王（無名氏）……五二二六
惹禍三尸倦（郭汝平）……一五五五
催起今朝興（常倫）……一八八〇
滿地光輝月（郭汝平）……一五五五
碧梧棲雙鳳（瞿佑）……二七七
臺上燒銀蠟（郭汝平）……一五五四
縠雨晴時候（朱有燉）……三四二
鳳枕難温熱（郭汝平）……一五五五
翠袖泥金扇（史忠）……四六七
綵繩千秋掛（無名氏）……五五八五
暮雨朝雲興（無名氏）……五五八一
蓬鳥思歸去（常倫）……一八八一
稽首摩尊（無名氏）……五二二七
稽首大慈尊（無名氏）……五二二七
稽首覺王尊（無名氏）……五二二七
稽首阿彌陀（無名氏）……五二二八
稽首金剛仙（無名氏）……五二二八
稽首彌留光（無名氏）……五二二八

稽首須彌尊（無名氏）……五二二八
稽首蓮華尊（無名氏）……五二二八
稽首栴檀尊（無名氏）……五二二八
稽首華光明（無名氏）……五二二八
曉雨來時驟（楊廷和）……八四九
錦箋題芳恨（無名氏）……五五八三
膩玉搽胭項（無名氏）……五五八二
鴛鴦簡帖（無名氏）……五五九〇
獨鶴閒雲性（常倫）……一八八〇
霜壓瑶花瘦（朱有燉）……三一四
璧月寒生暈（楊慎）……一七一九
歸命東南方（無名氏）……五二二七
歸命西北方（無名氏）……五二二七
歸命下方如（無名氏）……五二二七
歸命未來（無名氏）……五二二七
斷橋青山下（無名氏）……五五八四
寶鼎香銷盡（無名氏）……五五八三
寶香薰鴛被（無名氏）……五五八二
寶釵横雲髻（無名氏）……五五八二
璽珠子大似豌豆（無名氏）……五五八九
鱠魚裁霜樓（無名氏）……五五八五
觀音菩薩（無名氏）……五五九〇

金扭絲

躲離了蜂衙快活也些（葉華）……四二四五

金段子

交情正美（俞宛綸）……四四九三

金索掛梧桐（金絡索）

安排錦繡窩（施紹莘）……四六三六
江潮雪賺堤（施紹莘）……四七三二
忘情與世違（周履靖）……三五九四
身閑心要足（杜子華）……三五〇八
青帘酒味佳（朱應辰）……一四八四
花間宿雨收（施紹莘）……四七〇八
花邊豔綺羅（顧正誼）……三六八五
春光不喜寒（杜子華）……三五〇九
茅堂夜正寒（金鑾）……一八四五
秋山淡翠蛾（顧正誼）……三六八六
秋光處處佳（朱應辰）……一四八四
秋場轂正佳（朱應辰）……一四八四
風流不讓他（程豈一）……五一六九

孩兒雖暫離（王化隆）……………………四三二〇
荷風蕩晚涼（施紹莘）……………………四五九〇
梧桐葉未飄（施紹莘）……………………四五九一
常瞻北斗標（陳所聞）……………………三九二一
湖中景最佳（朱應辰）……………………一四八三
樓臺浸碧波（顧正誼）……………………三六八六
霜風葉滿途（顧正誼）……………………三六八六

金梧桐

西風落葉繁（夏完淳）……………………五一二八
名隨翰墨流（陳所聞）……………………三九三六
何須苦逗遛（王驥德）……………………三六七一
松間漸漸明（施紹莘）……………………四六一四
青蘋葉勢平（施紹莘）……………………四六一八
春風蘇小家（馮延年）……………………五〇三四
相思借酒消（曹大章）……………………二七六三
柳含煙翡翠柔（沈璟）……………………三八一二
香醪爲解愁（陳鐸）……………………六九八
香醪爲解愁（鄭若庸）……………………一七八三
秋風一夕生（陳所聞）……………………三九三五
屏山錦繡開（施紹莘）……………………四六三七
紅殘緑已稠（吴載伯）……………………四五六七
烟消楊柳絲（沈璟）……………………三八一五
淒淒夜色清（嵇行若）……………………五一六六
罡風猝地騰（嵇高也）……………………五一六七
深深繡幕遮（陳鐸）……………………七〇七
偷傳袖裏私（沈璟）……………………三八一四
張姬自可憐（王驥德）……………………三六五二
堪悲宋玉秋（許彦輔）……………………五一三九
漫漫瑞雪鋪（王穉登）……………………三三四二
漫漫瑞雪鋪（陳鐸）……………………六八三
歌長檀板温（施紹莘）……………………四六六四
頻來眼上兜（沈璟）……………………三八一三

金絡索（金索掛梧桐　金鎖掛梧桐）

一杯别酒闌（祝允明）……………………八七六
一堆灩澒愁（陳子升）……………………五〇一八
人離在眼前（張琦）……………………四七八〇
三生信有緣（陳所聞）……………………三八三三
心愁無計除（丁綵）……………………三二八六
今宵喜會他（祝允明）……………………八七六
冰紋只半鋪（孫起都）……………………四一六九

西風促曉粧（朱世徵）……四九三〇
西風送落霞（無名氏）……五四九五
西風捲暮霞（楊慎）……一七二九
年年想看花（王驥德）……三六三六
朱花疊錦池（楊德芳）……四八九九
我淩雲氣正豪（陳所聞）……三八七三
彤雲點點遮（楊慎）……一七二九
河清海晏然（無名氏）……五九三三
青煙做素肌（沈静專）……四五五五
青樓此日身（陳所聞）……三八七三
芙蓉竟不如（陳所聞）……三八三三
花對萬户侯（陳子升）……五〇一九
東風轉歲華（陳鐸）……五六〇
東風妒物華（無名氏）……五四九五
岷峨孕薛濤（張栩）……五一〇八
金鉤蕩繡簾（邢一鳳）……二三〇六
春心破柳芽（高濂）……二九六三
春光只剩三（沈璟）……三七八二
春光遍柳條（陳所聞）……三八三九
春來麗日長（無名氏）……五九三二
秋雲浄碧波（高濂）……二九六四
風吹何處絃（陳所聞）……三八四〇
羞看鏡裏花（祝允明）……八七六
朔風寒倍加（無名氏）……五四九六
荆山片玉叢（沈瓚）……四一〇五
盈盈蔽月姿（孫起都）……四一六八
清奇冰雪姿（薛崗）……三四〇二
婆娑紫燕蹁（陳所聞）……三八三二
荷花蕩日華（楊慎）……一七二九
梅魂入夢香（高濂）……二九六四
從分翡翠釵（陳所聞）……三八三九
斜暉映落霞（張琦）……四七八〇
温柔鄉裏生（沈璟）……三七八八
曾叨金屋光（馮夢龍）……四四四三
寒衣贈白裘（張琦）……四七八一
寒雞夜半鳴（丁綵）……三三〇一
葵榴簇絳綃（高濂）……二九六四
郵亭繫赤驄（張琦）……四七八〇
閒堦細雨收（陳鐸）……五六〇
陽關草色紅（丁綵）……三二八六
楊花亂滚綿（陳鐸）……五六〇
愁聽夜半鵑（陳所聞）……三八四〇

說圓未得圓（高濂）……二九六二
瑤臺一絳僊（梁辰魚）……二六九六
魂迷花外津（陳所聞）……三八三九
輕烟拂柳芽（楊慎）……一七二九
歌塵悔暗抛（孫起都）……四一六八
銀臺絳蠟籠（陳鐸）……五六一
銀燈夜吐花（祝允明）……八七六
潛蹤北海龍（薛崗）……三四〇二
嬌啼膩粉湮（孫起都）……四一六九
機中錦字添（陳所聞）……三八三九
鍼鍼刺繡勞（陳所聞）……三八三三
薰風弄帳紗（無名氏）……五四九五
藍揉秋水肌（沈静專）……四五五五

金盞兒（醉金盞　慢金盞）

因他去減我風流（馮惟敏）……二五二一
恁衷腸（常倫）……一八九六
聚成佛（無名氏）……五二九〇
德王佛（無名氏）……五二九〇

金殿喜重重（花藥欄）

新緑池邊（無名氏）……五八五九

金蕉葉

敬歸依大寶焰佛（無名氏）……五二九五
敬歸依廣智上佛（無名氏）……五二九五

金錢花

自干碌碌閒忙（李應策）……四〇七二
空令書積墨莊（李應策）……四〇七二

金甌醉

春英飛滿簷（張瘦郎）……四八一七

金甌線解醒

相思没奈何（沈璟）……三八一六

金鶯轉

三江襟帶寬（夏完淳）……五一二九

迎仙客

一九至草木衰（馬丹陽真人）……一五五一
二九至冷風寒（馬丹陽真人）……一五五二
八九至律陽回（馬丹陽真人）……一五五二
九九至景堪圖（馬丹陽真人）……一五五二

三九至雪花飛（馬丹陽真人）……………一五五二
六九至雪無邊（馬丹陽真人）……………一五五二
四九至雪又飄（馬丹陽真人）……………一五五二
五九至雪漫漫（馬丹陽真人）……………一五五二
日常圓月有缺（重陽真人）……………一五四七
化自然人自伏（重陽真人）……………一五四六
仍進火更鍛煉（重陽真人）……………一五四八
去朝元登仙路（重陽真人）……………一五四七
仙不仙凡不凡（重陽真人）……………一五四九
加精進着力前（重陽真人）……………一五四八
再提起天機泄（重陽真人）……………一五四七
任人魔不迴顧（重陽真人）……………一五四六
合自然了真空（重陽真人）……………一五四七
如珠紅似彈丸（重陽真人）……………一五四八
收拾訖向内觀（重陽真人）……………一五四九
花艷吐柳眉舒（無名氏）……………五六二八
忽然覺臍下寒（重陽真人）……………一五四八
迎仙客王師傅（重陽真人）……………一五四六
迎仙客王祖師（重陽真人）……………一五四五
迎仙客丘師傅（重陽真人）……………一五四六
迎仙客西王母（重陽真人）……………一五四三
迎仙客李老君（重陽真人）……………一五四三
迎仙客吕洞賓（重陽真人）……………一五四四
迎仙客馬祖師（重陽真人）……………一五四五
迎仙客郝太古（重陽真人）……………一五四六
迎仙客孫姑姑（重陽真人）……………一五四六
迎仙客祖東華（重陽真人）……………一五四四
迎仙客道家風（重陽真人）……………一五四七
迎仙客漢鍾離無生化的五祖爲（重陽真人）……………一五四四
迎仙客漢鍾離不做將軍自悟得（重陽真人）……………一五四四
迎仙客劉師父（重陽真人）……………一五四五
迎仙客劉海蟾（重陽真人）……………一五四四
迎仙客譚師傅（重陽真人）……………一五四五
度吕公一夢裏（重陽真人）……………一五四四
度門人心量普（重陽真人）……………一五四五
度量陽過山東（重陽真人）……………一五四四
風露冷月華明（無名氏）……………五六二七
風樹杪月梅杪（無名氏）……………五六二七
訓中華化胡人（重陽真人）……………一五四三
真截話與君説（重陽真人）……………一五四七

授皇宣去化胡（重陽真人）……一五四六
授皇宣見帝主（重陽真人）……一五四六
脱體空無一物（重陽真人）……一五四五
陶令花邵平瓜（無名氏）……五六二八
閑看書醉騎驢（無名氏）……五六二八
開惑教捉馬兒（重陽真人）……一五四五
結跏趺抐定拳（重陽真人）……一五四八
歌扇整舞裙輕（無名氏）……五六二八
運用功口難詮（重陽真人）……一五四九
愁滿懷淚盈腮（無名氏）……五六二七
遠市朝近漁樵（無名氏）……五六二八
嘆世人空自忙（馬丹陽真人）……一五五〇
嘆世人空自巴（馬丹陽真人）……一五五〇
嘆世人日夜煎（馬丹陽真人）……一五五〇
嘆世人不堅牢（馬丹陽真人）……一五五一
嘆世人歪自修（馬丹陽真人）……一五五一
嘆世人真個呆（馬丹陽真人）……一五五一
嘆世人争利名（馬丹陽真人）……一五五一
嘆世人少奢華（馬丹陽真人）……一五五一
嘆世人價錢多（馬丹陽真人）……一五五一
嘆世人道上參（馬丹陽真人）……一五五一
樂自然享天福（重陽真人）……一五四四
縱君袍戀妻妾（重陽真人）……一五四七
騎鐵馬賞明月（重陽真人）……一五四八
離俗苦樂道甜（重陽真人）……一五四五
鶴風山煉火還（重陽真人）……一五四八
體自然養疏拙（重陽真人）……一五四七

刷子序（汲沙尾）

追想錦堂（梁辰魚）……二六五九

刷子序犯

一線枕鴛痕（卜世臣）……四三〇五
白眼看青天（王驥德）……三六四五
回首曉窗别（沈璟）……三七九五
花落武陵寂（張叔元）……四八九三
花落武陵寂（張栩）……五一一二
别了幾多時（程可中）……四一五五
南浦雨初歇（楊慎）……一七四〇
漂泊恨無主（程可中）……四一五四

刷子帶芙蓉（刷子玉芙蓉）

紅粉命常薄（張旭初）……四八五四

雲雨阻巫峽（劉兑）……一一五

姐姐帶六幺

忸怩偷歸迤邐（張積潤）……四八五九

姐姐寄封書

可憐空房静悄（王驥德）……三六四一

阿姑令

石竹花兒正開（無名氏）……五八二八
阿姑令從頭兒唱起（無名氏）……五八二八
青紗裙兒破些（無名氏）……五八二九
青紗裙兒一遭（無名氏）……五八二九

九　畫

恨更長

夏日長（無名氏）……五九〇〇
深院愁（無名氏）……五九〇〇
這悶懷（無名氏）……五八九九

亭前柳

瓶墜寶簪折（唐寅）……一一七五

美中美

日墜西（無名氏）……五八四七

美櫻桃

乍晴乍雨閑庭院（楊慎）……一六九二
冰肌玉骨無煩暑（楊慎）……一六九二
流螢月暗窺羅帳（楊慎）……一六九二
雲情雨意商量雪（楊慎）……一六九二
懶梳懶整烏雲鬢（無名氏）……五八二九
懶修懶寫平安字（無名氏）……五八二九
懶行懶出門兒外（無名氏）……五八二九
懶描懶把眉兒畫（無名氏）……五八三〇

祆神急

富嫌千口少（康海）……一三一七

春風俏臉兒

桃花已亂零（無名氏）……五八八三

春雲怨

鴈杳音稀（無名氏）……五九〇三
暗想嬌質（無名氏）……五九〇二

壽比南山（無名氏）……五九〇一

春閨怨

柳葉眉尖芙蓉色（無名氏）……五七九三
要解愁腸除是你（無名氏）……五七九三
要解愁腸除是他（無名氏）……五七九三
要解愁腸除是酒（無名氏）……五七九二

珍珠馬

簫聲喚起瑤臺月（鄭若庸）……一七八六

胡十八

八十歲老莊家（馮惟敏）……二三三七
又不曾得甚的（陳鐸）……五七六
天生的美臉兒（陳鐸）……六一九
不甫能大開鐮（馮惟敏）……二三三七
他自道開不的交（金鑾）……一八二四
百般的定計謀（陳鐸）……五七五
好漢錢只待去還（金鑾）……一八二三
走將來冷廝侵（金鑾）……一八二三
伸着腳待你拴（金鑾）……一八二三
每日價說歸田（馮惟敏）……二三〇九
每日價說歸家（馮惟敏）……二三一〇
每日價說歸休（馮惟敏）……二三一〇
每日價說歸湖（馮惟敏）……二三一〇
往常時收麥年（馮惟敏）……二三三七
使盡了百樣心（金鑾）……一八二四
美名兒常在心（陳鐸）……五七五
穿和喫不索愁（馮惟敏）……二三三七
相會了半霎兒（陳鐸）……五七五
馬蹄般精徹金（金鑾）……一八二三
這功名直甚的（劉天民）……一六一九
這功名要怎麼（劉天民）……一六一九
這功名有甚麼罕（劉天民）……一六一九
眼皮兒恰待合（陳鐸）……五七六
腳跟兒委的勤（金鑾）……一八二三
尋思的意兒癡（金鑾）……一八二三
結茅屋近水邊（無名氏）……五七九三
經了些苦折磨（陳鐸）……五七五
橫着心一密裏猜（金鑾）……一八二四
纔說些好話兒（陳鐸）……五七五
纔離了眼角清（金鑾）……一八二四

耍孩兒（魔合羅）

一勸你莫胡行（朱載堉）……………三四四二
一靈真性投肚内（蘭陵笑笑生）………二八三三
二勸你用好心（朱載堉）……………三四四二
七勸你人毋欺（朱載堉）……………三四四三
十勸你早回頭（朱載堉）……………三四四三
八勸你歹休作（朱載堉）……………三四四三
九江姐兒名色香（無名氏）…………五八一一
九勸你莫行兇（朱載堉）……………三四四三
三皇聖世傳堯舜（馮惟敏）…………二五二九
三勸你若不依（朱載堉）……………三四四二
小人度量忒經紀（陳鐸）……………六七五
六勸你氣要消（朱載堉）……………三四四二
天官賜福宣章奏（馮惟敏）…………二五一〇
天津姐兒似六娘（無名氏）…………五八〇九
五勸你少閑事（朱載堉）……………三四四二
中途平地生災禍（陳鐸）……………六六九
丹谿瑶館時登眺（周履靖）…………三五六二
去時節雨打梨花三月春（無名氏）……五八〇八
半間茅屋十分俊（王克篤）…………二九四九
只因咱風流情興多（陳鐸）…………五七二
四勸你莫放刁（朱載堉）……………三四四二
有等奸工懶饞（朱載堉）……………三四四三
老天生我非容易（無名氏）…………六二八二
吃緊的盟山海誓無查照（張鍊）……二二五六
汴梁姐兒情意長（無名氏）…………五八一〇
男兒不廢君臣義（彭澤）……………八七〇
身長力壯無生意（陳鐸）……………六七一
我和他身如比目魚（陳鐸）…………五七二
我把百年事業隨芳草（無名氏）……六二七七
長眉仙漁鼓敲（馮敏効）……………三五三五
杭州姐兒情意多（無名氏）…………五八一〇
美佳人割肉刀（朱載堉）……………三四四四
爲人不把爹娘孝（無名氏）…………六二八一
則我將花容細細描（宛瑜子）………四五二九
海棠開了猿聲叫（無名氏）…………五八〇八
烟蓑雨笠溪邊叟（萬勛）……………八一三
荆州姐兒生得清（無名氏）…………五八一〇
桐城小夥好唱歌（無名氏）…………五八〇八
俺這裡煉長生不老丹（馮敏効）……三五三五
書林小夥不着驚（無名氏）…………五八〇八

麻城小夥臉襯霞（無名氏）……………五八〇八
教坊一色爲南戲（陳鐸）……………六七三
做工匠卻也難（朱載堉）……………三四四三
貪瓊漿有妨功（朱載堉）……………三四四四
斯文自古多聲價（陳鐸）……………六七八
揚州姐兒勝碧秋（無名氏）……………五八〇九
雲南姐兒白似銀（無名氏）……………五八一一
喜的是四夷萬國干戈定（無名氏）……六二七九
紫雲仙雲影搖（馮敏効）……………三五三六
喬人卻把風俗壞（陳鐸）……………六七六
銅陵小夥似白銅（無名氏）……………五八〇八
嫌好道歹憎酸惡甜（朱載堉）…………三四四四
廣東姐兒住海邊（無名氏）……………五八一一
踏歌仙玉板敲（馮敏効）……………三五三五
歎錢財將人迷（朱載堉）……………三四四四
潭城小夥娶老婆（無名氏）……………五八〇九
儀真姐兒似玉真（無名氏）……………五八〇九
樊城姐兒最耐煩（無名氏）……………五八一〇
蕭山姐兒似玉簫（無名氏）……………五八〇九
錢塘姐兒不要錢（無名氏）……………五八一〇
臨清姐兒賽鶯鶯（無名氏）……………五八〇九
襄陽姐兒心性乖（無名氏）……………五八一〇
蘭溪姐兒似弱蘭（無名氏）……………五八一〇
蘇州姐兒稱小蘇（無名氏）……………五八〇九
勸世人氣要消（朱載堉）……………三四四四
饒君使盡英雄漢（馮惟敏）……………二五二七

柰子花犯

新月曲一似蛾眉（無名氏）……………五八八三

相公愛（駙馬還朝）

施願無畏離過除毒佛（無名氏）………五三〇三
敬頂禮一切義成就佛（無名氏）………五三〇一
敬頂禮一切世間解佛（無名氏）………五三〇一
敬頂禮圓滿諸所求佛（無名氏）………五三〇一
敬頂禮第一法圓滿佛（無名氏）………五三〇二
敬頂禮止息降諸根佛（無名氏）………五三〇二
敬頂禮三明知三界佛（無名氏）………五三〇二
敬頂禮無相亦無老佛（無名氏）………五三〇二
敬頂禮調伏除煩惱佛（無名氏）………五三〇二
敬頂禮離塵無上士佛（無名氏）………五三〇二
敬頂禮圓滿吉祥相佛（無名氏）………五三〇二
敬頂禮六根清淨眼佛（無名氏）………五三〇二

敬頂禮善逝德成就佛（無名氏）……五三〇二
敬頂禮真實降諸根佛（無名氏）……五三〇二
敬頂禮得最上涅槃佛（無名氏）……五三〇二
敬頂禮調伏聲開者佛（無名氏）……五三〇二
敬頂禮聖智照世間佛（無名氏）……五三〇二
敬頂禮出世爲如來佛（無名氏）……五三〇二
敬頂禮善意端嚴相佛（無名氏）……五三〇三
敬頂禮善持善戒相佛（無名氏）……五三〇三
敬頂禮金色光善逝佛（無名氏）……五三〇三
敬頂禮善逾愛尊重佛（無名氏）……五三〇三
敬頂禮無等三有師佛（無名氏）……五三〇三
敬頂禮無我最第一佛（無名氏）……五三〇三
敬頂禮證理淨慧眼佛（無名氏）……五三〇三

柳外樓

中和聖德定三才（無名氏）……五二一七
犧尊泛玉嫩蒲芳（康海）……一三六〇

柳葉兒

無量遊步佛（無名氏）……五二八六
進巍巍聲佛（無名氏）……五二八六

柳搖金

心中牽掛（蘭陵笑笑生）……二八二九
青春時候（朱有燉）……三三四
東風輕颺（朱有燉）……三三二
春花秋月（馮惟敏）……二三九八
茅簷草下（黄峨）……一九八三
風花雪月（馮惟敏）……二三九七
風情休話（朱有燉）……三三四
迢迢山徑（朱有燉）……三八一
浮雲風送（朱有燉）……三三五
晨光偏重（朱有燉）……三三二
留他不下（黄峨）……一九八三
涼飈初到（朱有燉）……三三三
羞花閉月（馮惟敏）……二三九八
惜花愛月（馮惟敏）……二三九八
尊前花下（黄峨）……一九八三
章臺庭院（朱有燉）……三三三
常懷憂悶（蘭陵笑笑生）……二八二九
誠心相勸（朱有燉）……三三四
與他説下（黄峨）……一九八三

濃雲陰重（朱有燉）……三三五
雕盤香靄（包應龍）……二八八五
闞河迢遞（朱有燉）……三八一
嚴凝天氣（朱有燉）……三三三

柳營曲（寨兒令）

瓦罐提（朱有燉）……三七〇
玉雪顔（湯式）……八五
占柳營（朱有燉）……三六九
孛老貪（朱有燉）……三七二
歧路北（湯式）……八四
性軟者（朱有燉）……三七一
花一攢（朱有燉）……三七四
金鳳鳳（朱有燉）……三七一
炙肉籤（朱有燉）……三七三
酒乍醒（湯式）……八五
珠絡索（朱有燉）……三七一
常串瓦（朱有燉）……三七三
眼打睃（朱有燉）……三七三
假撇清（朱有燉）……三七四
開硬河（朱有燉）……三七一
煙月牌（朱有燉）……三七二
會撚酸（朱有燉）……三七二
語話漸（朱有燉）……三七〇
歌舞臺（朱有燉）……三七〇
麪好喫（朱有燉）……三七二
熱廝煎（朱有燉）……三七三
熱表兼（朱有燉）……三七一
鴉髻鬆（湯式）……八四
髻綰雲（朱有燉）……三七三
錦套竿（朱有燉）……三七〇
難救拔（朱有燉）……三七二
歸路杳（湯式）……八四
瞻表精（朱有燉）……三七〇

柳階行

樓臺上下瓊花舞（朱瞻基）……四四六

哈剌那阿孫

敬頂禮功德王寂静增上佛（無名氏）……五三〇三
敬頂禮日月燈大願速勝佛（無名氏）……五三〇三

敬頂禮善逝王功德奮迅佛（無名氏）……五三〇三

哈哈孩

佛佛佛如來敬禮光明普十方也如來（無名氏）……五三三一
佛佛佛如來歸命無邊普光明也如來（無名氏）……五三三一
佛佛佛如來稽首大千普光明也如來（無名氏）……五三三二
佛佛佛如來敬禮十方世界佛也如來（無名氏）……五三三二
佛佛佛如來歸命釋種無上勝也如來（無名氏）……五三三二
佛佛佛如來稽首真金世界佛也如來（無名氏）……五三三二
佛佛佛如來敬禮金剛世界佛也如來（無名氏）……五三三二
佛佛佛如來歸命光明世界佛也如來（無名氏）……五三三二
佛佛佛如來稽首豐繞世界佛也如來（無名氏）……五三三二
佛佛佛如來敬禮三千普世界也如來（無名氏）……五三三二

秋江送

清閑道無事仙（無名氏）……六三九〇
清閑道（無名氏）……五七九四
春來到（無名氏）……五七九四
敬頂禮佛如來（無名氏）……五三一九
敬頂禮輪如來（無名氏）……五三一九
敬頂禮衆如來（無名氏）……五三一九
敬頂禮大如來（無名氏）……五三一九
敬頂禮龍如來（無名氏）……五三二〇
敬頂禮化如來（無名氏）……五三二〇

秋風紅葉兒（即紅葉兒）

淚濕殘粧面（無名氏）……五八三〇
淚濕芙蓉面（無名氏）……五八三一
淚濕羅衫袖（無名氏）……五八三一
露濕凌波襪（無名氏）……五八三〇

秋風第一枝（折桂令）

錦屏風片片花飛（無名氏）……五七九四

香柳娘

正青春二八（宛瑜子）……四五一八
見遥天月朗（馮敏効）……三五三五
這壚來女娘（無名氏）……五四六八
羨亭亭雅妝（醉西湖心月主人）……五二一一
對孤燈悄然（無名氏）……五八三四

香遍滿

人歸春仲（顧起元）……四二七四
千般驚訝（沈璟）……三八〇一
玉人何處（王讓）……五〇八七
江山遥瞞（許次紓）……三七三〇
因他消瘦（陳鐸）……六三六
因他消瘦（唐寅）……一一六一
別來時候（顧大典）……三五五四
武昌門阻（張葦如）……四九八三
芳時輕度（凌濛初）……四五五一
春風吹至（陳子升）……五〇二五
春風薄分（唐寅）……一一六〇
相思羸病（禄洪）……四一三六
柳徑花溪（無名氏）……五八八四
重陽時候（施紹莘）……四六八〇
淚染啼鵑（朱應辰）……一四九二
從他去後（吴國寶）……二七四八
從他別後（王驥德）……三六四七
雲容月貌（梁辰魚）……二六六五
紫陌紅徑（無名氏）……五八八六
新愁誰共（儲紫虚）……四九二八
瞥然相見（張葦如）……四九八七
燈前今夜（俞宛綸）……四五〇一
懨懨憔瘦（禄洪）……四一三七
蟾勾趄影（施紹莘）……四七四二
鸞凰同聘（王九思）……一〇九八

香羅帶

天寒澤國秋（梁辰魚）……二六九二
去年三月中（秦時雍）……二五七〇
東風一夜洌（康海）……一三四六
横斜水月中（張瘦郎）……四八一三

看花會

普天下（廖道南）……一九四五

重疊字雁兒落過得勝令

我誇這二八芳容（朱有燉）……三三二〇

後庭花（玉樹後庭花　後庭花破子）

只愛着錦堂春風景好（王化隆）……四三三六
積翠暗山窗（陳所聞）……三八八三

後庭花兼青哥兒

喜孜孜擺珍羞開大筵（無名氏）……五五六七
進忠良爲股肱（無名氏）……五五六七

風入松（遠山横）

一絲兩氣病襄王（黄峨）……一九八八
一聲鶯過草堂春（康海）……一二五七
十年踪跡走塵霾（湯式）……一四〇
千嬌百媚杜韋娘（黄峨）……一九八八
山風吹盡桂花枝（楊慎）……一六九二
火雲天外聳奇峰（康海）……一二五七
天涯霜雪際寒霄（康海）……一二五七
天機親向手中拿（康海）……一二五八
丹成初子事何憂（康海）……一二五八
月樓花院好風光（黄峨）……一九八五
有夫妻漸長兒孫（常倫）……一八八五
自家基址既堅牢（康海）……一二五八
多情曾賞繡園春（王九思）……一〇〇一
赤松子留訣在人間（常倫）……一八八五
李亞仙跟定鄭元和（陳鐸）……五六四
杏花天氣日融融（湯式）……九〇
杜鵑啼過落花多（湯式）……八九
抽添既了虎精飛（康海）……一二五八
金風一剪素雲流（康海）……一三八八
金風初動值清秋（無名氏）……六三九〇
洞門深鎖碧窗寒（楊慎）……一六九二
洞房香冷辟寒犀（湯式）……八九
哀哀血淚染麻衣（李應策）……四〇九一
春風滿眼去年花（王九思）……一〇〇一
昨朝對面是參商（王驥德）……三六三七
修丹先造紫河車（康海）……一二五七
紅顏自古命兒薄（王九思）……一〇〇一
流珠伏火要真鉛（康海）……一二五八
販茶船賺了小蘇卿（陳鐸）……五六四
梨花開了燕重來（王九思）……一〇〇一
徘徊花月可憐宵（黄峨）……一九八五

紫煙衣上繡春雲（楊慎）……………一六九一
紫崖深處意同幽（李應策）…………四〇八七
悲兒臥苦枕塊日（李應策）…………四〇九〇
疎松隔水奏笙簧（楊慎）……………一六九一
落花輕惹暖絲香（李唐賓）…………四九
想才郎心性似楊花（陳鐸）…………五六二
想才郎心性似遊絲（陳鐸）…………五六三
想才郎心性似風箏（陳鐸）…………五六三
想才郎心性似浮萍（陳鐸）…………五六三
想才郎一去了許多時（陳鐸）………五六三
想才郎一去了半年餘（陳鐸）………五六三
想才郎一去了不回來（陳鐸）………五六三
想才郎一去來杳無憑（陳鐸）………五六三
想才郎一去不回來（王驥德）………三六三七
想才郎一去似遊絲（王驥德）………三六三七
想才郎一去定抛奴（王驥德）………三六三七
想才郎一去恣癲狂（王驥德）………三六三七
想從來詩酒是生涯（無名氏）………五五三八
想當初雞卵未分離（常倫）…………一八八五
想當初張珙爲功名（陳鐸）…………五六四
亂雲如葉雨如絲（湯式）……………九〇
鉛華淨盡始孳生（康海）……………一二五八
鉛爺閥閱在西江（康海）……………一二五八
漢相如原是有情人（陳鐸）…………五六四
碧空雲盡火星流（康海）……………一二五七
碧桃花下鳳鸞孤（無名氏）…………六三九二
夢回鴛帳酒幾醒（無名氏）…………六三九一
鳳臺人醉鳳樓春（賈仲明）…………二一九
噴香瑞獸小粧臺（黄峨）……………一九八五
憶巫山神女會高唐（陳鐸）…………五六四
燕山形勝出皇都（徐知府）…………二八八九
曉春登覽路苕蕘（康海）……………一三八三
薰風催暑麥將秋（康海）……………一四〇二
攘三軍只到于今細尋（常倫）………一八八五
繡羅紅嫩抹酥胸（黄峨）……………一九八五

風雲會四朝元

三伏天道（無名氏）…………………五五三七
金風初動（無名氏）…………………五五三七
春光明媚（無名氏）…………………五五三六
梅花開放（無名氏）…………………五五三七

紅衲襖（紅錦袍）

一聲聲錦瑟合雲璈（李應策）………四〇八五

只道你歲宫情耐得風與波（中分榭主人）……四八六五
他那紫金釵是殺人的兩刃矛（王化隆）……四三三三
我也是風月場一丈夫（中分榭主人）……四八六四
我也是鐵錚錚一丈夫（胡文焕）……三三五四
我本待時與你做個鸞鳳儔（中分榭主人）……四八六三
我有個人兒在天涯（王化隆）……四三二九
我穿的是紫羅襴倒拘束得俺不自在（王化隆）……四三三一
我將你岸投鈎空掛腸（無名氏）……五四六八
你本是江上的嬌生養（宛瑜子）……四五一一
你本是搦管的紫薇堂國士（王化隆）……四三三三
你休得逞炎凉在畏途（胡文焕）……三三五四
你好似紙蝴蝶忒煞輕（無名氏）……五四六八
你做了脱腮魚難上鈎（無名氏）……五四六九
你幾時得同心羅帶結（陸洙）……八〇七
爲甚麽却相逢半語無（中分榭主人）……四八六四
爲甚麽傾蓋間情便投（中分榭主人）……四八六四
南無娑羅如來（無名氏）……五三二七
南無龍觀如來（無名氏）……五三二七
南無普賢如來（無名氏）……五三二七
南無栴檀如來（無名氏）……五三二七
南無梵音如來（無名氏）……五三二七
看他們領鄉書一做了鵬程鶚薦青雲客（徐敷詔）……二一五六
看他們榮父母顯祖宗（徐敷詔）……二一五七
莫不是胸臆中包藏的原無有萬卷書（徐敷詔）……二一五六
莫不是老天公杳冥中機事深（徐敷詔）……二一五六
俺本是列真行絳闕儔（周履靖）……三五六五
記初逢秋月盈（張栩）……五一一五
被蛇傷怕井索（無名氏）……五四六九
插金花衣錦袍（無名氏）……五四六九
最苦是朱淑貞春恨悠（中分榭主人）……四八六四

小則小偏能走跳（楊訥）……二二一四
小院柳垂緑線（無名氏）……五六二九
也不羨竿頭弄險（王克篤）……二九二六
也不羨官羊沽酒（王克篤）……二九二六
也不羨朱樓紫閣（王克篤）……二九二六
也不羨鰲頭獨佔（王克篤）……二九二六
也不羨旌旗閃閃（王克篤）……二九二六
也不管龍争虎鬭（無名氏）……五六三一
也好駕青牛西度函關（李應策）……三九九三
五閻王不嫌鬼瘦（馮惟敏）……二四二一
日遲遲風輕雲淡（丁惟恕）……四三五三
平地上白雲一片（王磐）……七九二
北邙山難分王霸（張鍊）……二二三一
且賞宴東山懽聚（常倫）……一八八四
白雲圃花香酒美（張鍊）……二二三〇
半肩豚白截肉肥（李應策）……三九七二
他書叵能讀得五車（李應策）……三九八一
百歲韶華將半（康海）……一二四三
竹所敲棊穩坐（楊廷和）……八五五
休笑我倉無穀麥（王九思）……九六九
伏虎降龍人物（康海）……一二四三
費了你好一片荆棘心（李應策）……四〇六五
想着你戀新人也未必堅不磨（中分榭主人）……四八六五
谿壑中墾了舊山田（李應策）……四〇六四
彈香肩鬆臂金（梁辰魚）……二六八六
聽一聲催着去頓生出萬斛愁（中分榭主人）……四八六三

紅葉兒

敬禮衆明佛（無名氏）……五二九一
敬禮名聞佛（無名氏）……五二九一

紅錦袍（紅衲襖）

俺本是採山人樵子徒（周履靖）……三五九九

紅繡鞋（朱履曲　珠履曲）

一家兒穿衣吃飯（馮惟敏）……二四二一
一品秩長憂無嗣（王九思）……九六八
卜金錢時常問信（無名氏）……五六三〇
又不是官糧科派（馮惟敏）……二四二一
三月暮春容漸老（朱有燉）……三六六
士女鞦韆争戲（無名氏）……五六二九

谷雨深含雨意（楊廷和）……八五五
赤松嶺堪爲活計（王九思）……九六八
我爲你躭驚受怕（蘭陵笑笑生）……二八三〇
你不慣誰曾慣（黃峨）……一九八六
身體上因他展污（陳鐸）……六〇二
性格兒玲瓏剔透（朱有燉）……三五五
夜深沉香閨寂静（無名氏）……五六三三
芙蓉面桃花扇底（張鍊）……二二三二
花結就稀疏屏障（楊廷和）……八五五
花撲撲蟬開玉翅（朱有燉）……三六六
恨鞍馬催人歸去（常倫）……一八八四
春睡穩低垂錦幔（朱有燉）……三四二
苦不過孫生閉户（李應策）……四〇〇六
苦奔忙光陰有限（張鍊）……二二三〇
急煎煎油鍋插手（王克篤）……二九二七
盆桶兒折針不漏（陳鐸）……六〇三
秦弄玉休誇清瑩（孫艾）……四八八
原不慣星前月下（陳鐸）……五七四
原不慣星前月下（朱有燉）……三六二
哭聲似流鶯轉過（無名氏）……五六三四
笑人間何争何鬭（李應策）……四〇四九
笑錦袍淋漓紅污（常倫）……一八八四
倚鮫綃枕麻玉腕（無名氏）……五六三三
倚欄干閑行散悶（無名氏）……五六三〇
能印烙土泥手藝（陳鐸）……六〇三
能比對回肩倒袖（陳鐸）……六〇四
清湛湛銀臺燒蠟（張鍊）……二二三〇
望天台花當洞口（黃峨）……一九九〇
望音書魚沉雁杳（無名氏）……五六三一
啓朱扉堦前閑站（無名氏）……五六二九
虛當了青錢學士（李應策）……三九七九
控金鈎朱簾不掛（無名氏）……五六三〇
眺斜曛層樓晚照（張鍊）……二二三二
假認做女婿親厚（蘭陵笑笑生）……二八三〇
從他去空閑羅帳（無名氏）……五六三二
細雨江村孤店（康海）……一二四三
張翠幃鶯猶未識（薛崗）……三三八七
陶冶器憑伊補輳（陳鐸）……六〇二
陳希夷買到華山（李應策）……三九九四
渭水移來直幹（楊廷和）……八五五
裁剪下才郎名諱（無名氏）……五六三二
裁剪下才郎名號粧點的字樣妖嬈（無名氏）

……五六三三
裁剪下才郎名字（無名氏）……五六三三
裁剪下才郎名號五色綫合就花條（無名氏）……五六三三
趁剛風衝開雲路（常倫）……一八八四
筆底文瀾如瀚（康海）……一二四三
貴與賤一場春夢（張鍊）……二二三〇
黑鬒鬒鴉堆雲髻（朱有燉）……三六一
無絮襖貧人怎過（陳鐸）……六〇四
傍粧臺慵匀粉面（無名氏）……五六三一
須索要顧前顧後（無名氏）……五六三一
絲瓜架蕃連茶豆（李應策）……四〇四七
幾次向邊關馳驟（無名氏）……五六三一
幾曾見十全到底（王克篤）……二九二七
鄉夢斷城樓殘漏（無名氏）……五六三〇
新板片刮削成器（陳鐸）……六〇四
裾蕩漾風飄羅帶（張鍊）……二二三二
惡相思何日畢罷（無名氏）……五六三二
惡狠狠人強馬壯（王九思）……九七〇
想昨日綠垂雲鬟（王九思）……九六九
蒸的飯是苜蓿芽（李應策）……四〇八〇
愁難咬胡桃偏硬（孫艾）……四八九
會蹭蹬樵夫前路（康海）……一二四二
會雲雨風般疎透（蘭陵笑笑生）……二八三三
業錢財算來值甚（張鍊）……二二三一
業罐子滿時打破（張鍊）……二二三一
暖閣氈簾低放（無名氏）……五六二九
愛的是晴天朗日（陳鐸）……六〇三
慘鸞影塵蒙垢污（陳鐸）……六〇四
瑪瑙盆盛來可愛（王九思）……九六九
遠迢迢雲山無信（張鍊）……二二三一
銀砌就千層樓觀（王克篤）……二九二七
誰不願身遊五鳳（王九思）……九六九
實指望花甜蜜就（黃峨）……一九八六
歎世事幾場蟻鬬（龍膺）……四二一五
歎行藏半生貧賤（張鍊）……二二三一
撲翠色秋山如靛（康海）……一二四二
醉旭日初含豔質（薛崗）……三三八七
醉昏昏不能答話（無名氏）……五六三二
質笑你生來蒲柳（李應策）……四〇八一
彈劾了二三卿相（李應策）……三九九五
彈墨兒渾身爛臭（陳鐸）……六〇三

綠沉沉槐陰亭院（李應策）…………四〇五〇
燒獸炭豪門享用（陳鐸）…………六〇二
遲媚景初開蓝瓣（薛崗）…………三三八八
環衆卉都堪北面（薛崗）…………三三八八
簇春衫輕籠寶釧（張鍊）…………二二三二
轉屏風鶯啼燕語（無名氏）…………五六三三
馥馥籬邊黄菊（無名氏）…………五六二九
薄倖人飄蓬何處（丁惟恕）…………四三四六
譙樓上昏鐘初撞（無名氏）…………五六三一
蘇子瞻出群灑落（王九思）…………九七〇
識世味煙霞遁跡（康海）…………一二四二
纔把征袍脱下（常倫）…………一八八五

紅繡鞋兼北紅繡鞋

也何須海上求仙（康海）…………一二六四
刺庭軒翠袖奇峰（康海）…………一二六四
望園林綠暗紅稀（康海）…………一二六四
潑生涯酒袋詩囊（康海）…………一二六四

十　畫

浪淘沙（賣花聲）

一日一酕醄（康海）…………一二六五
一箇主人翁（無名氏）…………五四八一
八九十枝花（丁惟恕）…………四三六九
人死好孤悽（楊爾曾）…………五一九三
人物盡熙洽（丁惟恕）…………四三六九
人壽百年餘（王問）…………一九七二
力倦強登山（王問）…………一九七〇
小小一花籃（楊爾曾）…………五一九六
小小木蘭舟（王問）…………一九七一
不漏數千年（無名氏）…………五四八一
今日喜安康（康海）…………一二三〇
手把數株桐（王問）…………一九七一
月裏捉蝦蟇（胡文焕）…………三三五二
正是一奇葩（胡文焕）…………三三五二
甲子自難查（胡文焕）…………三三五四
白雪有遺音（王九思）…………九八四
白髮鬢邊催（楊爾曾）…………五一九三
白髮阻關河（王問）…………一九七〇
生我離娘胎（楊爾曾）…………五一九三
瓜子土中埋（楊爾曾）…………五一九三
冬雪費追尋（王九思）…………九八四
百畝傍湖田（王問）…………一九七三

共坐飲金杯（康海）……………一二九九
死去見閻王（楊爾曾）…………五一九三
此景與誰同（無名氏）…………五四八一
因病攬年華（胡文焕）…………三三五二
名利最堪誇（胡文焕）…………三三五二
出入不通風（無名氏）…………五四八一
收拾賣魚錢（王問）……………一九七三
好景漫收尋（張鍊）……………二二四七
宋玉最風流（王問）……………一九七一
赤壁大磯頭（王問）……………一九七三
我有屋三間（無名氏）…………五四八一
何日共知音（張鍊）……………二二四七
何處小嬋娟（王九思）…………九九六
何處弄春音（王九思）…………九八四
何處效于飛（張鍊）……………二二四八
何處報佳音（王九思）…………九八四
何處買知音（王九思）…………九八四
何處戀瓊枝（王九思）…………九八四
含淚整羅衣（張鍊）……………二二四八
佛骨獻明君（楊爾曾）…………五二〇六
那日下天門（楊爾曾）…………五二〇五
花夜影沉沉（張鍊）……………二二四八
花落轉匆匆（王九思）…………九八三
花鳥憶追尋（張鍊）……………二二四七
花影坐間移（張鍊）……………二二四八
雨霽好登臺（王問）……………一九七一
兩度慶生辰（楊爾曾）…………五二〇五
拂子手中拿（胡文焕）…………三三五二
易水去悠悠（王問）……………一九七二
牧放夕陽遠（王問）……………一九七三
茅屋暫安身（楊爾曾）…………五二〇六
孤枕夢回時（康海）……………一二九九
孤枕夢回時（張鍊）……………二二四八
恨煞少年狂（王九思）…………九八三
春心正濃（李應策）……………四〇七一
春色太匆匆（張鍊）……………二二四七
春色許誰尋（王九思）…………九八四
昨夜雨綿綿（劉氏）……………五一二七
秋色老梧桐（陳所聞）…………三八四三
秋到許重尋（王九思）…………九八四
秋意晚侵尋（王九思）…………九八四
風送芰荷香（康海）……………一二九八

風送藕花香（張鍊）……二二四八
風動水西頭（王問）……一九七一
陌上柳條青（丁惟恕）……四三七六
陋巷少人過（丁惟恕）……四三八〇
幽意遠招尋（張鍊）……二二四七
酒興不能消（丁惟恕）……四三六八
酒到莫推辭（康海）……一二三〇
酒醉眼難開（楊爾曾）……五一九二
窈窕奏清音（張鍊）……二二四七
草屋兩三間（王問）……一九七三
荒隴枕洋溪（馮惟敏）……二三五八
夏景又相尋（王九思）……九八四
倦繡唾絨香（王九思）……九八三
笑我昔年狂（康海）……一二三〇
衾剩翠芙蓉（康海）……一二九八
烏鵲夜棲時（王九思）……九八三
書劍蹇驢駝（王問）……一九七〇
烟村四五家（丁惟恕）……四三六九
烟霧鎖沙堤（丁惟恕）……四三六九
弱水過蓬萊（馮敏効）……三五四一
這一夥小嫦娥（張鍊）……二二四八
這福要人消（康海）……一二六五
惆悵引金卮（康海）……一二九九
郭外古時丘（王問）……一九七三
袖捲藕絲衣（王九思）……九八三
梅折嚮南枝（張鍊）……二二四八
接岸傍長溪（丁惟恕）……四三六九
野老許相尋（張鍊）……二二四七
斜插滿頭花（張鍊）……二二四八
得病卧牙牀（楊爾曾）……五一九三
貧道乍離鄉（楊爾曾）……五一九三
終日苦巴巴（胡文焕）……三三五二
寒夜夜偏長（王問）……一九七一
雲雨暗巫山（王九思）……九九六
無奈惡風何（王問）……一九七〇
飲食莫增加（胡文焕）……三三五二
詩酒興無涯（丁惟恕）……四三六九
塞雁有哀音（王九思）……九八四
節序正秋中（陳所聞）……三八四三
載酒覓知音（康海）……一二九八
零露濕羅衣（康海）……一二九九
睡起讀南華（胡文焕）……三三五四

隔隴酒旗飄（丁惟恕）……四三六八
酷暑日相尋（康海）……一二九八
翠竹遶藩籬（丁惟恕）……四三六八
談笑作生涯（胡文煥）……三三五二
樓外暮雲飛（康海）……一二九九
蝶陣趁風狂（張鍊）……二二四八
劉項割鴻溝（王問）……一九七二
綠水樹爲衣（丁惟恕）……四三六八
綠竹間青松（無名氏）……五四八一
綠葉尚新鮮（劉氏）……五一二七
褥隱繡芙蓉（王九思）……九八三
靜裡傲煙霞（胡文煥）……三三五二
燕市賞嬌音（張鍊）……二二四七
薄倖您疏狂（康海）……一二九九
錦帳剩芙蓉（張鍊）……二二四八
獨自踏青遊（馮惟敏）……二三五九
鴻雁又南飛（王九思）……九八三
鴻雁送佳音（張鍊）……二二四七
霜鬢插花枝（康海）……一二三〇
離恨苦匆匆（康海）……一二九八
蘅藥結爲房（王問）……一九七一
驀地聽鶯啼（康海）……一二九九
寵辱不須嗟（胡文煥）……三三五二
鶯語初喚醒（李應策）……四〇七一
鑾洞幾經過（王問）……一九七〇

浣溪劉月蓮

丹桂枝（沈璟）……三七八五
我羞鳳衾（沈璟）……三七八五
香被餘（沈璟）……三七八五

凌波仙（水仙子　凌波曲　馮夷曲）

一時人物出元貞（賈仲明）……二〇〇
于公爲陰德起高門（賈仲明）……二一五
千秋黃菊變靈苗（王磐）……七九四
已齋老叟播聲名（賈仲明）……二〇六
子章橫槊戰詞林（賈仲明）……二〇五
文章官樣有繩規（賈仲明）……二一一
天風環佩玉敲金（賈仲明）……二一〇
元貞大德秀華夷（賈仲明）……二〇八
元貞書會李時中（賈仲明）……二〇九
公曹路吏任衢州（賈仲明）……二一三
水光山色愛西湖（賈仲明）……二一一

石州情醉寫蔡蕭閒（賈仲明）……一九五
只聞鬼簿姓名香（賈仲明）……二〇二
史侯心友艮先生（賈仲明）……二〇五
甘飴良好咂甜時（賈仲明）……二一二
江公德潤字澤民（賈仲明）……二〇七
江淛提舉任皇宣（賈仲明）……一九九
老父共汝不相知（賈仲明）……二〇四
西京出屯俊英傑（賈仲明）……一九六
西煮令史合肥官（賈仲明）……二〇六
先生準擬聖門孫（賈仲明）……二〇八
先生清秀濟南人（賈仲明）……一九六
先生寧甫老前賢（賈仲明）……二〇七
先除知事顯其才（賈仲明）……二〇三
仲文蹤跡住金華（賈仲明）……一九六
行兵遠祖習韜書（賈仲明）……二一五
名雖傳道職學官（賈仲明）……二一三
克齋弘道老仁卿（賈仲明）……二一一
李齋賢樂府詠包巾（賈仲明）……二一〇
伯成涿鹿俊豐標（賈仲明）……二〇二
君祥前輩儆圖南（賈仲明）……二〇七
君澤德潤住雲間（賈仲明）……二一二
河南獨步汴城（賈仲明）……二〇七
並頭蓮寂寞九秋香（唐復）……二四二
武林書會展雄才（賈仲明）……二一四
武昌萬户散仙公（賈仲明）……二〇五
芳名紙上百年圖（賈仲明）……二〇〇
花營錦陣統干戈（賈仲明）……一九四
東村飲罷復西村（唐復）……二四一
金風飄蕩曉松傍（朱讓栩）……二〇五三
金鳳釵打李煥後庭花（賈仲明）……一九四
金盤初湧火雲紅（朱讓栩）……二〇五三
姜肱共被弟兄情（賈仲明）……二一一
春山橫翠鎖明霞（朱讓栩）……二〇五三
南華莊老嘆骷髏（賈仲明）……一九七
貞元始祖謚宜公（賈仲明）……二一四
風月營密匝匝列旌旗（賈仲明）……一九六
浙西憲使性廉直（賈仲明）……二一〇
庭前盛茂種三槐（賈仲明）……二一四
唐虞之世慶元貞（賈仲明）……二〇四
珠璣語唾自然流（賈仲明）……一九三
峨冠博帶太常卿（賈仲明）……一九四
乘除加減有盈虧（賈仲明）……二一六

梁山泊壯士病楊雄（賈仲明）……二〇一
淛江省掾祖東平（賈仲明）……二〇八
淘金千户甚風流（賈仲明）……一九九
曹公湯餅試何郎（賈仲明）……二〇二
教坊色長有學規（賈仲明）……二〇〇
教坊總管喜時豐（賈仲明）……二〇一
掛冠解印漢逢萌（賈仲明）……二〇〇
梨園樂府永昇平（賈仲明）……二一四
紫雲亭秋香怨曲江池（賈仲明）……一九七
集成鬼簿老鍾仙（賈仲明）……一九八
絳州高隱李公潛（賈仲明）……二〇六
詩詞華藻語言佳（賈仲明）……二一五
棄官歸去捻淵明（賈仲明）……一九七
棄俗中路戴黄冠（賈仲明）……二一二
萬花叢裏馬神僊（賈仲明）……一九五
葡萄溪水緑波連（唐復）……二四二
語言脫灑不麄疎（賈仲明）……一九四
碧桃紅杏説高蟾（賈仲明）……二一四
碧梧桐一葉翠將凋（王磐）……七九四
蒲察李五大金族（賈仲明）……一九五
壽卿廷玉在同時（賈仲明）……一九八
奪魁先占廣寒秋（殷士儋）……二八一二
筵前酒海紫金罍（賈仲明）……二〇九
鄭孔目欒子酷寒亭（賈仲明）……二〇一
劉卿唐老太原公（賈仲明）……二〇九
編集鬼簿治安時（賈仲明）……二〇四
學官子敬屈恭之（賈仲明）……二一四
儒學提舉任平陽（賈仲明）……二〇三
鍾君昭叔昔同居（賈仲明）……二一〇
鍾君鬼簿集英才（賈仲明）……二一六
鍾公鬼簿應清朝（賈仲明）……二〇三
覂歌鶯韻配鴛鴦（賈仲明）……一九九
藍橋驛一步步鬼門關（唐復）……二四二
難經素問不相干（賈仲明）……二〇四
嚴威凜凜屬玄冥（朱讓栩）……二〇五四
警巡院職轉知州（賈仲明）……二〇二
霸王垓下别虞姬（賈仲明）……一九九
顯之前輩老先生（賈仲明）……一九八

粉孩兒

巴巴的盼君家捱子夜（陳子升）……五〇二四
普天下害相思猶恨少（馮夢龍）……四四三二

天付吾曹（陳繼儒）……四一一四
五嶽遨遊（馮惟敏）……二四六六
日臥龍門（李應策）……三九七九
壬戌之秋（無名氏）……六二二三
今日花開（康海）……一三七六
今日纔知（無名氏）……六二三二
心緒難憑（無名氏）……六二五九
月色娟娟（張錬）……二二八四
月映紗窗（常倫）……一九〇〇
半百年華（康海）……一三三二
玉骨冰肌（無名氏）……六二六七
正值着冬至初交（無名氏）……六一九八
可愛元宵（康海）……一三七一
瓦鉢磁甌（無名氏）……六二六〇
仕路多歧（何瑭）……一二〇三
白酒黃雞（無名氏）……六二四九
他生的巧妙身奇（無名氏）……六二〇五
他生的如月如花（蘭陵笑笑生）……三五
百歲人稀（無名氏）……六二五〇
年齒雖尊（王九思）……一〇八〇
自喜飄楊（李應策）……三九八九

粉蝶兒

一點情牽（楊賁）……二二三〇
十二闌干（楊慎）……一七三四
十月之初（無名氏）……六一九一
八八行年（康海）……一三七七
八字生時（無名氏）……六二六一
人都道重九登高（無名氏）……六二二六
又一度春光（康海）……一三八〇
又早中秋（康海）……一三七〇
九臘深冬（蘭陵笑笑生）……二八四六
力倦心慵（康海）……一三二四
三月春光（無名氏）……六二五五
三弄梅花（陳鐸）……六四〇
下手着迷（無名氏）……六一九九
才遇着白雪陽春（陳所聞）……三八九〇
山勢崔山鬼（王子一）……七
小立徘徊（無名氏）……六二五二
小扇輕羅描不上（沈一貫）……三三四九
仔細尋思（無名氏）……六二三四
斗帳風柔（張錬）……二二八〇

初度今朝（孫承恩）……一五二八
冷雨梧桐（陳鐸）……六三二
別墅新成（屠隆）……三六一三
庚午流年（馮惟敏）……二四七八
花甲從頭（康河）……一七九四
花落春休（無名氏）……六二〇一
花落春愁（唐復）……二四八
松竹梅花（康海）……一三二九
雨過南樓（張鍊）……二二八五
明月西樓（康海）……一三二八
明媚春光（無名氏）……六一八八
固守寒微（無名氏）……六二四三
往常時好賄貪財（無名氏）……六二一五
金界香飄（無名氏）……六二二七
朋友同席（無名氏）……六二二〇
恨壓眉尖（王九思）……一〇九四
春滿尊席（無名氏）……六二一三
若論着七夕佳期（無名氏）……六一九四
秋老冬初（康海）……一三六八
待月西堂（康海）……一三七八
律應黃鍾（殷士儋）……三八〇一
浮世紛華（周履靖）……三五七九
流汗沾衣（無名氏）……六二六五
酒病花愁（常倫）……一九〇三
染病躭疾（無名氏）……六二一一
海角天涯（茅溱）……四二三五
送客江頭（無名氏）……六二二一
旅寄山東（無名氏）……六二三七
時遇着七月清宵（無名氏）……六一九五
退食官衙（康海）……一三三〇
笑眼睁開（陳鐸）……六九〇
淚染青衫（張瘦郎）……四八〇七
這些時心緒着迷（無名氏）……六二〇三
華髮朱樓（李應策）……三九八三
雪滿梁園（葉華）……四二五二
雪裏歸人（康海）……一三六九
野老騎驢（康海）……一三七九
猛聽的風透疎窗（無名氏）……六二〇四
晝錦堂高（楊廷和）……八六〇
晝錦歸來（康海）……一三八一
湖上逍遥（吴廷翰）……二〇二四
渭水箕山（無名氏）……六二〇八

雲掩雙扉（陳所聞）……三九〇四
畫閣悲傷（無名氏）……六二五四
畫閣蕭疏（陳克明）……四六
疎竹蕭蕭（張鍊）……二三八七
新醞初開（張鍊）……二三八六
萬里翱翔（胡用和）……二六四
萬卷圖書（陳鐸）……六二二
萬斛秋香（陳鐸）……七〇三
想着他何日歸程（無名氏）……六二一七
想着他俏貌風流（無名氏）……六二一八
節遇端陽（無名氏）……六一九六
節儉爲活（無名氏）……六二四五
殿閣生涼（胡以正）……二六三一
絳節飄飄（張鍊）……二三八三
裹帽穿衫（無名氏）……六一八九
福德栽培（張鍊）……二三八一
殢雨尤雲（朱有燉）……三九七
對酒悲歌（茅溱）……四二三三
膏雨初晴（康海）……一三七二
銀燭高燒（康海）……一三六九
創立秦都（王子一）……三
管氣飛灰（劉效祖）……二七九一
翠竹軒窗（金鑾）……一八三三
漢主登極（無名氏）……六二五七
慶喜筵席（張鍊）……二三八二
閬苑瑤池（無名氏）……六二六三
暮景堪怡（康海）……一三七四
憶寫情詞（無名氏）……六二三一
錦繡封疆（無名氏）……六二六四
錦繡叢中（馮惟敏）……二五〇六
學業通融（康海）……一三三六
隨意杯盤（康海）……一三三七
燭滅香消（無名氏）……六二五三
霧擁雲狂（常倫）……一九〇二
擺弄着鎗刀（無名氏）……六二七〇
歸去來兮（無名氏）……六二四〇
臘盡春回（殷士儋）……二八〇三
寶殿生涼（無名氏）……六一九二
驕馬金鞭（蘭楚芳）……三七

高陽臺序（慶青春）

十載京塵（朱曰藩）……二〇四六

半畝蒼苔（馮惟敏）……二四三八
半畝蒼苔（王九思）……一〇〇二
出谷鶯啼（胡汝嘉）……三〇二一
非別千里關山（王化隆）……四三二八
宦海沉身（王化隆）……四三二八
萬點殘紅（陸治）……一九六四

祝英臺（祝英臺序）

把幾分春三月景（王化隆）……四三二五
知否我爲何不捲珠簾（王化隆）……四三二六
展金衣（祝允明）……八九〇

素帶兒（白練序）

東風軟（顧正誼）……三六九二
香心鎖（張瘦郎）……四八一一
閒庭院（周履靖）……三五八一
無聊賴（張以誠）……四五〇四
蒙垂問（李贄）……二九八七

馬鞍兒

月兒月兒則在天邊廂照（無名氏）……五四四三
見他見他則在床兒前跪（無名氏）……五四四三
桂英桂英說來的誓（無名氏）……五四四三
鴈兒鴈兒則在天邊廂叫（無名氏）……五四四二

馬蹄花

爲國求賢（王化隆）……四三二七
毒霧漫空（王化隆）……四三二六
禹拜昌言（王化隆）……四三二七
雲擾山東（王化隆）……四三二六

秦樓月（憶秦娥）

王師倏起風雲從（無名氏）……五二一八

桂枝香（**月中花　疏簾淡月**）

一天飛絮（馮惟敏）……二三三六
一天愁緒（張鳳翼）……三〇〇五
一天愁緒（無名氏）……五四三六
一身不愛（薛論道）……三一四五
一身如寄（薛論道）……三一四三
一身如醉（薛論道）……三一四九
一身靈竅（薛論道）……三一五六
一番留戀（丁惟恕）……四三七五
一堆雪裏（施紹莘）……四六六八

一貴一賤（薛論道）……三一五四
一團虚氣（薛論道）……三一五五
一聲長歎（薛論道）……三一五一
十分恩重（王厚之）……五一二一
八字注定（孫峽峰）……四四〇四
人生如寄休争閑氣（孫峽峰）……四四〇六
人生如寄休學無益（孫峽峰）……四四〇六
人家不大（孫峽峰）……四四〇七
又説起一代中興（李應策）……四〇六〇
三春可愛（薛崗）……三三九六
三峰蓮嶽（李應策）……四〇七一
才高倖短（胡文焕）……三三四九
小春將盡（馮惟敏）……二三三六
山居幽静（馮惟敏）……二三五二
山容堪羡（丁惟恕）……四三五二
千般色相（薛論道）……三一五〇
子規啼切（唐寅）……一一四五
六合一氣（薛論道）……三一五五
文章豪放（薛論道）……三一五一
文韜武略（薛論道）……三一五一
天成地就（薛論道）……三一五六
天清月皎（楊爾曾）……五一九二
天涯走盡（薛論道）……三一五一
不名不利（薛論道）……三一五一
不欺不昧（薛論道）……三一四三
五車積債（李應策）……四〇三四
支頤獨坐（施紹莘）……四七四一
中秋時際（丁惟恕）……四三五四
少年情興（趙南星）……三七五四
日行在柳（李應策）……四〇四六
日長孤悶（徐敷詔）……二一五四
今宵何夕（王穉登）……三三三九
公平正大（朱載堉）……三四二六
心怡情暢（薛論道）……三一四三
心雄氣暴（方汝浩）……五一八六
月中丹桂（馮惟敏）……二三四一
及時行樂（薛論道）……三一四一
半天丰韻（張鳳翼）……二九九一
半庭殘雨（陳鶴）……二六一七
半崖寥杳（李應策）……四〇七二
主衰奴横（胡文焕）……三三四九
玉人不見（無名氏）……五八四八

玉容梅襯（沈仕）……一六三一
玉泉香院（馮惟敏）……二三五三
玉毫分頸（卜世臣）……四三〇一
未拈針線（李東陽）……四七八
世人淺見（朱載堉）……三四二六
世人短幸（朱載堉）……三四二六
功不如罷（薛論道）……三一四二
功名不事（薛論道）……三一四一
功名可咲（薛論道）……三一五六
功成名遂（薛論道）……三一五九
由他禁害（李應策）……四〇六〇
白鷗輕漾（馮惟敏）……二三五二
江東日暮（梁辰魚）……二六五六
江南春早（王驥德）……三六四四
江湖名望（薛論道）……三一四八
江頭舟上（薛論道）……三一五七
池通幽澗（李應策）……四〇六二
冰輪長駕（薛論道）……三一六〇
冰輪高掛（馮惟敏）……二三四一
衣衫可敬（胡文煥）……三三四八
有官有禄（薛論道）……三一五〇
至今日便離城（楊爾曾）……五一九二
曲欄人倚（顧正誼）……三六八八
回頭顧盼（丁綵）……三三一二
因他別後（張佳胤）……三〇一八
朱顏非舊（薛論道）……三一四二
舌尖留唾（薛論道）……三一四七
多愁多病（無名氏）……五四三六
危絃已斷（王化隆）……四三二八
危樓倚遍（馮惟敏）……二四二二
匈奴未滅（薛論道）……三一四六
没情没緒（無名氏）……五四三五
冶官遺廟（馮惟敏）……二三五三
良宵三五（無名氏）……五四三四
良緣邂逅（趙南星）……三七五四
李密掛角（李應策）……四〇七二
形容非舊（丁惟恕）……四三八〇
形微口利（薛論道）……三一五七
志不屈降（薛論道）……三一四六
赤繩紅葉（薛論道）……三一四七
巫山雲黯（范垣）……四一三三
牡丹亭内（薛論道）……三一五八

身託三昧（薛論道）……三一五五
身無營幹（薛論道）……三一五〇
坐壇遣將（蘇子文）……四九一八
狂嫪病酒（薛論道）……三一五四
那人别去（張鳳翼）……二九九五
君行保重（馮惟敏）……二四二三
君身迢遞（顧正誼）……三六八九
忍字爲上（朱載堉）……三四二六
改爻换象（薛論道）……三一四八
炎凉世態（胡文焕）……三三四八
炎威雨送凉風（余壬公）……四五六一
初逢初會（無名氏）……五四三六
青燈殘夜（屠隆）……三六〇七
青青村畔（丁惟恕）……四三七二
青春難再（陸之裘）……二〇二〇
青陽節届（薛崗）……三三九六
東山高卧（馮惟敏）……二三五三
東沽西賣（薛論道）……三一五一
東風寒峭（唐寅）……一一四四
東嫖西蕩（薛論道）……三一四八
長身大肚（薛論道）……三一五三
長亭歧路（薛論道）……三一四九
長途勞頓（馮惟敏）……二四二三
松關日躍（李應策）……四〇六二
松蘿高掛（丁惟恕）……四三六九
林遷黄鳥（汪廷訥）……四一九六
非才非勢（無名氏）……五四三五
武陵春晝（薛論道）……三一五七
芳春將去（唐寅）……一一四六
芳叢深處（杜子華）……三五〇六
花坑柳塹（薛論道）……三一五八
花開滿眼（金木散人）……五一八一
昔稱員外（薛論道）……三一四八
雨拖雲逗（陳所聞）……三八三五
雨渠生凉（李應策）……四〇四七
兩頭白面（薛論道）……三一四九
來驚天熱（蔣瓊瓊）……五一五二
明投暗購（薛論道）……三一四五
明珠出蚌（薛論道）……三一五四
争名奪利（薛論道）……三一四九
和衣而坐（施紹莘）……四五九三
和風將盡（丁惟恕）……四三六九

依史停車（李應策）……四〇六六
物微情厚（費廷臣）……四九五二
金梢拖柳（沈仕）……一六三一
金風初度（無名氏）……五四三三
金尊浮蟻（杜文煥）……四七六五
金纓疊翠（無名氏）……五八四七
狐城鼠社（薛論道）……三一四四
門無客到（胡文煥）……三三四九
前因夙障（薛論道）……三一五〇
客窗獨臥（丁綵）……三三〇九
計而後用（薛論道）……三一四五
扁舟一葉（馮惟敏）……二三五三
春光碧碧（薛論道）……三一四三
春光欲餞（范允臨）……四一一九
春光明媚（杜文煥）……四七六五
春衣初換（金木散人）……五一八〇
春色漸開（李應策）……四〇六七
春花滿眼（唐寅）……一一四五
春風芳徑（吴國寶）……二七二五
春風庭樹（吴國寶）……二七二五
春風輕淡（范垣）……四一三三
春愁無賴（許次紓）……三七二九
封侯未遇（唐寅）……一一四六
茆屋不漏（薛論道）……三一四一
茅檐僻静（丁惟恕）……四三五四
相思如醉（唐寅）……一一六三
柳絲堪繫（顧正誼）……三六八七
是非休判（薛論道）……三一六〇
星期活現冰魂（張葦如）……四九八一
看花早起（顧正誼）……三六八七
重陽時候（薛論道）……三一五七
香車送罷（胡文煥）……三三七一
香銷蘭炷（沈仕）……一六三〇
秋來春去（馮惟敏）……二三五三
皇華星驛（杜文煥）……四七六五
風沙蕩蕩（薛論道）……三一六一
風雨空戰（薛論道）……三一五三
風前白苧（顧正誼）……三三八九
風高絃勁（薛論道）……三一四六
風頭雨急（施紹莘）……四六五一
風撩鈿翠（顧正誼）……三三八八
俗情已掃（徐媛）……四一七五

紅蓮歌吹（吴國寶）……………………二七二五
紅樓凝思（唐寅）……………………一一四六
浮生虛幻（薛論道）……………………三一四二
浮山勝概（馮惟敏）……………………二三五二
浮名薄宦（薛論道）……………………三一六〇
浮名羈絆（徐敷詔）……………………二一五四
凌霜正氣（薛論道）……………………三一五九
淒涼情況（丁惟恕）……………………四三四二
宦情仕路（薛論道）……………………三一四四
容光消瘦（馮惟敏）……………………二四二二
高情訪舊（馮惟敏）……………………二四二四
高情無賽（宛瑜子）……………………四五一三
商飆初動（馮惟敏）……………………二四二三
神如鶴秀（薛論道）……………………三一五五
秦宫楚墓（薛論道）……………………三一六一
珠簾乍捲（高濂）……………………二九六一
埋名茆廈（薛論道）……………………三一四四
桃花人面兩情繾綣（薛論道）……………………三一五〇
桃花人面（劉汝佳）……………………四二六八
柴扉日静（薛論道）……………………三一四一
時時心裡（施紹莘）……………………四七〇〇
時勢不好（孫峽峰）……………………四四〇六
笑那吉凶兆（李應策）……………………四〇六三
彩雲何在（馮惟敏）……………………二四二三
烏衣王謝（薛論道）……………………三一四二
徒知儒貴（薛論道）……………………三一五三
留春不住（施紹莘）……………………四六二七
書生襟度（薛論道）……………………三一四六
涼生羅綺（顧正誼）……………………三三八八
涼飆初至（吴載伯）……………………四五七〇
淚淋衿袖（薛論道）……………………三一五〇
清宵人静（杜子華）……………………三五〇七
清虛宫殿（丁惟恕）……………………四三五五
清尊新釀（陳所聞）……………………三八四二
清霜飛冷（杜子華）……………………三五〇七
清霜點嶠（徐媛）……………………四一七四
深情厚貌（方汝浩）……………………五一八六
荷花香噴（無名氏）……………………五四三四
乾坤度量（薛論道）……………………三一四三
乾坤清氣（馮惟敏）……………………二三五二
乾坤混混（薛論道）……………………三一五八
乾坤溷溷（薛論道）……………………三一四四

常思常念（無名氏）……五四三六
堂開雲岫（馮惟敏）……二三五三
魚軒新蒞（杜文焕）……四七六五
冤家心變（馮惟敏）……二四二四
冤家要去（無名氏）……五四三五
動不如静（薛論道）……三一四二
得新忘舊（胡文焕）……三三四九
從前恩愛（丁惟恕）……四三四一
強不如懦（薛論道）……三一四二
終朝魔障（薛論道）……三一四七
粧模作樣（薛論道）……三一四八
粧聾做啞（陳所聞）……三八三二
寒風料峭（徐媛）……四一七四
寒深翠幕（蔣瓊瓊）……五一五二
寒儒氣象（薛論道）……三一五一
黄花開遍（無名氏）……五四三四
黄黄肌瘦（薛論道）……三一五一
菱花獨對（丁惟恕）……四三七四
朝朝炒鬧（薛論道）……三一四八
朝煙山罅（徐士俊）……四九九五
堦前落葉（蔣瓊瓊）……五一五三
雲影一帶（丁惟恕）……四三五二
雲峰簇繡（沈自徵）……四七八五
雲流如解（陸人龍）……五〇一一
雲盤螺髻（顧正誼）……三六八七
雲欄歌動（李應策）……四〇四四
壺觴堪逐（李應策）……四〇三四
提心在口（張鳳翼）……二九九六
描眉鋪鬢（薛論道）……三一五三
雄威一奮（薛論道）……三一四五
殘紅滿地（唐寅）……一一四五
紫簫聲斷（施紹莘）……四五九二
暑消亭晝（薛論道）……三一四四
喬才鬼詐（馮惟敏）……二四二四
無憂無思（薛論道）……三一四三
無聲無臭（薛論道）……三一五九
進不如退（薛論道）……三一四一
創家非易（薛論道）……三一四七
疎星淡月（馮惟敏）……二三三五
畫梁飛棟（薛論道）……三一六一
畫樓憑倚（吴欽）……二六二八
閑庭立遍（丁惟恕）……四三七四

閒憂閒悶（無名氏）……五四三七
幾曾分拆（施紹莘）……四五九二
詩篇久廢（蔣瓊瓊）……五一五二
誇強賭勝（薛論道）……三一四九
新酒初排（朱載堉）……三四二六
新蟾丰度（無名氏）……五四三三
雍和開泰（薛崗）……三三九六
煙花門路（無名氏）……五四三三
煙籠花甸（范允臨）……四一一九
楊花心性（無名氏）……五四三四
萬花開放（馮惟敏）……二四二二
跡垂東越（李應策）……四〇五八
愛你秋波如練（沈仕）……一六三一
愛你龐兒俊俏（方汝浩）……五一八五
腥膻未淨（薛論道）……三一四六
經由遠道（王化隆）……四三三二
端陽時候（施紹莘）……四七四五
說盟說誓（王驥德）……三六二八
韶華正媚（李應策）……四〇五八
碧天如洗（顧正誼）……三三八八
碧桃花下（沈仕）……一六三一
碧桃花底（吳國寶）……二七二五
碧蘭將綻（蔣瓊瓊）……五一五二
瑤臺寂靜（馮惟敏）……二四二二
蓮壺漏啟（唐寅）……一一四六
蒼苔步月（薛論道）……三一五六
榴花滿逕（薛論道）……三一四四
輕風寒俏（丁惟恕）……四三四二
誓不保債（薛論道）……三一五四
歌殘金縷（顧正誼）……三三八八
銀蟾如繡（薛論道）……三一五八
翠紗裁扇（沈仕）……一六五一
態兒清瘦（宛瑜子）……四五一〇
隔壁告狀（薛論道）……三一四九
澄湖如鏡（蔣瓊瓊）……五一五一
廣寒天際（顧正誼）……三三八八
廣寒宮內（馮惟敏）……二四二二
廣寒謫下（胡文煥）……三三六九
廚下留錫（李應策）……四〇五八
墨池一瀉（薛論道）……三一五九
嬌娃低叫（無名氏）……五四三七
綠窗煙暝（薛素素）……五〇六四

緑楊三月（陳子升）……五〇二〇
樂時趨首（胡文焕）……三三四九
蕭森雨夕（張栩）……五一一〇
蕭疏風雨（張叔元）……四八八五
蕭蕭白屋（李應策）……四〇六二
蕙蘭襟袂（顧正誼）……三六八九
薰風吹晝（杜子華）……三五〇七
樽前席上（薛論道）……三一六〇
横經心醉（李應策）……四〇七〇
整起新車（李應策）……四〇六六
錙銖毫末（薛論道）……三一四七
篝燈殘月（施紹莘）……四五九二
學深湖海（陸人龍）……五〇一一
龍門英彦（陳繼儒）……四一一七
邀歡翻去（范允臨）……四一二一
霜飛月墜（顧正誼）……三六八九
谿壑之欲（薛論道）……三一五一
鮫綃情妬（費廷臣）……四九五三
鮫綃尺素（無名氏）……五八三七
飄花舞絮（顧正誼）……三六八九
繡幃曉起（顧正誼）……三六八七
瓊花飛散（無名氏）……五四三五
簾兒低掛（馮夢龍）……四四二四
簾開虚牖（汪廷訥）……四一九六
簾垂銀蒜（程可中）……四一五〇
雖憐你腔兒窈窕（方汝浩）……五一八五
蟲聲涼夜（汪廷訥）……四一九五
欄干倚遍（丁惟恕）……四三五八
蘭舟同載（無名氏）……五四三六
櫻桃口哺（無名氏）……五四三五
攜裾挈袂（顧正誼）……三六八七
聽他言道（王化隆）……四三三二
聽奴説訴（無名氏）……五四三七
聽説破費（薛論道）……三一四七
鶴兒寧耐（楊爾曾）……五一八八
鶴童覺悟（楊爾曾）……五一八八
鶯啼柳外（薛崗）……三三九六
纔高一步（胡文焕）……三三四九

桂花遍南枝

前生冤債（張旭初）……四八五七

桂山秋月

西風落葉（秦時雍）……二五六〇

聖遍飛龍當日（湯式）……一〇五
鷹犬從來無價（無名氏）……六二八三

迴文普天樂

月穿窗（仲龍子）……一五四一
定鐘初（仲龍子）……一五四一
竹敲風（仲龍子）……一五三八
信音無（仲龍子）……一五四一
厚情深（仲龍子）……一五四〇
淚珠彈（仲龍子）……一五四〇
淡梳妝（仲龍子）……一五三九
釧金憁（仲龍子）……一五四一
俏嬌人（仲龍子）……一五三九
痛場心（仲龍子）……一五四〇
雁飛高（仲龍子）……一五四一
媚春芳（仲龍子）……一五四〇
冥雲濃（仲龍子）……一五四一
鳳鸞交（仲龍子）……一五三九
翠紅沾（仲龍子）……一五三九
暮春愁（仲龍子）……一五四〇
歎長吁（仲龍子）……一五四一
和風如扇（秦時雍）……二五五九
朔風如箭（秦時雍）……二五六〇
薰風如燠（秦時雍）……二五六〇

桃花浪

朔南貢賦通（無名氏）……五二二八

桃源憶故人

劬勞膝下正相依（李應策）……四〇九一
殷勤盟誓今宵整（醉西湖心月主人）……五二一一
傍池小閣涼風透（李應策）……四〇九一
鳳樓永短悲前定（李應策）……四〇九一
誰識得琴中意緒（李應策）……四〇九〇
翻翻柳曳黃金縷（李應策）……四〇九〇

破齊陣

帳掩香消人去（梁辰魚）……二六八七

剔銀燈

折末商謎續蘇合笙（無名氏）……五六三四

哨遍

守道窮經度日（呂景儒）……九四八

皺眉愁（仲龍子）……………………一五三九
黛眉攢（仲龍子）……………………一五四一
斷腸人（仲龍子）……………………一五四〇
露風涼（仲龍子）……………………一五四〇
豔芳消（仲龍子）……………………一五四二
鬢雲鬆（仲龍子）……………………一五三九

倘秀才

春景天（無名氏）……………………六〇一五

倚馬待風雲

倜儻風流（陳所聞）…………………三八七二
想像仙娃（馮惟敏）…………………二三九八
想像仙姿（馮惟敏）…………………二三九九
想像仙裳（馮惟敏）…………………二三九九
想像仙音（馮惟敏）…………………二三九九

針線箱

自別來杳無音信（唐寅）……………一一六三
喜新春一番新事（王驥德）…………三六五一
進別觴遠山將暮（卜世臣）…………四三一〇
萬斛愁滿懷堆堆（馮夢龍）…………四四三七

納木兒賽罕

南無極志上佛（無名氏）……………五三〇七
南無内外浄佛（無名氏）……………五三〇八
南無極上德佛（無名氏）……………五三〇八
南無滿足意佛（無名氏）……………五三〇八
南無有衆寶佛（無名氏）……………五三〇八

降黄龍

雨細揩墀（沈璟）……………………三八〇六

十一畫

惜奴嬌序

山抹微雲（王驥德）…………………三六二三
門掩清幽（秦時雍）…………………二五七七
銷魂此際征人（王驥德）……………三六二三
繡幕紗廚（吴國寶）…………………二七三三

清江引（江兒水　清河水　玉溪清）

一寸芳心春盡管（康海）……………一二二九
一日一日又一日（王克篤）…………二九四六
一月一月又一月（王克篤）…………二九四六

一月招邀一兩席（馮惟敏）……………二三一三
一片白雲常在山（馮惟敏）……………二三一三
一生喜説瞞天謊（李應策）……………四〇七四
一年一年又一年（王克篤）……………二九四六
一年是十二個月（無名氏）……………五八二一
一折一磨病也該（馮惟敏）……………二三一三
一更裏昏昏睡不成（楊爾曾）……………五二〇〇
一更裏汪汪珠淚拋（楊爾曾）……………五二〇三
一派鸞笙與鳳管（王九思）……………一〇二九
一個家張眉多睃眼（馮惟敏）……………二四二〇
一望重圍解白馬（李應策）……………四〇五二
一捻腰肢郎盡管（王九思）……………一〇三〇
一幅綃拈來成畫本（徐渭）……………二七六一
一飯家常休設果（李應策）……………四〇七八
一領羊裘誰敢管（王九思）……………九六七
一歲風雲秋月管（沈演）……………四〇七九
一壺一壺又一壺（王克篤）……………二九四六
一鍾一鍾又一鍾（王克篤）……………二九四六
一瓢一瓢又一瓢（王克篤）……………二九四六
二更裏不由人不淚珠拋（楊爾曾）……五二〇〇
二更裏呼呼怪風起（楊爾曾）……五二〇三
七日床頭一夢君（王九思）……………一〇三〇
卜居向陽寬又大（李應策）……………四〇一〇
人生南北如歧路（胡文煥）……………三三五八
人生待足何時足（丁惟恕）……………四三五三
人間榮華無主管（楊慎）……………一七一〇
人間何事煩驚駭（李應策）……………四〇五一
三月正當三十日（常倫）……………一八八一
三更裏又刮狂風雪（楊爾曾）……………五二〇〇
三更裏夢兒還不醒（楊爾曾）……………五二〇三
三徑黄花吾主管（康海）……………一二二七
三界尊佛（無名氏）……………五二七五
三郎誤聽枕畔啜（無名氏）……………五七九六
三間小亭千個竹（楊廷和）……………八五六
三簷傘兒不用遮（馮惟敏）……………二三一二
大雨時行日日晴（馮惟敏）……………二三一四
大地陽回一寸管（沈演）……………四〇七九
土酥出畦白似霜（馮惟敏）……………二三一四
口兒噴香話兒乖（楊慎）……………一七一六
山林間笑談誰是侶（康海）……………一二三二
山間有誰閑似我（楊廷和）……………八五六
山閣清秋横玉管（王九思）……………九六五

山縣從來民害民（馮惟敏）……二三六六
小亭自來還自去（楊廷和）……八五六
小春才交冬至月（楊慎）……一七一六
小梅香走將來（無名氏）……五七九五
小閣納涼紈扇管（康海）……一二二六
小蠻腰兒無一把（楊慎）……一七一六
凡餘身外原莫有（李應策）……四〇六八
子弟八千霸王管（王九思）……九六七
六國帝秦誰更管（王九思）……九六七
六龍御宇世昇平（廖道南）……一九四九
五更裏金雞聲三唱（楊爾曾）……五二〇〇
五更裏見湘子來救咱（楊爾曾）……五二〇三
五華仙人塵事少（楊慎）……一六七〇
五湖煙景誰爭管（沈演）……四二七八
不才猥荷稱金玉（李應策）……四〇三〇
天涯海角君休問（胡文煥）……三三五八
天街夜夜雞鳴早（李應策）……四〇七七
日月如梭催人老（朱載堉）……三四三一
月令風光何處有（廖道南）……一九五一
月底篝燈歸來早（康海）……一二三〇
月底轆轤樓外管（康海）……一二二七
今年又逢九月九（康海）……一二三二
今世難尋鮑與管（王九思）……九六六
丹青未入淩煙閣（李應策）……四〇二九
水仙可憐潮嫩臉（施紹莘）……四五八七
水旱相仍六七年（馮惟敏）……二三一四
水殿虛簾明月管（康海）……一二二七
手托香腮心兒裏想（馮惟敏）……二四二〇
丑獮猻眉梢上松油抹（王騏）……九二六
立忠誠步步前程穩（無名氏）……五七九八
半世交遊慚鮑管（康海）……一二三八
半夜三更睡不着（朱載堉）……三四三一
玉山翠巖春興多（楊慎）……一六七九
玉釵冷來燈慢挑（王磐）……七八三
平臺綠泛芰荷葉（李應策）……四〇五一
石室清涼真箇好（康海）……一二八八
可惜人生多媿怍（李應策）……四〇三〇
去年七月初行雨（馮惟敏）……二三一五
去年月下持盃奉勸君（無名氏）……五七九五
古今得失榮兼辱（胡文煥）……三三五九
古來世事皆前定（胡文煥）……三三五八
功名古來卑晏管（王宗正）……一七七七

出門自然兩腳輕（馮惟敏）……二三二五
出牆花枝春不管（楊慎）……一六八九
江村一適長自誇（方鳳）……一五〇七
江村二適長自誇（方鳳）……一五〇七
江村三適長自誇（方鳳）……一五〇八
江村四適長自誇（方鳳）……一五〇八
江村五適長自誇（方鳳）……一五〇八
江村六適長自誇（方鳳）……一五〇八
江湖老來頭似雪（王磐）……七八七
安樂窩行藏天不管（王九思）……九六八
耳邊蕭蕭還裊裊（孫承恩）……一五二六
老去光陰雙鬢管（王九思）……九六六
老來便宜這雙眼（王克篤）……二九四五
老來便宜這個口（王克篤）……二九四五
老來便宜這雙耳（王克篤）……二九四五
老來便宜這雙手（王克篤）……二九四五
老來便宜這雙膝（王克篤）……二九四六
老來便宜這雙腳（王克篤）……二九四六
老來翻教兒曹管（張含）……一四六七
老來看得人情破（李應策）……四〇六一
老龍王安心忒好閑（馮惟敏）……二三一四
世上人心真個歹（林廷玉）……四九二
世上大人能有幾（丁綵）……三三二二
世事看來都是假（王寅）……二一八八
世事看來都是癡（王寅）……二一八八
世事紛紛休去管（康海）……一二二八
世爵堂前香霧繞（康海）……一二三〇
布袍寬袖誰能夠（楊爾曾）……五二〇三
只管營營去妄想（李應策）……四〇七四
且開懷與知音談笑飲（無名氏）……五七九八
田家此時多望雨（楊廷和）……八五七
四四方方輕又輕（無名氏）……五七九七
四更裏雞叫天未曉（楊爾曾）……五二〇〇
四更裏看蒼天尚未曉（楊爾曾）……五二〇三
四海賓朋情繫管（王九思）……九六六
四圍團座紅爐熱（李應策）……四〇七五
凹凹凸凸嬌又巧（無名氏）……五七九七
生就貪庸習就懶（李應策）……四〇八〇
乍燃乍滅心頭火（丁綵）……三二八七
仙妃化身生小苑（施紹莘）……四五八七
白髮山人誰禁管（王九思）……九六六
他跟來不得從教別（施紹莘）……四五八七

西方極樂誰能曉（王化隆）……………四三三六
西都豪傑誰蓄黨（李應策）……………二九九九
西樓題花心暗惱（王磐）………………七八七
再不去火上弄涷涷（馮惟敏）…………二四二一
再不去掃雪填枯井（馮惟敏）…………二四二一
因緣先定鸞臺媾（李應策）……………四〇五〇
此夜月明雲蔽了（康海）………………一二三〇
耒耜巖石偏愛管（王九思）……………九六七
自去自來誰顧管（康海）………………一二二八
休道拘持不自在（李應策）……………四〇五一
伏蒲感切黄門省（李應策）……………四〇〇五
年年六月參禪節（李應策）……………四〇五一
名高也喜垂竹帛（李應策）……………四〇五一
好年成一文錢一片金（馮惟敏）………二三六六
好去臨流浣臟腑（李應策）……………四〇〇四
如何輕聽義昌謀（李應策）……………四〇〇七
如何如何又如何（朱載堉）……………三四三一
收了田禾封了咱稅（李應策）…………三九九六
沈約近來憔瘦損（袁崇冕）……………一六二四
沉沉雨深當夜午（孫承恩）……………一五二六
没嘴葫蘆就地滾（林廷玉）……………四九三
赤霞紫煙黄白菊（李應策）……………四〇一一
李膺何德稱模楷（李應策）……………四〇五三
豆子豆子怎麽好（王克篤）……………一九四七
坑士焚書都不管（王九思）……………九六七
村居日日柴門掩（丁惟恕）……………四三五五
村翁黑夜乞新火（李應策）……………四〇一二
男兒生不成名身已老（徐敷詔）………二一四七
我也行年六十九（李應策）……………四〇六八
我來訪君君莫躲（馬惠）………………二一三六
我即他來他即我（胡文焕）……………三三五九
何物督郵相戲管（王九思）……………九六七
何處月明吹鳳管（康海）………………一二二六
皂朝靴磨擦了半截底（馮惟敏）………二三一二
身外閑愁都不管（康海）………………一二二八
狂風一春十占九（朱有燉）……………三〇五
坐覺襟懷宇宙寬（李應策）……………四〇八〇
沽來青州酒一壺（馮惟敏）……………二三一三
河漢西傾生白露（韓邦奇）……………一四七三
治朝言路崇華省（李應策）……………四〇〇五
炎威不知何去了（康海）………………一二八八
夜半三更睡不着（無名氏）……………五七九九

夜來閑步窗外影（無名氏）……五七九八
怕聽秋來促織吟（無名氏）……五七九六
怪殺鄰家雞唱早（康海）……一二三〇
怪爾生來窮肚腑（李應策）……三九八四
怪道麒麟返蹋蠲（李應策）……四〇三〇
青青一枝河畔柳（薛崗）……三三八九
青絲彈雲雲半缺（金鑾）……一八二七
卦裏吉凶能照管（王九思）……九六七
花柳滿天春自管（康海）……一二二六
花底笑拈斑竹管（王九思）……一〇二九
花底轆轤檐外鐵（陳鐸）……五一八
花裏狂蜂與浪蝶（王九思）……九六五
花燈滿庭光照眼（康海）……一二三〇
花藤轎兒行的緊（馮惟敏）……二三一二
東風掃開郊外雪（王磐）……七八七
兩個黃鸝鳴翠柳（王克篤）……二九四八
兩葉眉兒離恨管（康海）……一二二九
兩鬢猶禿一足跛（李應策）……四〇三〇
雨過涼生荷墜管（康海）……一二二七
雨粟天難供餓腹（李應策）……三九八三
直鉤虛入嚴光澤（李應策）……四〇五三
枕上淚痕窗外雨（馮惟敏）……二四二〇
拖天帶繫的沒顛倒（馮惟敏）……二三一二
拂時積悃留庭掖（李應策）……四〇五一
事怕人情不久耐（李應策）……四〇五一
事到頭來誰照管（康海）……一二二八
虎鬥龍爭幹懊惱（康海）……一二八八
明月清風何處無（馮惟敏）……二三六五
明知煙花路兒上苦（馮惟敏）……二四二〇
明歲輪咱酬賓客（李應策）……四〇五一
些小形跡莫介懷（李應策）……四〇五一
些些竹亭無限景（楊廷和）……八五六
些兒名利争甚的（朱有燉）……三〇六
呼吸丹臺通帝闕（李應策）……四〇五七
呼童掃開庭下雪（王磐）……七八六
呼童齎紙濃研墨（李應策）……四〇五三
非是是非吾不管（沈演）……四二七八
近新來情懷偏則恁（楊慎）……一六七九
近時驛馬清南極（李應策）……四〇八三
金鑪□□黄串餅（常倫）……一八八一
金鞍少年風韻别（楊慎）……一七〇九
金羈玉勒繡羅籙（李應策）……四〇〇〇

受天百禄日方升（王教）……一四六四
受天百禄享昇平（王教）……一四六四
門下人多高氣概（李應策）……四〇五二
門外光陰過隙駒（丁惟恕）……四三五五
恰纔朦朧眼兒瞑（馮惟敏）……二四二〇
郎跨雕鞍含羞無計留（無名氏）……五七九五
春水春山玉鏡臺（馮惟敏）……二三六五
春花正紅春酒美（林廷玉）……四九三
春花秋月何時了（胡文焕）……三三五八
春蕚春禽春信管（沈演）……四〇七八
玲瓏結成雙翠繭（王磐）……七八五
南枝夜來先破蕊（王克篤）……二九四八
南無菩提華栴檀佛（無名氏）……五二三〇
南無光明五華鬘佛（無名氏）……五二三〇
南無須彌山光明佛（無名氏）……五二三〇
南無波頭摩勝光佛（無名氏）……五二三〇
南無波娑婆光輪佛（無名氏）……五二三〇
南無瑠璃華莊嚴佛（無名氏）……五二三〇
南無阿難多樓波佛（無名氏）……五二三〇
南無拘蘇摩提闍佛（無名氏）……五二三〇
南無毗摩提闍訶佛（無名氏）……五二三一
南無大須彌普仙佛（無名氏）……五二三一
南無遠離諸畏驚怖佛（無名氏）……五二三一
南無師子乘光明佛（無名氏）……五二三一
南無金色身常觀佛（無名氏）……五二三一
南無智虛空樂王佛（無名氏）……五二三一
南無清淨光明王佛（無名氏）……五二三一
南無法光明勝雲佛（無名氏）……五二三一
柳外佳人樓上管（康海）……一二二九
城西小園剛半畝（楊廷和）……八五六
茅茨不剪休嫌醜（丁惟恕）……四三五五
若是天爲國降祥（李應策）……四〇九一
相思病兒來的陡就把容顔瘦（無名氏）……五八二二
相思病兒來的陡說與君知否（無名氏）……五八二二
相思病兒來的陡羞嚮人開口（無名氏）……五八二二
相思病兒來的陡害成龐兒丑（無名氏）……五八二二
相思這番直恁歹（高應玘）……二七六八
是非難與天詰究（李應策）……四〇四九

咱也過了七個九（李應策）……四〇七四
香兒半熏燈半滅（施紹莘）……四五八七
香含雞舌臨東省（李應策）……四〇〇五
香酥軟鋪綿細疊（金鑾）……一八二六
香醪滿斟花在手（無名氏）……五七九五
香羅紫囊親自解（金鑾）……一八二七
風月山水春色早（馮惟敏）……二三六六
風前誰鼓雲和瑟（李應策）……四〇七七
風輕日藹春光暖（李應策）……四〇一二
風裏楊花白似雪（王九思）……九六五
風懷老來猶未舍（楊廷和）……八五六
風聲雨聲連四野（孫承恩）……一五二六
烏紗帽滿京城日日搶（馮惟敏）……二三一一
便坐危闌橫鳳管（康海）……一二二九
待不看書又看書（馮惟敏）……二三一四
待不做詩又做詩（馮惟敏）……二三一四
待不唱歌又唱歌（馮惟敏）……二三一四
待不撰文又撰文（馮惟敏）……二三一四
紅牙一聲花外響（王磐）……七八六
紅杏江頭春領管（王九思）……九六六
飛盡紅英春不管（康海）……一二二六
流年算來三十七（康海）……一二三二
凌波襪兒剛半扎（楊慎）……一七一六
凌波襪兒真個窄（王磐）……七八四
娑婆衆苦誰能曉（王化隆）……四三三六
高鳥投林不擇木（李應策）……四〇五五
病來生疏絃與管（楊慎）……一六八九
病起方知無病好（王九思）……九六八
病噎盤中堆酒肉（李應策）……四〇四九
庭下雙槐枝葉齊（馮惟敏）……二三一三
容易來時容易捨（黃峨）……一九八六
宮壺水添蓮漏永（廖道南）……一九五七
這不是我誰是我（李應策）……四〇三〇
這是我呵呵那些不是我（李應策）……四〇三〇
逐日憂愁何時了（朱載堉）……三四三一
茫然世事如春夢（胡文煥）……三三五八
莫怪此翁長好懶（徐敷詔）……二一五二
起初只說相交好（馮惟敏）……二四二〇
桃花水來入噴雪（王磐）……七八六
桂花餅兒勞寄我（金鑾）……一八二六
珠簾錦屏開鳳苑（廖道南）……一九二九
夏雲夏日火龍管（沈演）……四二七九

雪月風花細裁剪（馮惟敏）……二三六六
雪深隔嶺無煙火（李應策）……四〇一三
雪幹雲根舊不磨（李應策）……四〇三〇
雪擁天街免拜年（馮惟敏）……二三六五
連朝草堂人過少（康海）……一二三一
虛亭坐來天欲雨（楊廷和）……八五六
虛亭坐來時自語（楊廷和）……八五六
常言道槐花黄時舉子忙（李應策）……四〇九二
常勝軍中挐定管（沈演）……四二七八
冤家眼兒不見了（劉龍田）……二〇三七
梨花漸開風力慘（王九思）……一〇三〇
魚沉雁杳絶信音（無名氏）……五七九六
徘徊怎舍庭前柏（李應策）……四〇五一
腳兒腳兒雖是四（劉龍田）……二〇三七
將羊兒養在丹田裏（楊爾曾）……五一九六
將羊兒養在圈兒裏（楊爾曾）……五一九六
問西樓禁煙何處好（王磐）……七八五
問花神比花何太早（王磐）……七八六
張皮趙鐵王打氈（無名氏）……五七九九
陶潛歸來三徑斜（楊慎）……一六七九
細推物理須行樂（徐敷詔）……二一四七
秦穆公到留一個（李應策）……四〇三〇
辱寫君王下綸綍（李應策）……四〇二九
軒車建牙高跨馬（施紹莘）……四五八七
恩情不教人當耍（施紹莘）……四五八七
豈是老頭兒好葛蘿（李應策）……四〇六一
笑咱骨懶不争氣（李應策）……四〇六八
笑他竊位臧文仲（李應策）……四〇〇四
笑他飲喙忒出醜（李應策）……四〇七三
笑你牙籤插架滿（李應策）……四〇八九
倚幃屏靜中心自省（無名氏）……五〇九九
恁麼營生恁便益（李應策）……四〇七四
紗窗半竿斜日影（常倫）……一八八一
紛紛聲調梨園雜（李應策）……四〇五〇
清清一樽燕市酒（薛崗）……三三八九
商國山河周帝管（王九思）……九六六
烹茶玩花人姓管（楊慎）……一六八九
宿雕梁雙巢燕慵（朱有燉）……三〇五
望爾明刑司棘路（李應策）……四〇八四
教誰與牡丹花做主（常倫）……一八八一
麥子麥子只當米（王克篤）……二九四七
軟兀剌窄藤牀甘（朱有燉）……三〇六〇

猩紅軟鞋三寸整（王磐）……………… 七八五
勝水名山和我好（林廷玉）…………… 四九三
閒來唱會清江引（無名氏）…………… 五七九八
閒是閒非休去管（王九思）…………… 九六六
閒亭雨餘詩興好（楊廷和）…………… 八五六
絮絮叨叨何處聲（馮惟敏）…………… 二三一三
道人未老心先懶（胡文焕）…………… 三三五八
楚江秋一十九闋（無名氏）…………… 五八二一
蒙茸紫貂籠瑞雪（王磐）……………… 七八四
萬頃霜華催弱管（康海）……………… 一二二七
萬種春愁情繫管（康海）……………… 一二二九
載酒登高横玉管（康海）……………… 一二二七
當時天賚殷良佐（李應策）…………… 四〇三〇
嗟今時事遭陽九（李應策）…………… 四〇六八
嗟來咄去真堪怪（胡文焕）…………… 三三五八
蜀江楚江歸路渺（楊慎）……………… 一六七九
睡到五更天未曉（無名氏）…………… 五七九五
睡到五更天漸曉（無名氏）…………… 五七九六
睡覺午窗風力猛（王九思）…………… 一〇三〇
農圃生涯宜照管（王九思）…………… 九六六
釣天畢奏日方中（廖道南）…………… 一九四六
細膩膩外樣兒雖是好（無名氏）……… 五七九七
温泉起來權護體（王磐）……………… 七八四
割雞盟欲合簪佩（李應策）…………… 四〇五一
朝朝起來天未曉（楊廷和）…………… 八五六
朝趨金殿夕歸省（李應策）…………… 四〇〇五
黄堂上自來公座高（馮惟敏）………… 二三一二
黄鳥那知人倦起（高應玘）…………… 二七六八
黄鐘既奏陽和長（廖道南）…………… 一九四六
菱花鏡兒清似水（金鑾）……………… 一八二八
换歲交年百事吉（馮惟敏）…………… 二三六五
紫閣山人王敬夫（王九思）…………… 九六八
紫羅襴披的破盧蘇（馮惟敏）………… 二三一一
買得華山他自管（王九思）…………… 九六七
過一日少一日要上一日（馮惟敏）…… 二四一九
過一春了一春要上一春（馮惟敏）…… 二四一九
過一年是一年要上一年（馮惟敏）…… 二四一九
過一生只一生要上一生（馮惟敏）…… 二四一九
過今年向平婚嫁少（馮惟敏）………… 二三一五
貂裘變粧辭漢闕（無名氏）…………… 五七九七
鄉農做得莊家辦（李應策）…………… 三九九〇
黍子黍子二畝整（王克篤）…………… 二九四八

源頭曲曲長流水（李應策）……四〇五〇
愁聽畫樓檐外鐵（無名氏）……五七九六
傍花席地團圓座（李應策）……四〇七七
傍崖村落停車馬（李應策）……四〇一〇
愛君終不生畦畛（李應策）……三九九六
腰兒腰兒柔似柳（劉龍田）……二〇三八
腰間斧磨光爛雪（王磐）……七八七
曾誰召對進嘉謀（李應策）……四〇七七
隙來按劍空抵掌（李應策）……三九九九
滸西主人親煮茗（康海）……一二三一
滸西主人非懵懂（康海）……一二三一
滸西主人新夢醒（康海）……一二三一
滸西主人非是慵（康海）……一二三一
滸西主人非是懶（康海）……一二三一
滿地花陰明月管（王九思）……一〇二九
滿眼花飛春不管（王九思）……一〇二九
塵世風流如此少（康海）……一二八八
說我老聲翁原不聲（李應策）……四〇七八
說我老聲翁有些聲（李應策）……四〇七八
說我老聲翁只得聲（李應策）……四〇七八
說我老聲翁爲甚聲（李應策）……四〇七八
說甚五陵和九陌（李應策）……四〇五一
說道時名羞去買（李應策）……四〇五二
寬爐低座新釀酒（李應策）……四〇六一
夢回枕邊人去也（無名氏）……五七九六
夢覺陽臺誰看管（王九思）……一〇二九
蒼頭開府白衣相（李應策）……三九九七
蒸飯烹魚炊豆粉（李應策）……三九八九
聖皇天保壽無疆（王教）……一四六四
槐影參差風細管（康海）……一二二六
輕衫短裁防過暑（王磐）……七八四
輕絲挽紅紗細剪（金鑾）……一八二七
嘆白頭去少年能有幾（丁惟恕）……四三五五
歲序推移人易老（康海）……一二三二
銀絲細盤雙鳳腦（王磐）……七八五
銀箭催更天漸曉（韓邦奇）……一四七三
舞香塵小園風亂飄（朱有燉）……三〇五
鳳仙採來常自染（金鑾）……一八二七
嫦娥笑人雙鬢絲（瞿佑）……二七七
誰列三公繼臺閣（李應策）……四〇三〇
誰作官家朋黨志（李應策）……四〇四九
誰是高來誰是下（胡文煥）……三三五九

誰家女兒委實好（無名氏）……五八三六
彀子彀子没結果（王克篤）……二九四七
彀賤傷農傳自古（馮惟敏）……二三二六
撩亂芳心愁自管（王九思）……一〇二九
樓上殘更雞叫徹（韓邦奇）……一四七三
樓上落梅吹戍管（康海）……一二二八
醉倚斜陽閒照管（康海）……一二二六
靠蒲團坐觀今古書（朱有燉）……三〇六
緑水青山不用多（馮惟敏）……二三六五
緑樹滿庭清氣生（韓邦奇）……一四七三
嬌癡嚮人多靦腆（施紹莘）……四五八六
濃陰滿亭來遠景（楊廷和）……八五六
憶吹簫玉人何處也（陳鐸）……五一八
燈下銀箏壺内酒（常倫）……一八八一
燈前一聲長歎息（常倫）……一八八一
樹裏催歸聲太切（王九思）……九六五
牆堵攲斜重拆補（丁惟恕）……四三五五
牆裏鞦韆誰構結（王九思）……九六五
橋外六花驢背管（康海）……一二二七
曉月悲笳吹透管（王九思）……一〇三〇
錦里先生斑竹管（康海）……一二二九
錦棚高對金天界（李應策）……四〇五〇
臨村迫舍相邀待（李應策）……四〇五一
薄情的封家十八姨（朱有燉）……三〇五〇
點蒼西遊曾與共（楊慎）……一六八〇
蠅頭蝸角虚名利（胡文焕）……三三五八
篷窗雨來聲灑灑（孫承恩）……一五二五
篷窗雨來人未寢（孫承恩）……一五二五
篷窗雨來聲可數（孫承恩）……一五二五
篷窗悄然聞夜雨（孫承恩）……一五二六
篷窗雨聲長復短（孫承恩）……一五二六
篷窗雨來聲滴點（孫承恩）……一五二六
篷窗雨聲紛復整（孫承恩）……一五二六
篷窗雨來鳴屋瓦（孫承恩）……一五二六
篷窗雨聲鳴復絶（孫承恩）……一五二六
篷窗雨餘還裊裊（孫承恩）……一五二六
篷窗雨來聲漸響（孫承恩）……一五二六
稺子階前争戲火（康海）……一二三〇
鐘送黄昏雞報曉（胡文焕）……三三五七
鍾馗臥床扶不起（黄峨）……一九九一
簡置西曹榮司寇（李應策）……四〇八二
闌杆露下銀河徙（李應策）……四〇〇二

懶慢無堪病也宜（馮惟敏）……二三一二
舊日風流君自管（康海）……一二二九
舊日親朋不甚多（馮惟敏）……二三一三
擺頭搭一雙雙開路神（馮惟敏）……二三一二
轉過雕欄正見他（蘭陵笑笑生）……二八三二
覷鞋兒三寸輕羅軟（無名氏）……五八三七
雙雙并頭情忒煖（施紹莘）……四五八七
雙環結成連理枝（瞿佑）……二七六
歸來數數經寒熱（李應策）……四〇七五
歸依無邊莊嚴王佛（無名氏）……五二七六
歸依西方阿彌陀佛（無名氏）……五二二九
歸依東方無邊諸佛（無名氏）……五二二九
歸依南方諸寶幢佛（無名氏）……五二二九
歸依北方妙鼓聲佛（無名氏）……五二三〇
歸依西南方日藏佛（無名氏）……五二三〇
歸依西北方勝積佛（無名氏）……五二三〇
歸依東南大彌留佛（無名氏）……五二三〇
歸依東北方無垢佛（無名氏）……五二三〇
歸依上下方一切佛（無名氏）……五二三〇
歸依十千同名諸佛（無名氏）……五二三〇
歸依西南方無量佛（無名氏）……五二一三
歸依東北方無量佛（無名氏）……五二一三
歸依上方無量勝佛（無名氏）……五二一三
簷外酒旗風力管（康海）……一二二八
關了紅門上了鎖（吕坤）……三四六六
寶珠祇園懷舊游（楊慎）……一六八〇
離不得柴屋蓬蒿徑（李應策）……三九八一
離恨天叫人盼望苦（黄峨）……一九八七
離堂話長銀燭短（楊慎）……一六七九
麗藻山南清似畫（李應策）……四〇〇五
檻外葵榴新恨管（康海）……一二二七
蘭燈摇摇秋夜永（孫承恩）……一五二六
糯米酒兒鮮魚鮓（宋登春）……二六三五
鶯唇佳人鵝項管（楊慎）……一六八九
翻來覆去莫顛倒（李應策）……三九九八
聽鳥兒聲聲格磔（李應策）……四〇五一
籜冠芒鞋布衲襖（李應策）……四〇〇〇
癯主庸奴欵叚馬（李應策）……四〇〇〇
彎弓馬上胡兒悍（李應策）……四〇一二
彎曲律連皮柳木叉（馮惟敏）……二三一三
鹽罐油瓶汲水桶（李應策）……三九八二
籠蔥琪樹青城埜（李應策）……四〇五七

驪珠出現人争得（李應策）……………四〇五二
歸依大香行光明佛（無名氏）…………五二七五
歸依上彌留幢王佛（無名氏）…………五二七四
歸依月摩尼光王佛（無名氏）…………五二七四
歸依法虚空勝王佛（無名氏）…………五二七五
歸依波頭摩莊嚴佛（無名氏）…………五二七六
歸依普開蓮華身佛（無名氏）…………五二七五
歸依最香須彌身佛（無名氏）…………五二七五
歸依虚空輪場光佛（無名氏）…………五二七五
歸依迦陵頻伽聲佛（無名氏）…………五二七六

混江龍

一個個看他孟浪（李應策）……………四〇五五
不顧咱輸誠積悃（李應策）……………四〇五六
位冠群僚（楊爾曾）……………………五一九七
卻想到九重日際直哉天（李應策）……四〇〇一
恥詣權紛紛降膝（李應策）……………四〇八三
虚負了平生倜儻（李應策）……………四〇五六
還自臥百尺樓上（李應策）……………四〇五六
稽首辯才輪尊佛（無名氏）……………五二九三
稽首金剛山尊佛（無名氏）……………五二九三
聽門外樵歌漁唱（李應策）……………四〇五五

淘金令

人生在世（無名氏）……………………五四二七
天曹地府（無名氏）……………………五四二八
歷觀古今孝義（無名氏）………………五四二八
懷身乳哺（無名氏）……………………五四二七

梁州（小梁州）

巴的到黄昏禱告天（無名氏）…………五五五三
每日朝朝爲你憂（無名氏）……………五五五二
拈起東來忘了西（無名氏）……………五五五二
春風花草滿院香（無名氏）……………五五五二
畫角悠悠又黄昏（無名氏）……………五五五二

梁州令

芳草長亭露帶沙（李子昌）……………四八七〇

梁州序（古梁州　梁州小序）

三生業鏡（沈璟）………………………三八〇〇
春慵玉枕（王驥德）……………………三六二一
悵江南舊事無憑（王驥德）……………三六二一

梁州新郎

一蓬飛絮（祝允明）……………………八八二
三秋天氣（邢一鳳）……………………二三〇五
小亭初築（王九思）……………………一〇一一
千門話柳（施紹莘）……………………四六二九
中秋前夕（謝遷）………………………四八二
平湖浮碧（王九思）……………………四五六三
石頭雄鎮（陳所聞）……………………三九二九
仙橋星耽（許應亨）……………………二三〇三
江聲喧枕（陳鶴）………………………二六二〇
江梅春泄（王九思）……………………一〇五八
西園暮景（陳鐸）………………………六九七
西園暮景（梁辰魚）……………………二六六四
尖風一夜（施紹莘）……………………四六一六
彤雲紛布（陳所聞）……………………三九一六
低垂綉幕（王穉登）……………………三三四一
長空如洗（陳五岳）……………………四九二四
長空如洗（沈仕）………………………一六六〇
長堤春晚（無名氏）……………………五八八八
花腮辭粉（王驥德）……………………三六三三
花明如綺（施紹莘）……………………四六四三
林開嘉樹（陳所聞）……………………三九三〇
林藏秋壑（陳所聞）……………………三九三二
松蘿拱秀（陳所聞）……………………三九三三
青山岑寂（常倫）………………………一九〇五
青陽開泰（沈自徵）……………………四七八七
東吳名勝（無名氏）……………………五八八七
武陵春盡（范允臨）……………………四一二〇
金風蕭瑟（陳所聞）……………………三九四六
郊原風暖（梁辰魚）……………………二六六二
幽香新染（祝允明）……………………八八三
飛瓊伴侶（唐寅）………………………一一七一
茫茫江海（謝遷）………………………四八一
莫愁湖上（無名氏）……………………五八八九
胭脂微暈（宛瑜子）……………………四五三〇
連天一色（吴承恩）……………………二〇四三
清秋風景（劉汝佳）……………………四二六六
清秋時候（夏文範）……………………九四〇
陰風寒峭（齊小碧）……………………四九〇六
閒雲虛閣（陳所聞）……………………三九三一
湘簾低捲（朱應辰）……………………一四九三

雲村煙閣（周履靖）……三五七七
晚雪初霽（施紹莘）……四七四七
御林鶯囀（金木散人）……五一八〇
溪山玉立（陳所聞）……三九二七
楊家奔拂（王驥德）……三六三二
楸枰閑對（李清）……五〇〇六
筠窗星散（張鳳翼）……三〇〇〇
遭時不偶（醉西湖心月主人）……五二一二
銅爐灰燼（王驥德）……三六三四
廣漢清冷（祝允明）……八九二
潯陽江冷（王驥德）……三六三三
澄江清迴（周履靖）……三五八九
薔薇簾箔（王化隆）……四三二二
綠茵鋪綉（李清）……五〇〇六
綠窗虛寂（葉華）……四二五八
鴛鴦雙宿（徐士俊）……四九九九
樽開北海（陳所聞）……三九二一
盤雲丹道（陳所聞）……三九二四
擔囊京國（凌濛初）……四五四七
瓊樓人静（張鳳翼）……三〇〇八
轆轤聲歌（王九思）……一〇〇二
羅衣初試（施紹莘）……四六八一
羅衫新整（范壺貞）……四一八六
巖扉雲掩（葉華）……四二五七

梁沙潑大香

萸囊羞佩（沈璟）……三七八五

麻郎兒（山麻稭　賀新郎衮）

南無勝王如來（無名氏）……五三三七
南無淨光如來（無名氏）……五三三七
南無帝沙如來（無名氏）……五三三七
南無寶生如來（無名氏）……五三三七
南無定光如來（無名氏）……五三三七
敬頂禮智勝如來（無名氏）……五三三七
敬頂禮熱光如來（無名氏）……五三三七
敬頂禮無上如來（無名氏）……五三三七
敬頂禮神聞如來（無名氏）……五三三七
敬頂禮普賢如來（無名氏）……五三三六

望江南（歸塞北）

休言步（呂坤）……三四六五
休言語（呂坤）……三四六五

休驕亢（呂坤）……三四六五
貧賤易（呂坤）……三四六五
渾厚妙（呂坤）……三四六五

望吾鄉

合是冤家（秦時雍）……二五七二
膏雨初晴（無名氏）……五八四九
歸計蕭然（秦時雍）……二五九四
爛熳春光（楊文岳）……四七九六

望遠行

杏花風習習暖透窗紗（湯式）……九一
桂花風蕭蕭響透簾箔（湯式）……九二
雪花風飄飄冷透屏障（湯式）……九二
悶拂銀箏（李唐賓）……四九
敬頂禮常智作化香佛（無名氏）……五二八七
敬頂禮能度彼岸無量佛（無名氏）……五二八七
藕花風拂拂爽透書齋（湯式）……九一

寄生草

一局棋興和廢（無名氏）……五五七三
一腳長一腳短（馮惟敏）……二三四九
入文陣退雄師（李應策）……三九七五
九月節憑誰摘（薛崗）……三三九一
又不是貪山水（韓邦奇）……一四七六
丈夫呵羅綺無遮體（陳所聞）……三八八〇
山居好景物幽（康海）……一二五二
山遠橫眉黛（劉良臣）……一五九六
千株柳二頃田（康海）……一二五一
也不願千鍾粟（葉華）……四二四二
也做起詞垣長（李應策）……三九八八
子想翊聖皇留忠諫（李應策）……四〇〇五
方道是園林好（劉良臣）……一五九六
天應醉地豈迷（康海）……一二五一
不戀咱煌煌錦（李應策）……三九七六
少一緒青絲髮（馮惟敏）……二三四九
未來的休指望（黄戍儒）……四一六六
世路多坑塹（王克篤）……二九三四
且盡盃中物（王九思）……九七二
白雪紛紛下（張鍊）……二二四一
白眼睛朝天看（趙南星）……三七四九
他生的百清秀（無名氏）……五五六九
他生的顏如玉（無名氏）……五五六九

衣和禄天付與（無名氏）……五五七一
安樂窩權安樂（張鍊）……二二四〇
托假熟沿門混（皮光淳）……三九六四
有郁馥荷香度（朱瞻基）……四四二
竹徑摇風翠（劉良臣）……一五九六
行裡坐裡相隨趁（無名氏）……五五六八
伏丹闕誰先見（李應策）……四〇〇一
好象個奴才樣（李應策）……四〇一二
没勢時喬趨勢（趙南星）……三七四八
把一葉扁舟駕（無名氏）……五五七三
吸村酒銜瓦缶（無名氏）……五五七二
我本是釣鰲人（韓邦奇）……一四七六
你也休囉我也莫放刁（陸應暘）……四四六五
你也休囉我也不放刁（陸應暘）……四四六六
你休得再胡言（楊爾曾）……五一九八
你看那三傑忙（韓邦奇）……一四七六
彤雲布瑞雪鋪（無名氏）……五五七一
事事立榮顯身（無名氏）……五五七三
肯排山山能撼（韓邦奇）……一四七六
依宫調品鷓鴣（無名氏）……五五七一
往常時僫僫悶（無名氏）……五五六八
金井桐雲護（徐媛）……四一七六
昏慘慘燈將滅（無名氏）……五五六九
孤另另和衣臥（無名氏）……五五六八
洞裡乾坤大（張鍊）……二二四一
洛陽橋春柳新（韓邦奇）……一四七六
前賢語不是虚（無名氏）……五五七三
度日月非塵世（無名氏）……五五七三
盃磐列錦繡鋪（無名氏）……五五七一
砍翠竹修爲舍（無名氏）……五五七二
咬着姜嗑着醋（黄戍儒）……四一六五
盼來呵來何暮（常倫）……一八九五
秋風細暑氣微（康海）……一二五一
秋聲盡景物疎（無名氏）……五五七一
重陽日寒英見（薛崗）……三三九一
看着你嗉兒裏有（馮惟敏）……三三五〇
待不寫鴛鴦字（無名氏）……五五六九
眉尖恨眼角愁（康海）……一二五二
約北郭知心友（張鍊）……二二四一
家住在深山曠野（楊爾曾）……五一九九
扇底芙蓉面（張鍊）……二二四〇
時世多顛倒（高應玘）……二七六六

豈虞這流寇劫殺（李應策）……四〇八一
笑些子鑾和觸（程可中）……四一五〇
恁縱富愁無限（無名氏）……五五七二
娘吃了兔兒肉（馮惟敏）……二三四九
問賓客真倜儻（李應策）……三九八一
雪嶺臙脂凍（徐媛）……四一七七
莫笑咱洛下閎（李應策）……三九九六
排金門入紫闥（無名氏）……五五七四
推着聾學着啞（黃戍儒）……四一六六
處處聞鶯語（張鍊）……二二四〇
動不動將人罵（蘭陵笑笑生）……二八三二
將奴這桃花面（無名氏）……五五六八
將奴這銀絲帕（蘭陵笑笑生）……二八二九
將我這桃花面（無名氏）……五五六九
細草留連坐（劉良臣）……一五九六
渼陂水乘個釣艇（王九思）……九七二
黃金榜白玉堂（王九思）……九七二
敢子爲笑阿六鄙鄭五（李應策）……三九九九
喫緊的丹心在（王九思）……九七二
無面傅何郎粉（皮光淳）……三九六四
無憑據甚正經（王克篤）……二九三四
誅董卓英雄將（無名氏）……五五七〇
當時韓元帥（無名氏）……五五七〇
當時王新室（無名氏）……五五七〇
想從前無昏曉（王九思）……九七三
想當初情何厚（黃戍儒）……四一六五
楸枰上雄心遣（程可中）……四一五〇
置丘壑身常逸（茅溱）……四二三二
嘗不出滋和味（黃戍儒）……四一六六
説起韓元帥（無名氏）……五五七〇
遠俗客疏非友（無名氏）……五五七一
遠處的常聽錯（趙南星）……三七四九
厭的是紅塵世（葉華）……四二四二
銀臺上燒殘蠟（無名氏）……五五六八
翠竹迷歌管（張鍊）……二二四一
翠剪槐陰塢（徐媛）……四一七六
誰不慮杜甫囊羞澀（陳所聞）……三八七九
醅香糯品玉簫（康海）……一二五二
豬銜柴狗燒火（蘇子文）……四九一五
駐日月無繩繫（無名氏）……五五七二
遲共早天安頓（張鍊）……二二四〇
嬌軟香林簇（徐媛）……四一七六

霖雨思賢佐（王九思）……九七三
曉霜遥玉壘寒（韓邦奇）……一四七六
學大悲常清浄（趙南星）……三七五〇
賽爛漫三春景（朱瞻基）……四四二
攔賢路當仕途（無名氏）……五五七四
歸命禮釋迦牟尼如來（無名氏）……五三四二
攜兒曹嬉春節（李應策）……四〇七六
辭朝去山内居（無名氏）……五五七〇
嚴夫子邵故侯（康海）……一二五一
爐住了君休怨（黄祖儒）……三九五三
爐住了錢不鑄（黄祖儒）……三九五三

乾荷葉（翠盤秋）

山中一刻春無價（常倫）……一八八二
小丫鬟跪牀前苦苦的哀告（丁綵）……三三二五
平生無限風流事（常倫）……一八八二
巫山夢覺銀缸滅（常倫）……一八八二
我爲你諸般的怕見做（丁綵）……三三二三
你如今見在高枝上（丁綵）……三二九五
怕春歸卻又早清明至（丁綵）……三二九六
兩間茅舍青山下（常倫）……一八八三
昧着心將俺胡埋怨（丁綵）……三三〇〇
促織兒因甚麽不教我睡（丁綵）……三二九九
狠起來提着他名兒駡（丁綵）……三二八五
風一陣雨一陣淒涼一陣（丁綵）……三三一三
神仙妙訣誰知道（常倫）……一八八二
淚珠兒枕上痕如線（丁綵）……三三二二
做一夢又一夢連一夢（丁綵）……三三一三
雁南飛水東流原無罪（丁綵）……三三一八
落梅時約定在桃花放（丁綵）……三三二三
對黄昏無語心撩亂（丁綵）……三二八五
謝安高臥東山上（常倫）……一八八二

乾荷葉跨調山坡羊

瓊花綻（無名氏）……五六三

連珠塞鴻秋

閑來時飲香醪（常倫）……一八九四

梧桐樹

人兒不解愁（宛瑜子）……四五二八
心中難自洩（蘭陵笑笑生）……二八五〇
心忘寵辱驚（陳所聞）……三九三四

丰姿豔雪瑩（沈自徵）……………………四七八六
生來灑落懷（金鑾）……………………一八三九
花初綻怕風篩（無名氏）………………五四九六
風流偏惹愁（宛瑜子）…………………四五二四
推開月眠愁（程豈一）…………………五一七〇
殘紅水上飄（無名氏）…………………五九三四
繁花滿目開（康海）……………………一四三〇
繁花滿樹飄（黄祖儒）…………………三九五六
鷺停柳外聲（金鑾）……………………一八五七

梧桐葉

一更裏（楊爾曾）……………………五一九〇
二更裏（楊爾曾）……………………五一九〇
三更裏（楊爾曾）……………………五一九〇
五更裏（楊爾曾）……………………五一九一
四更裏（楊爾曾）……………………五一九一

梧桐秋夜打瑣窗

秋風昨夜來（王驥德）………………三六二三

梧葉兒（知秋令　碧梧秋）

大德世界佛如來（無名氏）…………五三二八
土埋英雄墓（無名氏）………………五六九一
千株柳十里花（康海）………………一二四六
千畦藥半頃芝（康海）………………一二四五
千壽千壽七奏七奏（無名氏）………五六九七
千鍾禄一品官（康海）………………一二四七
千鍾禄萬户侯（張鍊）………………二二三五
山如畫柳勝煙（康海）………………一二四五
夕陽下暮景催（無名氏）……………五六九一
斗來大黄金印（王九思）……………九六四
元宵近燈火稀（黄峨）………………一九八二
不盡君王報（常倫）…………………一八七七
分并宿池頭影（陳鐸）………………五〇八
玉水溶人緑草萋（無名氏）…………五六九五
玉斝葡萄釀（常倫）…………………一八七八
世事夢中身（無名氏）………………五六九〇
古道東西路（瞿佑）…………………二七九
仙肌雪宫鬢鴉（無名氏）……………五六九三
白紵裏金蓮瓣（張鍊）………………二二三六
江天浄江水明（無名氏）……………五六九八
江天暮江梅發（無名氏）……………五六九八
江天闊江水茫（無名氏）……………五六九一

江風静江水澄（無名氏）……五六九七
江海量人人欠（汪廷訥）……四一九三
因斟酒推過茶（無名氏）……五六九六
帆高掛舡勝馬（無名氏）……五六九八
年雖未鬢已星（康海）……一二四八
竹檻敲蒼玉（無名氏）……五六九二
你本是初生蕋（無名氏）……五六九五
低護雙鈎襪（陳鐸）……五〇七
狂生襪隱士袍（張鍊）……二二三六
妙樂世界佛如來（無名氏）……五三二八
性兒好堪愛人（張鍊）……二二三六
青山舊白髮新（王九思）……九六四
花孔雀宮羅樣（王九思）……一〇〇六
花外喞泥燕（無名氏）……五六九〇
花枝瘦風力寒（王九思）……九六四
花香嫩月色新（張鍊）……二二三七
花開榴綻吐濃芳（無名氏）……五六九七
花闌密草徑滑（康海）……一二四八
花謝春意惡（王九思）……一〇二五
杯中物（徐敷詔）……二一五六
奉身去輕吾累（胡松）……二一三七
非真懦豈詐憨（康海）……一二四八
明月何曾動（常倫）……一八七八
采西園花千片（王九思）……一〇〇六
和風動百草生（無名氏）……五六九三
争甚麽名和利（七樂生）……五二一五
金谷園那曾見（陳鐸）……五〇七
金風細暑氣微（康海）……一二四六
金風至漸漸涼（無名氏）……五六九三
金爐畔玉案前（黄峨）……一九八二
知章韻太白才（康海）……一二四六
妬織女千機錦（陳鐸）……五〇九
美甘甘多滋味（張鍊）……二二三六
恰收拾歡濃夜（無名氏）……五六九六
恰是蘭亭修禊時（無名氏）……五六九四
春山翠秋水明（無名氏）……五六九三
南海岸曾相見（陳鐸）……五〇九
柳絮飛綿桃李香（無名氏）……五六九四
柳嫩花嬌春意濃（無名氏）……五六九〇
英雄士裰褲人（康海）……一二四六
看歲歲青山舊（無名氏）……五六八九
秋天浄銀月明（無名氏）……五六九三

秋來到夏景殘（無名氏）……五六九一
待月崔徽意（常倫）……一八七八
風静閒鴛枕（張鍊）……二二三五
急攘攘争名利（無名氏）……五六八九
紅紫紛紛見綺羅（無名氏）……五六九四
淩雲思霖雨才（康海）……一二四六
拳來大心難滿（無名氏）……五六九一
朔風緊雲勢低（無名氏）……五六九三
席上偷睛看（無名氏）……五六九五
草屋底生無分（陳鐸）……五〇九
時臨春上巳（無名氏）……五六九七
乘涼興（康海）……一四二三
衾如鐵信如金（黄峨）……一九八二
烏頭水毒如藥（王九思）……一〇〇六
淑氣籠金殿（無名氏）……五六九五
添西子顰時俏（陳鐸）……五〇八
清江畔（徐歗韶）……二一五五
清明近（徐歗韶）……二一五五
麻姑酒（徐歗韶）……二一五五
烹鸞豆（徐歗韶）……二一五五
鹿腿木支成榻（王九思）……一〇〇五
梅雨過（徐歗韶）……二一五五
探白帝來將近（王磐）……七九四
掩畫燭傳私語（陳鐸）……五〇七
荷初細柳正黄（康海）……一二四五
雪和雨雨和雪（黄峨）……一九八二
連成玉照乘珠（康海）……一二四七
處處榴花綻（張鍊）……二二三五
釣月蘭舟便（無名氏）……五六九二
得罷時連忙罷（康海）……一二四五
閑庭小院宇深（康海）……一二四八
富貴十年夢（張鍊）……二二三四
壺内三杯酒（常倫）……一八七七
堅固世界佛如來（無名氏）……五三二八
黄茅瘴白雪詞（王九思）……九六四
喜久遠天和地（無名氏）……五六九二
喜交頸和香繡（陳鐸）……五〇八
散慮酒數杯（無名氏）……五六九二
黑自黑天生的俏（無名氏）……五六九五
黑油的喪門劍（無名氏）……五六九八
結蓓蕾行行俏（陳鐸）……五〇九
幾十日春常媚（康海）……一二四五

碼碯世界佛如來（無名氏）……五三二八
聖賢三尺墓（無名氏）……五六九四
蜂蝶戲桃李香（無名氏）……五六八九
催流水波聲急（無名氏）……五六九一
催詩雨（徐敷詔）……二一五四
蒲團小木几牢（康海）……一二四八
説不盡臨行話（無名氏）……五六九六
塵事三春夢（無名氏）……五六九〇
鵁鶄觀（徐敷詔）……二一五五
截湘水蒼筠管（王九思）……一〇〇五
賦得去真還去（胡松）……二一三七
舖席片抱破瓢（無名氏）……五六九八
聞笑語紅梅院（張鍊）……二二三六
褪粉梅粧淨（張栩）……五〇九八
暫別三千地（常倫）……一八七八
箭也似金烏快（無名氏）……五六九〇
曉雨紅將綻（無名氏）……五六九六
錦褥堪人愛（常倫）……一八七八
築一室大如斗（李應策）……四〇八二
臉兒厚怎識羞（李應策）……四〇八一
雙溪水四面山（康海）……一二四七
遲日移歌扇（張鍊）……二二三五
鴛鴦被玳瑁釵（康海）……一二四七
駿馬雕鞍出野郊（無名氏）……五六九四
臨川令蘇小卿（無名氏）……五六九二
薰風細擺緑楊（無名氏）……五六九三
簪寶髻添宮樣（陳鐸）……五〇八
寶馬黄金鐙（無名氏）……五六九四
麒麟殿鵁鶄樓（王九思）……九六四
藍袍舊白髮新（康海）……一二四七
簾兒下低低叫（無名氏）……五六九五
蘭沼澄波緑（張鍊）……二二三四
鶯花寨楊柳街（無名氏）……五六八九
歡喜世界佛如來（無名氏）……五三二八
覩世事真堪嘆（無名氏）……五六八九

梧葉墮羅袍

山與歌眉斂（王驥德）……三六四〇

梧葉襯紅花

玉漏迢迢盡（王驥德）……三六三九

梧蓼金羅

有口誰同語（馮夢龍）……四四二五

梅花引（小梅花　貧也樂）

玉骨冰肌倚畫闌（朱有燉）……三一五
春意枝頭即漸回（朱有燉）……三一五

雪中梅（雪裏梅）

五彩慶雲生（無名氏）……五二一八
真主武功成（無名氏）……五二一七

雪裏梅（雪中梅）

看仙子跨黃鶴（無名氏）……五七三一

掛枝兒

二更時輾轉愁夢兒難就（陸應暘）……四四六四
小娘中誰似得王美兒標緻（無名氏）……五八三八
王美兒似木瓜空好看（無名氏）……五八三八
王仲仙你真是天生的造化（席浪仙）……四八三二
日初長柳綠綻黃金模樣（劉效祖）……二七七五
少年郎真個千金難換（席浪仙）……四八三二
水仙花嬌怯怯流香几案（劉效祖）……二七七六
再勸伊（白石山主人）……四五四〇
吃罷茶就開科道其來意（方汝浩）……五一八六
吃酒飯假做個斯文模樣（方汝浩）……五一八七
竹夫人（馮夢龍）……四四二七
杜康哥（馮夢龍）……四四二六
吴朝奉作本來極臭極吝（陸人龍）……五〇一二
我心裏但見你就要你叫（劉效祖）……二七七七
我教你叫我聲只是不應（劉效祖）……二七七六
夜將中鼓咚咚更籌三下（陸應暘）……四四六四
城樓上鼓四敲星移斗轉（陸應暘）……四四六八
秋海棠喜庭陰偏生嬌豔（劉效祖）……二七七六
俏冤家但見我就要我叫（劉效祖）……二七七七
俏冤家非是我好教你叫（劉效祖）……二七七七
俏冤家進門來緣何不坐（黃方胤）……四五三六
俏冤家須不是串花家的子弟（無名氏）……五八三八
俏冤家你當初纏我怎的（凌濛初）……四五四六
酒飯畢不起身聲聲落地（方汝浩）……五一八七
送書的腳步兒放輕些（吴拱宸）……五一八三
問使君你緣何不到橫州郡（凌濛初）……四五四六
接銀包才道聲適間多謝（方汝浩）……五一八七

湯婆子本是個耐歲寒的情性（馮夢龍）……四四二七
喜蛛兒忽地在營前掛（陸應暘）……四四六五
着青衣進門來大呼小叫（方汝浩）……五一八六
幾番的要打你（米仲詔）……四五四一
新竹兒倚朱欄清風可愛（劉效祖）……二七七六
對妝臺（董斯張）……四五四六
骰子兒（李元實）……四五三八
劉四媽你的嘴舌兒好不厲害（無名氏）……五八三八
論風流也只差前後（無名氏）……五八三九
鬧攘攘人催起五更天氣（陸應暘）……四四六五
據你說（馮夢龍）……四四二七
據我說（丘田叔）……四五三九
燒窯人聽多時（丘田叔）……四五三九
簾下的掛枝兒委的奇妙（馮夢龍）……四四二七
勸君家（馮喜生）……四五四二
聽説罷（丘田叔）……四五三九
聽初更鼓正敲心兒懊惱（陸應暘）……四四六四

掛金索

大慈仁者（蘭陵笑笑生）……二八三三
久病淹纏（蘭陵笑笑生）……二八三五
巨浪風濤（蘭陵笑笑生）……二八三五
北戰南征（蘭陵笑笑生）……二八三四
回祿風煙（蘭陵笑笑生）……二八三五
好兒好女（蘭陵笑笑生）……二八三四
坐賣行商（蘭陵笑笑生）……二八三四
乳哺三年（蘭陵笑笑生）……二八三四
附木精邪（蘭陵笑笑生）……二八三五
急難顛危（蘭陵笑笑生）……二八三四
宿世冤仇（蘭陵笑笑生）……二八三四
鬪惡争強（蘭陵笑笑生）……二八三四

掛真兒（藍橋仙）

月缺花殘怨薄命（無名氏）……五四六九

採茶歌（楚江歌）

法光佛（無名氏）……五二九八
梵天佛（無名氏）……五二九九
梵聲佛（無名氏）……五二九八
敬頂禮無邊莊嚴佛（無名氏）……五二九五
敬頂禮法雲吼王佛（無名氏）……五二九五
敬頂禮大精進懷佛（無名氏）……五二九五

蓮華香佛（無名氏）……五二八五
楚臺仙姊妹（姚小涞）……四九七五
金剛齊佛（無名氏）……五二八五

逍遥樂

掛冠歸去謝君王（屠隆）……三六一〇

逍遥令

響郊東草陌（朱讓栩）……二〇五一

捲簾雁兒落帶得勝令

難離別情萬千（黄峨）……一九〇

捲簾雁兒落

掃晴娘腰身可喜好衣裳（朱有燉）……三三六
掃晴娘臂懸灰土絳紗囊（朱有燉）……三三六
掃晴娘輕移蓮步下回廊（朱有燉）……三三六
掃晴娘高盤雲髻鬬紅妝（朱有燉）……三三六

掃晴娘

寶高佛（無名氏）……五二九八
智高佛（無名氏）……五二九八
敬頂禮不思議光佛（無名氏）……五二九五
遥觀見一似他（秦時雍）……二五九二
尋幽去芳徑迢（周履靖）……三五九七
景偏長愁更多（李開先）……二〇九六
從別後淚暗流（莫是龍）……三五一九
幽窗下（秦時雍）……二五八七
骨兒媚神亦清（宛瑜子）……四五二六
眉彎翠鬢嬋娟（張栩）……五一一〇
風雲態幻世情（徐媛）……四一七五
香風細繡幔開（秦時雍）……二五八八
秋歸後月正明（文徵明）……一一三六
相思債不耐償（王驥德）……三六六五
春歸後花正井（黄洪憲）……三五五七
春歸路花遍栽（邵涵遠）……五一五九
花稍露水面痕（徐媛）……四一七五
空王影法相身（徐媛）……四一七五
見了個人兒一似他（秦時雍）……二五九三
如來意信有真（徐媛）……四一七五
只爲親軍老妻又嬌（丁綵）……三三二五
人別後（秦時雍）……二五九一

啄木兒

誰家女兩髻丫（梁辰魚）……二七〇〇
邀幾個知心友（丁綵）……三三二五

啄木鸝

休回首愁感懷（沈璜）……四一〇六

得勝令（德勝令　陣陣贏　甜水水　凱歌回）

瓦盎貯香醪（瞿佑）……二八〇
至敬頂禮世尊如來佛（無名氏）……五二五〇
至敬頂禮大焰王世尊（無名氏）……五三一二
至敬頂禮喜思惟無量悅佛（無名氏）……五二五二
至敬頂禮無畏娛樂佛（無名氏）……五二五二
至敬頂禮慧光王中上明佛（無名氏）……五二五二
至敬頂禮迦葉導師佛（無名氏）……五二五二
至敬頂禮無畏輪疆界上佛（無名氏）……五二五二
至敬頂禮無量應天佛（無名氏）……五二五二
至敬頂禮寶輪光明勝德佛（無名氏）……五二五三
至敬頂禮慈相照明佛（無名氏）……五二五三
至敬頂禮寶場輪上尊王佛（無名氏）……五二五三
至敬頂禮清浄相明佛（無名氏）……五二五三
至敬頂禮虛空尊極上德佛（無名氏）……五二五三
至敬頂禮神相喜明佛（無名氏）……五二五三
至敬頂禮金剛徧照十方佛（無名氏）……五二五三
至敬頂禮龍德善濡佛（無名氏）……五二五四
至敬頂禮雲中自在燈明佛（無名氏）……五二五四
至敬頂禮明讚梵天佛（無名氏）……五二五四
至敬頂禮寶輪威極上德佛（無名氏）……五二五四
至敬頂禮名稱梵音佛（無名氏）……五二五四
至敬頂禮日輪場尊上德佛（無名氏）……五二五四
至敬頂禮明力大施佛（無名氏）……五二五四
至敬頂禮日威德莊嚴藏佛（無名氏）……五二五四

至敬頂禮隨意光明佛（無名氏）……五二五五
至敬頂禮寶身佛常滅度佛（無名氏）……五二五五
至敬頂禮大智真聲佛（無名氏）……五二五五
至敬頂禮寶尊佛無量眼佛（無名氏）……五二五五
至敬頂禮梵德華山佛（無名氏）……五二五五
至敬頂禮寶通佛無垢際佛（無名氏）……五二五五
至敬頂禮淨義開華佛（無名氏）……五二五五
至敬頂禮善生佛難勝伏佛（無名氏）……五二五六
至敬頂禮喜見華嚴佛（無名氏）……五二五六
至敬頂禮德尊佛無表識佛（無名氏）……五二五六
至敬頂禮不可勝幢佛（無名氏）……五二五六
至敬頂禮海威佛名稱友佛（無名氏）……五二五六
至敬頂禮無等香光佛（無名氏）……五二五六
至敬頂禮上幢佛無量蓋佛（無名氏）……五二五六
至敬頂禮師子香稱佛（無名氏）……五二五六
至敬頂禮放光佛無比鎧佛（無名氏）……五二五七
至敬頂禮無量名稱佛（無名氏）……五二五七
至敬頂禮月威佛無量意佛（無名氏）……五二五七
至敬頂禮無普修行佛（無名氏）……五二五七
至敬頂禮寶英如來（無名氏）……五三一六
敬禮上善世尊光燄佛（無名氏）……五二五一
敬禮大精進世尊清淨義佛（無名氏）……五二五一
敬禮海慧世尊明意佛（無名氏）……五二五一
敬禮大海智世尊無量意佛（無名氏）……五二五二
敬禮智勝世尊明照佛（無名氏）……五二五二
敬禮德寶世尊佛如來（無名氏）……五三一六
鼓音王如來（無名氏）……五三一六

魚遊春水

友相求喜同遊（王九思）……九九二
功德明世雄佛（無名氏）……五二九一

好閒閒樂閒閒（張鍊）……………………二二五五
坐高春（康海）……………………………一二八六
坐微涼飲清淙（王九思）…………………九九二
你又青春咱又少年（無名氏）……………五七九九
倒玉山（康海）……………………………一二八六
息營求（康海）……………………………一二八六
眺遠山醉憑闌（王九思）…………………九九二
得休休便休休（張鍊）……………………二二五五
腳忙忙手忙忙（張鍊）……………………二二五五
晝營營夜營營（張鍊）……………………二二五六
晚雲涼（康海）……………………………一二八六
賢藥王法華淨身佛（無名氏）……………五二九一
聽春春坐雲松（王九思）…………………九九二

脱布衫

悶昏昏懶畫娥眉（無名氏）………………五四〇四

脱布衫帶過小梁州

小哥哥今做新郎（陳鐸）…………………五三八
石榴開紅映窗紗（萬勛）…………………八一一
老鄉鑾一火兒窮胎（陳鐸）………………五三八
印春泥三寸金蓮（陳鐸）…………………五一三
牡丹開捻一嬌紅（王磐）…………………七九五
你那裡問西樓秋夜如何（王磐）…………七九五
青布衫兩隻皮鞋（陳鐸）…………………五三八
兩相牽雨約雲期（常倫）…………………一八九三
明聖主仁彷三皇（無名氏）………………五五五三
映斜陽小小房籠（萬勛）…………………八一一
映斜陽數點歸鴉（無名氏）………………五五五三
粉粧成高下樓臺（萬勛）…………………八一一
記當時人醉花朝（金鑾）…………………一八二一
問春來何處忘機（湯式）…………………七一
問夏來何處徜徉（湯式）…………………七一
問秋來何處盤遊（湯式）…………………七二
問冬來何處從容（湯式）…………………七二
問城南花事如何（陳鐸）…………………五四九
畫船兒滿載詩豪（王磐）…………………七九五
隔紗窗幾轉流鶯（張鍊）…………………二二四六
舞東風楊柳翻蹮戰（萬勛）………………八一〇
寫花神宛在吟邊（金鑾）…………………一八二〇
樂繁華倚翠偎紅（朱有燉）………………三五七
鬬春晴誰剪雲霞（王九思）………………九六三

普天樂（四塊玉　黃梅雨）

一天愁何時徹（無名氏）……五六四二
一番愁十分病（張鍊）……二二三〇
大光佛光明佛（無名氏）……五二四四
上危樓淋炎夏（無名氏）……五六三九
小橋邊垂楊下（康海）……一二三八
小橋邊垂楊下（王九思）……一〇四八
乞塔撲把套頭兒拴（無名氏）……五六三六
斗城邊燕山下（張鍊）……二二二八
文武繼宗門（顧鑑中）……一五六一
六十年今初度（殷士儋）……二八一三
夫婦惡別離（無名氏）……五六三七
天聲佛日聲佛（無名氏）……五二四三
天闊雁還疏（顧鑑中）……一五六一
不相思離別苦（無名氏）……五六四九
不茶不飯怎存活（無名氏）……五六四一
五更風終朝雨（楊廷和）……八四八
五花驄千金夜（無名氏）……五六四三
心坎上已成灰（無名氏）……五六三五
月上海棠軒（蕭古潭）……一五五九

開天門

九重霄（廖道南）……一九三七
彩雲流（張治）……一六二八
寶殿輝（廖道南）……一九五〇
豳風亭（廖道南）……一九五四

十二畫

減字木蘭花

聽哀告聽哀告（施子安）……四三

善知識

稽首多天栴（無名氏）……五二四六
稽首華光佛（無名氏）……五二四六
稽首法光佛（無名氏）……五二四七
稽首豐光佛（無名氏）……五二四七
稽首天華佛（無名氏）……五二四七
稽首摩尼佛（無名氏）……五二四七
稽首雲音佛（無名氏）……五二四七
稽首謨羅佛（無名氏）……五二四七
稽首龍音佛（無名氏）……五二四七
稽首華瓔佛（無名氏）……五二四七

水波澄霜林醉（無名氏）……五四四七
水邊亭薔薇架（無名氏）……五六四九
少年人文章士（康海）……一二四一
玉立照青春（湯式）……八〇
玉樹鳳凰棲（無名氏）……五六三六
可情人多丰韻（陳朝佐）……一五五七
世事且喞盃（王九思）……九五九
石榴花紅似火（無名氏）……五六四九
打漁舡溪頭纜（張錬）……二二二八
四時歡千金咲（李東陽）……四七九
生摘下鳳凰心（無名氏）……五六三六
乍離別新秋夜（無名氏）……五六四五
片時情三生債（沈璟）……三七九六
他走利名場（玄虛子）……一五三五
他生的臉兒浄（無名氏）……五六四一
出群才風流個（康海）……一二四一
守清貧無災害（史忠）……四六五
安定子孫賢（蕭古潭）……一五六〇
老證候正遭逢（無名氏）……五六四二
百年身千年計（張錬）……二二二九
有志在詩書（湯式）……七八
有漁翁江鄉住（楊循吉）……八一九
有樵夫雲山樂（楊循吉）……八一九
有耕農東郊舍（楊循吉）……八一九
有牧童平原放（楊循吉）……八一九
列紅粧開華宴（常倫）……一八七九
早是客蹉跎（無名氏）……五六三八
曲填腔詩賡韻（仲龍子老更狂）……一五三八
同類在小兒曹（無名氏）……五六四四
自別來書頻寄（康海）……一二四一
伐幽齊征秦晉（無名氏）……五六四八
收拾了釣鰲鈎（無名氏）……五六四六
如來應供一切（無名氏）……五二四〇
好霜天賓鴻至（陳鐸）……五三七
杜鵑啼春將過（無名氏）……五六四六
把酒唱三疊（無名氏）……五六四五
忒疏狂無辭遜（康海）……一二三七
見來書知心緒（康海）……一二三九
我才名伊丰韻（施紹莘）……四七四九
伯牙琴王維畫（唐復）……二四一
那廝口兒奸（無名氏）……五六三九
怕別離離別怕（無名氏）……五六五二

怕黄昏傷懷抱（劉效祖）……二七八五
怯嚴寒消丰韵（陳鐸）……五三八
夜深沉人愁悶（高濂）……二九七五
武陵人剡溪興（張鍊）……二二二九
武陵花春難放（史槃）……三二七二
武陵降姑蘇震（無名氏）……五六四七
花是俺親手栽（王九思）……九五八
芳草短長亭（湯式）……八〇
雨纔收花初謝（玄虚子）……一五三四
雨初收香塵洒（無名氏）……五六三八
雨初晴雲還布（康海）……一二三六
雨初晴風纔定（無名氏）……五四四六
雨兒飄風兒颺（玄虚子）……一五三四
雨絲絲風裊裊（劉良臣）……一五八四
兩三日不來家（無名氏）……五六四二
奇遇鳳鸞交（顧鑑中）……一五六二
到冬來雪花大（無名氏）……五四四六
到春來垂楊鎖（無名氏）……五四四六
到秋來金風播（無名氏）……五四四六
虎狼多魚龍混（無名氏）……五六四七
呀的鴈兒來（無名氏）……五六四三
牧牛羊晴川上（張鍊）……二二二八
兒夫一向留都下（王化隆）……四三二一
往常時並頭蓮（無名氏）……五六四〇
近才知心如沸（康海）……一二四〇
美甘甘好姻緣（無名氏）……五六三五
前生緣今生契（吴載伯）……四五六八
客中愁何日罷（無名氏）……五六四八
客中愁何日盡（無名氏）……五六四八
客中愁何時罷（無名氏）……五六四八
客中愁何時了（無名氏）……五六四八
爲才郎添疾病（劉效祖）……二七八五
爲才郎增惆悵（劉效祖）……二七八五
柳陰濃榴花放（陳鐸）……五三七
柳絲鬅芙蓉面（康海）……一二四〇
柳飛綿梨飄雪（朱有燉）……三〇五
臥癡樓真仙境（史忠）……四六三
臥癡樓多閒暇（史忠）……四六三
臥癡樓無迎送（史忠）……四六三
臥癡樓多情思（史忠）……四六三
臥癡樓清無限（史忠）……四六三
臥癡樓無籌算（史忠）……四六三

臥癡樓真堪羨（史忠）……四六三
臥癡樓人難道（史忠）……四六三
臥癡樓清閒大（史忠）……四六四
臥癡樓非王謝（史忠）……四六四
厚情深留心積恨（仲龍子老更狂）……一五四〇
南無功德王佛（無名氏）……五二四〇
南無然光明佛（無名氏）……五二四〇
南無妙光幢佛（無名氏）……五二四〇
南無金剛華佛（無名氏）……五二四一
南無金剛光佛（無名氏）……五二四一
南無摩尼王佛（無名氏）……五二四一
南無普光明佛（無名氏）……五二四一
南無彌留香佛（無名氏）……五二四一
南無月光明佛（無名氏）……五二四一
南無放光明佛（無名氏）……五二四一
南無淨自在佛（無名氏）……五二四二
南無普見王佛（無名氏）……五二四二
南無大威光佛（無名氏）……五二四二
南無日月明佛（無名氏）……五二四二
南無大寶輪佛（無名氏）……五二四三
南無大吉祥佛（無名氏）……五二四三
南無自在光佛（無名氏）……五二四三
是和非權和貴（史忠）……四六五
思如泉心如鍊（康海）……一二四〇
昨日武林春（湯式）……七九
俏冤家天生下（無名氏）……五六四〇
俏冤家忒薄倖（無名氏）……五八六三
信口和草堂詞（蕭古潭）……一五五九
怨伯勞傷飛燕（常倫）……一八八〇
風度海棠亭（蕭古潭）……一五五九
建安才河陽貌（沈仕）……一六五八
既待捨之藏（無名氏）……五六三七
酒忘懷風吹帽（常倫）……一八八〇
酒初熱桃方破（康海）……一二三七
凍雲垂寒威壯（無名氏）……五六五一
朔風狂彤雲布（無名氏）……五六五〇
朔風寒同雲布（無名氏）……五四四七
扇背兒涿州羅（無名氏）……五六四一
馬頻嘶芳草地（無名氏）……五六四九
草忘憂花蠲忿（楊廷和）……八四八
草堂閒簾籠静（史忠）……四六五
草堂深人孤坐（康海）……一二三九

草萋迷人何個（康海）……一二三七
夏日長炎天似火（無名氏）……五四四六
夏日長薰風蕩（無名氏）……五六五〇
剔銀缸燒金獸（瞿佑）……二七九
笑新來能舒肆（康海）……一二三七
倚危樓空長歎（劉效祖）……二七八五
值新秋金風灑（無名氏）……五六四九
值深秋添瀟洒（無名氏）……五六三九
書劍不求官（湯式）……七九
淡梳妝天然俊（顧鑑中）……一五六二
淡梳妝天然俊（康海）……一二三八
淚雙垂垂雙淚（無名氏）……五六五一
涼婆潑竹陰邊（蕭古潭）……一五五九
剪鵝毛瓊花撒（無名氏）……五六三九
這農家無驚怕（張鍊）……二二二八
望天涯無音信（劉效祖）……二七八五
袖拂庾公塵（湯式）……七八
連理樹帶根掘（無名氏）……五六三五
麥初收禾將秀（張鍊）……二二二九
眼落處是田園（湯式）……七九
唱陽關陽關怨（無名氏）……五六四五
腳曾躧鳳池春（王九思）……九五八
閉月容羞花貌（薛常吉）……五〇六五
問姑蘇繁華地（湯式）……七八
問揚州縈懷抱（湯式）……七七
問錢唐西湖路（湯式）……七八
問金陵紛紛事（湯式）……七七
問樵夫來何處雲山依舊（王九思）……九五八
問樵夫來何處龍潭浩渺（張鍊）……二二二八
問樵夫來何暮（王九思）……九五七
問春梅何時放（朱有燉）……三五一
細思量添惆悵（無名氏）……五六四〇
惱春情鶯和燕（陳鐸）……五三七
堯天日月明（夏言）……一五七三
善心佛善光佛（無名氏）……五二四四
黑貂塵青驄道（王驥德）……三六六四
景淒涼添愁況（無名氏）……五六五〇
景鮮明人瀟灑（無名氏）……五六四九
晚天晴東風裊（無名氏）……五八六一
晚風清（黃淮）……二八六
凱東旋師南進（無名氏）……五六四七
短長亭東西渡（無名氏）……五六五一

壽筵開杯重獻（劉良臣）……………一五八七
壽筵開杯三獻（劉良臣）……………一五八七
壽筵開杯酬獻（劉良臣）……………一五八七
歌徹海潮音（無名氏）………………五六四四
對西風愁清夜（申時行）……………三四〇五
對春光空惆悵（無名氏）……………五六五〇
對菱花添憔悴（劉效祖）……………二七八五
暮雲閑金風散（無名氏）……………五六四四
慕長生學仙道（常倫）………………一八七九
橫死賊入門來（無名氏）……………五六四三
磊落才循良政（劉良臣）……………一五八六
賞元宵開簾幕（康海）………………一二三六
數年來賓朋散（康海）………………一二三九
皺雙眉雙眉皺（無名氏）……………五六五一
錦片似故鄉拋（無名氏）……………五六四六
縱金杯張青幕（常倫）………………一八八〇
懵懂的不知心（玄虛子）……………一五三五
藕花開榴花放（無名氏）……………五四四七
羅帕染胭脂（玄虛子）………………一五三五
露花寒波金細（康海）………………一二三八
灞橋詩梁園賦（劉良臣）……………一五九〇
畫堂春朱簾暮（王九思）……………九五七
畫堂秋青霄月（王九思）……………九五七
畫麒麟麒麟畫（無名氏）……………五六四五
結鶉衣（楊訥）………………………二二二六
意味有誰知（顧鑑中）………………一五六二
話虛頭虛話頭（無名氏）……………五六五一
聖賢徒義文緒（康海）………………一二四〇
楚天秋山如畫（無名氏）……………五六四〇
楚臺雲秦樓月（無名氏）……………五六三七
暖天長和風蕩（陳朝佐）……………一五五七
暖雲晴韶光媚（朱有燉）……………三四一
愁滅翠娥眉（無名氏）………………五六四三
愁悶海來深（無名氏）………………五六三八
猿鶴似古稀年（王寅）………………二一八七
寧可效陶潛（楊訥）…………………二二二五
碧雞秋青蛉夜（楊慎）………………一七〇六
夢回時心無奈（劉效祖）……………二七八五
夢回時愁偏聚（劉效祖）……………二七八六
夢回時人何處（張鍊）………………二二二九
翠蛾顰秋波盼（劉汝佳）……………四二六七
壽筵開杯初獻（劉良臣）……………一五八六

讓與你逞僂儸（無名氏）…………………五六三六
□□□問□□疎疎密密（無名氏）……五六四九

湘妃引（水仙子　凌波仙　湘妃怨
　馮夷曲）

山盤龍脊露巖崖（湯式）…………………五七
千章喬木播奇芳（湯式）…………………五七
木犀風淅淅噴雕檽（湯式）………………五一
半窗風雨夜瀟颾（湯式）…………………五七
四時裀褥錦重疊（湯式）…………………五二
生香玉碾就美容儀（湯式）………………五五
守清貧隨分樂清貧（湯式）………………五五
守書窗何日離書窗（湯式）………………五四
西湖詩酒舊風流（湯式）…………………五四
使聰明休使小聰明（湯式）………………五五
拂寒生踉蹌步空□（湯式）………………五六
海棠魂幻出個俊形骸（湯式）……………五二
高燒銀蠟看錕鋙（湯式）…………………五六
耕雲耨水治生涯（湯式）…………………五七
淡烟蒙草翠萋蕤（湯式）…………………五四
乾相思心緒亂如絲（湯式）………………五三
陷人坑土窖似暗開掘（湯式）……………五三
得峥嶸我怎不峥嶸（湯式）………………五四
紫雲宮殿擁蓬萊（湯式）…………………五五
碧茸茸芳草展青氈（湯式）………………五三
銀盆水浸牡丹芽（湯式）…………………五六
緋榴噴火照離筵（湯式）…………………五五
舞裙低窣翠絨紗（湯式）…………………五二
龍涎香噴紫銅爐（湯式）…………………五八
龍洲低蘸亂雲隈（湯式）…………………五七
懷揣着訕臉入青樓（湯式）………………五二
鶯煎燕聒惹相思（湯式）…………………五三
露津津芳杏洗朱顔（湯式）………………五六

湘妃遊月宫（水仙子過折桂令）

冰盤貯果水晶涼（湯式）…………………六四
海棠過雨錦狼藉（湯式）…………………六三
病乜斜恰似醉乜斜（湯式）………………六五
綉幃冷落綵絨毬（湯式）…………………六四
簪纓華胄更風流（王春泉）…………四七一
鬢從別後甚蓬鬆（湯式）…………………六五

琥珀貓兒墜

天災神禍（無名氏）…………………五四九六

堯民歌

你一似喬楊花沾淤泥到處兒生根（宋楙澄）……四二八三
東方妙音世界須彌肩如來（無名氏）……五三二四
第一爲三軍受苦（常倫）……一八九五
稽首十方一切諸如來善住世界師子如來（無名氏）……五三二五
稽首十方一切諸如來樂德世界智衆如來（無名氏）……五三二五
稽首十方一切諸如來香等世界香相如來（無名氏）……五三二五
稽首十方一切諸如來安穩世界上寶如來（無名氏）……五三二五
稽首一切諸方無長佛如來（無名氏）……五三二五
稽首一切諸方智聚佛如來（無名氏）……五三二五
稽首一切諸方微妙佛如來（無名氏）……五三二五
稽首一切諸方天德佛如來（無名氏）……五三二六

喜春來（陽春曲）

一杯別酒強掙捱（無名氏）……五六五六
一時間口強心難強（無名氏）……五六五二
人能克己身無恙（無名氏）……五六五四
三春天外無消息（無名氏）……五六五二
元和還徹煙花債（無名氏）……五六五七
玉纖巧翦孤飛雁（無名氏）……五六五三
可憐沈約腰肢瘦（朱有燉）……三二三
皮縫執袋腰間掛（無名氏）……五六五四
有錢得飲葡萄釀（無名氏）……五六五七
官高一品終爲患（無名氏）……五六五三
官高必定爲身患（無名氏）……五六五八
怕狂不敢留沉醉（常倫）……一八九〇
青萍削玉原無價（常倫）……一八九〇
金盃頻勸涼亭上（無名氏）……五六五八
金盃頻勸瓊花釀（無名氏）……五六五五
金粧寶劍藏龍口（無名氏）……五六五三
扁舟雖小乾坤大（無名氏）……五六五三

敬稽首菩提王清浄住無量勇佛（無名氏）……五二九二
腰肢楊柳風前瘦（無名氏）……五六五六
塵寰跳出無牽掛（無名氏）……五六五四
榴花雨洗胭脂浄（張鍊）……二二三三
輕歌慢舞梨花院（無名氏）……五六五七
箇中滋味黄虀甕（王克篤）……二九三一
誰言七夕佳期遠（黄淮）……二八五
踏青閑翫心神泰（無名氏）……五六五七
嬌紅嫩紫香風細（唐復）……二三九
緑滔滔俊眼横堆俏（無名氏）……五六五二
雕鞍寶馬黄金勒（史忠）……四六六
鄰笛吹徹五更歌（無名氏）……五六五六
龍涎香冷黄金鼎（唐復）……二三九
龍樓辭却無牽掛（無名氏）……五六五七
繡簾兒外初相見（無名氏）……五六五四
懶向侯門彈馮鋏（王克篤）……二九三二
飄摇身世風前葉（王克篤）……二九三二
騰騰共入蘭房内（無名氏）……五六五五
騰騰似入烏雲内（無名氏）……五六五三
要隨鵬鶚騰霄漢（史忠）……四六六
威權大呵災必大（無名氏）……五六五八
星星俊眼横鋪俏（無名氏）……五六五五
風寒不解憂成病（一齋）……一五三二
海棠零落空遺恨（朱有燉）……三二三
凌波不帶煙花氣（楊廷和）……八四四
凌烟閣上功名濫（無名氏）……五六五八
烏雲斜挽摘花鈿（無名氏）……五六五五
娥池影出嫦娥面（楊廷和）……八四四
情郎耳邊低低道（無名氏）……五六五六
梁上久懸徐稚榻（王克篤）……二九三一
涼飈輕約銀河浪（黄淮）……二八五
淺妝鉛粉花容整（朱有燉）……三四六
雪花呈瑞年豐阜（王磐）……七九七
異根厚托栽培力（一齋）……一五三二
從教雪擁袁安巷（張鍊）……二二三三
黄花催趲淵明醉（張鍊）……二二三三
黄梅雨過青山岫（張鍊）……二二三三
黄鸝嚦嚦緑楊内（無名氏）……五六五四
敬稽首力稱王華蓋寶莫能勝佛（無名氏）……五二九二

喜梧桐

奴是一朵花（無名氏）……五九三五
炎天似火燒（無名氏）……五五二二
佳辰值晚秋（無名氏）……五九三六
春來景色嬌（無名氏）……五五二二
梧桐一葉凋（無名氏）……五五二二
窗外雪亂飄（無名氏）……五五二二
蒙山頂上茶不比閑花卉（無名氏）……五六八七
蒙山頂上茶穀雨晴時采（無名氏）……五六八八

喜連聲

□不蘁（趙南星）……三七六〇
誇不徹（趙南星）……三七六一
夢冤家（趙南星）……三七六一
潑賤娼（趙南星）……三七六一
□□學（趙南星）……三七六〇
嘴嗶嗻（趙南星）……三七六一

喜遷鶯（萬年枝　燕歸來　烘春桃李）

山城歲暮（薛廷寵）……二一三〇〇
天子定名（薛廷寵）……二一三〇〇
南無寶生如來（無名氏）……五三三九
華嚴神通如來（無名氏）……五三四〇

黃薔薇

有金莖露灑（王九思）……九八七
有高亭傍水（王九思）……九八六
坐空堂似金樂（王九思）……九八七
到天昏日晚（康海）……一二九二
要風流瀟灑（康海）……一二九二
鈞天奏碧霄（無名氏）……六三三四
對壺漿到晚（王九思）……九八七
盡金流石鑠（康海）……一二九二
儘吞冰浴水（康海）……一二九一

黃羅歌

小雨潤如酥（馮惟敏）……二三一七
小隱在山林（馮惟敏）……二三一六
竹裡有行廚（馮惟敏）……二三一八
多病故人疏（馮惟敏）……二三一八
雨過洗平蕪（馮惟敏）……二三一八
流水遶人家（馮惟敏）……二三一七
高枕臥林間（馮惟敏）……二三一七

黃鶯兒（金衣公子）

一水隔盈盈（楊慎）……一七〇七
一月一芳菲（馮惟敏）……二四二七
一旦子孫淹（辛升）……四八〇一
一自結盟言（顧長芬）……五〇六七
一見了他也留情（陳鐸）……五七六
一朵病梨花（施紹莘）……四五八五
一夜朔風吹（許樂善）……三五四八
一夜朔風愁（胡文煥）……三三五三
一抹紫雲深（杜子華）……三四九三
一念去來兮（薛論道）……三一二二
一念母劬勞（薛論道）……三一一二
一院鎖春愁（陳與郊）……三七〇一
一氣本相通（孫樓）……三六一一
一笑喜相逢（無名氏）……五五〇一
一望楚江平（杜子華）……三四八〇
一棹泛滄浪（龍膺）……四二一四
一會家笑呀呀（劉效祖）……二七八八
一會家笑呵呵（劉效祖）……二七八八
一種木芙蕖（杜子華）……三四九七
一種美人顏（杜子華）……三四九八
一種富家腔（宛瑜子）……四五二一
一對好夫妻（無名氏）……五八三七
一樣做渾家（王化隆）……四三三〇
一樹洞庭秋（杜子華）……三四八六
一樹綴冰姿（杜子華）……三四八八
一霎南風呼（王屋）……四八四二
一縷篆煙斜（楊慎）……一六八八
一點一聲愁（胡文煥）……三三五四
一點曉霞紅（馮惟敏）……二四二四
一點曉霞嬌（馮惟敏）……二四二四
二月起蟄雷（薛論道）……三一二四
二月氣融合（王屋）……四八五一
十一月裁中（王屋）……四八五二
十二月寒多（王屋）……四八五二
十月小春天（王屋）……四八五二
十夢九逢君（黃戍儒）……四一六六
八月正秋高（王屋）……四八五二
八月正清秋（龍膺）……四二〇八
八龍暫駐鞭（李應策）……三九八五
人生百花中（陳與郊）……三七〇五

人去獨憑樓（俞宛綸）……四四九一
人讖温太真（許樂善）……三五四七
九日晚登樓（龍膺）……四二一三
九月早霜侵（王屋）……四八五二
七月喜新秋（王屋）……四八五二
又一度笑顔開（常倫）……一八七六
又見掛城頭（金鑾）……一八〇三
又是一年新（孫峽峰）……四四〇九
三月正清明（王屋）……四八五一
三徑入簾青（杜子華）……三五〇〇
三徑白雲封（周履靖）……三五七五
三徑菊花新（徐文昭）……九二九
大肚漢鐘離（李應策）……四〇七六
大道本天真（薛論道）……三一一八
大夢我先知（薛論道）……三一一三
大夢我先度（薛論道）……三一一三
大夢我先嘗（薛論道）……三一一三
大夢我先醒（薛論道）……三一一三
大將逞威風（無名氏）……五八三七
大儒喜列公（李應策）……三九九三
才智透天機（丁綵）……三三〇二
山下結茅堂（葉華）……四二四四
山月半輪高（龍膺）……四二一四
山色有無中（陳與郊）……三七〇五
山舍肆優遊秀孤松在嶺頭（朱載堉）……三四一四
山舍肆優遊走天涯有盡頭（朱載堉）……三四一四
山舍肆優遊餉遼陽苦建酋（朱載堉）……三四一四
山舍肆優遊立高崗送遠眸（朱載堉）……三四一四
山舍肆優遊日臨池搨史籀（朱載堉）……三四一五
山舍肆優遊學修真急轉頭（朱載堉）……三四一五
山舍肆優遊轉輪王弗去求（朱載堉）……三四一五
山舍肆優遊弄虚頭没盡休（朱載堉）……三四一五
千片簇流霞（杜子華）……三四八三
凡事不如人（丁綵）……三二八八

小小構茅茨（薛論道）……三一〇九
小犬吠荒畦（王屋）……四八四九
小卒戴兜鍪（無名氏）……五五〇九
小雨夜堂深（王屋）……四八四七
小帳掛輕紗（沈仕）……一六三九
小閣試清幽（王驥德）……三六三五
小築闢雲山（龍膺）……四二〇八
斗大一茅齋（龍膺）……四二〇八
斗樣小書齋（楊應奎）……一五一一
六月水亭涼（王屋）……四八五一
文彩羽毛奇（杜子華）……三五〇一
天口最深藏（朱載堉）……三四〇八
天心最平和（朱載堉）……三四〇七
天耳最虛靈（朱載堉）……三四〇八
天眼最光熒（朱載堉）……三四〇八
天氣一陽回（杜子華）……三五〇六
天意正衝寒（杜子華）……三四九五
木末有孤亭（朱應辰）……一四八五
水墨李三娘（郭丸封）……五一七六
五月海榴紅（王屋）……四八五一
五色羽成文（薛論道）……三一二二
五鼓發南湖（王屋）……四八四六
不必分外圖（孫峽峰）……四四〇三
不見阮郎愁（陳與郊）……三七〇三
不要待如何（常倫）……一八七五
不要喒大黃邊（孫峽峰）……四四一〇
不信好人言（孫峽峰）……四四一〇
不記別家時（王屋）……四八五〇
不等月生時（王屋）……四八四八
日月轉東西（楊爾曾）……五二〇六
日涉趣如何（胡文煥）……三三五三
日煖漾晴絲（王端淑）……四七七〇
日轉杏花梢（唐寅）……一一四四
中國有戎狄（馮惟敏）……二五〇四
今夕是何年（郝湘娥）……五一四九
今冬裏好艱難（孫峽峰）……四四〇四
父喪母勞形（王化隆）……四三二三
孔聖人怒氣沖（朱載堉）……三四一二
心事酒杯中（陳與郊）……三七〇四
心事亂如麻（劉汝佳）……四二六五
心間事有誰學（無名氏）……五五〇五
分手漾輕舟（俞宛綸）……四四九一

分緑上窗紗（杜子華）……三四九九
月冷夜風寒（無名氏）……五五〇〇
月夜晚風凉（無名氏）……五五〇四
月既望過中秋（劉良臣）……一五九九
月影轉模糊（馮敏效）……三五三二
及第杏園春（馮惟敏）……二四二六
丑面記疤生（徐渭）……二七六〇
水洗送出門（薛論道）……三一二〇
市遠不聞譁（龍膺）……四二〇八
半笑半嗔中（陳與郊）……三七〇四
半額翠蛾揚（無名氏）……五五〇九
永日一盤棋（丁惟恕）……四三六三
玉手解青絲（馮惟敏）……二四二七
玉宇色澄鮮（吴國寶）……二七二二
玉宇迴無煙（郝湘娥）……五一四九
玉樹與桃鄰（杜子華）……三四七四
玉鴨寶香噴（沈仕）……一六五四
玉臂小闌干（王屋）……四八四七
玉露泣中庭（杜子華）……三四九二
玉體遍成瑕（無名氏）……五五一三
玉鑑湧蒼波（朱讓栩）……二〇五六
末路嘆當壚（孫樓）……二六一三
正月早梅殘（王屋）……四八五一
正氣莫誰何（薛論道）……三一一八
正圓滿月出頭（劉良臣）……一五九九
世事少思量（王九思）……一〇一七
世事少縈牽（王九思）……一〇一八
世事少咨嗟（王九思）……一〇一八
世事少奔波（王九思）……一〇一八
世事轉頭空（無名氏）……五五一〇
世情古怪看客下菜（王克篤）……二九四〇
世路苦多歧（吴國寶）……二七二一
世態忒炎凉（孫峽峰）……四四〇三
本等舊生涯（薛論道）……三一一一
可笑時年人（孫峽峰）……四四〇七
可笑趨時人（孫峽峰）……四四〇七
可喜故人來（丁惟恕）……四三五九
只見病兒增（吴國寶）……二七二六
只見病兒磨（吴國寶）……二七二六
只爲兩文錢（無名氏）……五五二一
只要匾兒多（孫樓）……二六一一
只要物兒多（無名氏）……五五一五

目送雁南征（丁惟恕）……四三七二
田問我何滕（王屋）……四八三九
四月野蒿開（王屋）……四八五一
四海共嬋娟（無名氏）……五五〇三
四壁短篷遮（王屋）……四八三八
冉冉上遥天（孫承恩）……一五二八
乍見便消魂（王寅）……二一八四
生拆散燕鶯期（無名氏）……五五〇五
生就面皮黄（無名氏）……五五一四
片片玉爲樓（杜子華）……三四八二
片片慶雲垂（杜子華）……三四八三
片片簇成團（杜子華）……三四九五
仙客坐苔磯（周履靖）……三五九六
仙禁傍雕欄（杜子華）……三四九七
白雪入詩謳（楊應奎）……一五一一
白髮似銀條（朱載堉）……三四一一
白髮似銀霜（朱載堉）……三四一二
白髮似銀絲（朱載堉）……三四一二
白髮似銀窩（朱載堉）……三四一二
包趙兩相逢（無名氏）……五八三七
他是負心的（孫樓）……二六一二
冬日朔風狂（朱權）……二九九
冬來呵景物凋（無名氏）……五五〇五
冬景雪連天（王屋）……四八五〇
出浦一篷霜（王屋）……四八四三
江上片帆飛（王屋）……四八四二
池塘中養魚（朱載堉）……三四一〇
衣飯等身竿（李應策）……四〇五四
衣裾半含羞（唐寅）……一一四二
衣裾自藏羞（無名氏）……五五二〇
老子且疏狂（無名氏）……五五〇七
老天降甘霖（孫峽峰）……四四一二
老去莫心狂（吴國寶）……二七二三
老去莫心貪（吴國寶）……二七二三
西蜀種來奇（杜子華）……三四九七
百卉盡凋零（薛論道）……三一一六
百萬買妖姬（王屋）……四八四八
百囀隔花枝（杜子華）……三五〇〇
有酒哈幾盅（孫峽峰）……四四〇九
有酒須早哈（孫峽峰）……四四一三
有業寄餘生（王屋）……四八三九
光景眼前過（馮敏効）……三五三二

光景始知秋（楊應奎）……一五一二
早早脱樊籠（楊慎）……一六八六
早早破塵迷（楊慎）……一六八六
早早謝朝簪（楊慎）……一六八六
早早換凡胎（楊慎）……一六八六
曲水護堂隅（陳與郊）……三七〇〇
曲指數英雄（薛論道）……三一二一
因此病旬餘（陳與郊）……三七〇〇
因爲你減容顔（無名氏）……五五〇四
回首憶朝班望金莖霄漢間（龍膺）……四二一一
回首憶朝班逐鵷行識聖顔（龍膺）……四二一一
回首笑癡迷（鄭鄤）……四八〇二
年紀上了身心不慟淚紛紛（孫峽峰）……四四一二
年紀上了身諸般的不如人（孫峽峰）……四四一二
年紀上了身百般疾來侵人（孫峽峰）……四四一三
仰面覷多嬌（孫樓）……二六一〇
休得且須休（王屋）……四八四〇
休笑俺身貧（朱載堉）……三四〇八
休笑俺無錢（朱載堉）……三四〇八
休笑俺無才（朱載堉）……三四〇九
休笑俺無能（朱載堉）……三四〇九
休笑俺無田莊（朱載堉）……三四一四
伎倆無青衫（無名氏）……五五一四
自小把明傷（無名氏）……五五一四
自己跌倒自己爬（朱載堉）……三四一一
向我問前程（王屋）……四八三九
名共百花王（杜子華）……三四九一
名色號湯婆（無名氏）……五五一八
名利轉勞牽（李應策）……四〇五七
名種出姚家（杜子華）……三四九〇
名種麗名園（杜子華）……三四九〇
名賤且身輕（無名氏）……五五二〇
多少巧籠牢（薛論道）……三一二〇
如火藉薪傳（王屋）……四八四三
沉醉了又何妨（無名氏）……五五〇六
沙際月皚皚（王屋）……四八四六
没廉恥恁厚顔（朱載堉）……三四一三
良夜每相過（張守中）……三二七八
良夜滿城花（杜子華）……三五〇四

良夜自躕躊（孫峽峰）……四四一三
吾病掩吾廬（陳與郊）……三六九九
吾道付滄州且江湖作宦遊（龍膺）……四二一二
吾道付滄州論行藏謾倚樓（龍膺）……四二一二
村巷樹陰肥（王寅）……二一八三
村角野花開（王屋）……四八四五
村婦入城來（無名氏）……五五〇七
夾道緑陰陰（杜子華）……三四八七
夾路束爲籬（杜子華）……三四九五
把酒祝花神（施紹莘）……四六一九
把酒問花神（張鍊）……二二五三
把酒問鶯鶯（秦時雍）……二五六二
把酒問紅娘（秦時雍）……二五六二
把酒問張生（秦時雍）……二五六二
把酒問夫人（秦時雍）……二五六二
把酒問將軍（秦時雍）……二五六三
把酒問禪師（秦時雍）……二五六三
折柳記章臺（楊慎）……一六九二
折柳贈行人（丁惟恕）……四三五四
扭捏做行藏（無名氏）……五五一三
扳桂步蟾宮（無名氏）……五五〇〇
抗意學周公（李應策）……三九九三
貝母拜南星（徐文昭）……九三〇
足下屬陰形（無名氏）……五五二〇
吟就白頭詩（陳所聞）……三八四一
吹遍柳條青（無名氏）……五五〇三
別調不成音（楊慎）……一七一一
私語若蜂糖（無名氏）……五五一〇
我欲守公平（薛論道）……三一〇八
我欲守安然（薛論道）……三一〇八
我欲守清廉（薛論道）……三一〇八
我欲守誠實（薛論道）……三一〇八
我輩自風流（龍膺）……四二一四
何處問陶家（王屋）……四八三九
何處閬仙粧（楊慎）……一八〇三
何處學新聲（王屋）……四八四七
何處避春愁（陳與郊）……三七〇〇
何處響琳琅（金鑾）……一八〇三
何慮亦何愁（杜子華）……三五〇三
作個地行仙（王屋）……四八三七
你笑我張狂（孫峽峰）……四四〇七
你笑我蠢頭（孫峽峰）……四四〇七

定湅五樣頭（熊秉鑑）……四七九三
炎令布驕陽（許樂善）……三五四七
炎夏獨成林（薛論道）……三一一七
炎漢數應亡（薛論道）……三一二三
初日照林梢（王屋）……四八四五
初試薄羅衣（席浪仙）……四八三二
非是聖朝偏（王屋）……四八三七
青玉愛亭亭（杜子華）……三四八六
長袖亂飄揚（無名氏）……五五一〇
芳杜爲誰愁（陳與郊）……三七〇三
芳草臥斜陽（常倫）……一八七五
芳草綠參差（楊慎）……一六八八
芳草亂春愁（陳與郊）……三七〇〇
芳館坐黃昏（梁辰魚）……二六八六
芹水孤踪（蔡國珍）……三〇二四
花下手閑敲（凌濛初）……四五四四
花下臥空瓶（王屋）……四八三九
花下禮三星（無名氏）……五五一三
花也爲吾愁（施紹莘）……四五八六
花月石頭城（朱應辰）……一四九七
花月杜門中（陳與郊）……三七〇四
身子忒苗條（施紹莘）……四五八四
身世五湖南卻頻抽白玉簪（龍膺）……四二一一
身世五湖南笑年來吏隱兼（龍膺）……四二一二
身外莫生愁（葉華）……四二四四
坐想十年期（王屋）……四八四六
朵朵鬱寒光（杜子華）……三四九八
狂態眇天低（薛論道）……三一一七
那個有皮毛（薛論道）……三一一二
忍讓最爲先（朱載堉）……三四一〇
波上瑞雲濃（杜子華）……三四八五
波上愛忘機（杜子華）……三五〇二
泯耳笑青天（王田）……一一一六
泣露剪紅綃（杜子華）……三四九二
並戲水中鴛（孫樓）……二六一一
夜夜是良宵（薛論道）……三一二〇
夜雨滴空堦傍愁人枕畔來（楊慎）……一六八二
夜雨滴空堦聽聲聲到客懷（無名氏）……五五〇七
夜雨滴鄉愁（陳與郊）……三七〇二
夜雨半牀寒（陳鶴）……二六一八
妾命木星臨（漁隱主人）……五一七九

花色療飢呵（伍灌夫）……四九七〇
花影閉簾櫳（沈仕）……一六三七
花影過東林（馮敏効）……三五二九
花影上紗窗（劉汝佳）……四二六四
花吐早春輝（杜子華）……三四九七
花吐欲棲梧（杜子華）……三四七七
花底襞香箋（王屋）……四八四八
花事十分衰（施紹莘）……四五八五
花柳最妖嬈（薛論道）……三一一九
花鳥杜鵑愁（陳與郊）……三七〇二
花發問辛夷（杜子華）……三四八五
花發不能簪（漁隱主人）……五一七九
花落水流紅（金鑾）……一八〇四
花落水流香（金鑾）……一八〇五
花落蝶飛頻（金鑾）……一八〇四
花落燕飛來（金鑾）……一八〇四
花插上林春（杜子華）……三四九九
花裏問神仙（杜子華）……三四七五
花裏有魁元（馮惟敏）……二四二六
花豔滿林金（杜子華）……三四八九
芥羽一毛輕（薛論道）……三一一八
枝上簇新紅（杜子華）……三四七九
松下日陰陰（馮敏効）……三五二九
枕上怯鶯啼（王寅）……二一八三
杯酒頌堯天（王屋）……四八三八
玩賞四園春（徐文昭）……九二九
東壁起秋聲（杜子華）……三五〇二
事業付漁樵（胡文煥）……三三六七
事業盡蕭然（薛論道）……三一一六
兩岸草萋萋（無名氏）……五五〇九
兩眼眵抹花（孫峽峰）……四四一三
兩脚像冰團（無名氏）……五五一九
雨笠帶雲簪（鄭鄤）……四八〇三
直道不容身笑人情局局新（龍膺）……四二一〇
直道不容身笑時流亦辛苦（龍膺）……四二一〇
奇麗樹芳晨（丁綵）……三三二六
拍手唱山歌（王屋）……四八四五
抱膝水邊亭（馮惟敏）……二三一五
抱膝比南陽（王屋）……四八四一
拂地舞誰撈（楊應奎）……一五一二
拂面透羅裳（朱讓栩）……二〇五五
剗木取泉遥（楊慎）……一七〇五

忠良賢才没你不用（朱載堉）……三四一二
呵手弄絲篁（李元陽）……一九六三
呼酒濯新愁（朱應辰）……一四八五
明日是新年（杜子華）……三五〇六
明月上危樓（劉良臣）……一五九九
明月被雲遮（朱載堉）……三四〇九
明月杖頭懸（楊爾曾）……五一九五
明月也含羞（梁孟昭）……五〇三七
明月掛松梢（丁惟恕）……四三七〇
采藥憶天台（楊慎）……一六九二
知足的且粧憨（無名氏）……五五一〇
和氣暖天街（馮惟敏）……二三七六
和氣滿三田（常倫）……一八七六
佯説被風傷（無名氏）……五五一二
佳節又重陽（胡文焕）……三三六四
佳節值重陽（無名氏）……五五〇六
往事不勝愁（陳與郊）……三七〇二
所見也不差（薛論道）……三一一一
忽見那牛奔（楊爾曾）……五一九二
周成藉托公（李應策）……三九七一
念載賦閒居（陳與郊）……三七〇〇
金井夜生涼（杜子華）……三五〇三
金井露生涼（沈仕）……一六三七
金勒玉驄驕（常倫）……一八七六
金殿試文魁（薛論道）……三一二四
金殿鎖鴛鴦（無名氏）……五五〇三
金露滿枝涼（杜子華）……三四九八
附子已當歸（徐文昭）……九三一
屈指幾名流（王屋）……四八四一
妮子緑窗中（陳與郊）……三七〇五
孤枕伴殘燈（唐寅）……一一四三
孤旅困黄昏（薛論道）……三一〇五
孤鏡畫愁眉（文徵明）……一一三五
洒墨俊芳卿（孫樓）……二六一〇
洞口吐新枝（杜子華）……三四八一
洞口澀難攻（方汝浩）……五一八四
恨里擲花鈿（席浪仙）……四八三二
恨殺咬人精嘴兒尖身子輕（黄戍儒）……四一六七
恨殺咬人精可憐伊太瘦身（黄戍儒）……四一六七
爲人有了年閑花草莫去貪損德虧行人

所厭（孫峽峰）……四四〇九
爲人有了年閑花草莫去貪有損無益往後看（孫峽峰）……四四一〇
爲人該存心（孫峽峰）……四四〇三
爲子娶偏房（方汝浩）……五一八五
亭下滿葵榴（杜子華）……三五〇五
亭午尚敲蒸（龍膺）……四二〇八
音律壓齊城（馮惟敏）……二四二七
客枕恨鄰雞（楊慎）……一七〇四
客帳夢封侯（王屋）……四八四一
客裏正寂寥（薛論道）……三一〇五
穿徑惹香塵（馮敏效）……三五二九
美盼恨多虧（孫樓）……二六一〇
前日寄書人（王屋）……四八四九
春日正遲遲（劉效祖）……二七八七
春日百花香（朱權）……二九八
春去已難尋（杜子華）……三四九四
春色又蕭條（王寅）……二一八五
春色太癲狂（王寅）……二一八五
春色報江南（王寅）……二一八四
春色漸芳菲（王寅）……二一八四
春色半西郊（杜子華）……三五〇四
春色過橫塘（杜子華）……三四八〇
春色滿閑庭（杜子華）……三四九一
春色麗園林（杜子華）……三四九四
春色麗花叢（杜子華）……三四八〇
春色透芳枝（醉西湖心月主人）……五二一〇
春事到蘼蕪（范允臨）……四一二〇
春事又闌珊（沈仕）……一六五四
春來呵景物妍（無名氏）……五五〇五
春恨強難裁（吴國寶）……二七二五
春思入谿桃（王屋）……四八四九
春思繞羅浮（杜子華）……三四七六
春病苦懨懨（無名氏）……五五一〇
春病獨眠床（無名氏）……五五一五
春草緑萋萋（劉效祖）……二七八八
春景最溫柔（王屋）……四八五〇
春野望中迷（馮敏效）……三五三四
春意醉酥胸（馮惟敏）……二三五四
春夢海棠嬌錦重重混暮朝（孫樓）……二六〇九
春夢海棠嬌錦重重混暮殃（無名氏）……五五一六

春夢短無憑（吳國寶）……二七二二
春夢遶城西（王九思）……九七八
春睡曉鐘殘（施紹莘）……四五八四
春靜捲朱簾（杜子華）……三五〇一
春燕語雙雙（劉效祖）……二七八八
珊枕淚千行（施紹莘）……四五八五
芽自虎丘生（史槃）……三二六五
若得病兒鬆（吳國寶）……二七二六
若得病兒痊（吳國寶）……二七二七
茅屋枕湖涯（吳國寶）……二七二三
茅屋壓湖邊（吳國寶）……二七二三
茅屋結三間（吳國寶）……二七二一
茅屋學鉛華（無名氏）……五五一七
苦海笑無邊（李應策）……四〇五三
城月影移花（楊慎）……一六八七
相思病來纏我（無名氏）……五五〇四
相望楚江頭（楊慎）……一六八八
相對坐調箏（楊慎）……一七一四
南去共秋雲（杜子華）……三五〇一
南國翠蛾愁（陳與郊）……三七〇三
砂石走長空（陸人龍）……五〇一一
挑出郇閶門（無名氏）……五五一九
背聳肉山尖（無名氏）……五五一一
思量叫我好傷懷（無名氏）……五五〇二
盼望我眼兒花（無名氏）……五五〇二
昨日到邙山（薛論道）……三一一四
昨日到城西（薛論道）……三一一四
昨日到城東（薛論道）……三一一三
昨日到荒郊（薛論道）……三一一三
哈幾鍾是良謀（孫峽峰）……四四一三
拜上少年哥（孫峽峰）……四四一三
拜禱月兒高（無名氏）……五五〇一
拜禱月兒圓（無名氏）……五五〇一
拜禱月兒明（無名氏）……五五〇二
拜禱月兒斜（無名氏）……五五〇二
看富貴似浮萍（劉良臣）……一五八九
科第舉寒微（薛論道）……三一二四
科舉稱槐黃（無名氏）……五五〇六
秋水蘸芙蓉（唐寅）……一一四四
秋色媚妖嬈（杜子華）……三四八三
秋色遍林塘（杜子華）……三四九八
秋色遍東籬（杜子華）……三五〇五

秋色綻東籬（杜子華）……………………三四八七
秋色滿庭柯（杜子華）……………………三五〇五
秋冷薜蘿衣（龍膺）………………………四二〇九
秋雨正銷魂（常倫）………………………一八七六
秋雨灑林皋（龍膺）………………………四二〇七
秋來呵景物荒（無名氏）…………………五五〇五
秋恨強難持（吴國寶）……………………二七二五
秋風雁陣哀（馮敏効）……………………三五三四
秋景肅然高（王屋）………………………四八五〇
秋意響梧桐（王問）………………………一九六九
秋嶺散天香（杜子華）……………………三四八一
香氣比幽蘭（杜子華）……………………三四九六
香氣送春歸（杜子華）……………………三四七六
香氣襲銀屏（杜子華）……………………三四七六
香歇袂紅消（楊慎）………………………一六八七
香繫一鈎絲（杜子華）……………………三四七五
香靄閣春愁（陳與郊）……………………三七〇一
重陰雨氣收（楊應奎）……………………一五一二
重結黍珠胎（鄭鄤）………………………四八〇三
俗世寡知音（王寅）………………………二一八三
促織傍籬鳴（王端淑）……………………四七七一
風月逐時新（薛論道）……………………三一二〇
風月醉眠中（陳與郊）……………………三七〇五
風月擔兒拴（楚妓）………………………五一五〇
風雨小窗中（陳與郊）……………………三七〇三
風雨弄清明（施紹莘）……………………四五八五
風雨阻歸舟（無名氏）……………………五五〇七
風雨送春歸（唐寅）………………………一一四四
風雨記當年（王屋）………………………四八四一
風雨替花愁（施紹莘）……………………四五八六
風雨暗江天錦繡詞動三川（王交）………二六〇七
風雨暗江天嘆高歌空斷編（王交）………二六〇七
風雨暗江天慘聲容朝露先（王交）………二六〇八
風雨暗江天斷腸聲白雪篇（王交）………二六〇八
風急淚痕多（胡文焕）……………………三三五四
風景正清和（杜子華）……………………三四九四
急走快招魂（薛論道）……………………三一二〇
省裡一枝高（杜子華）……………………三四八六
飛敕報花知（王屋）………………………四八三九
飛絮舞簾櫳（朱讓栩）……………………二〇五六
飛燕掠春愁（陳與郊）……………………三七〇一
眉宇自嬌嗔（鄭心材）……………………四二八四

眉鎖鬱難開（無名氏）……五五一五
眉黛惹香愁（陳與郊）……三七〇一
架上玉流酥（杜子華）……三四八五
幽谷鬱幽香（杜子華）……三四九三
幽會楚陽臺（孫樓）……二六一一
紅杏鬧春權（張守中）……三二七八
紅雨送前春（沈仕）……一六五四
紅粉擅平康（孫樓）……二六一二
紅閣晚調笙（楊德芳）……四九〇一
紅潤污鮫綃（常倫）……一八七六
陋巷少人過（馮惟敏）……二三一五
流水似儂愁（陳與郊）……三七〇二
流浪劇場中（陳與郊）……三七〇四
海上掌兵符（王寅）……二一八三
消瘦怯春衣（秦時雍）……二五九〇
送別俏知音（丁惟恕）……四三五四
粉面膩殘粧（無名氏）……五五〇四
粉嘴又鬍腮（無名氏）……五五〇八
家在五湖東（王屋）……四八四一
家傍白蘋洲（杜子華）……三四七九
高枕笑浮生逐春風出帝京（龍膺）……四二一一
高枕笑浮生奮鸞龍策漢庭（龍膺）……四二一一
高插粉痕濃（杜子華）……三四九三
高樹緑森森（杜子華）……三五〇二
高處早乘風（馮敏効）……三五三四
庭院漸無春（杜子華）……三四七九
庭樹影交加（馮惟敏）……二三一六
病瘦不勝衣（劉汝佳）……四二六五
剖也更憐人（鄭心材）……四二八四
匿跡在山莊（丁惟恕）……四三六七
夏日熱難當（朱權）……二九八
夏來呵景物稠（無名氏）……五五〇五
夏杪又輪秋（范壺貞）……四一八五
夏景苦炎蒸（王屋）……四八五〇
素白駐瑶臺（丁綵）……三三二六
素質避朱顏（杜子華）……三四九四
草草一茅亭（薛論道）……三一一〇
草草屋三楹（王屋）……四八四五
荏苒又重陽（薛論道）……三一〇九
恭喜恭喜（程可中）……四一五六
桂魄自娟娟（郝湘娥）……五一四九
桃暈兩腮烘軟腰肢如病中（孫樓）……二六〇九

桃暈兩腮烘軟腰肢如病蒼（無名氏）……五五一六
桃子正花時（王屋）……四八四七
時雨遍天涯（孫峽峰）……四四一二
時節近清明（王屋）……四八四四
哨遍鎖窗寒（徐文昭）……九三〇
峻宇且雕牆（無名氏）……五五一二
笑那藍采和（李應策）……四〇八六
笑逢春蘿婆（李應策）……四〇八八
倚席悄無歡（無名氏）……五五一八
倚遍玉闌干（葉小鸞）……五〇六二
脩竹滿溪攤（張葦如）……四九七八
俺只道秋水浸芙蓉（沈仕）……一六三九
倒影錦雲天（楊慎）……一七〇六
倏爾又重陽（薛論道）……三一〇九
鬼病苦相讐（俞宛綸）……四四九二
脂粉未曾傅（張葦如）……四九七八
書寄應哥前（蘭陵笑笑生）……二八二一
院落月溶溶（杜子華）……三四七三
陣陣掃浮埃（孫承恩）……一五二七
陡被病兒纏（吴國寶）……二七二六
除夜雨蕭蕭（錢古民）……五一七七
納履入山林（楊應奎）……一五一〇
弱質不勝衣（無名氏）……五五一一
弱質倦清揚（王端淑）……四七七一
弱質裊松柯（杜子華）……三四九五
弱質附松蘿（杜子華）……三四七九
梁燕語呢喃（王九思）……九七八
涼氣襲中庭（杜子華）……三四九三
涼夜把窗開（胡文煥）……三三五三
淡淡着衣黄（杜子華）……三五〇四
深谷有人家（丁惟恕）……四三七二
深谷自脩藏（薛論道）……三一一七
深巷晝眠中（陳與郊）……三七〇五
深院是誰家（薛論道）……三一一七
清淺小池塘（馮惟敏）……二四二六
清淚滴嬋娟（金鑾）……一八〇三
清減了小腰圍（陳鐸）……五七六
清瘦仗誰醫（沈璟）……三八一七
清影瘦遲遲（張葦如）……四九七七
淑氣轉條風（許樂善）……三五四七
净土自清涼（龍膺）……四二〇八

瓶漾紫珊瑚（沈仕）……一六三八
剪就碧雲裳（杜子華）……三四九四
密葉翠成圍（杜子華）……三四九二
寄興一盤棋（劉然）……四四七六
庾嶺看飛瓊（杜子華）……三四七四
情趣在相偷（收春主人）……四八八一
逐日呼漁蓑（李應策）……四〇八九
匿跡在茅簷（丁綵）……三三九二
莫放酒盃寬（吴國寶）……二七二一
教學委實難（孫峽峰）……四四〇七
教學原爲貧（孫峽峰）……四四〇八
梧葉乍飄黄（朱權）……二九八
梧葉早知秋（楊應奎）……一五一一
梧影滿欄杆（杜子華）……三五〇五
梅雪舞交加（薛論道）……三一二一
軟款妙人兒（馮惟敏）……二四二七
掛一段狀元紅（馮惟敏）……二三三二
推枕護鮫綃（沈仕）……一六三八
覓酒賞花來（張鍊）……二二五三
執節肯從凡（李應策）……四〇五四
常占一枝香（杜子華）……三四九一
堂壯值名葩（杜子華）……三四七七
處世貴和平（薛論道）……三一一四
眼挫裏抹張郎（陳鐸）……五七六
敗葉戰秋霖（胡文焕）……三三五四
野鷺怎能留（孫樓）……二六一二
野鶴倦歸籠（鄭鄤）……四八〇二
累筆笑僧虔（王屋）……四八三八
國士更無雙（無名氏）……五五〇六
國典重榮親（許樂善）……三五四七
唱一會囉哩囉利和名一筆摹（胡賓竹）……四六一
唱一會囉哩嗹是非門閉的嚴（胡賓竹）……四六一
唱一會哈哈哄躲塵中閑事冗（胡賓竹）……四六一
唱一會哈哈咳樂心田寬似海（胡賓竹）……四六一
唱一會囉哩囉柳垂金桃噴火（胡賓竹）……四六〇
唱一會囉哩嗹結茅廬近水邊（胡賓竹）……四六〇

唱一會哈哈咳寫長空雁字排（胡賓竹）……………………四六〇
唱一會哈哈哄野梅開千瓣紅（胡賓竹）……………………四六一
唱一會囉哩囉論清閒誰似我（王越）……四五〇
唱一會囉哩嗹想人生當消遣（王越）……四五一
唱一會哈哈哄想人生當和哄（王越）……四五一
唱一會哈哈咳嘆青春不再來（王越）……四五一
彩筆畫樓中（陳與郊）……………………三七〇六
彩鷁接金天（張守中）……………………三二七八
造化本無情（薛論道）……………………三一〇七
造物手中來（薛論道）……………………三一二三
造物本無方（薛論道）……………………三一〇七
造物本無形（薛論道）……………………三一〇七
造物本無情（薛論道）……………………三一一八
造物本無偏（薛論道）……………………三一〇七
移網掛江邊（周履靖）……………………三五八八
做個囫圇頭（吴國寶）……………………二七二二
側陋喜名揚（無名氏）……………………五五〇六
偶立釣絲輕（杜子華）……………………三五〇三
假訂百年期（無名氏）……………………五五〇九
得意笑青天（馮惟敏）……………………二四二八
兜起百花愁（陳與郊）……………………三七〇三
釵綰鬢雲鬆（楊慎）………………………一六八七
欲吐已先春（杜子華）……………………三四八九
欲證再生因（孫樓）………………………二六一二
貪看水宫仙（杜子華）……………………三四八四
貧妓忽妖粧（孫樓）………………………二六一三
貧富難打量（孫峽峰）……………………四四一一
猛見蜀葵花（馮惟敏）……………………二四二五
脱珥勸君收（無名氏）……………………五五〇九
閉目度時光（孫峽峰）……………………四四〇九
問我幾添籌（李應策）……………………四〇三九
疎雨滴梧桐（唐寅）………………………一一四三
疎柳掛斜暉（丁惟恕）……………………四三五三
陰晦一時開（胡文焕）……………………三三六三
婀娜半佯羞（孫樓）………………………二六一一
婀娜倚堦前（杜子華）……………………三四八一
終日走塵埃（馮惟敏）……………………二三七六
終日似癡呆（秦時雍）……………………二五八三
終日笑呵呵看光陰疾似梭（王九思）
……………………………………………一〇一八

終日笑呵呵把閑愁盡掃卻（王九思）……一〇一八
終日笑呵呵問先生笑甚麽（王屋）……四八四一
終日笑呵呵笑呵呵笑轉多（吳國寶）……二七二〇
終日笑嘻嘻笑嘻嘻笑轉癡（吳國寶）……二七二〇
終日爲花忙（張錬）……二二五三
終日爲花愁（張錬）……二二五三
終日苦奔忙（薛論道）……三一一一
終日苦無休（薛論道）……三一一二
終日冒風沙（薛論道）……三一一一
終日穿長街（無名氏）……五五〇八
終日站花街（薛論道）……三一一一
終日換新郎（薛論道）……三一一二
終日醉醺醺（吳國寶）……二七一九
終日醉綿綿（吳國寶）……二七一九
終日睡懨懨（吳國寶）……二七一九
終日睡朦朦（吳國寶）……二七一九
細雨正黄昏（馮敏效）……三五三三
細雨打初更（王屋）……四八三八
細雨打殘花（王屋）……四八四五
細雨捲輕雷（金鑾）……一八〇四
細雨濕薔薇（唐寅）……一一四四
細細縷金棠（杜子華）……三四七六
絃管動離聲（黄峨）……一九八八
着意守天庥（薛論道）……三一一五
着意享天年（薛論道）……三一一六
着意養天和（薛論道）……三一一五
着意樂天真（薛論道）……三一一五
尊相犯水星（無名氏）……五五二〇
曾住草叢深（杜子華）……三四七七
曾繫一漁舟（杜子華）……三四八〇
寒食小桃風（張葦如）……四九七七
寒食杏花天（唐寅）……一一四四
寒食杏花天（楊慎）……一七一三
寒食雨紛紛（杜子華）……三四七八
寒臘染丹砂（杜子華）……三四八九
富貴比南柯（李應策）……四〇八九
富貴咲春風（薛論道）……三一一九
富貴待如何（無名氏）……五五〇九
富貴總由天（朱載堉）……三四一〇

越女十三餘（王屋）……四八四七
菡萏發平池（杜子華）……三四八五
蛩吟罷景淒清（劉良臣）……一五八八
散髮弄扁舟（吴國寶）……二七二一
散髮狎汀鷗（龍膺）……四二一五
黄葉晚秋天（陳所聞）……三八四一
黄髮滿江湖（王屋）……四八四四
雲布月華收（劉良臣）……一五九九
雲雨興偏濃（孫樓）……二六一〇
雲鬢已全稀（孫樓）……二六一一
朝市不關愁（陳與郊）……三七〇一
朝雨散幽庭（王屋）……四八四九
堅我入山心（王屋）……四八四六
堪笑世情薄（劉效祖）……二七八八
堪笑富家忙（朱載堉）……三四一三
堪嘆世情疏（朱載堉）……三四一一
堪嘆富家勤（朱載堉）……三四一三
堪堪過了夏（孫峽峰）……四四一〇
堦下緑痕生（杜子華）……三四九九
殘月照粧樓（唐寅）……一一四三
搔首問青天（龍膺）……四二一五
換卻舊身材（無名氏）……五五〇八
雅興在林泉（孫湛）……四一七〇
掌上醉楊妃（馮惟敏）……二三五四
紫翠夕陽中（陳與郊）……三七〇五
最好是愚呆（薛論道）……三一一四
最喜雪封枝（杜子華）……三四八九
最苦是行人（徐文昭）……九三〇
最苦别佳人（徐文昭）……九三〇
最苦利名繮（徐文昭）……九三〇
最苦是爲商（徐文昭）……九三〇
最苦别離情（許樂善）……三五四七
短工三十錢（孫峽峰）……四四〇八
短工又長錢（孫峽峰）……四四〇八
飲罷月朦朧（沈仕）……一六三八
皓魄映丹花（張守中）……三二七七
無力倚銀箏（楊慎）……一六八七
無奈楚天空（薛論道）……三一〇五
無奈楚天長（薛論道）……三一〇五
無奈楚天高（薛論道）……三一〇四
無奈楚天秋（薛論道）……三一〇四
無計遣心頭（俞宛綸）……四四九二

無處着閑愁（陳與郊）……三七〇三
無辱又無榮（凌濛初）……四五四三
無錢乍有錢（朱載堉）……三四一三
無語暗銷魂（薛論道）……三一〇七
無語想芳容（唐寅）……一一四三
無語對芳春（薛論道）……三一〇七
無語對黄昏（薛論道）……三一〇八
無語慢停針（薛論道）……三一〇八
無影又無蹤（朱權）……二九七
進退更無門（薛論道）……三一二〇
開向廣寒前（杜子華）……三四八二
開落數旬中（陳與郊）……三七〇四
開卷覽興亡（薛論道）……三一二一
開遍四時新（杜子華）……三四八一
開遍曲江春（杜子華）……三四七四
閒把世人看（王屋）……四八四二
閒趁水邊鷗（王屋）……四八四〇
閒得且須閒（王屋）……四八三七
閑蔓吐春畦（杜子華）……三四九二
強作倚門羞（孫樓）……二六一三
絮氅怯飛鳴（史槩）……三二六四
疎雨濕春愁（陳與郊）……三七〇〇
疎影蕩銀河（朱權）……二九八
陽羨得春先（杜子華）……三四九〇
費殺了小心兒（陳鐸）……五六五
絲雨濕流光（楊慎）……一六八二
結個喜歡緣（吴國寶）……二七二二
結蓝正寒侵（杜子華）……三四七八
滄海有遺珠（王屋）……四八四二
滄海暮雲收（楊慎）……一六八九
新火起新煙（杜子華）……三五〇四
新恨在眉尖（吴國寶）……二七二六
新恨鎖眉尖（劉汝佳）……四二六四
遍地聚瓊瑶（朱權）……二九七
羨爾祖宗賢（辛升）……四八〇一
楊柳樹多栽（朱載堉）……三四一〇
楊柳織春愁（楊慎）……一七一四
煙雨百花都（王屋）……四八四四
煙際古今愁（陳與郊）……三七〇一
瑞色繞蓬萊（馮惟敏）……二三七六
落日滿江愁（王屋）……四八四〇
落葉下寒砧（薛論道）……三一〇五

落盡又還開（朱權）……二九七
葉上幾聲敲（胡文煥）……三三五四
葉吐似青萍（杜子華）……三四九六
萬里一歸人幸全生天地仁（龍膺）……四二〇九
萬里一歸人到庭闈獻壽頻（龍膺）……四二一〇
萬里一歸人赴南溟作逐臣（龍膺）……四二一〇
萬里一歸人喜歸來樂事新（龍膺）……四二一〇
萬里一歸人歷山川往跡陳（龍膺）……四二一〇
萬里一歸人聽黃鸝傍逐臣（龍膺）……四二〇九
萬里坐冰壺（金鑾）……一八〇三
萬里正加鞭（李應策）……三九八五
萬里正同雲（孫承恩）……一五二七
萬事轉頭空（薛論道）……三一一五
萬頃置良田（薛論道）……三一一六
萬萼累低枝（杜子華）……三四八六
想起舊恩情（無名氏）……五五一九
想象賦高唐（無名氏）……五五〇四
零落杏花香（席浪仙）……四八三二
搖落怎生熬（胡文煥）……三三六五
歲歲一牀書（王屋）……四八四五
暗裏把魂銷（薛論道）……三一一九
頓歇採蓮舟（楊應奎）……一五一一
蜀錦剪金錢（杜子華）……三四八四
當年草疏成（許樂善）……三五四六
圓社約尋芳（無名氏）……五五一七
圓影正婆娑（吳國寶）……二七二三
亂舞午風輕（杜子華）……三五〇二
節操本乎人（薛論道）……三一一八
矮矮小窩巢（薛論道）……三一〇九
催醒玉猧兒（王屋）……四八四八
微雨小池塘（秦時雍）……二五七五
微雨暈晨光（陳儒）……二一四二
微雨憶人時（王屋）……四八五〇
裊裊送殘春（杜子華）……三四七七
解語逞花嬌（孫樓）……二六一一
解語似知音（無名氏）……五五〇三
逸興實難收（無名氏）……五五一八
嫫母恁般烏（無名氏）……五五一六
綃障掩芙蓉（王屋）……四八四九
滿眼雪飄零（杜子華）……三四七五
滿樹結紅巾（杜子華）……三四八八
漢祚已難留（薛論道）……三一二一

端午煖融天（馮夢龍）……四四四二
颯颯起金飈（許樂善）……三五四八
説甚玉無瑕（薛論道）……三一一一
豪氣斗山移（薛論道）……三一二二
腐草夜流光（杜子華）……三五〇三
慢慢自沉吟（楊爾曾）……五一九一
碧玉比腰肢（王屋）……四八四八
蒼雪滿琅玕（杜子華）……三五〇〇
遠渚水空明（王屋）……四八四二
遠遠臥林丘（薛論道）……三一一〇
歌送竹枝愁（陳與郊）……三七〇一
厭聽雨瀟瀟（無名氏）……五五〇七
對月不成吟（薛論道）……三一〇六
對月不成眠（薛論道）……三一〇六
對月不成雙（薛論道）……三一〇六
對月不成歡（薛論道）……三一〇六
對案便唾涎（無名氏）……五五一二
睡眼半朦朧（施紹莘）……四五八四
遥夜步閑堦（楊慎）……一六九二
遥望一鋪籠（馮惟敏）……二四二五
遥望四飛仙（馮惟敏）……二三五九
種種出中都（杜子華）……三四八八
種種喚鶯兒（杜子華）……三四七八
種種蜀江來（杜子華）……三四八四
與李共無言（杜子華）……三四七三
與橘若爲鄰（杜子華）……三四八七
躲是非度流年（孫峽峰）……四四〇三
鳳帶綰流霞（王屋）……四八四七
鳳管咽春愁（陳與郊）……三七〇一
翠被峭寒生（黄峨）……一九八八
翠剪壓低枝（杜子華）……三四九一
翠點一溪新（杜子華）……三四九九
翠壓草叢西（杜子華）……三四七四
盡日淚涓涓（李應策）……四〇五三
嫩雨濕肥田（施紹莘）……四五八四
疊雪傍欄杆（杜子華）……三四九六
綽約小天仙（王屋）……四八四九
綽約見嬋娟（孫承恩）……一五二七
綵袖畫船中（陳與郊）……三七〇五
潦水漲溪橋（楊應奎）……一五一一
澗壑鬱箐蔥（杜子華）……三四八七
談笑有鴻儒（馮惟敏）……二四二六

誰不待侍君王（薛論道）……三一一〇
誰不待侍明君（薛論道）……三一一〇
誰不待侍金堦（薛論道）……三一一〇
誰不待侍朝班（薛論道）……三一一〇
誰更有文章（王屋）……四八四一
誰使管絃愁（陳與郊）……三七〇三
誰唱月明中（陳與郊）……三七〇五
誰弱又誰強（吳國寶）……二七二一
誰道玉門遥（薛論道）……三一〇六
憔悴寫封題（楊慎）……一六八八
徧性合幽棲況吾家楚水西（龍膺）……四二一一
徧性合幽棲覷乾坤往事悽（龍膺）……四二一一
樓外舊山青（劉良臣）……一五八八
醉來數花甲（李應策）……四〇七九
醉夢綺羅中（陳與郊）……三七〇四
磊落小山中（陳與郊）……三七〇四
齒豁趣還生（鄭心材）……四二八四
數雨老汀蘆（王屋）……四八四四
數載共交游（宛瑜子）……四五一
蝴蝶杏園春（唐寅）……一一四三
蝶翅舞交加（無名氏）……五五〇三
儉用勝求人（朱載堉）……三四一一
彈指又重陽（薛論道）……三一〇九
彈指怨東君（鄭若庸）……一七八四
緘怨別恩娘（無名氏）……五五一五
緑柳鎖南枝（徐文昭）……九二九
燈火夜闌珊（唐寅）……一一四三
燈月兩相交（薛論道）……三一二三
燈影照流蘇（施紹莘）……四五八三
蕉底聽鳴蟬（王端淑）……四七七一
蕩性總難馴（無名氏）……五五一一
蕩槳出紅粧（孫樓）……二六一三
整貌出蟾宫（梁孟昭）……五〇三九
歷盡箇中真（鄭心材）……四二八五
牆外轆轤鳴（馮惟敏）……二三一六
牆兒外聽砧聲（劉良臣）……一五八九
默坐思無窮（沈仕）……一六三九
曉起亂香雲（席浪仙）……四八三三
積雨釀輕寒（楊慎）……一六八二
學道説長生（周履靖）……三五六七
學盡衆禽鳴（杜子華）……三五〇〇
簪一朵狀元花（馮惟敏）……二三三二

錢糧該早完（孫峽峰）……四四〇八
錦剪納涼時（杜子華）……三四八四
錦帳鬧冤家（孫樓）……二六一一
獨坐小燈前（施紹莘）……四七四八
獨倚晚庭涼（杜子華）……三四八二
遲暮不禁愁（陳與郊）……三七〇二
隨分買清酤（王屋）……四八四四
濠上樂觀魚（龍膺）……四二〇九
應世最難爲（薛論道）……三一一四
薄雨散東皋（王屋）……四八四三
薄命粉骷髏（孫樓）……二六一三
薄倖促行裝（丁惟恕）……四三五四
環佩月中魂（王屋）……四八四九
檢校落花愁（陳與郊）……三七〇三
聲勢遍天涯（胡文焕）……三三五三
霜月滿闌干（王寅）……二一八四
霜降涸芳塘（楊應奎）……一五一一
擬宿草玄家（王寅）……二一八三
壓壞了舊蓬茅（無名氏）……五五〇七
蟬弄一枝風（施紹莘）……四五八六
螺髻綰宮粧（無名氏）……五五一三
還可奮青霄（薛論道）……三一一二
還是穿布衫（孫峽峰）……四四一一
還想扣角歌（李應策）……四〇八六
點點滴空堦（金鑾）……一八〇二
題起一番愁（胡文焕）……三三六六
縮頭脹彭亨（無名氏）……五五一一
翹首恨天高（沈仕）……一六三八
翹首問青天（薛論道）……三一二三
舊恨在心頭（吴國寶）……二七二六
轉盼又重陽（薛論道）……三一〇九
轉眼又春歸（秦時雍）……二五八四
轉眼盼多情（馮惟敏）……二四二五
轉覺病兒深（吴國寶）……二七二六
鬆鬢懶梳頭（張瘦郎）……四八一八
雞兒嫩酒兒清（劉良臣）……一五八八
雙朵向人嬌（朱應辰）……一四八六
雙淚界紅妝（孫樓）……二六一二
雙貴錦衣旋（無名氏）……五八三七
歸思欲霑巾憶當年批逆鱗（龍膺）……四二一〇
歸思欲霑巾念邊陲殺氣屯（龍膺）……四二一〇
翻翻歌採蓮（李應策）……四〇五三

鎮日想丰容（范壺貞）……四一八五
繡户揭芳愁（陳與郊）……三七〇二
繡閣俏嬋娟（孫樓）……二六一〇
斷送是英豪（薛論道）……三一一二
爆竹響連宵（錢古民）……五一七七
爍石苦煎熬（龍膺）……四二〇八
離別苦匆匆（無名氏）……五五〇一
離別了便登程（無名氏）……五五〇二
離別呼我對誰説（無名氏）……五五〇二
藤軟架高棚（杜子華）……三四八八
鵑淚暗中流（孫樓）……二六一〇
攜手上瑶臺（張守中）……三二七七
攜手步瑶堦（馮惟敏）……二三七六
攜手並香肩（無名氏）……五五〇〇
攜手假温存（無名氏）……五五一八
攜疊入朱門（馮敏効）……三五二九
麗日長柔枝（杜子華）……三四七五
羅袖染鵞黄（杜子華）……三四八三
羅袖怯春寒（唐寅）……一一四三
羅袖卷春寒（楊慎）……一七一三
羅袖拂香紅（李元陽）……一九六二
羅襪步清波（杜子華）……三四八二
難別意中人（無名氏）……五五〇一
簾色上花妖（張萹如）……四九七八
簾幙日初長（杜子華）……三四七八
簷鐵一聲驚（王屋）……四八四〇
鏡飛杳不留（楊應奎）……一五一二
贏得一場愁（陳與郊）……三七〇二
贏得鬢如霜（無名氏）……五五〇六
爛熳曉□□（朱讓栩）……二〇五六
勸大人莫猖狂（楊爾曾）……五一九七
勸您爺你休憨（孫峡峰）……四四〇五
飄泊比楊花（孫樓）……二六一二
飄飄一幅巾（李應策）……三九八七
飄緲去復還（丁綵）……三三二六
隴樹隔江東（杜子華）……三五〇一
露滴野塘秋（凌濛初）……四五四四
蠢物太懵騰（孫樓）……二六一二
蠢物太懵鈍（無名氏）……五五一七
聽雨坐空齋（楊慎）……一六九二
聽月上高樓（楊應奎）……一五一二
聽命過時光（朱載堉）……三四〇九

鶯老麥初秋（王屋）……四八四五
鶯夢柳眠長（張葦如）……四九七八
鶯懶罷調簧（沈仕）……一六三七
鐵馬鬪檐低（俞宛綸）……四四九二
霽雨帶殘紅（楊慎）……一六八二
躑躅步難嬌（孫樓）……二六一〇
體態似瓊瑶（丁綵）……三三二六
靈域本關西（薛論道）……三一二二
籬落粉爲姿（杜子華）……三四九〇
纔弱冠叨成名（劉良臣）……一五八八
鬢下有奇音（王屋）……四八四三

黄鶯逐山羊

曉月壓重檐（王驥德）……三六四〇

黄鶯學畫眉

花柳豔陽春（李開先）……二〇九五
軒楹背郭遥（楊應奎）……一五一〇
荷楹背郭遥（楊應奎）……一五一〇
報謝奠香醪（楊應奎）……一五一〇
無語自思量（無名氏）……五五二一
無語自量度（無名氏）……五五二二
無語自傷嗟（無名氏）……五五二二
無語自尋思（無名氏）……五五二一
矮屋只衡茆（楊應奎）……一五一〇

菩薩蠻（子夜歌　重疊金）

小澗從來徹底清（姜恩）……二〇三三
夕陽醉倚青帘舫（康海）……一二六九
天運循環否泰來（姜恩）……二〇三三
柳絲無力鶊黄妥（康海）……一二六九
清風高節聳琅玕（姜恩）……二〇三三
開窗卻喜青山拱（康海）……一三五四
遊人欲去屬尊俎（康海）……一二六九
萬里晴空月正圓（姜恩）……二〇三三
尋常玩賞偏嫌晚（康海）……一二六九
遠林平望明霞（楊慎）……一七二二

華嚴讚

花迎劍佩（楊文奎）……二三五

雁沖天

落紅滿徑（無名氏）……五八九一

雁兒落（平沙落雁）
看青山暮藹高（瞿佑）……二八〇
至敬頂禮世尊佛如來尊佛（無名氏）……五二四九
至敬頂禮釋迦牟尼佛世尊（無名氏）……五三一一
敬禮大勢力世尊無量壽佛（無名氏）……五二五一
敬禮喜悅佛如來（無名氏）……五三一五

雁兒落帶清江引
石崇富結讐（常倫）……一八九一
青衣列畫樓（常倫）……一八九二

雁兒落帶過得勝令（雁陣來　平沙凱歌　鴻門凱歌）
一年老一年（無名氏）……五八〇〇
一個風流蘇小仙（陳鐸）……五一三
一個經營不當行（陳鐸）……五三九
二十年老將壇（康海）……一二五九
人嫌陶令撇（無名氏）……五八〇〇
又光陰一歲辭（王寅）……二一六一
下一局不死棋（楊爾曾）……五二〇一
山花紅欲然（夏暘）……九一一
山深景色饒（夏暘）……九一二
千金身自頤（常倫）……一八九一
小狀元酸如醋（無名氏）……五八〇三
也何須弔五陵（康海）……一二五九
女孩兒年正嬌（無名氏）……五八〇四
方的怕待趄（陳鐸）……五八八
天機織藕裳（楊廷和）……八五七
不問你種玉方燒丹訣（李應策）……四〇二八
手帕兒托着腮（無名氏）……五八〇五
丹楓葉上詩（蘭楚芳）……三四
少年氣吐霓（夏暘）……九一二
功名路久離（夏暘）……九一〇
功名非念想（王九思）……一〇一一
布衣聊禦寒（夏暘）……九一三
只說你踢飛腳驀過了華山巔（趙南星）……三七四九
他子喜花間鶯燕合（王九思）……一〇〇九
江湖許浪遊（王磐）……七九二

再休題碧油幢去歲勞（常倫）……一八九一
有一個鐵牛兒扶過江（楊爾曾）……五二〇四
有錢的畫堂中春自生（無名氏）……五八〇六
托根近水堤（無名氏）……五八〇三
至敬頂禮如來（無名氏）……五二五〇
年華一夢蝶（劉效祖）……二七七一
年華近六旬（康海）……一二七三
休投暗裡珠（無名氏）……五八〇一
休將毀譽歎（康海）……一二七四
休將着無底羅（無名氏）……五八〇一
似葫蘆怎解瓢（陳全）……三〇三四
危樓亘綵霄（康海）……一二六〇
沉醉了花間鸚鵡卮（王九思）……九六二
忘機夢已安（康海）……一二七三
形圖烟月牌（無名氏）……五八〇四
投閒遠禍機（夏暘）……九一一
我也曾遇明師傳妙訣（楊爾曾）……五二〇四
我不願香噴噴膏梁家厭圂腴（黃潤玉）……四三九
我的詩何曾半字差（陳鐸）……五一三
我與他好似並頭蓮一處生（蘭陵笑笑生）……二八三七
我去馬坊中推取草（蘭陵笑笑生）……二八三七
住一間村西破草堂（王寅）……二一六一
狂將綠蟻斟（陳鐸）……五二六
那裡是烟花叢錦繡窩（無名氏）……五八〇三
空堦上雨兒零（馮惟敏）……二三七八
空懷待兔癡（夏暘）……九一一
怕的是五鼓敲（無名氏）……五八〇二
青山列畫圖（夏暘）……九一一
芝蘭氣味合（王九思）……一〇〇八
花前白玉杯（康海）……一二七三
花間搆一亭（劉效祖）……二七七一
林泉拂袖歸（常倫）……一八九〇
松篁冬不衰（王九思）……一〇一一
松醪椰子栢（夏暘）……九一二
迓公子駐雕鞍（李應策）……三九九二
典春衣向酒家（康海）……一二六〇
穿一領破裲襠粗布袍（王化隆）……四三三五
前程似箭疾（劉效祖）……二七七一
春風桃李園（康海）……一二六〇
春到看五陵金玉鞍（李應策）……三九九〇

俺再不餐龍腮虎口食（朱載堉）……三四三〇
留先生除夜住山家（王寅）……二一六一
清和雨乍晴（夏暘）……九一二
淮南稻正黃（王磐）……七九二
莫不是怯東風滿院宇（無名氏）……五八〇五
採鉛精配汞苗（張全一）……二五六
軟絲絲楊柳風（康海）……一二六〇
常懷千歲憂（夏暘）……九一一
研霜鰲紫蟹鮮（韓邦奇）……一四七九
做生活一兩椿（陳鐸）……五八九
貪婪心怎忘（袁崇冕）……一六二五
貧家下的床（無名氏）……五八〇一
閉門湖水涯（王磐）……七九二
參詳滋味熟（劉效祖）……二七七一
陰陽互盛衰（夏暘）……九一一
終朝伴死屍（陳鐸）……五三九
喜青山雨乍晴（常倫）……五八〇二
喜的是玉兔升（無名氏）……一八九一
雲開月色明（夏暘）……九一二
雲龍夢不關（王九思）……一〇一二
喚青衣款款歌（康海）……一二五九
柳眉顰淡翠遮（無名氏）……五八〇一
重重疊疊寫小詞（無名氏）……五八〇六
看青山綠水沉（楊爾曾）……五一九四
紅塵競急忙（夏暘）……九一〇
飛不上離恨天（無名氏）……五八〇四
飛雪般鬢髮飄（常倫）……一八九一
衰容醉裏酡（康海）……一二七三
浸一遭曬一遭（陳鐸）……五八九
酒拖着膽氣生（無名氏）……五八〇五
浮生夢裏過（劉效祖）……二七七一
浮蛆白酒香（夏暘）……九一二
浮榮蟻上槐（劉效祖）……二七七一
送光陰又一年（王寅）……二一六二
這先生剛剛半百年（王寅）……二一六〇
圈一圍低柳笆（無名氏）……五八〇一
倚幃屏長嘆吁（無名氏）……五八〇五
俺也曾嬌滴滴徘徊在蘭麝房（黃峨）……一九九〇
俺只待隱市塵默進功（張全一）……二五六
俺則待剖開混沌包（張全一）……二五五
俺將那没底籃仗人挑（張全一）……二五五

結識下鷗鷺盟（張錬）……二二四三
煉已將五賊平（張全一）……二五六
新霜特地寒（夏暘）……九一二
頑木久慣抬（陳鐸）……五九〇
鼓槌兒發死敲（馮惟敏）……二三七八
遠離財利徒（夏暘）……九一〇
堪同阮籍狂（陳鐸）……五二七
想人生一貌才（無名氏）……五八〇六
想的是模樣標（無名氏）……五八〇二
蛾眉鎮日顰（無名氏）……五八〇〇
愛的是一處眠（無名氏）……五八〇二
愁聞長樂鐘（劉效祖）……二七七〇
滿斟着白玉杯（常倫）……一八九一
慵將勳業談（康海）……一二七四
榮枯本自然（夏暘）……九一一
數年前也放狂（康海）……一二六一
鋒芒在手高（陳鐸）……五八九
憑規繩較短長（陳鐸）……五八八
燕鴻春又秋（夏暘）……九一一
鋼刀弄不乏（陳鐸）……五八七
麋皮當麂皮（陳鐸）……五九〇
雖無巢許高（康海）……一二七四
雖無鐘鼎豪（王九思）……九六二
臨池納晚涼（楊廷和）……八五七
雙臂坐不安（陳鐸）……五八八
歸念正忉忉（李應策）……二九七九
難消雨露恩（康海）……一二七三
難攀滄海龍（夏暘）……九一〇
灌溪頭十畝園（張錬）……二二四三
鷗閒自作群（王九思）……一〇一一
鐵錘兒不住敲（陳鐸）……五八七
籠中日月搬（劉效祖）……二七七一

雁陣來（雁兒落帶得勝令）

你休誇衣着新（馮惟敏）……二三七八
鬆不開牛角縧（馮惟敏）……二三七九

雁漁錦

思量那日離故鄉（王化隆）……四三三六

雁過聲（塞鴻秋　陽關三疊　攤破第一）

十二樓中月正圓（張錬）……二二九五
萬紫千紅總是春（康海）……一三四四

朝天子（朝天曲　謁金門　朝天令）

一川命慳（馮惟敏）……二三八六
一年一年（王寅）……二一七六
一枕黄粱（薛論道）……三〇八五
一時不止（陳鐸）……五四二
一掇兒爛泥（陳鐸）……五九二
一會家忖度（馮惟敏）……二三七〇
一遭兒菊籬（馮惟敏）……二三二七
二毛漸饒（康海）……一二三三
七情早消（薛論道）……三〇六九
人艤畫船（周楫）……五二〇八
入花營柳團（薛論道）……三〇八二
九天詔宣（廖道南）……一九五一
九重詔傳（夏言）……一五六九
九重萬幾（夏言）……一五七二
三日雨稠疊（王寅）……二一七五
三公五侯（王九思）……九七〇
土孤堆蟻垤（馮惟敏）……二三七一
大方伯官高（王寅）……二一七五
大牙爪虎威（馮惟敏）……二三六九
大兒子有官（王九思）……九九九
大放開老懷（薛論道）……三〇七〇
才擺了直符（陳鐸）……五九〇
山高峰兀（王克篤）……二九二九
小田妙年（馮惟敏）……二四二九
小院内風清（丁惟恕）……四三四九
小樓地頭（馮惟敏）……二三三九
千百載衆謠（無名氏）……五六七二
千難萬難（無名氏）……五六六五
乞兒見財（無名氏）……五六七五
也不是寒着（薛論道）……三〇八一
也休説命窮（薛論道）……三〇七二
也不學側文（馮惟敏）……二三六九
子房智量（無名氏）……五六六三
子陵本情（無名氏）……五六六四
六十九老年（王九思）……一〇〇七
六十歲老哥（馮惟敏）……二三八五
文班武班（廖道南）……一九四六
文運到丙丁（馮惟敏）……二三五八
王侯第宅（薛論道）……三〇八四
天生萬形（薛論道）……三〇六九

天際邊頭（薛論道）……三〇八四
木頭兒白楊（陳鐸）……五九二
太公受窮（無名氏）……五六六三
太白大才（無名氏）……五六六三
太真出塵（馮惟敏）……二四二九
不打賒賣花（無名氏）……五六七三
不着人眼空（馮惟敏）……二三六八
不讀書善文（薛論道）……三〇七一
五十年風光（丁惟恕）……四三六五
五十年眼睛（丁惟恕）……四三六五
手能控紫騮（王寅）……二一七七
心平物平（薛論道）……三〇六九
心攘意勞（無名氏）……五六六八
月牙笋牙（楊慎）……一七一二
月娥少娥（馮惟敏）……二四三七
少貪莫婪（無名氏）……五六六七
水光月光（金鑾）……一八一二
水亭送行（楊廷和）……八四五
水流去不還（夏暘）……九一七
孔明自耕（無名氏）……五六六三
孔聖門徒（薛論道）……三〇八〇
玄莊草堂（葉華）……四二四三
玉奴醉扶（無名氏）……五六六一
玉泉惠泉（金鑾）……一八一三
玉堂班早分（王九思）……一〇一三
玉徽玉梅（無名氏）……五六五九
正百僚輔君（薛論道）……三〇七五
去春呵你回（馮惟敏）……二三一一
左難右難（無名氏）……五六六七
本是個女娃（太平野史）……四九六四
打疊起女紅（王九思）……一〇二七
打疊起病懷（無名氏）……五六六二
北京的寡情（陳鐸）……五四一
目秦雲楚雲（薛論道）……三〇七八
且粧聾做癡（薛論道）……三〇七一
且謾誇德隆（薛論道）……三〇七三
且韜迹晦光（薛論道）……三〇七二
四方八窗（馮惟敏）……二三三九
四時景可誇（夏暘）……九一六
叫喳喳早鴉（馮惟敏）……二三七〇
生長在教坊（太平野史）……四九六四
仕途利途（無名氏）……五六六七

白日西飛（薛論道）……三〇六八
白面兒細發（陳鐸）……五九五
以一誠致身（薛論道）……三〇七五
忖量這老懷（無名氏）……五六六二
汝行此生（馮惟敏）……二三四〇
冰花雨花（無名氏）……五六六四
冰消雪消（無名氏）……五六六四
交雲林野夫（夏暘）……九一八
守腴田幾丘（陳鐸）……五一六
安愚的最高（薛論道）……三〇七二
老天不言（馮惟敏）……二三七九
老妻將舵扶（陳鐸）……五一五
老君教人（馮惟敏）……二三八五
老妖精愛錢（馮惟敏）……二三七〇
老來恰乖（朱有燉）……三五八
老周好修（馮惟敏）……二三八六
老徐起予（馮惟敏）……二三八六
老曹氣豪（馮惟敏）……二三八六
老張傷腔（馮惟敏）……二三八六
老頭兒弄猷（薛論道）……三〇八一
老頭兒風騷（薛論道）……三〇八〇
老頭兒會頑（薛論道）……三〇八一
老頭兒壽高（薛論道）……三〇八〇
老頭兒已危（朱載堉）……三四二八
老儒忒愚（馮惟敏）……二三八四
老鍾古風（馮惟敏）……二三八六
共白雲在山（馮惟敏）……二三六九
地遠天遥（薛論道）……三〇八五
地覆天翻（薛論道）……三〇六八
西郊稻黄（夏暘）……九一七
西樓月轉時（無名氏）……五六七一
在家中也閑（蘭陵笑笑生）……二八三一
有青田萬頃（無名氏）……五六七三
有花時暢懷（無名氏）……五六六二
有花成茵（李應策）……三九八六
再休提無錢（朱載堉）……三四二八
此卮莫推（無名氏）……五六七六
此宵誤卻（無名氏）……五六六七
早來晚來（金鑾）……一八一三
早知恁的（無名氏）……五六六七
早茶脱茶（王寅）……二一七四
早衙唤咱（無名氏）……五六七四

年華又老了（康海）……一二九〇
朱買臣賣柴（薛論道）……三〇七六
朱顏漸消（薛論道）……三〇六八
竹林四圍（薛論道）……三〇八三
自別似呆（馮惟敏）……二四三〇
自家莫誇（無名氏）……五六七三
自逃名放形（陳鐸）……五一六
自從那早間（陳鐸）……五九二
向街頭埸傍（陳鐸）……五九五
名也不近他（薛論道）……三〇七三
名兒雖淡薄（陳鐸）……五一五
收拾起宦懷（薛論道）……三〇七〇
好忙的哥哥（朱載堉）……三四二八
沉醉倒酒樽（無名氏）……五六七二
言差信他（程可中）……四一四五
良田萬頃（王越）……四五二
杖藜步畦（康海）……一二三三
杉板兒鋸梭（陳鐸）……五九四
把腕兒綽觔（馮惟敏）……二三四七
見富貴嬾趨（夏暘）……九一六
吕仙吕仙（無名氏）……五六七〇
吹雲瑤紫簫（無名氏）……五六七三
告天可憐（朱有燉）……三五八
利害事早知（丁惟恕）……四三六五
伯夷叔齊（無名氏）……五六六二
你去年入山（馮惟敏）……二三一一
你説我艮支（馮惟敏）……二四一八
你嫌我老成（馮惟敏）……二四一八
身喜安閒（李應策）……三九八五
身離了錦鞍（劉效祖）……二七七三
希聖希賢（薛論道）……三〇八〇
並頭蓮乍新（薛論道）……三〇七八
怕風波遠津（薛論道）……三〇七三
怪哉又來（馮惟敏）……二三八〇
初留心簡編（夏暘）……九一八
夜遊虎丘（黄峨）……一九九一
非熊臥龍（金鑾）……一八一二
長亭短亭（無名氏）……五六六五
長檠短檠（金鑾）……一八一三
花兒又可憎（王九思）……一〇〇〇
雨晴月明（楊廷和）……八四六
拉詩豪酒豪（薛論道）……三〇七八

枉進言伯夷（無名氏）……五六七〇
枕頭上忖度（陳鐸）……五四五
杯兒中影蛇（張曼倩）……四四七
抱一牀素琴（陳鐸）……五一七
東家西家（王寅）……二一七六
虎狼叢近狎（劉效祖）……二七七四
虎頭牌懶沾（劉效祖）……二七七四
明月掛冠（薛論道）……三〇八四
知自切自磋（薛論道）……三〇七三
知機處許㗖（陳鐸）……五一六
和鑼推手勸（陳鐸）……五九六
物不材自全（薛論道）……三〇七二
物莫不有知（薛論道）……三〇七四
使家僮采花（王九思）……一〇一三
金家把把（金鑾）……一八一四
金莖滴露盤（無名氏）……五六七二
命奚奴欵扉（葉華）……四二四三
屈原命舛（無名氏）……五六六三
孤芳暗香（無名氏）……五六六四
恰辭了桂軒（馮惟敏）……二三五八
恨添病染（無名氏）……五六六六
洞天小橋（薛論道）……三〇六九
帝誠帝明（廖道南）……一九四七
姜太公屠牛（薛論道）……三〇七四
美生愛卿（王九思）……一〇二七
爲功名浪遊（夏暘）……九一六
春滿春消（薛論道）……三〇八三
珍珠付斗量（薛論道）……三〇七五
范蠡相國（無名氏）……五六六三
苫兩間草堂（馮惟敏）……二三六八
茆廬草廬（丁惟恕）……四三六六
南陽崗草廬（王九思）……一〇一三
柳花杏花（高應玘）……二七六七
要足便足（無名氏）……五六六五
要些笑些（朱有燉）……三五八
指點着臉片（丁惟恕）……四三七一
咲時人用機（薛論道）……三〇七四
咲臉兒迎着（薛論道）……三〇七九
典賣了錦袍（陳鐸）……五一六
看一會韓文（薛論道）……三〇七九
看炎涼滿眸（馮惟敏）……二三七一
看時人盡乖（夏暘）……九一八

看窗間隙影（無名氏）……五六七二
看新篁出林（夏暘）……九一七
看橋邊柳枝（薛論道）……三〇七七
秋將半好天（無名氏）……五六六九
兔走烏飛（薛論道）……三〇六八
風多雨多（楊廷和）……八四七
風來雨來（楊廷和）……八四六
風顛雨顛（龍膺）……四二一五
省也悟也（無名氏）……五六六五
省者見麽（無名氏）……五六六〇
眉峰恨鎖（無名氏）……五六六八
酒兒冷又釃（陳鐸）……五九一
酒杯子滿斟（王九思）……一〇〇七
酒斟悶飲（無名氏）……五六六六
浮世風車（薛論道）……三〇六八
海浮命毒（馮惟敏）……二三四〇
海翁老通（馮惟敏）……二三八〇
海翁命窮（馮惟敏）……二三三九
高支個竹林（夏暘）……九一八
容顏漸消（薛論道）……三〇八二
神清氣清（楊廷和）……八四六
祝南山壽長（無名氏）……五六七一
扇鼓兒狠敲（馮惟敏）……二三四八
素衣淡食（陳全）……三〇三二
素雲瘦踪（無名氏）……五六五九
起一個五更（馮惟敏）……二三八六
草鋪柳舒（無名氏）……五六六一
草纖杏妍（楊慎）……一七一二
振臂豪呼（李應策）……四〇四〇
桂芳蕙芳（馮惟敏）……二四三〇
桂卿麗情（馮惟敏）……二四二九
破炕頭暖燒（馮惟敏）……二三七〇
党家醉倒（王九思）……九七一
氣豪志高（無名氏）……五六六六
倚闌翫山（馮惟敏）……二三三九
恁知此席（無名氏）……五六七六
傚邵平種瓜（陳鐸）……五一七
烏絲錦鯉（金鑾）……一八一二
卿相惶惶（薛論道）……三〇八六
拿着些横財（陳鐸）……五四二
胸中要文齊（薛論道）……三〇七三
展放開酒懷（薛論道）……三〇七〇

情長興長（王克篤）……二九二八
情高興高（王克篤）……二九二八
情真興真（王克篤）……二九二八
情洽興洽（王克篤）……二九二九
情濃時便休（陳鐸）……五四二
惜花愛花轉眼春光罷（劉效祖）……二七八六
惜花愛花惹起心牽掛（劉效祖）……二七八七
惜花愛花忙煞鞦韆架（劉效祖）……二七八七
惜花愛花露濕凌波襪（劉效祖）……二七八七
淚流的眼乾（李開先）……二〇九四
清廉的命窮（薛論道）……三〇七一
浄浄佛堂（薛論道）……三〇八五
浄巉巉遠岑（馮惟敏）……二三七一
宮懸繡簾（陸深）……一四五七
羞彈蒯緱（薛論道）……三〇八四
這一個子平（丁惟恕）……四三七一
這家子打和（蘭陵笑笑生）……二八三一
這家裡打閤（陳鐸）……五九二
這宵怎熬（無名氏）……五六六八
這詞好詞（馮惟敏）……二四三〇
這瓢是甚瓢（陳全）……三〇二三
這壁廂取吉（陳鐸）……五九一
望青山擁螺（葉華）……四二四三
望家看瓜（馮惟敏）……二三三九
莫争雌競雄（薛論道）……三〇七一
莫事高競卑（薛論道）……三〇七一
乾榨酒新篘（丁惟恕）……四三五六
雪屯了書齋（薛論道）……三〇七六
雪消汴橋（金鑾）……一八一二
雪案螢牕（薛論道）……三〇八〇
雪滿雲霄（薛論道）……三〇八三
救忙的忒多（無名氏）……五六七二
梅溪竹村（無名氏）……五六七五
掩柴門不開（馮惟敏）……二三三六
探人之立身（薛論道）……三〇七四
掃堦前短苔（王九思）……一〇一三
帶斜陽遠峰（陳鐸）……五一七
眼溜玉柳（無名氏）……五六七四
覓風流酒儔（薛論道）……三〇七八
欲覓封侯（薛論道）……三〇八四
造物在傍（薛論道）……三〇八二
造物有來（薛論道）……三〇八三

脱離了陸沉（劉效祖）……二七七三
閉着眼懶開（丁惟恕）……四三六七
問花問花（金鑾）……一八一三
將風月剪裁（王九思）……一〇〇〇
細茶嫩芽（無名氏）……五六六〇
細瞧二毛（馮惟敏）……二三八五
陪錢兒過從（陳鐸）……五四一
陳子昂古詩（馮惟敏）……二三二七
黄梅冒寒（張鍊）……二二二六
趁人煙湊集（太平野史）……四九六五
趁光風捲簾（馮惟敏）……二三七二
趁蘆花晚潮（陳鐸）……五一五
喜佳賓滿堂（夏暘）……九一六
喜風清月清（薛論道）……三〇七七
喜群英赴席（馮惟敏）……二三三五
喜碧山日親（劉效祖）……二七七三
散春風好懷（無名氏）……五六六二
楝樑材世輕（薛論道）……三〇七三
换漁幾甌（張鍊）……二二二六
雲中塞鴻（無名氏）……五六六六
雲開雨晴（夏暘）……九一七
造物最明（薛論道）……三〇八二
造物無邪（薛論道）……三〇八二
梨花月夢雲（無名氏）……五六六九
梨花柳花（無名氏）……五六六四
做詩做詞（楊廷和）……八四五
偶然步輦（無名氏）……五六七四
鳥呼燕語（無名氏）……五六六一
斜陽野航（金鑾）……一八一二
斜插杏花（王磐）……七九七
斜靠着老槐（朱載堉）……三四二九
得休處且休（馮惟敏）……二三七一
得捱且捱（薛崗）……三三八六
得閑且閑俗冗事休羈絆（薛崗）……三三八六
得閑且閑已過中年限（無名氏）……五六六五
得意處早辭（馮惟敏）……二三六八
得頑且頑（馮惟敏）……二四一七
得滑且滑（薛崗）……三〇八六
得憨且憨（薛崗）……三〇八六
得謅且謅（馮惟敏）……二四一七
從離了建章（劉效祖）……二七七四
貧交富交（王寅）……二一七六

雲髻兒輕翹（薛論道）……三〇七九
雲鴻夜號（薛論道）……三〇八三
朝昏醉醺（陳所聞）……三八八〇
軟膿包氣豪（薛論道）……三〇七一
棗梨盡成（張鍊）……二二二六
紫袍緑袍（無名氏）……五六六〇
黑沉沉奈何（陳鐸）……五四二
最高用着（無名氏）……五六七一
景陽宫曉鐘（劉效祖）……二七七三
喇叭嗩吶（王磐）……七九六
晚晴月明（無名氏）……五六六八
買臣在困窘（無名氏）……五六七〇
買乖賣乖（陳所聞）……三八八〇
買糠秕糙米（無名氏）……五六七六
無人處自思（朱載堉）……三四二八
無天理煙花（薛論道）……三〇八二
無漫無欺（薛論道）……三〇七〇
畫屏燈淺色（陳鐸）……五九四
畫橋邊柳枝（無名氏）……五六六八
尋芳去晚來（無名氏）……五六七一
尋幾個逸賢（薛論道）……三〇七八
閒時伴樵（薛論道）……三〇六九
統千國萬邦（薛論道）……三〇七四
幾番近晚（無名氏）……五六六七
結廬掛車（康海）……一二三二
煖溶溶玉巵（薛論道）……三〇八一
新愁舊愁（無名氏）……五六六五
詩仙酒仙（王磐）……七九六
詩兒呵強裁（王九思）……九九九
詩懷酒懷（楊廷和）……八四六
遊過了戲場（丁惟恕）……四三六七
頑皮臉不羞（陳鐸）……五九五
萬緣聽天（馮惟敏）……二三四〇
敬心兒往來（馮惟敏）……二三三五
楚王漢王（無名氏）……五六六三
楚宫祖風（無名氏）……五六七一
勢不可太過（朱載堉）……三四二八
想他念他（楊慎）……一七一二
想他爲何（馮惟敏）……二四三〇
想咱念咱（無名氏）……五六六八
想殺盼殺（無名氏）……五六七四
賈誼爲國（無名氏）……五六六三

感君寡恩（馮惟敏）……二三八〇
感懷痛哉（無名氏）……五六六六
搆一個小軒（夏暘）……九一六
睁着眼莽謅（馮惟敏）……二三四八
遇席不逃（薛論道）……三〇八六
園兒内有蔬（陳鐸）……五一七
過桃溪柳溪（薛論道）……三〇七七
運通的任狂（薛論道）……三〇七二
圍棊趣尚高（王寅）……二一七五
愛竹軒那存（王寅）……二一七四
愛松弟捧甌（王九思）……九九九
矮鋪他草庵（馮惟敏）……二三七二
矮鋪搭草庵（丁惟恕）……四三六五
費工夫染鬚（馮惟敏）……二三八五
絹羅兒細飾（馮惟敏）……二三八五
滿庭月明（楊廷和）……八四七
滿前瑞煙（廖道南）……一九三四
漂瓦虚舟（薛論道）……三〇八五
説不盡神通（薛論道）……三〇八一
説筵席勾當（陳鐸）……五九一
誑邊弄諠（馮惟敏）……二三八〇
齊門鋏不彈（陳鐸）……五一六
塵世事少憎（王九思）……一〇〇〇
塵蒙了錦箏（無名氏）……五六六九
碧玉瓜太奇（王寅）……二一七七
碧筒把鍾（楊廷和）……八四五
蓋幾間矮房（丁惟恕）……四三六一
篘新釀濁醪（夏暘）……九一八
遠行上京（楊廷和）……八四五
遠迢迢出城（馮惟敏）……二三三五
遠莊近莊（楊廷和）……八四六
遠遠山腰（薛論道）……三〇八四
歌耶笑耶（王寅）……二一七五
歌罷鶯簧舞罷鸞（張鳳翼）……三〇〇六
歌罷鶯簧舞罷鸞（張伯瑜）……五〇五五
壽星墨卿（馮惟敏）……二三八五
對一會聖賢（薛論道）……三〇七〇
對着臉朗言（馮惟敏）……二三四八
爾曹枉勞（馮惟敏）……二三八〇
鄙夫利徒（馮惟敏）……二三七九
嘆愁身病身（薛論道）……三〇七九
暢哉快哉（無名氏）……五六六四

管甚麽瓦甌（王九思）……一〇〇〇
翠茸茸草茵（夏暘）……九一七
翠蛾恨鎖（無名氏）……五六六六
憑緑酒禦寒（夏暘）……九一七
談天口誰知（丁惟恕）……四三六一
誰不愛美官（王九思）……一〇〇〇
論造化果何（無名氏）……五六七二
廟堂棟梁（無名氏）……五六七〇
鬧市裡兩家（陳鐸）……五四四
熱突突酒傾（馮惟敏）……二四一八
熱烘烘火爐（馮惟敏）……二三六九
熱烘烘炕頭（丁惟恕）……四三四九
蓬萊近好山（無名氏）……五六七二
模樣兒太嬌（薛論道）……三〇七九
醉來興來（金鑾）……一八一四
醉鄉味長（楊廷和）……八四七
槽邊廂打撅（陳鐸）……五九五
暴醃肉冷�（馮惟敏）……二三六九
罷清貧一官（馮惟敏）……二三七〇
鋪的蓋的（無名氏）……五六六〇
衡門口稻田（夏暘）……九一七
駕一隻小舟（薛論道）……三〇七八
緑窗前看書（夏暘）……九一六
緑陰陰柳堤（陳鐸）……五一五
樂餘年暮年（薛論道）……三〇七六
燒一回滚鍋（陳鐸）……五九一
燒蘿蔔换茶（王越）……四五一
燈挑着竹檠（馮惟敏）……二三七一
整頓起詩懷（薛論道）……三〇七〇
整斛兒滿裝（陳鐸）……五九四
燕兒燕兒（金鑾）……一八一四
醒來又來（無名氏）……五六六〇
鴉翎般錦袍（無名氏）……五六五九
曉吟夜吟（左贊）……四五五
錘兒無桶移（陳鐸）……五九三
鴻儒肚皮（薛論道）……三〇八〇
環兒腳一彎（馮惟敏）……二四一八
聰明的分苦（無名氏）……五六七三
薔薇架露鮮（無名氏）……五六六九
薰風暑飄（薛論道）……三〇八三
瞞昧著母親（楊慎）……一七一二
篾簞兒緊扎（陳鐸）……五九三

矯情撇清（馮惟敏）……二三八〇
繁華作戲場（無名氏）……五六五八
隱山閣提壺（無名氏）……五六五九
謾誇武論文（薛論道）……三〇七二
顏和氣平（薛論道）……三〇六九
舊年浪纏（康海）……一二三三
臨厓倚巖（王克篤）……二九二九
雙飛燕並還（薛論道）……三〇七七
繞翠微看花（無名氏）……五六五九
藥罐兒擺着（陳鐸）……五九二
懶經營墨莊（夏暘）……九一八
爛柯遠市朝（無名氏）……五六五九
聽風聲雪聲（薛論道）……三〇七七
聽砧聲近鄰（薛論道）……三〇七七
聽幾聲鳥鳴（夏暘）……九一六
麗春園可誇（無名氏）……五六七五
攜雲環翠環（薛論道）……三〇七六
鷹眼火爪繫索（朱載堉）……三四二七
鐵櫪的最標（陳鐸）……五四五
戀他寸家（馮惟敏）……二四三〇
竊禄分本薄（劉效祖）……二七七三
體段兒不高（薛論道）……三〇七九
鹽梅道有期（王寅）……二一七六
鸞釵鳳鞋（楊慎）……一七一二

朝天歌

高天須鑒（無名氏）……五五三九
甜言啜賺（無名氏）……五五三九
蛾眉恨淡（無名氏）……五五四〇
燈昏燭暗（無名氏）……五五三八

朝天子攜南西江月

一浣塵埃（李應策）……三九八六

朝天曲（朝天子）

曉風嘯空（黃淮）……二八八

朝中措

春風坐喜客趨隅（李應策）……四〇九七
風度竹聲來扇底（李應策）……四〇九八
酒酌碧筒聯象鼻（李應策）……四〇九八
菊花色色讓鵝黄（李應策）……四〇九七
雲寥水寂意茫茫（李應策）……四〇九八

朝元令（朝元歌）

實乖好乖（劉龍田）……二〇三七

朝元歌（朝元令）

人情世情（薛論道）……三一七二
人情世情貧富分兩等（朱載堉）……三四二五
才高志高（薛論道）……三一八七
才薄命薄（薛論道）……三一八六
山光水光寫出瀟湘樣（馮惟敏）……二三九四
山光水光好把愚懷放（薛論道）……三一六七
山光水光儘教人舒暢（丁惟恕）……四三六一
山居水居（丁惟恕）……四三四一
山歌野歌（丁惟恕）……四三七六
山幽水幽（丁惟恕）……四三六一
山莊水莊（薛論道）……三一六七
山村水村（薛論道）……三一六七
山村水村會唱清江引（朱載堉）……三四二五
山盟海盟（薛論道）……三一八二
山明水明（薛論道）……三一六二
山巢野巢（薛論道）……三一六七
山頭水頭（薛論道）……三一六四
山遥水遥（薛論道）……三一八五
也不管花開花落（馮惟敏）……二三一九
文韜武韜（薛論道）……三一六三
王師帝師（薛論道）……三一七六
天休地休（薛論道）……三一六六
天空海空（丁惟恕）……四三五〇
天恢地恢（薛論道）……三一七〇
天爐地爐（薛論道）……三一六六
公心正心（薛論道）……三一八七
心灰志灰（薛論道）……三一八六
心不戀三臺八座（馮惟敏）……二三一九
心勞力勞（薛論道）……三一七五
心豪氣豪（薛論道）……三一七二
今言古言（朱載堉）……三四二五
奴膝婢膝（薛論道）……三一八八
因郎爲郎（無名氏）……五五二五
因春感春（薛論道）……三一八二
因誰爲誰（無名氏）……五五二五
年包月包（薛論道）……三一八二
名高利高（朱載堉）……三四二四
名途利途（薛論道）……三一七四

名脱利脱（薛論道）……三一七四
名牽利牽（王克篤）……二九四〇
名場利場（薛論道）……三一七四
名微利微（薛論道）……三一七五
名懷利懷（薛論道）……三一六九
名難利難（薛論道）……三一八五
多情少情（薛論道）……三一八〇
收攬煙霞色相（馮惟敏）……二三九五
言隨禍隨（薛論道）……三一六八
形孤影孤（薛論道）……三一八二
求安覓安（薛論道）……三一七六
坑煞閃煞（劉龍田）……二〇三六
投冠掛冠（薛論道）……三一八六
吴天楚天（周履靖）……三五八七
吴溪楚溪（薛論道）……三一六二
身脩行脩（薛論道）……三一八四
身端行端（薛論道）……三一六五
狂徒酒徒（王克篤）……二九四〇
初交乍交（無名氏）……五五二六
花天柳天（薛論道）……三一六二
花兮柳兮（丁惟恕）……四三四〇
花多柳多（薛崗）……三四〇三
花芬柳芬（薛論道）……三一七八
花枝柳枝牢把春心繫（馮惟敏）……二三八九
花枝柳枝亂舞春風市（薛崗）……三四〇四
花英柳英（馮惟敏）……二三九〇
花香酒香（馮惟敏）……二三三一
花飛柳飛只恐韶光逝（薛崗）……三四〇四
花飛柳飛嬌染春光媚（丁惟恕）……四三五〇
花迷柳迷（薛論道）……三一八一
花梢柳梢（馮惟敏）……二三九〇
花妍柳妍（馮惟敏）……二三九〇
花朝月朝（薛論道）……三一七一
花堤柳堤（丁惟恕）……四三五〇
花街柳街（馮惟敏）……二三九一
花鄉柳鄉（薛論道）……三一八二
花鄉酒鄉（薛論道）……三一七三
花陰柳陰滿地鋪雲錦（馮惟敏）……二三九一
花陰柳陰罩定鴛鴦錦（薛崗）……三四〇三
花遮柳遮（馮惟敏）……二三九〇
花樓酒樓（薛論道）……三一八三
花嬈柳嬈（薛論道）……三一八八

花嬌柳嬌（薛崗）……三四〇三
花叢柳叢處處相遮擁（馮惟敏）……二三九〇
花叢柳叢彷佛桃源洞（薛崗）……三四〇四
花邊柳邊（丁惟恕）……四三六六
長歌短歌（馮惟敏）……二三一八
到處裏追歡行樂（馮惟敏）……二三一九
忠言讜言（薛論道）……三一六八
忠肝義肝（薛論道）……三一八七
門㘴户㘴（薛論道）……三一八七
春風草廬（王問）……一九七二
茆庵草庵（薛論道）……三一八六
英傑俊傑（薛論道）……三一七七
紅樓翠樓（薛論道）……三一八三
烟村樹村（薛論道）……三一六四
訏謨廟謨（薛論道）……三一八四
秦文漢文（薛論道）……三一七一
秦宫漢宫（薛論道）……三一六六
秦關漢關（薛論道）……三一七一
桃溪柳溪（薛論道）……三一六四
恩饒愛饒（薛論道）……三一八三
條風谷風（馮惟敏）……二三二六
能文善文（薛論道）……三一六五
情偏欲偏（薛論道）……三一七〇
梁材棟材（薛論道）……三一七一
連宵幾宵（薛論道）……三一八一
梅花雪花（薛論道）……三一六二
貧兮富兮（薛論道）……三一六九
貪他愛他（薛論道）……三一七九
博哉厚哉（薛論道）……三一六六
勤學力學（薛論道）……三一七五
着人愛人（薛論道）……三一七九
粧前鏡前（薛論道）……三一八三
雲茫水茫（薛論道）……三一六四
雲情雨情恩愛何曾定（薛論道）……三一八一
雲情雨情雲雨都成病（薛論道）……三一七九
朝求暮求（丁惟恕）……四三五〇
朝愁暮愁（薛論道）……三一六九
朝歡暮歡（薛論道）……三一七七
惡因善因（薛論道）……三一七三
殘春晚春（無名氏）……五五二五
喞盃把盃（薛論道）……三一七八
詩豪酒豪（薛論道）……三一七六

新愁舊愁（丁惟恕）……四三五八
頑些耍些（薛論道）……三一七〇
搖頭擺頭（薛論道）……三一八九
愚人鹵人（薛論道）……三一八〇
睡穩梅花斗帳（馮惟敏）……二三九五
愁懷悶懷（薛論道）……三一七九
漁家酒家（陳所聞）……三八四八
禍兮福兮（薛論道）……三一七三
銀箏玉箏（薛論道）……三一八〇
違時抗時（薛論道）……三一六八
養心修心（朱載堉）……三四二五
嬌娃俊娃（薛論道）……三一八五
嬌容玉容（薛論道）……三一八九
勳隆業隆（薛論道）……三一七七
彈冠正冠（薛論道）……三一六三
澹兮水兮（薛論道）……三一七二
龍闕鳳闕（薛論道）……三一六五
賢人聖人（薛論道）……三一八四
樽前酒前（薛論道）……三一七八
雕俗弊俗（薛論道）……三一六八
霜筠綠筠（薛論道）……三一八八
鐘聲漏聲（丁惟恕）……四三六六
縮頭爽頭（薛論道）……三一八四
豐功偉功（薛論道）……三一六三
藏頭爽頭（薛論道）……三一六五
鶯儔燕儔（薛論道）……三一八〇
攜取隨身藜杖（馮惟敏）……二三九四
巖廊廟廊（薛論道）……三一六三
鸞竹鳳竹（薛論道）……三一八八

朝元歌帶朝元令

江通五溪（梁辰魚）……二六五四

黑麻序（蝦蟆吟）

春日舒遲（無名氏）……五八五四
想起吾兒（李開先）……二一〇〇
點檢梅花（陳鐸）……七〇八

黑漆弩（學士吟　鸚鵡曲）

月儀蠹簡留君住（楊慎）……一七一九
梁塵飛繞停教住（楊慎）……一七一九

番山虎

夜雨滴空堦（陳鶴）……二六一九

楊柳色侵眸（顧璘）……………………一四五二

番馬舞西風（番馬舞秋風）

大火流西（無名氏）……………………五九七八
百媚千嬌（無名氏）……………………五四五〇
杏臉桃腮（臧允中）……………………二九一三
坐想行思（無名氏）……………………五四五〇
暗想多情（無名氏）……………………五四五〇
潦水將收（康海）……………………一四二六

喬牌兒

四方民甚喜（無名氏）……………………六三九三

傍粧臺（鏡臨序）

人物總關情（薛論道）……………………三一九二
人海起波濤（薛論道）……………………三一九五
人境結茅廬（王克篤）……………………二九三五
人境結茅亭（王克篤）……………………二九三五
人境結茅齋（王克篤）……………………二九三六
人境結茅庵（王克篤）……………………二九三六
三五聚成群（薛論道）……………………三二〇八
大夏聲高（李應策）……………………四〇八六
兀坐喜無涯（王克篤）……………………二九三六
千古草青青（薛論道）……………………三一九二
也追陪（薛論道）……………………三二〇三
天地一閒人（孫胤伽）……………………四四七三
不拘拘從人喚做老狂夫（李開先）……………………二〇八八
不拘拘釣鰲無餌用貪夫（王九思）……………………一〇四四
火西流商風一陣小亭幽（薛論道）……………………三一九二
火西流梧桐一葉報新秋（康海）……………………一二九七
日棲棲仕途越久越着迷（李開先）……………………二〇八一
日棲棲蓬萊何處五雲迷（王九思）……………………一〇三七
日熙熙太平且返釣魚磯（李開先）……………………二〇八七
日熙熙山翁無事坐苔磯（王九思）……………………一〇四三
月娟娟烏紗巾上是蒼天（王九思）……………………二〇八五
月娟娟雲收雨霽好涼天（李開先）……………………一〇四一
月溶溶（馮惟敏）……………………二三七五
月纖纖（薛崗）……………………三四〇一
水東流（薛論道）……………………三一九一
水源源頭活水始成川（李開先）……………………二〇八八
水源源傍花隨柳過前川（王九思）……………………一〇四四
水潺潺臨流洗硯硯池寒（李開先）……………………二〇八九
水潺潺濯纓千頃破清寒（王九思）……………………一〇四五

平地逐星流（薛論道）……三一九九
正陽天（薛論道）……三一九一
世故莫輕看（薛論道）……三一九五
世緣消（薛論道）……三一九三
世緣脱（薛論道）……三一九三
世緣輕（薛論道）……三一九三
世緣還（薛論道）……三一九三
打馱馱一鞭行色赴高科（李開先）……二〇八〇
打馱馱樵夫漁叟樂同科（王九思）……一〇三七
切莫趁英豪（薛論道）……三一九五
且歌謳（薛論道）……三一九一
且嘗嘗（無名氏）……五四三九
且優遊（薛論道）……三一九〇
且藏脩（薛論道）……三一九一
且藏頭（薛論道）……三一九〇
且鐃鐃鎗刀材裏掙功勞（李開先）……二〇八九
且鐃鐃雕蟲篆刻也徒勞（王九思）……一〇四六
叫查查南無菩薩摩訶薩（李開先）……二〇七九
叫查查逢人都念善菩薩（王九思）……一〇三五
叫啾啾一聲寒雁滿天秋（李開先）……二〇八二
叫啾啾寒蛩入夜苦吟秋（王九思）……一〇三九
四分人（薛論道）……三一九八
白日是幽冥（薛論道）……三二〇八
共才郎同諧連理效鸞凰（無名氏）……五四四〇
老婆婆一場春夢笑東坡（李開先）……二〇八三
老婆婆閒看稚子戲陽坡（王九思）……一〇四〇
老景入花叢（薛論道）……三一九五
老景好蹉跎（薛論道）……三一九六
老景喜山林（薛論道）……三一九六
老景愛疏狂（薛論道）……三一九五
曲彎彎一輪殘月照邊關（李開先）……二〇八一
曲彎彎一溪流水繞紫關（王九思）……一〇三七
回首默傷情（薛論道）……三一九二
竹猗猗學須如琢復如磨（李開先）……二〇八七
竹猗猗影篩明月鏡新磨（王九思）……一〇四三
自生嗔（薛論道）……三一九八
自安然（無名氏）……五四三八
自度度百年屈指四十多（李開先）……二〇八七
自度度歸來林下興偏多（王九思）……一〇四三
自思量（無名氏）……五四三八
自歌謡（無名氏）……五四三八
自嘆半生忙（無名氏）……五八五二

自謙謙休誇文武兩相兼（李開先）……二〇八八
自謙謙先憂後樂未能兼（王九思）……一〇四四
自歡娱（無名氏）……五四三九
名利兩相忘（薛論道）……三一九四
色鮮鮮玄鶴對酒畫堂前（李開先）……二〇八五
色鮮鮮山屏正對草亭前（王九思）……一〇四二
好年光（康海）……一二九七
好園林（王九思）……九八六
冷颼颼鏡中緑鬢早驚秋（李開先）……二〇七九
冷颼颼春來風雨似深秋（王九思）……一〇三五
良夜正中秋（薛論道）……三二〇一
志揚揚重歸舊日臥龍岡（李開先）……二〇八七
志揚揚如山如阜更如岡（王九思）……一〇四四
把酒對池塘（薛論道）……三三〇六
把酒對花神（薛論道）……三三〇七
把酒對茅廬（薛論道）……三三〇六
把酒對菊芳（薛論道）……三三〇六
把酒對窗紗（薛論道）……三三〇六
把酒對滄波（薛論道）……三三〇七
把酒對敲棋（薛論道）……三三〇七
把酒對樵人（薛論道）……三三〇七
更何求（薛論道）……三一九〇
坐雲林（康海）……一二九七
步徐徐閒中徐步勝高車（李開先）……二〇八三
步徐徐門前長者爲停車（王九思）……一〇三九
何處覓（薛論道）……三一九四
怕炎光（康海）……一二九六
怕炎蒸（康海）……一二九六
怕炎威（康海）……一二九六
怕春陰（楊慎）……一六九六
怕春歸（楊慎）……一六九六
怕傷春（薛論道）……三一九九
杳茫茫（馮惟敏）……二三七五
松檜鬱蒼蒼（薛論道）……三一九四
雨絲絲衝風躍馬欲何之（李開先）……二〇八四
雨絲絲小孫臨帖愛羲之（王九思）……一〇四〇
雨瀟瀟新涼頓覺滿西郊（李開先）……二〇八八
雨瀟瀟晴看禾黍滿芳郊（王九思）……一〇四五
雨𩃎𩃎（薛崗）……三四〇一
佳節正清明（薛論道）……三一九二
念區區命宜把釣老江湖（李開先）……二〇九〇
念區區狂言吞卻洞庭湖（王九思）……一〇四七

近重陽（吳國寶）……………………二七四九
恨悠悠眼前歲月去如流（李開先）……二〇七九
恨悠悠都將往事付東流（王九思）……一〇三五
恨悤悤眼前光景耳邊風（李開先）……二〇八一
恨悤悤閒評古今立東風（王九思）……一〇三八
恨緜緜脱離苦海結良緣（李開先）……二〇八〇
恨緜緜山林天定此生緣（王九思）……一〇三六
客愁新（夏完淳）……………………五一二九
爲才郎不茶不飯懶梳妝（無名氏）……五四三九
爲時哀（薛論道）……………………三三〇二
苦匆匆（薛論道）……………………三三〇二
苦奔波（薛論道）……………………三三〇〇
苦哀哀茅檐困着棟梁材（李開先）……二〇八四
苦哀哀誰言屈了苦天才（王九思）……一〇四一
臥林丘（薛論道）……………………三一九〇
要些些急流勇退是豪傑（李開先）……二〇八一
要些些幾回歎息漢三傑（王九思）……一〇三八
拭啼痕（薛論道）……………………三一九七
思沉沉倦彈三尺七絃琴（李開先）……二〇八三
思沉沉夜來獨坐弄瑤琴（王九思）……一〇三九
思悠悠（薛論道）……………………三一九〇
峒房幽（康海）………………………一二九七
看雲飛（薛論道）……………………三二〇三
後三三後三原只是前三（李開先）……二〇八二
後三三學仙遺世在雲山（王九思）……一〇三八
風雪浩無涯（王克篤）………………二九三六
急煎煎晝無穩坐夜無眠（李開先）……二〇八四
急煎煎鄰雞喚醒曉窗眠（王九思）……一〇四〇
怒沖沖愁聞暮鼓與晨鐘（李開先）……二〇八五
怒沖沖驚回殘夢枕邊鐘（王九思）……一〇四一
被才郎百般寒賤弄輕狂（無名氏）……五四四〇
病懨懨（薛崗）………………………三四〇一
馬騑騑年年走馬拂征衣（李開先）……二〇九〇
馬騑騑東風料峭透羅衣（王九思）……一〇四六
草芊芊春來綠滿綺窗前（李開先）……二〇九〇
草芊芊正當雨過午風前（王九思）……一〇四七
草堂寒（王九思）……………………九八六
柏森森庭臺夏日有秋陰（李開先）……二〇八三
柏森森先公種向小亭陰（王九思）……一〇三九
剔銀燈（陳鐸）………………………五七三
骨崖崖十年多病瘦如柴（李開先）……二〇八一
骨崖崖地爐無炭日煨柴（王九思）……一〇三八

哭啼啼非關心事有相違（李開先）……二〇八五
哭啼啼勸君休恨願多違（王九思）……一〇四一
笑吟吟相攜故友傍雲林（李開先）……二〇八一
笑吟吟休分臺閣與山林（王九思）……一〇三七
笑呵呵掛冠歸去免張羅（李開先）……二〇七八
笑呵呵良晨無酒典春羅（王九思）……一〇三四
笑前人（薛論道）……………三三〇〇
笑時人（薛論道）……………三三〇二
笑嬉嬉葫蘆提罷大家提（李開先）……二〇七九
笑嬉嬉棚頭傀儡倩人提（王九思）……一〇三五
氣吁吁衆皆騎馬我騎驢（李開先）……二〇八〇
氣吁吁灞橋風雪浩然驢（王九思）……一〇三七
氣如蒸（王九思）……………九八五
氣昂昂淩風抖抖欲飛揚（薛論道）……三三〇四
氣昂昂奮身掙脱利名韁（李開先）……二〇七九
氣昂昂五花驄馬紫絲韁（王九思）……一〇三六
倚南牕（薛論道）……………三三〇一
倚闌望（李應策）……………四〇六九
陣堂堂邊關萬里賴金湯（李開先）……二〇九一
陣堂堂救民伊尹佐成湯（王九思）……一〇四七
惜惺惺衆人皆醉我獨醒（李開先）……二〇八一
惜惺惺休談誰醉與誰醒（王九思）……一〇三七
淚悽悽暖詩怕冷飽防飢（李開先）……二〇七八
淚悽悽眼前畫餅怎充飢（王九思）……一〇三五
淚漣漣恨無仙藥可延年（李開先）……二〇八六
淚漣漣世人誰不願長年（王九思）……一〇四二
淚潸潸辭家上馬據雕鞍（李開先）……二〇九〇
淚潸潸銀盔繡甲跨金鞍（王九思）……一〇四六
淚難收（丁綵）……………三二八三
清味幾人嘗（薛論道）……………三一九四
鹿呦呦野猿爲友鹿同遊（李開先）……二〇八七
鹿呦呦閒披鶴氅出城遊（王九思）……一〇四四
望雲開（馮惟敏）……………二三四六
執銀燈（陳鐸）……………五七三
莫咨咨興來終日撚吟髭（李開先）……二〇八五
莫咨咨年來霧眼伴霜髭（王九思）……一〇四一
莫疑猜（薛論道）……………三三〇八
雪漫漫花飛六出五雲端（李開先）……二〇八六
雪漫漫當年翹首鳳樓端（王九思）……一〇四二
雪飄飄（薛論道）……………三一九二
掛冠歸（薛論道）……………三三〇三
掩重門（薛論道）……………三一九七

探天機（薛論道）……三一九三
眼茫茫醉魂飛繞水雲鄉（李開先）……二〇八〇
眼茫茫終南山下是吾鄉（王九思）……一〇三六
眼睁睁世間都是假胡伶（李開先）……二〇九〇
眼睁睁口談仁義行如伶（王九思）……一〇四六
眼矇矇爲親鐙火費春工（李開先）……二〇八四
眼矇矇衰殘不爲看書工（王九思）……一〇四〇
眼離離宦途如醉復如癡（李開先）……二〇八四
眼離離看人伶俐我呆癡（王九思）……一〇四一
唾津津笑談鼓掌比儀秦（李開先）……二〇八八
唾津津魯連蹈海恥扶秦（王九思）……一〇四五
覓良人（薛論道）……三一九八
鳥呀呀行人應是早還家（李開先）……二〇八八
鳥呀呀垂楊庭院野人家（王九思）……一〇四四
問才郎連宵不見在誰行（無名氏）……五四三九
問鶼鶼（薛崗）……三四〇一
細思量（薛論道）……三一九四
細評論（薛論道）……三一九四
終日覓長生（薛論道）……三二〇四
渭川流（王九思）……九八六
喜孜孜身閒是我遂心時（李開先）……二〇八二
喜孜孜曉春正我起來時（王九思）……一〇三九
喜春來（楊慎）……一六九六
喜春晴（楊慎）……一六九六
喜登山（馮惟敏）……二三四六
喜輝煌（馮惟敏）……二三四七
喜歸山（薛論道）……三一九六
喜歸田（薛論道）……三一九六
喜歸來（薛論道）……三一九六
喜歸家（薛論道）……三一九六
喜歸耕（薛論道）……三一九七
喜歸鄉（薛論道）……三一九七
喜歸農（薛論道）……三一九七
喜歸廬（薛論道）……三一九七
鴈雙雙北鴈又南翔（李開先）……二〇八九
鴈雙雙利名如鴈往來翔（王九思）……一〇四五
黑雲連（馮惟敏）……二三四六
暑纔收（薛論道）……三二〇八
景萋萋眼前白髮故人稀（李開先）……二〇七九
景萋萋夜來雨過杏花稀（王九思）……一〇三六
景偏幽（王九思）……九八五
景輝輝光天化日古來稀（李開先）……二〇八六

景輝輝世間絶藝賞音稀（王九思）……一〇四三
傍粧臺菱花滿面被塵埋（薛論道）……三三〇一
傍粧臺縈縈心事淚盈腮（丁惟恕）……四三六三
悶悶眺危樓（薛論道）……………三三〇五
悶悶遶池塘（薛論道）……………三三〇五
悶悶數歸鴉（薛論道）……………三三〇五
悶悶撚吟髭（薛論道）……………三三〇五
悶懨懨棄官只爲怕人嫌（李開先）……二〇八二
悶懨懨近來逢酒頗憎嫌（王九思）……一〇三九
絮叨叨閉門怕見小兒曹（李開先）……二〇七八
絮叨叨每將言語勸吾曹（王九思）……一〇三四
幾椿椿病懷心事總堪傷（李開先）……二〇八九
幾椿椿此心無愧有何傷（王九思）……一〇四五
結茅庵（李應策）…………………四〇八五
新曲儼瓊瑶（孫胤伽）……………四四七三
滅銀燈（陳鐸）……………………五七三
意遲遲前程萬里不如歸（李開先）……二〇八三
意遲遲杖藜日暮課農歸（王九思）……一〇四〇
話喋喋爲争名利費唇舌（李開先）……二〇八二
話喋喋羞看説客掉長舌（王九思）……一〇三八
煖溶溶（薛論道）…………………三三〇〇
葉蓁蓁花開梅子已生仁（李開先）……二〇八六
葉蓁蓁都含造化個中仁（王九思）……一〇四三
萬山黄（薛論道）…………………三三〇四
鼓闐闐聲連急管與繁絃（李開先）……二〇八八
鼓闐闐興來還弄玉琴絃（王九思）……一〇四五
勢滔天（無名氏）…………………五八五〇
暗傷神（薛論道）…………………三一九七
睡齁齁夢中忘卻醒時愁（李開先）……二〇八三
睡齁齁利名身外不須愁（王九思）……一〇三九
跳踆踆太平人唱太平歌（李開先）……二〇八〇
跳踆踆仲尼車外楚狂歌（王九思）……一〇三六
路滑滑恐防跌倒便歸家（李開先）……二〇九一
路滑滑四十五歲已還家（王九思）……一〇四七
亂交交蜂衙蟻陣不終朝（李開先）……二〇八六
亂交交深藏茅屋度昏朝（王九思）……一〇四二
亂紛紛人情反覆似風雲（李開先）……二〇八三
亂紛紛天涯望盡隔浮雲（王九思）……一〇四〇
腹便便南風瀟灑北窗眠（王九思）……二〇八七
腹便便飢時飽飯倦時眠（李開先）……一〇四四
滿庭堦（薛論道）…………………三三〇三
漫擎盃（薛論道）…………………三三〇五

說甚麼棟梁材（薛論道）……三一九五
語諄諄閒將往事細評論（李開先）……二〇八六
語諄諄眼前世事向誰論（王九思）……一〇四二
瘦亭亭病餘漸覺一身輕（李開先）……二〇八九
瘦亭亭浮名身外一毫輕（王九思）……一〇四六
察消息（薛論道）……三一九三
碧熒熒良宵孤枕伴殘燈（李開先）……二〇九〇
碧熒熒皇都曾看上元燈（王九思）……一〇四六
碧澄澄江空雲静月華明（李開先）……二〇九一
碧澄澄瑶天如水夜將明（王九思）……一〇四七
碧粼粼風行水上總生紋（李開先）……二〇八七
碧粼粼水風紋是自然紋（王九思）……一〇四三
遠行人顒領天涯萬里身（楊慎）……一六九九
遠行人且鬬樽前見在身（楊慎）……一六九九
遠行人不願天涯金繞身（楊慎）……一六九九
遠行人何用浮名絆此身（楊慎）……一六九九
對青山（馮惟敏）……二三四七
對松蘿（汪廷訥）……四一九五
對瑶琴（李應策）……四〇三一
對銀燈（陳鐸）……五七三
暢幽懷（葉華）……四二四五
嘆時光（王九思）……九八六
嘆時俗（薛論道）……三三〇三
與誰論（薛論道）……三一九八
翠峨峨咸陽百二舊山河（李開先）……二〇九一
翠峨峨大明一統舊山河（王九思）……一〇四七
翠屏寒（康海）……一二九七
論賢豪（薛論道）……三三〇〇
誰去吹簫（李應策）……四〇八五
鬧吵吵（馮惟敏）……二三七五
鬧垓垓龍蛇白晝走庭階（李開先）……二〇七八
鬧垓垓蜂黄蝶粉舞香階（王九思）……一〇三四
賞冬節（王九思）……一〇二〇
賞春光（王九思）……一〇一九
賞南薫（王九思）……一〇一九
賞秋容（王九思）……一〇二〇
賞風光（王九思）……九八五
熱蒸蒸火輪燒破紙湯瓶（李開先）……二〇九〇
熱蒸蒸藕絲冰碗蔗漿瓶（王九思）……一〇四七
暮煙霏（馮惟敏）……二三四六
暫休休不須談笑覓封侯（李開先）……二〇八二
暫休休子陵垂釣傲王侯（王九思）……一〇三八

醉昏昏世情宜假不宜真（李開先）……二〇七八
醉昏昏幾番春夢記難真（王九思）……一〇三五
醉醺醺滿懷風月一腔春（馮惟敏）……二三七五
醉醺醺甕中乾了玉壺春（李開先）……二〇七九
醉醺醺休教孤負豔陽春（王九思）……一〇三六
影團團東方月出爛銀盤（李開先）……二〇八二
影團團曉來紅日照五盤（王九思）……一〇三八
影翩翩霜前白雁又南旋（李開先）……二〇八五
影翩翩醉來自起舞盤旋（王九思）……一〇四一
興勃勃羅襴脱了换漁蓑（李開先）……二〇八一
興勃勃醉來舞借牧兒蓑（王九思）……一〇三七
興飄然（常倫）……………………一八九五
傻哥哥枉生人世待如何（薛論道）……三三〇二
傻哥哥識人多處是非多（李開先）……二〇七八
傻哥哥鬢絲鏡裏近來多（王九思）……一〇三五
樂天遊（薛論道）…………………三三一九一
樂陶陶人生何必苦煎熬（馮惟敏）……二三七五
樂醄醄雲臺争似釣臺高（李開先）……二〇七九
樂醄醄草堂南對碧山高（王九思）……一〇三五
緑依依兩行煙柳接沙堤（李開先）……二〇八六
緑依依垂楊如線引荷堤（王九思）……一〇四三
緑茸茸侵階芳草失行蹤（李開先）……二〇八四
緑茸茸草階那得貴人蹤（王九思）……一〇四一
緑窗深（薛論道）…………………三三〇一
墮殘紅（薛論道）…………………三三〇一
謊哥哥（薛論道）…………………三三一九九
静巉巉茅屋獨坐對江潭（李開先）……二〇八九
静巉巉屈原身墜汨羅潭（王九思）……一〇四五
燕飛飛朱門華屋與雲齊（李開先）……二〇八九
燕飛飛南薰庭院引雛齊（王九思）……一〇四六
戰兢兢檐前鐵馬起秋聲（李開先）……二〇八〇
戰兢兢文章休遣占虚聲（王九思）……一〇三七
錦千機（薛論道）…………………三三一九一
錦衣迴（薛論道）…………………三三〇三
錦重重四圍山色畫圖中（馮惟敏）……二三七五
錦重重春來處處杏花紅（李開先）……二〇八五
錦重重碧山亭上醉顔紅（王九思）……一〇四二
舉頭看（馮惟敏）…………………二三四七
舉頭瞧（馮惟敏）…………………二三四六
避蒸威（王九思）…………………九八五
隱衡茅（葉華）……………………四二四四
謏量度（薛論道）…………………三三〇二

覷花容（薛論道）……三一九九
鏡中秋（薛論道）……三一九〇
斷腸人（薛論道）……三一九八
竈王姬（薛論道）……三一九八
露華清（薛論道）……三二〇四
露穰穰秋深病體好難當（李開先）……二〇八九
露穰穰碧天如水興難當（王九思）……一〇四五
響珊珊朝天環佩五更寒（李開先）……二〇八七
響珊珊窗搖翠竹曉風寒（王九思）……一〇四三
顫巍巍花枝一陣曉風吹（李開先）……二〇八四
顫巍巍花開花落任風吹（王九思）……一〇四〇
鬢班班愁聞邊塞對敵難（李開先）……二〇八〇
鬢班班別君容易見君難（王九思）……一〇三六
鬢蒼蒼只因臥雪與眠霜（李開先）……二〇八五
鬢蒼蒼自歸林下幾星霜（王九思）……一〇四二
鬢蓬蓬恁般散誕與誰同（李開先）……二〇八三
鬢蓬蓬布袍形影野人同（王九思）……一〇三九

傍粧臺犯

夜沈沈（張鳳翼）……二九九六

集賢賓（接賢賓）

一夜西風白露冷（丁惟恕）……四三七八
一從別後腸千結（丁惟恕）……四三五八
一聲杜宇落照間（沈璟）……三八〇九
二十年一場虛夢境（王田）……一一一七
二十年到今無消息（朱有燉）……四一二
二十年有如一夢裏（康海）……一四二三
人生倏忽萬事休（馮敏効）……三五三一
大明朝萬方聲教美（無名氏）……六三〇五
天風吹下卜餘稿（丁惟恕）……四三四六
天涯自他爲去客（楊文岳）……四七九六
天涯芳草歸路迷（席浪仙）……四八三三
天寒夜寂歸雁早（張恒純）……一七八二
太平年四時多美景（無名氏）……六三三〇
丹丘石牀閒自撫（周履靖）……三五六八
丹霞彩鳳聲縹緲（陳與郊）……三七一六
月華轉窗天二鼓（薛崗）……三三九九
月落烏啼天欲曉（丁惟恕）……四三四一
月落霜寒天未曉（丁惟恕）……四三四四
今年牡丹花較遲（陳鐸）……六九四
半窻閑一輪涼月明（無名氏）……六三〇〇
平蕪盡處青山小（丁惟恕）……四三五七
正朦朧隔紗窗鶯喚醒（沈仕）……一六四一

古齊都自來多勝景（殷士儋）……二七九六
五湖舡浩然歸范蠡（馮惟敏）……二四八七
四壁寒蛩聲亂聒（丁綵）……三三一六
乍別離這場憔悴損（無名氏）……六二八九
白髮飄蕭年紀老（丁惟恕）……四三四八
冰肌玉骨香旖旎（唐寅）……一一四六
西陵百里雲樹渺（王謨）……五〇八六
戍樓畫角聲吹罷（吴國寶）……二七四二
百般苦情誰像我（馮惟敏）……二四一五
光陰百歲如夢蝶（王化隆）……四三三三
自別來嬾斟花下酒（金鑾）……一八三六
自別離到今不見影（無名氏）……六二九四
自從別後空望想（丁綵）……三三一〇
名山自然如畫裏（無名氏）……六二九八
如花解語還自羞（曹大章）……二七六二
奸滑機巧應無比（丁惟恕）……四三五八
好光陰又輪著九月九（康海）……一四二三
良宵可喜幸負了（沈仕）……一六四〇
更籌五傳天欲曉（薛崗）……三四〇〇
別來日久無信息（丁綵）……三二九二
我如今意痴痴怎捱這心内苦（無名氏）……六三一二
我這裡急煎煎悶懷心内焦（無名氏）……六三一三
但得兒孫個個賢（孫峽峰）……四四〇九
那個對你去撒謊（丁惟恕）……四三六八
初更畫角聲裊裊（王化隆）……四三三二
初寒瀟灑正萬國（楊循吉）……八二九
東風細吐春影微（陳子龍）……五〇一〇
長情欲付溪上柳（馮敏効）……三五三一
花甲子六十年今再數（孫斯億）……三〇二九
花影月移風弄柳（無名氏）……六二九二
芭蕉冷落秋氣幽（劉兑）……一四
枝頭幽鳥剛弄舌（沈璟）……三八二六
孤幃幾時捱到曉（馮惟敏）……二四一五
金殿上慶雲祥霧遶（無名氏）……六二九〇
恨離情到今心上悔（無名氏）……六三〇八
洗園林一番芒種雨（施紹莘）……四六三八
爲才郎不由人心上焦（無名氏）……六三二〇
爲薄情近來針線懶（無名氏）……六三〇四
春來見花真個羞（沈璟）……三八〇八
春深小院飛細雨（唐寅）……一一四七

春雲低鎖碧玉樓（湛若水）……九四一
相思一日十二時（馮夢龍）……四四三九
相思如水無盡流（陳鶴）……二六二二
柳眉攢倦聽簷外鐵（無名氏）……六二九三
柳綠桃紅鶯織錦（丁惟恕）……四三七〇
故人別去天涯迥（丁惟恕）……四三四六
咬着牙來瞪着眼（丁綵）……三三〇三
思君不來何處耍（馮惟敏）……二四一五
則我這俏姻緣會合魂夢裡（無名氏）……六三一五
則我這黑瀰漫惡愁煩何日息（無名氏）……六三一八
則爲那風流俊厖兒心上想（無名氏）……六三一一
怨今番拆開鶯燕友（無名氏）……六三二五
紅樓畫閣天縹緲（唐寅）……一一四六
海雲鄉望春天共遠（馮惟敏）……二四九七
流鶯林外啼聲巧（丁惟恕）……四三五七
高歌一曲訴伶仃（丁綵）……三二九七
高城漏盡天欲曙（謝雙）……五〇六三
高城漏盡天欲啓（方氏）……五一一九
珠簾半捲窺月明（施紹莘）……四七三八
捎來信兒知你苦（丁綵）……三三〇三
剔團圞月明天似洗（寧齋）……二九〇五
借問人生能有幾（丁惟恕）……四三四六
倚龍泉數聲長歎息（湯式）……一四六
清歌午夜月滿樓（陳子升）……五〇二八
清溪一曲抱郵流（丁綵）……三二八二
這場屈情非小可（馮惟敏）……二四一五
荼蘼粉沁香露濃（沈仕）……一六四〇
梧桐露冷生嫩黄（沈仕）……一六四〇
掩重門猛驚春去也（無名氏）……六三二二
寃家狠心將俺閃（馮惟敏）……二四三六
您使機關實是巧（丁綵）……三三二〇
彩雲收鳳臺秋露冷（沈璟）……三八〇八
斜陽滿樓簾半捲（馮惟敏）……二四一四
乘登場釀成桑落酒（馮惟敏）……二四九五
猛聽的透簾櫳賣花聲喚起（谷子敬）……二六
湖山那邊瞧見你（馮惟敏）……二五一八
窗前好花香旖旎（唐寅）……一一四七
窗前細雨灑亂飄（醉西湖心月主人）……五二一三
黄昏一更人寂静（薛崗）……三三九九

黃昏古驛人靜悄（王化隆）……四三三二
雲霞阻隔天際頭（梁孟昭）……五〇三六
殘蟬泣露驚秋早（丁惟恕）……四三四一
敞南樓夜深簾半捲（陳鐸）……六八四
晚生涼碧天清似水（無名氏）……六三〇一
登樓倚闌看暮景（沈瓚）……四一〇九
閒庭細草天色暝（唐寅）……一一四七
畫樓深日高簾未捲（無名氏）……六三二七
幾處殘蟬聲亂聒（丁惟恕）……四三七七
新月一彎蟾半影（無名氏）……六三〇七
萬方寧仰賀明聖國（無名氏）……六二八七
萬花亭酒闌人醉也（康海）……一三三八
萬轉千迴難棄捨（丁綵）……三二九二
敬歸依妙幢天信佛（無名氏）……五二八四
敬歸依火炎堅意佛（無名氏）……五二八四
楚材憶昔推景差（朱鏡如）……五〇八九
楊花落盡鶯聲老（丁惟恕）……四三七九
想着那二十年錦營花陣裡（無名氏）……六三二八
想着這俏嬌娘那些兒情意美（無名氏）……六三一九
當年來春元姓劉（陳鶴）……二六二一
暖溶溶鳳城春似海（陳鐸）……六八七
盟山誓海誰亂謅（馮夢龍）……四四四〇
會庵窈窕霞際起（杜文煥）……四七六六
漏滴初更人靜悄（丁惟恕）……四三七九
說我胡塗是你狠（丁綵）……三三〇三
說來的話兒都是謊（馮惟敏）……二四一五
碧天晴暑殘秋漸交（無名氏）……六三〇二
瑣窗寒井梧秋到早（陳鐸）……六三〇
夢逢天際薄情種（丁惟恕）……四三四四
截斷柔腸誰會接（丁綵）……三二九二
賞元宵鳳城春意好（湖西主人）……五〇七七
對西風又一回閒眺賞（張鍊）……二二九二
對菱花自傷憔悴損（無名氏）……六三〇九
睡醒酒醒愁未醒（無名氏）……六三一六
銅壺轉來方四點（薛崗）……三三九九
慶皇明太平新歲好（楊循吉）……八三一
綠窗前夜闌殘月曉（夏文範）……九三六
憶吹簫玉人何處也（陳鐸）……六二六
曉窗無語聽黃鳥（丁惟恕）……四三六九
虧恩負義全是你（馮惟敏）……二四三六

關山日落天漸曉（張恒純）……一七八二
懷珠袖璧空暗投（張舜臣）……二三〇一
譙樓鼓聲三下響（薛崗）……三三九九
離愁滿天没處躲（馮惟敏）……二五〇三
懶惰疏狂人笑我（丁惟恕）……四三五五
鶯花寨近來誰戰討（湯式）……一〇三
讚皇朝永安天地久（無名氏）……六二九五
艷陽天麗人堪翫賞（無名氏）……六二九七

勝如花

湯家女總自佳（王驥德）……三六三一
從他去春又更（馮夢龍）……四四五五
從他去春幾更（秦冰澳）……五一三七
從他去經幾春（馮夢禎）……三七二〇

象牙床

到春來花柳芬芳（無名氏）……五六八八
到夏來炎日偏長（無名氏）……五六八八
到秋來處暑生涼（無名氏）……五六八八
到冬來萬物皆藏（無名氏）……五六八八

畫眉序（京兆序）

一曲楚狂歌（朱應辰）……一四八八
一見杜韋娘（祝允明）……八八七
人心怎能測（無名氏）……五九一六
山郭覽秋暉（陳所聞）……三九一四
六出遍雲艫（周履靖）……三五九二
水墨寫江天（施紹莘）……四七二七
心頭轉凄惻（施紹莘）……四六九六
日晏掩柴關（夏言）……一五六八
玉宇動涼風（楊慎）……一七四二
生怕愛根纏（杜文煥）……四七六五
白髮紫雲翁（吴廷翰）……二〇二八
白露破青煙（文彭）……一九七六
白鶴唳松關（夏言）……一五六八
冷雨落梧桐（沈璟）……三八〇五
初霽雪峰高（陳所聞）……三九一三
村樹曉煙封（劉良臣）……一五九五
花下見妖嬈（虞臣）……四七四
花月可憐宵（朱曰藩）……二〇四五
花月可憐宵（吴懋）……二六二五
花月滿春城（陳鐸）……六二四
花月醉蘭房（朱應辰）……一四九三
花信曉風微（卜世臣）……四三一〇

花落杜陵家（陳與郊）……三七〇七
花影動新月（劉汝佳）……四二六六
花謝雨聲疾（王九思）……一〇三一
花謝水流疾（王九思）……一〇三一
花謝鳥啼疾（王九思）……一〇三一
花謝老來疾（王九思）……一〇三二
芳樹亞簾衣（鄭琰）……三六八二
佳節上元宵（王克篤）……二九五四
金風動南國（梁辰魚）……二六六七
兒封母拆書（楊爾曾）……五一九二
孤燈伴愁寂（施紹莘）……四六六一
帝寵降門闌（杜文焕）……四七六四
春事又飛花（朱應辰）……一四九〇
春酒喜新熟花柳亭前錦成簇（王九思）……一〇〇四
春酒喜新熟良夜迢迢剪銀燭（王九思）……一〇〇四
春酒喜新熟門外南山翠如沐（王九思）……一〇〇四
春酒喜新熟沈醉何妨幾千斛（王九思）……一〇〇五
秋雨洒芭蕉（無名氏）……五九一五
秋雨野花殘（康海）……一二五五
秋色漸摧殘（康海）……一二五五
皇恩被華夷（無名氏）……五九〇五
風虎會雲龍（劉良臣）……一五九五
風雨困山家（陳與郊）……三七〇七
風雪掩茅關（夏言）……一五六九
紅徑柳絲牽（謝遷）……四八二
約友到西郊（無名氏）……五九〇七
飛夢到南州（秦時雍）……二五八〇
酒罷興逾妍（杜文焕）……四七六五
涼亭簟鋪設（施紹莘）……四六〇〇
盛世樂昇平（無名氏）……五九〇三
欲語又悲咽（劉汝佳）……四二六五
終日睡朦朧（無名氏）……五九一四
富貴帝臺春（秦時雍）……三五七四
湖景畫難摹（無名氏）……五九一二
無意整雲鬟（王九思）……一〇九九
絲雨殢東風（王世貞）……二九一六
畫閣敞鈴嚴（杜文焕）……四七六四
溽暑近方殘（康海）……一二五五

瑞靄五雲樓（無名氏）……五九〇六
萬事老來慵（劉良臣）……一五九六
微雨送新涼（常倫）……一八九四
微雨舞輕風（劉良臣）……一五九五
漠漠冷儒家（陳與郊）……三七〇七
歌管沸鄰家（陳與郊）……三七〇七
醉向畫樓憑（無名氏）……五九一七
甃月泛瑶觴（馬佶人）……四四六三
燈影映桃頰（劉汝佳）……四二六五
蕭寺久停喪（無名氏）……五九〇八
曉起望柴關（夏言）……一五六八
蟬影亂低鬟（無名氏）……五九一〇
簷外雨初歇（劉汝佳）……四二六五
歸去已冬殘（康海）……一二五五
歸興近來切（王九思）……一〇一〇
歸興近來急（王九思）……一〇一〇
歸興近來發（王九思）……一〇一〇
歸興近來促（王九思）……一〇一〇
繡幙蕩晴霞（陳所聞）……三九一八
鸚鵡斷金繩（朱應辰）……一四九六
纖玉上蝦須（王世貞）……二九一八

畫眉序犯

煙煖杏花明（徐階）……二一三四
鸚鵡報春晴（劉兑）……一二

畫眉不盡

花瓣美人頰（徐士俊）……五〇〇〇

畫眉畫錦

人際大明天（無名氏）……五九一八
楊柳漸藏鴉（張瘦郎）……四八二六
霍索起披襟（燕仲義）……二七五六

畫眉着皂袍

扶病倚南樓（唐寅）……一一六九

賀新郎（賀新涼　金縷詞）

江涵秋影（無名氏）……五八九二
有個人人（張栩）……五〇九六
飲散華堂（張栩）……五〇九六

賀聖朝

一人元良（廖道南）……一九四五

一人元良百首昭明（王教）……………一四六三
一統山河（王教）……………………一四六三
九月之初吉日良天（朱有燉）……………三三〇
華夷一統（廖道南）……………………一九三八
紫霧紅雲（朱有燉）……………………三三八
聖主膺天（夏言）………………………一五七〇
稽尊寶大侍從如來（無名氏）…………五三一二
稽首寶蓮華步如來（無名氏）…………五三一二
稽首金剛踴躍如來（無名氏）…………五三一二
稽首無邊德積如來（無名氏）…………五三一三
稽首威華生德如來（無名氏）…………五三一三
稽首無邊德寶如來（無名氏）…………五三一三
稽首無邊自在如來（無名氏）…………五三一三
稽首智生德聚如來（無名氏）…………五三一三
稽首赤蓮華德如來（無名氏）…………五三一三
稽首波頭摩勝如來（無名氏）…………五三一三
稽首十方稱發如來（無名氏）…………五三一三
稽首蓮華最尊如來（無名氏）…………五三一四
稽首毗盧遮那如來（無名氏）…………五三一四

御鑾歌

大報禮初成（廖道南）……………………一九四〇
大禮候昌朝（陸深）……………………一四五七
六宮範母儀（廖道南）…………………一九三三
天家壽域開（廖道南）…………………一九三一
天保泰階平（廖道南）…………………一九四三
彤庭瑞靄生（廖道南）…………………一九三一
彤闈瑞靄生（廖道南）…………………一九五四
昊天眷聖皇（王教）……………………一四六四
昊德運光明（廖道南）…………………一九三九
坤輿萬寶成（廖道南）…………………一九三一
坤元善發生（廖道南）…………………一九五五
帝王自有真（夏言）……………………一五七四
帝室詠斯千（廖道南）…………………一九五六
帝闕靄長春（廖道南）…………………一九五九
貞儀表萬邦（廖道南）…………………一九五七
秋色滿龍城（張治）……………………一六二七
皇闈福履崇（廖道南）…………………一九三二
皇穹啓聖神（廖道南）…………………一九三六
皇穹眷聖神（廖道南）…………………一九五六
皇極永登祥（廖道南）…………………一九四三
承乾履祚昌（廖道南）…………………一九三二
惟天啟聖王（廖道南）…………………一九二七

乾坤壽域開（廖道南）……一九五五
雅奏樂昇平（廖道南）……一九三七
萬壽仰慈仁（廖道南）……一九三三
萬物荷坤元（廖道南）……一九六〇
慈極上陽宮（廖道南）……一九三二
聖主垂衣裳（廖道南）……一九三五
聖人重人倫（夏言）……一五七四
聖主懋承乾（廖道南）……一九四三
鎬燕集天京（廖道南）……一九四三
雙闕五星光（廖道南）……一九四二
懿德感靈祥（廖道南）……一九三三
懿範表宮闈（廖道南）……一九五八

十三畫

新水令

一天秋色滿滄浪（殷士儋）……二八〇九
一天清露散瑤光（無名氏）……六四〇七
一生專爲野情多（余壬公）……四五五九
一言掃蕩九重霾（李應策）……三九八二
一身飛入梵王宮（胡文焕）……三三七四
一夜風吹殘曉角梅（李應策）……三九八〇
一枝南望意初諧（李應策）……三九八〇
一春無事爲花愁（祝允明）……八八九
一時投紱謝浮名（杜文焕）……四七六八
一從秋暮路傍窺（唐寅）……一一六八
一番塵話夢栩栩（徐媛）……四一八〇
一輪明月控金盤（無名氏）……六四一七
一雙隨襪洛川來（胡文焕）……三三六一
一聲孤雁送新愁（沈仕）……一六六三
一聲雁破海天秋（沈自徵）……四七八九
一聲長嘯海天秋（劉汝佳）……四二六九
一簾飛絮滾風團（湯式）……一〇〇
十年無夢到京師（湯式）……一三六
人生七十古來稀（王克篤）……二九五五
入皇朝特荷慶源（康海）……一四〇五
又一番角黍慶端陽（康海）……一四〇一
九天春色下瑤京（龍膺）……四二二〇
九重宮殿聖人朝（馮惟敏）……二四九三
三年兩度困金陵（程可中）……四一六三
大明紅日麗中天（無名氏）……六四〇一
大明開放九重天（無名氏）……六四〇〇
大明黎庶盡康寧（無名氏）……六四〇三

山村日暮景蕭條（王寅）……二一九一
小桃溪一似武陵源（康海）……一三八四
小窗高臥日三竿（楊一清）……四九六
小園昨夜放江梅（蘭陵笑笑生）……二八四七
子荆瀟灑水邊樓（陳所聞）……三八八七
六十八轉眼是古稀年（康海）……一四〇八
王家樂事勝神仙（陳所聞）……三八九五
天教花裏遇神仙（吴國寶）……二七三九
元戎十月凱歌旋（金鑾）……一八五〇
太平時節樂雍熙（冼塵）……一四四八
五雲深鎖洞中天（吴廷翰）……二〇二六
五雲深護九重城（廖道南）……一九三九
月輪纔上碧梧梢（王九思）……一〇七二
少年時聲價重三秦（康海）……一四一三
少微星光接壽星（王九思）……一〇八七
水沉消盡瑞爐煙（唐寅）……一一七三
水晶簾下燕鶯忙（無名氏）……六四四六
半弓裁就繡羅輕（張叔元）……四八九一
半窗殘月夢初醒（沈仕）……一六六五
玉堂名姓恰新題（姜寶）……二六〇四
玉樓閑聽理新聲（朱有燉）……四〇二
玉簫吹斷鳳凰聲（無名氏）……六四四一
正元宵高點萬家燈（無名氏）……六四〇四
世情無日不風波（葉華）……四二四九
古今興廢轉頭空（無名氏）……六四一九
四十年聯翼際風雲（康海）……一三九一
白蘋風細一絲輕（陳鐸）……六四六
幼年間曾入錦雲鄉（無名氏）……六四三七
江天風淡酒旗斜（施紹莘）……四六九〇
西窗一夜雨濛濛（施子安）……四四
有石奇峭本天成（張禄）……一四八〇
早歸來遥授醉鄉侯（汪道昆）……二八六〇
自憐愁病度春秋（胡文焕）……三三六八
多情偏惱玉堂仙（于慎思）……三二五四
竹邊斜破好精神（張瘦郎）……四八二〇
没人庭院種芭蕉（施紹莘）……四六四九
見青山便自喜開顔（康海）……一四〇七
見群仙迤邐下瑶臺（康海）……一四〇三
你昔年曾住水邊樓（黄祖儒）……三九六一
佛前燈火半昏明（屠隆）……三六〇八
孤村静坐怯孤寒（楊應奎）……一五一八
怕田園荒廢卻思歸（陳所聞）……三九〇〇

恨情深鴛被半床閑（無名氏）……六四三〇
爲紅粧曉夜病懨懨（無名氏）……六三九五
春光二月滿姑蘇（金鑾）……一八四二
苧村茅舍傍溪橋（周履靖）……三五七〇
相思一曲紫雲長（吴國寶）……二七三七
柳條索索惹香塵（趙南星）……三七六四
柳絲摇曳恰春餘（康海）……一三八六
柳絲摇颺鬧西風（康海）……一四〇三
則他這項娘床上想郎歸（無名氏）……六四四四
看鰲山燈火徹雲霄（無名氏）……六四〇五
風掀霜葉打窗紗（高濂）……二九八〇
香風吹動九龍衣（廖道南）……一九三〇
流言選淑侍瑶宫（邵涵遠）……五一六〇
海天春雨結蟠桃（王九思）……一〇五二
海天寥廓凍雲同（金鑾）……一八三七
海棠枝上子規啼（無名氏）……六四〇九
海棠枝上曉鶯啼（無名氏）……六四一三
海棠深院杜鵑啼（無名氏）……六四一〇
祖宗積德慶源長（王九思）……一〇九二
馬蹄香襯落花泥（朱有燉）……三八七
草堂春望曉山晴（康海）……一三四〇
夜窗相對一燈微（凌濛初）……四五四九
枕痕一線玉生紅（無名氏）……六四二二
枕痕一線印香肌（無名氏）……六四二五
枕痕一線印腮頰（無名氏）……六四二六
枕痕一線界芙蓉（無名氏）……六四三五
枕痕一線界胭脂（朱有燉）……四〇一
枕痕一線俏紅香（無名氏）……六四五〇
枕痕一線粉香殘（陳鐸）……六三三
枕痕一線粉紅湮（無名氏）……六四三四
枕痕一線粉紅嬌（無名氏）……六四二四
枕痕一線粉胭消（無名氏）……六四二九
枕痕一線粉腮新（無名氏）……六四四九
枕痕一線淚淋漓（無名氏）……六四二三
枕痕一線淚模糊（無名氏）……六四四八
雨餘霜降水痕收（張鍊）……二二六八
兩丸催促爲誰忙（高濂）……二九八二
兩輪日月疾如梭（吴國寶）……二七三一
呼韓納欵入中原（王寅）……二一九三
金風飄香隴雲寒（馮惟敏）……二〇五三
狀元歸去馬如飛（馮惟敏）……二四九〇
恨相思長夜痛難熬（無名氏）……六四三三

問人何事苦離家（胡文焕）…………三三七八
問先生何處是生涯（何瑭）………一一九八
問君家何不唱繁花（宛瑜子）………四五二二
富文堂内四時春（陳鐸）…………七三四
喜東風忽報好音來（康海）………一三九三
喜皇風醇美運熙洽（馮惟敏）………二五二〇
喜歸來茅屋樂閒身（何瑭）………一一九七
聖德精禋格昊穹（廖道南）………一九三八
暑回光復漸涼生（康海）…………一四〇五
暑往寒來春復秋（朱載堉）………三四五九
紫簫聲斷彩雲低（無名氏）………六三九六
晚風斜日錦堂開（張鍊）…………二二六九
晚風臺榭怯餘寒（王九思）………一〇九三
買歡追笑遣流光（馮惟敏）………二五一四
喬松萬載結苓香（陳所聞）………三九〇七
無無高士結山廬（張鳳翼）………三〇一二
御林春色繞河橋（徐士俊）………四九九六
御書樓外雨初晴（楊廷和）…………八五九
晝堂開宴雨初收（張伯純）………一六一三
悶無聊和淚倚東窗（無名氏）………六四三一
閒心一片寄冰壺（盛敏耕）…………三七一八
桂花涼露楚天秋（無名氏）…………六四四〇
笑愚夫恰好住愚溪（張鍊）………二二六七
淡雲輕日護香霞（夏文範）…………九三四
淡雲微雨困人天（無名氏）………六四五九
望中原佳氣鬱籠葱（馮惟敏）………二四九九
梧桐葉落暑初消（無名氏）………六四一六
梅花枝上鵲聲高（程豈一）………五一七一
雪消春水恨流東（無名氏）………六四五七
軟風甜雨養花天（施紹莘）………四六七四
軟風遲日碧天晴（劉良臣）………一六〇三
莫愁湖水接清江（張四維）………三七二五
荷天公寧耐老來身（康海）………一三九〇
荷良朋送我上蓬萊（康海）………一四〇七
華堂開宴樂嘉賓（康海）…………一三九九
彩毫新扁壽萱堂（王九思）………一〇八二
彩霞千頃繞南莊（王九思）………一〇七三
彩鸞飛詔下丹霄（馮惟敏）………二四五九
欲超塵刼究玄玄（周履靖）………三五六三
從今花甲一周遭（馮惟敏）………二四七六
脚跟登破利名關（陳與郊）………三七一〇
猛西風吹起鬢邊秋（沈自徵）………四七九〇

賀中秋佳節列瓊筵（無名氏）……六四一五
煖風芳草徧天涯（金鑾）……一八五二
萬方齊賀大明朝（無名氏）……六三九三
萬松林下結黃茅（王化隆）……四三三四
萬家歡樂賀昇平（洗塵）……一四四九
感天公重賜小兒曹（康海）……一三八五
槎芽兩萼報春回（李應策）……三九八〇
想林泉清夢繞天涯（王徵）……四二九六
想當年聲價動春雷（何瑭）……一一九六
想當初金蘭相結比雷陳（康海）……一四〇〇
業身軀天賦本尋常（殷士儋）……二八〇七
暖風晴日好追遊（康海）……一三三九
滿堂華燭照殘年（施紹莘）……四六八七
滿湖煙景隔塵囂（夏文範）……九三八
説甚麽相思一日九迴腸（馬佶人）……四四六一
遠峰青半被曉煙遮（王端淑）……四七七二
算年華雖上下七旬邊（康海）……一四〇九
瑣窗春静曉鶯啼（杜大成）……四二二五
碧天風露怯青衫（湯式）……一三九
碧天邊一朶瑞雲飄（無名氏）……六四五六
碧空白露報中秋（王九思）……一〇九一
碧桃花外一聲鐘（陳鐸）……六二九
碧紗窗外曉鶯啼（毛良）……一一八八
碧梧金井報新秋（馮惟敏）……二四六八
碧雲迢遞雁南征（金鑾）……一八五八
聚星堂粧點做蘂珠宮（金鑾）……一八四三
輕風細雨養花天（無名氏）……六四〇八
厰雲樓凭煖玉闌干（常倫）……一九〇四
對青山蓋一座草團瓢（無名氏）……六四一八
鳳城佳節賞元宵（無名氏）……六三九七
鳳城春色勝蓬瀛（無名氏）……六四二〇
鳳臺人去憶簫聲（無名氏）……六三九八
鳳臺無伴品鸞簫（王子一）……一
鳳臺空無品鸞簫（湯式）……一三七
翠荷翻露碎珠璣（無名氏）……六四三九
綵樓銀燭照花燈（倪民悦）……三三六〇
論風流蹴踘最爲魁（無名氏）……六四二八
慶豐年春色滿皇都（無名氏）……六四〇二
慕雲莊隔月許相招（殷士儋）……二八一〇
撫臺樓閣對南山（王九思）……一〇六二
數年來無一曲慶生辰（王九思）……一〇九〇
數年前遊冶香春樓（馮惟敏）……二四五四

靠東窗淚眼鎮常揩（無名氏）……六四五四
銷金帳裏峭寒添（馮夢龍）……四四五六
綠楊溪上木蘭橈（陳鐸）……六四七
憶金陵佳麗帝王州（馮惟敏）……二四六一
憶前年自壽仰高亭（馮惟敏）……二四七〇
憶秋風遷客走天涯（王九思）……一〇四八
憶秋風遷客去長沙（吴國寶）……二七二九
憶當年揚鬣奮風雷（康海）……一三九一
龍山佛祖會龍華（無名氏）……六四六一
燕鶯巢强戀做鳳鸞帷（朱有燉）……三九九
蔭長林宛轉遶青涯（張炳濬）……四四一九
曉鐘殘月亂雞聲（金鑾）……一八四五
戰風情謀略巧安排（袁崇冕）……一六二五
錦紅香攢定個玉樓人（程可中）……四二五七
錦堂德祚扁新懸（王九思）……一〇八六
錦雲光耀五花新（王九思）……一〇七五
鴛鴦夢斷藕花鄉（陳鐸）……七〇六
險些兒將寒心燒做火焰山（無名氏）……六四六五
融融紅日映山窗（王克篤）……二九五二
霜葩忽又箭淩階（李應策）……三九八〇
襟度溟含迂納汙（李應策）……三九八七
雙懸日月照天衢（王廷相）……一一九二
翻輪倒吸水縈紆（李應策）……三九八七
驅車攬轡下東河（姜恩）……二〇三三
綉房春煖掛流蘇（無名氏）……六四一二
綉簾風細控金鈎（無名氏）……六四五一
繡幃中重會雨雲情（無名氏）……六四三八
蘭幃鶴夢鎖春寒（牟清溪）……四八六七
懸孤何必在溪堂上（陳所聞）……三八九三
鶯聲巧囀夢魂驚（無名氏）……六四六四
灞陵橋外凍雲垂（王九思）……一〇七六

新水令帶過折桂令

客窗風雨苦瀟瀟（韓邦奇）……一四七七
曉亭三疊奏陽關（韓邦奇）……一四七七

新製嬌鶯兒

凭闌閒顧（常倫）……一八九八
疎燈寒照（常倫）……一八九八
幾行白鴈（常倫）……一八九八
愁懷無奈（常倫）……一八九八

新樣四時花

拂不去風塵臉（沈自徵）……四七八四

新調山坡羊

望邊庭冢跡蛇蹤（李應策）……四〇七九

跨調山坡羊

進門來尋我風流罪犯（黃方胤）……四五三六

塞鴻秋

一會家想多情越教我傷懷抱（湯式）……一五七
木强人怎寄絲綸任（康海）……一二一一
月昏昏罷轉霓裳隊（王世貞）……二九一七
水晶簾捲薔薇院（無名氏）……五五五四
正當着煎造爲公干（陳鐸）……六一七
占芳塘菡萏開還謝（薛崗）……三三九一
米明王原掌奇門印（林廷玉）……四九二
曲江池常欠劉伶債（張鍊）……二二一六
行藏數尺黃花徑（康海）……一二一一
利名愁休惹在眉尖上（王九思）……九七四
坐時節顫巍巍高挑嚴陵釣（馮惟敏）……二三八四
妒離情輾轉相迤逗（林廷玉）……四九二
近虛亭陣陣香風度（薛崗）……三三九一
長亭餞客群公意（康海）……一二六八
到幾時乾淨淨戴一頂烏紗帽（王克篤）……二九三三
垂楊緑水湯陰路（姜恩）……二〇三二
持刀弄杖誇强會（陳鐸）……六一八
風光喜值嘉平世（康海）……一二一一
飛鷹走犬拿鷄兔（陳鐸）……六一六
粉容嬌笑倚紅梅院（王九思）……一〇二五
荒臺古木西崦廟（康海）……一二六八
逞英雄枉費了擔山力（王克篤）……二九三四
斜陽衰草印山道（姜恩）……二〇三一
通渠灌圃隨時序（陳鐸）……六一六
淡濛濛斜月上紗窻上（無名氏）……五五五四
淮陽錫貢虞庭獻（楊廷和）……八五三
排年牧養輪流做（陳鐸）……六一八
雪花燈細翦嫦娥片（王九思）……九七四
雪花兒飛（馮惟敏）……二三二八
雪填門（馮惟敏）……二三二九
脚根淺上不去金鑾殿（王克篤）……二九三三
評梁估柱無公議（陳鐸）……六一七
紫雲鮮濃抹黃檀面（王寅）……二一八七

紫騂騮漫繫垂楊下（王九思）……九七五
雁行斜影落芙蓉沜（張錬）……二二一六
無田無種無牛力（陳鐸）……六一八
尋常風浪無驚怕（陳鐸）……六一七
塞雲愁黑壓城頭墜（劉良臣）……一五八五
塞鴻秋開卻桃花扇（楊廷和）……八五三
瘦身軀那討拔山力（張錬）……二二一六
論形容合不着公卿相（馮惟敏）……二三八三
影沈沈月轉梨花院（王九思）……一〇二五
緑楊深鎖誰家院（陳全）……三〇三四
緑溪長尚識桃源路（張錬）……二二一六
縣衙裏先免雜差役（陳鐸）……六一六
餞行杯哭比亡靈飯（程可中）……四一四九
舊住在太清天瓊瑤闕梵氣清虛殿（常倫）……一八九〇
雙松突兀長寧鋪（康海）……一二六八
雙黃鎖日日眉尖掛（王克篤）……二九三三
騙鄉民兜攬官糧解（陳鐸）……六一七
籃輿恰轉疏林外（康海）……一二六八
蘸鋼鍬難用銜鋼鋼（無名氏）……五五五四

瑞鶴仙（一捻紅）

我主垂慈教（無名氏）……五四一六

聖藥王

化如來（無名氏）……五三三五
妙如來（無名氏）……五三三六
勝如來（無名氏）……五三三六
智如來（無名氏）……五三三六
聖如來（無名氏）……五三三五
慧如來（無名氏）……五三三六
德如來（無名氏）……五三三五

落梅風（落梅引　壽陽曲）

一般病（王九思）……一〇二六
乜斜病（陳鐸）……五一一
人情諳（康海）……一二二二
山迢迢（無名氏）……五八〇七
山圍翠（康海）……一二八三
川原晦（康海）……一二八四
夕陽外（康海）……一二八二
天光永（康海）……一二二五

元宵過（王寅）……二一八二
文個架（王克篤）……二九四四
中秋夜兔魄圓（康海）……一二八二
中秋夜玉宇澄（康海）……一二八三
中秋夜白露濃（康海）……一二八三
中秋夜興轉多（康海）……一二八三
牛羊放（王磐）……七八八
今宵宴（康海）……一二二三
少時緑（楊應奎）……一五〇九
玄冥令（黄淮）……二八八
立不住（王克篤）……二九四四
田園富（康海）……一二二四
生前恨（康海）……一二二五
冬將盡（楊廷和）……八三九
包藏着俏（朱有燉）……三五五
西湖静（王磐）……七八九
因他俏（黄峨）……一九八四
同雲布（康海）……一二八四
年雖邁（康海）……一二二三
尖風至（康海）……一二二五
扶病起（楊慎）……一六八五
更初静（陳鐸）……五一二
吸清露（王克篤）……二九四三
吹龍笛（康海）……一二八二
你生日（無名氏）……五八〇七
房檐下吊（陳鐸）……五四七
青春暮（張鍊）……二二二五
青草畔（王克篤）……二九四三
花前飲（康海）……一二二三
花濃處（王磐）……七八九
東山妓（王九思）……九七四
披蓑去（王磐）……七八八
披縵笠（康海）……一二八四
明明的去（金鑾）……一八一一
呼蓑笠（王寅）……二一八二
依稀看（康海）……一二八二
佼佼傭（李應策）……四〇四五
金風至（張鍊）……二二二五
金粉面（王克篤）……二九四五
恨青驄（無名氏）……五八〇七
前年事（康海）……一二八三
前溪上（王寅）……二一八二

春將去（陳鐸）……五一一
春寒峭（黄峨）……一九八四
春雲淡（康海）……一二二二
春雲暝（康海）……一二二三
思今日（無名氏）……五八〇七
思鄉淚（楊慎）……一六八五
香風細（康海）……一二二四
香鬚細（王克篤）……二九四三
拳頭來大（陳鐸）……五四七
凌霄漢（陳鐸）……五一二
高又下（王克篤）……二九四四
病纔起（楊慎）……一六八五
穿簾幕（王克篤）……二九四四
桃花片（康海）……一二八二
桃花瓣（王九思）……一〇二六
柴門住（王寅）……二一八二
徐徐步（康海）……一二八三
書憑雁（黄峨）……一九八四
書鐙暗（楊廷和）……八四〇
桑榆境（康海）……一二二三
紗窗外情思加（陳鐸）……五一二
清香透（朱有燉）……三六三
清秋景（康海）……一二二五
烹蠶豆（楊慎）……一六八五
荼蘼徑（朱有燉）……三〇七
梅花帳（陳鐸）……五三三
翎毛貴（王克篤）……二九四三
釵欹燕（陳鐸）……五一二
從交夏（金鑾）……一八一一
參旗側（楊廷和）……八四〇
張良智（康海）……一二二四
陽關別（無名氏）……五八〇六
粧此唔（陳鐸）……五三三
尊中酒（康海）……一二二二
黄金砌（王九思）……一〇二六
黄昏想（無名氏）……五八〇七
黄鷄嫩紫蟹肥（康海）……一二二五
黄雞嫩濁酒香（張鍊）……二二二五
朝飛去（王克篤）……二九四四
雲程遠（楊廷和）……八四〇
惡犬羊（李應策）……四〇四五
閑針線（無名氏）……五八〇七

疎林外（陳鐸）……五三四
新來看（康海）……一二三三
煙光鶩（康海）……一二八三
蜂黄散（朱有燉）……三六一
微微灑（康海）……一二二四
愁千種（黄淮）……二八八
敲詩句（左贊）……四五七
端端舞（康海）……一二三三
蒹葭水（康海）……一二三四
槐陰轉（康海）……一二二五
銀囊重（王磐）……七八八
嫦娥面（解縉）……二八九
憎頭鋭（金鑾）……一八二
澄江暮（張鍊）……二三二五
鄧伏鸞（李應策）……四〇四五
竪起木（王克篤）……二九四五
樓頭小（黄峨）……一九八三
罷吟哦（李應策）……四〇四五
燒銀燭（康海）……一二二五
龍蛇字（朱有燉）……三〇七
擔空翠（王磐）……七八八
騎青驄（李應策）……四〇三二
懨懨醉（康海）……一二二三
翻新調（康海）……一二八四
翻翻鳥（李應策）……四〇三二
離鄉井（無名氏）……五八〇七
離愁大（陳鐸）……五一二
簾櫳静（張鍊）……二三二五
蘆風峭（張鍊）……二三二五
蘇學士（王九思）……九七四
臙脂瓣（王九思）……一〇二六
鶯兒怨（王磐）……七八九
鬢眉改（康海）……一二二三
纔相見（無名氏）……五八〇七
纔離了睡（金鑾）……一八一一

落韻鎖南枝

春將盡（常倫）……一八九八
疎狂性（常倫）……一八九七

萬年春

至敬頂禮大金仙正等覺佛（無名氏）……五二八一
至敬頂禮南無無業無怖佛（無名氏）……五二八二

至敬頂禮南無甘蔗王種佛（無名氏）……五二八一
至敬頂禮法師子二足尊佛（無名氏）……五二八一
至敬頂禮南無最上法燈佛（無名氏）……五二八一
至敬頂禮南無施願無畏佛（無名氏）……五二八二
至敬頂禮南無調御丈夫佛（無名氏）……五二八二
至敬頂禮南無離過除毒佛（無名氏）……五二八二
至敬頂禮調伏除煩惱尊佛（無名氏）……五二八二
至敬頂禮無畏淨飯王子佛（無名氏）……五二八二
至敬頂禮勇猛大清淨智佛（無名氏）……五二八二
至敬頂禮六趣海到彼岸佛（無名氏）……五二八三
至敬頂禮人師子吉祥雲佛（無名氏）……五二八三
至敬頂禮三明知三世尊佛（無名氏）……五二八三
至敬頂禮無等大智慧尊佛（無名氏）……五二八三
至敬頂禮調伏聲聞者尊佛（無名氏）……五二八三
至敬頂禮普照一切眼尊佛（無名氏）……五二八三
至敬頂禮三慧真實眼尊佛（無名氏）……五二八三
至敬頂禮尊師大梵行尊佛（無名氏）……五二八三
至敬頂禮止息一切罪尊佛（無名氏）……五二八四

萬年歡

九霄光啟五雲祥（廖道南）……一九三〇
五雲繚繞九重宮（廖道南）……一九三四
六宮景範（廖道南）……一九六〇

萬花方三疊

茅屋疏籬（左贊）……四五六

萬歲樂

五百昌期嘉慶會（廖道南）……一九三四
太平天子興隆日（廖道南）……一九四四
天回北極雲成瑞（廖道南）……一九四六
風調雨順秋光好（陸深）……一四五六
鵷聯鷺序臣拜舞（陸深）……一四五八

楚江秋

一見了那嬌嬈（無名氏）……五八一四
十月應小春（無名氏）……五八一三
人生夢一場（蘭陵笑笑生）……二八三七
人別天念三（無名氏）……五八一二
山横暮雨蒼（李開先）……二〇九二
弓鞋襪小步出蘭房（無名氏）……五八一二
五更時候（無名氏）……五八一二
奴家命薄（無名氏）……五八一二

他本是英雄將士（無名氏）……五八一二
姐姐你休賣乖（無名氏）……五八一四
孤眠夜未央（李開先）……二〇九一
金菊對芙蓉（無名氏）……五八一一
相思病漸加人兒自離家（無名氏）……五八一五
相思病漸加佳人黄瘦殺（無名氏）……五八一三
相思病漸成（無名氏）……五八一五
相思病漸多（無名氏）……五八一四
相思病漸妖（無名氏）……五八一三
相思病漸來（無名氏）……五八一二
相思病漸黄（無名氏）……五八一四
相思病漸濃（無名氏）……五八一四
相思病漸難（無名氏）……五八一三
相思病漸纏（無名氏）……五八一三
故漸漸稀（丁綵）……三二八七
揉碎一枝花（無名氏）……五八一三
煙消寶鴨香（李開先）……二〇九二
歌童滿畫堂（李開先）……二〇九一

楚江秋後聯清江引

相思病漸濃海棠花又紅（無名氏）……五八一五
相思病漸黄含情倚象牀（無名氏）……五八一五
相思病漸滋春來又幾時（無名氏）……五八一六
相思病漸羸雙雙玉筯垂（無名氏）……五八一六
相思病漸枯雁魚音信疏（無名氏）……五八一六
相思病漸來終朝懶放懷（無名氏）……五八一七
相思病漸昏關山勞夢魂（無名氏）……五八一七
相思病漸難冤家不見還（無名氏）……五八一七
相思病漸攢東風料峭寒（無名氏）……五八一八
相思病漸纏薰風人入絃（無名氏）……五八一八
相思病漸妖誰家品玉簫（無名氏）……五八一八
相思病漸多牽牛又渡河（無名氏）……五八一九
相思病漸加淹纏都爲他（無名氏）……五八一九
相思病漸呆疎桐弄影斜（無名氏）……五八一九
相思病漸成芙蓉照水明（無名氏）……五八二〇
相思病漸稠銀臺燭淚流（無名氏）……五八二〇
相思病漸深寒蛩幾處吟（無名氏）……五八二〇
相思病漸纏心中暗自慚（無名氏）……五八二一
相思病漸添空中雪散鹽（無名氏）……五八二一

楚江情（羅江怨）

東風綻海棠（朱有燉）……三二一四

金風送晚涼（朱有燉）……三二四
春風掠鬢涼（徐士俊）……四九九〇
飛花打繡窗（施紹莘）……四六八三
梅花滿樹芳（朱有燉）……三二五
雕闌簷蔔香（朱有燉）……三二四
雙飛未必甘（陳子升）……五〇一九

楚江情帶過金字經

一更夜氣清（朱有燉）……三六六
二更露正涼（朱有燉）……三六七
三更玉漏遲（朱有燉）……三六七
四更睡思纏（朱有燉）……三六八
五更覺夜長（朱有燉）……三六八
春歸在客先（梁辰魚）……二六五一

楚天遥

春園芍藥闌（左贊）……四五六

感皇恩

敬禮歸依普莎羅佛（無名氏）……五二九七
敬禮歸依喜菩提佛（無名氏）……五二九七
敬禮歸依成就光佛（無名氏）……五二九八
敬禮歸依界光明佛（無名氏）……五二九八
敬禮歸依快光明佛（無名氏）……五二九八

搗練子

一霎時（朱載堉）……三四三九
小倚大（朱載堉）……三四三八
父康泰（朱載堉）……三四四〇
冬衣缺（朱載堉）……三四三九
由天罷（朱載堉）……三四四一
衣斬衰（朱載堉）……三四三九
行善罷（朱載堉）……三四四一
色色色（朱載堉）……三四四〇
你若孝（朱載堉）……三四三九
你不孝（朱載堉）……三四三九
忍耐罷（朱載堉）……三四四一
兒多好（朱載堉）……三四三八
兒不順（朱載堉）……三四三九
到兒家（朱載堉）……三四三九
爲人子（朱載堉）……三四四〇
財財財（朱載堉）……三四四〇
埋葬後（朱載堉）……三四三九

常相傍淮南小山（汪道昆）……二八六二
雲深處閒眠狎鷗（周履靖）……三五八六

催拍

没包彈嬌容可誇（沈仕）……一六五〇
金鎖帶玲瓏玉牌（沈仕）……一六五〇
盼天涯書兒信兒（無名氏）……五四四八
問嫦娥情須概施（胡文焕）……三三五六
想他每鹿鳴咏詩（胡文焕）……三三五六
對秋風鎩羽難飛（胡文焕）……三三五六
嘆囊裡黄金已微（胡文焕）……三三五六

傾杯玉芙蓉

幽閣沉沉絶繁華（禄洪）……四一三九

傾杯賞芙蓉（傾杯玉）

一逕春風轉狹斜（王驥德）……三六六二
喚起生香軟玉屏（陳子龍）……五〇〇八
隔牆新月上梅花（楊慎）……一七三六

解三醒

三十載投交一瞬（陳所聞）……三八五一
本是個秦淮古渡（中分樹主人）……四八六三
酒酒酒（朱載堉）……三四四〇
閃二親（朱載堉）……三四三九
氣氣氣（朱載堉）……三四四〇
悔心罷（朱載堉）……三四四一
乾鼓肚（朱載堉）……三四三九
黄香幼（朱載堉）……三四三九
愛惜兒（朱載堉）……三四三九
説娘苦（朱載堉）……三四三九
説父恩（朱載堉）……三四三九
請媒人（朱載堉）……三四三九
勸世人少貪酒（朱載堉）……三四四〇
勸世人少貪色（朱載堉）……三四四〇
勸世人少貪財（朱載堉）……三四四〇
勸世人少生氣（朱載堉）……三四四〇
勸君家莫望大（朱載堉）……三四四一
勸君家存正大（朱載堉）……三四四一
勸君家莫招架（朱載堉）……三四四一
聽命罷（朱載堉）……三四四〇

園林好（金谷園）

出身時良家可依（宛瑜子）……四五二五

乍相逢臉潮羞暈（卜世臣）……………四三〇一
自那日陽關三唱（陳所聞）……………三九四一
全没些柔情美話（中分榭主人）…………四八六二
把往日行藏休問（陳所聞）……………三八五一
恨冤家恁般薄倖（中分榭主人）…………四八六二
美詞華天孫織錦（陳所聞）……………三九四二
爲選勝臨溪結閣（陳所聞）……………三九三七
想羅浮故人何在（張鳳翼）……………二九八九
想臺閣將人辜負（李應策）……………四〇六五
對西風把行藏自省（陳所聞）…………三九四五
嘆芳菲總成冤債（張鳳翼）……………二九八九
嘆雙親把兒指望（王化隆）……………四三二三
像他仔引類呼朋濟惡（李應策）………四〇六六
數宵來幾曾同睡（中分榭主人）………四八六三
憶長安少年遊冶（楊德芳）……………四八九九

解袍歌

論詞賦有相如才調（陳所聞）…………三八六九
數日間不來不往（沈璟）………………三七八三

解醒歌

膽缾中木樨新插（王驥德）……………三六二九
愛簪花新來慵甚（王驥德）……………三六二八

殿前喜

南無大勝佛如來（無名氏）……………五三三七
南無寂滅佛如來（無名氏）……………五三三八
南無上乘佛如來（無名氏）……………五三三八
南無寶聚佛如來（無名氏）……………五三三八
南無妙識佛如來（無名氏）……………五三三九
賞花對酒歡顔開（朱有燉）……………三四五

殿前歡（鳳引雛　鳳將雛　燕引雛　小婦孩兒）

人笑螳螂捕噪蟬（無名氏）……………五八二七
上陽曙色開新霽（廖道南）……………一九五五
天保定聖人（廖道南）…………………一九四七
五百年天生（夏言）……………………一五七一
月圓圓（無名氏）………………………五八二五
水村山舘草萊廬（無名氏）……………五八二七
玉盤盂（朱有燉）………………………三四三
布衣交（康海）…………………………一二二二
老來催（王克篤）………………………二九三二
老來臨（王克篤）………………………二九三二
老來磨（王克篤）………………………二九三二

西内御筵開（廖道南）……………………一九五一
朱明景最長（夏言）……………………一五七三
自評論（馮惟敏）……………………二三八四
宋君臣（瞿佑）……………………二七四
杜鵑啼（無名氏）……………………五八二三
河清海晏坤維静（廖道南）……………………一九二八
夜深沉（無名氏）……………………五八二四
枕西阿（楊慎）……………………一七二三
舍之則藏用之行（無名氏）……………………五八二七
恨千疊（無名氏）……………………五八二五
恨殘春（無名氏）……………………五八二五
恨襄王（無名氏）……………………五八二四
俏冤家（無名氏）……………………五八二六
酒風流（無名氏）……………………五八二四
酒神通（無名氏）……………………五八二四
酒皮禪（無名氏）……………………五八二四
酒精靈（無名氏）……………………五八二四
病多時（無名氏）……………………五八二三
病難熬（無名氏）……………………五八二三
笑螳螂（無名氏）……………………五八二三
倚危闌（無名氏）……………………五八二六
淚盈盈（無名氏）……………………五八二三
您須知好時光休要皺雙眉（朱有燉）……………………三五九
您須知好時光儘我恣情（朱有燉）……………………三五九
您須知黄金難買笑嬉嬉（朱有燉）……………………三五九
您須知饒人忍事不爲癡（朱有燉）……………………三六〇
問冰壺（楊慎）……………………一七二三
晚初晴（無名氏）……………………五八二六
烟波萬頃洞庭秋（無名氏）……………………五八二六
禁闈房（無名氏）……………………五八二五
想他時（無名氏）……………………五八二六
想歸來（馮惟敏）……………………二三八四
萬年禮樂中興日（廖道南）……………………一九四一
瑞雲晴靄浮宫殿（廖道南）……………………一九三八
感情懷（無名氏）……………………五八二五
説山盟（無名氏）……………………五八二六
慢嗟吁（高應玘）……………………二七六七
壽筵開（瞿佑）……………………二七五
翠鸞孤（無名氏）……………………五八二五
際清朝（無名氏）……………………五八二七
醉歸來（無名氏）……………………五八二二
閱耕亭一花一草自經營（楊廷和）……………………八三六

閱耕亭一溪流水兩池平（楊廷和）……八三五
閱耕亭早來亭上未天明（楊廷和）……八三六
閱耕亭青蒲深處笑歌聲（楊廷和）……八三七
閱耕亭風來水面嫩涼生（楊廷和）……八三六
閱耕亭茆亭小小有餘情（楊廷和）……八三六
閱耕亭茆亭小小蓋初成（楊廷和）……八三六
閱耕亭清溪一曲漫迴縈（楊廷和）……八三六
閱耕亭閱耕亭上看農畊（楊廷和）……八三六
閱耕亭閱耕亭外遠山青（楊廷和）……八三六
□苑御筵開（夏言）……一五七〇

絳都春

情濃乍別（無名氏）……五九三九
寒風布野（無名氏）……五九三六

絳都春序

春愁萬結（高濂）……二九六六
情濃乍別（王九思）……一一〇一

十四畫

滿庭芳（滿庭霜）

一拂東風（李應策）……四〇一五
一團茅草（無名氏）……五六八五
人笑我差（朱載堉）……三四三一
人笑我癡（朱載堉）……三四三一
人笑我呆（朱載堉）……三四三二
人笑我狂（朱載堉）……三四三二
九節山籐（丁惟恕）……四三六三
三三兩兩（陳鐸）……五九九
三伏暑天（楊循吉）……八一八
三冬景殊（無名氏）……五六八四
才郎大膽（劉效祖）……二七八四
才郎行短（劉效祖）……二七八四
才郎見小（劉效祖）……二七八四
才郎情寡（劉效祖）……二七八四
山間水涯（吴承恩）……二〇四二
千山萬水（康海）……一二三四
文林老儒（陳鐸）……五一四
王家好忙（無名氏）……五六七九
夫人不乖（無名氏）……五六七七
夫人不良（無名氏）……五六七八
夫人你聽（王春泉）……四七〇
夫妻早起（無名氏）……五六八五

天官賜福（馮惟敏）……………………二三一〇
天空霧掃（康海）……………………一二三四
天涯自傷（李昌祺）……………………二九二
不疼不癢（陳鐸）……………………五四五
不聞動止（陳鐸）……………………五五八
不寬不狹（陳鐸）……………………五二一
中年知止（馮惟敏）……………………二三一〇
心廣體胖（無名氏）……………………五六八三
平生淡薄（王磐）……………………七九〇
北橋減省（金鑾）……………………一八一九
石花吐酒（常倫）……………………一八八三
石亭蔭凉（王磐）……………………七八九
江南故鄉（李昌祺）……………………二九一
冰清玉潔（康海）……………………一二三五
西溪問圃（康海）……………………一二三五
光陰易逍（李昌祺）……………………二九二
年衰病攻（李昌祺）……………………二九一
朱顏易改（王九思）……………………九七五
朱顏易老（王九思）……………………九七五
朱顏易往（王九思）……………………九七五
朱顏易損（王九思）……………………九七五
休懷故人（湯式）……………………六六
行藏欠穩（馮惟敏）……………………二三五一
名山自好（康海）……………………一二三四
名花可人（常倫）……………………一八八三
多才漢卿（無名氏）……………………五六七八
收生有年（陳鐸）……………………六〇〇
形如鈎戟（陳鐸）……………………五四六
形骸太蠢（陳鐸）……………………六〇〇
赤身露體（陳鐸）……………………六〇一
我和你西湖分首（金鑾）……………………一八一八
身貧可憐（無名氏）……………………五六八三
君門謝寵（康海）……………………一二三五
沫塞氣梗（陳鐸）……………………五四六
法聽老髡（無名氏）……………………五六七七
官人聽知（蘭陵笑笑生）……………………二八三二
炎天景佳（無名氏）……………………五六八三
花花搭搭（陳鐸）……………………五四三
其間就裏熙熙攘攘（劉良臣）……………………一五九七
其間就裏一身之外（劉良臣）……………………一五九七
其間就裏不思義理（劉良臣）……………………一五九七
其間就裏歌聲潤美（劉良臣）……………………一五九八

東風未轉（陳鐸）……六〇一
東風暖和（楊循吉）……八一八
奔濤赴海（康海）……一二三六
些微形狀（馮惟敏）……二三五〇
知音寫遠（劉良臣）……一五九四
金波玉斗（康海）……一二三三
金鞍錦韉（無名氏）……五六八四
居官體統（無名氏）……五六八四
前村貰酒（康海）……一二三六
春句堪裁（王克篤）……二九二八
春曲堪歌（王克篤）……二九二八
春風倚蘭（汪廷訥）……四一九四
春風畫樓（常倫）……一八八三
春酒堪沽（王克篤）……二九二八
春景堪翫（王克篤）……二九二七
春遊美哉（無名氏）……五六八三
英魂杳冥（無名氏）……五六八二
相思病染（劉效祖）……二七八四
相思病久（劉效祖）……二七八四
指鹿道馬（陳鐸）……五九九
星迴幾周（楊循吉）……八一八
看生見長（無名氏）……五六八〇
重陽到也（王寅）……二一八一
重陽節美（王寅）……二一八一
秋天景奇（無名氏）……五六八四
秋毫厭爾（無名氏）……五六八〇
風流事耽（朱有燉）……三五六
風清月朗（康海）……一二八九
風情熱沾（朱有燉）……三五六
急流退勇（馮惟敏）……二三一〇
香消古鼎（左贊）……四五五
眉邊眼傍（陳鐸）……五四五
紅如錦袍（朱有燉）……三四〇
紅娘艷質（無名氏）……五六七七
紅娘快趄（無名氏）……五六七八
紅深翠淺（康海）……一二三四
紅頭黑嘴（馮惟敏）……二三五一
送來的深衣兒特晃（金鑾）……一八一九
乂子亂搗（無名氏）……五六八五
高人見喜（陳鐸）……六〇一
庭梧乍飛（楊循吉）……八一八
栽花種柳（康海）……一二二三

荒蕪舊隱（湯式）…………六六
虔婆你不良（蘭陵笑笑生）…………二八三一
剛剛半扎（陳鐸）…………五五八
追思舊遊（李昌祺）…………二九一
脂膏易滿（無名氏）…………五六八一
孫虎恃强（無名氏）…………五六七七
陞官道好（馮惟敏）…………二三一〇
盈虚往來（李昌祺）…………二九二
清香滿腹（無名氏）…………五六八二
混混百川（薛崗）…………三三九〇
深秋旅程（韓邦奇）…………一四七一
雪抱亭梅（李應策）…………四〇一九
規模不小（陳鐸）…………五二二
規模要廣（康海）…………一二三五
虚窗易醒（張錬）…………二二二七
敝巾破裳（無名氏）…………五六八三
常依小艇（陳鐸）…………五二二
常開不瓏（陳鐸）…………五四四
眵粘淚淌（陳鐸）…………五四三
笙歌醉鄉（湯式）…………六七
停針半晌（陳鐸）…………五五八
斜行横走（陳鐸）…………五四四
將軍杜確（無名氏）…………五六七七
將軍不仁（無名氏）…………五六七九
將無作有（陳鐸）…………六〇〇
張生不才（無名氏）…………五六七八
張生俊雅（無名氏）…………五六七六
婚喪二禮（陳鐸）…………五九九
陳糧滿倉（無名氏）…………五六八二
粧聾做啞（張錬）…………二二二七
髠郎怯聰（無名氏）…………五六七九
黄庭合成（朱有燉）…………三二二
殘花剩柳（湯式）…………六六
貂蟬鬢妥（陳鐸）…………五五九
筐牀睡覺（張錬）…………二二二七
剩雪苔痕冷（范允臨）…………四一二一
閒中自憐（李昌祺）…………二九一
賀君花甲（王寅）…………二一八二
陽關柳新（韓邦奇）…………一四七四
滔滔海洋（薛崗）…………三三九〇
滄浪遁迹（陳鐸）…………五二二
烟霞自領（張錬）…………二二二七

新來夢覺（常倫）……一八八三
詩餘興懶（張錬）……二二二六
楸枰閑開（孫湛）……四一七〇
當家體統（朱有燉）……三六四
稱呼爛麵（陳鐸）……六〇〇
經年累載（陳鐸）……五四六
漢卿不高（無名氏）……五六七九
榮枯吉凶（李昌祺）……二九一
端肅奉柬（湯式）……六七
壺中緑醑（無名氏）……五六八一
僑庵野夫（李昌祺）……二九一
鳳凰臺下（金鑾）……一八一九
鄭恒太魯（無名氏）……五六七七
鄭恒發昏（無名氏）……五六七九
諸餘異種（無名氏）……五六八一
誰人似你（陳鐸）……五四三
窮生蟣虱（馮惟敏）……二三五一
嬌花亂飛（丁惟恕）……四三四九
嬌容中酒（陳鐸）……五五七
嬌容濟楚（陳鐸）……五五七
緑窗睡起（陳鐸）……五五七
錢唐故址（湯式）……六七
隨風來往（陳鐸）……五二二
聰明實甫（無名氏）……五六七八
隱居瀟灑（王寅）……二一八一
蹣跚病軀（李昌祺）……二九二
雙楓渡口（張錬）……二二二七
雙鋒並聳（無名氏）……五六八〇
雙鰲破甲（無名氏）……五六八二
歸田興饒（李昌祺）……二九二
雛鶯乍囀（張錬）……二二二六
蠅營半載（馮惟敏）……二三五〇
韶光晦迹（無名氏）……五六八一
鶯鶯女娘（無名氏）……五六七七
鶯鶯鬼精（無名氏）……五六七八
蠹魚雖小（馮惟敏）……二三五二
驚回夢殘（陳鐸）……五五八
鸞笙鳳簫（朱有燉）……三五六

滿庭芳兼清江引

一簑晚烟（無名氏）……五六八五
村前野田（無名氏）……五六八六

烟連草連（無名氏）……五六八六
遠山近山（無名氏）……五六八六

滿院榴花

別離幾番（無名氏）……五五四一
時逢禁烟（無名氏）……五五四一

滿江紅

從別天庭（李應策）……四〇四一

滿堂春（滿江紅）

十光佛（無名氏）……五二三九
妙聲佛（無名氏）……五二四〇
大稱佛（無名氏）……五二三九
日光佛（無名氏）……五二三九
高光佛（無名氏）……五二三九
普觀佛（無名氏）……五二三九
善思佛（無名氏）……五二三八
喜聲佛（無名氏）……五二三九
然燈佛（無名氏）……五二三九
寶幢佛（無名氏）……五二四〇

滿園春（遍地錦　雪獅子　鵲踏枝）

悄悄庭院深（無名氏）……五四六九

漁父第一

恨只恨難逢易別（李復初）……四九五七
嫁夫壻農莊務盪（王異）……五一二三

漁家傲

一別家山音信杳（施子安）……四三
今日裏把往事從頭作話題（施紹莘）……四六七二
別後杳無書（蘭陵笑笑生）……二八三七
我則道再到天台訪玉真（王驥德）……三六六〇
潤吐綠煙纔折柳（李應策）……四〇三二

漁燈兒

没來繇惹相思（陸治）……一九六五
我愛你仕女輩性格聰明（王驥德）……三六五五
從那口冷桃源漁艇空撐（沈嵊）……五〇一六

端正好

一班兒扶社稷眾英賢（無名氏）……六〇一四

一氣轉發青陽（無名氏）……五九八八
一聲鶯報上林春（湯式）……一四二
二十載背爺兒（張鍊）……二二六三
九重宮五色日輪高（無名氏）……五九九〇
天生下莽剛腸（陳與郊）……三七一三
天賜我古稀年（王九思）……一〇七七
不放緑樽空（陳所聞）……三八九六
不圖名非干禄（馮惟敏）……二四五二
不覩事拆鸞凰（無名氏）……五九八三
月令值蕤賓（朱有燉）……三九二
正值慶良辰（朱憲㸅）……二六〇一
玉露滴起金風（無名氏）……五九七九
古城南東崖下（王九思）……一〇八一
四面遶山青（王徵）……四二九〇
白玉鳳凰杯（張鍊）……二二六一
江湖量名播世塵中（無名氏）……五九九九
嚮朝陽春長鳳枝新（湯式）……一四三
冷清清月兒明（無名氏）……五九八六
孝順子又添孫（康海）……一三五五
別業輞川莊（陳所聞）……三九四七
享富貴受皇恩（丘汝成）……二八七七
夜將闌人初静（無名氏）……五九八〇
花下燕鶯期（史直夫）……二八七三
青藹藹（劉兑）……一七
明聖主五花封（王九思）……一〇八八
和氣滿門闌（康海）……一三一三
秀奪得海山精（王九思）……一〇八四
金殿玉樓臺（無名氏）……六〇〇〇
金鼎瀹紫團茶（張鍊）……二二六五
門外水如環（張鍊）……二二九六
恰離了玉皇前（馮惟敏）……二五二三
帝城雄皇都壯（無名氏）……六〇〇九
美甘甘俏姻緣（無名氏）……六〇〇一
珊枕畔麝蘭香（陳鐸）……六二七
南北垞輞川清（王徵）……四二九三
柳輕柔花嬌媚（楊賁）……二二二九
胡騎擾邊疆（劉良臣）……一六〇五
香塵暗翠幃屏（王田）……一二二一
香馥馥彩霞生（無名氏）……六〇〇四
馬難前家何在（陳沂）……一二二二
俺也曾步雲霄衣緋絲（何瑭）……一二〇〇
笑蒼天真無謂（程豈一）……五一七三

胸次有海波寬（王九思）……………………一〇六六
寂寞殺海棠嬌（無名氏）……………………五九九一
荷聖主撫洪基（無名氏）……………………五九八四
雪平鋪風初定（李開先）……………………二一〇四
雪初晴寒猶峭（殷士儋）……………………二七九八
雪纔晴寒猶重（金鑾）………………………一八五五
野鶴姿孤雲相（馮惟敏）……………………二四八五
皎團團光無並（無名氏）……………………五四〇八
從現宰官身（陳所聞）………………………三八八三
脚不踏武陵源（張鍊）………………………二二六六
減風流添憔悴（無名氏）……………………五九九三
趁良宵離蘭户（沈澹雨）……………………五一五六
喜佳節值新秋（無名氏）……………………六〇〇五
喜遇太平年（無名氏）………………………五九九七
雲擁出數峰青（張炳濬）……………………四四一六
暑全收（康海）………………………………一三五三
悶懨懨惹閑愁（無名氏）……………………六〇〇二
意安舒身輕快（黄祖儒）……………………三九五九
瑞氣藹層霄（王一鵬）………………………一四六一
聖天子統華夷（無名氏）……………………五九八一
想着俺意相隨同歡暢（無名氏）……………五九八七
跳出了虎狼穴（馮惟敏）……………………二四四七
微雨洗曉山青（王九思）……………………一〇五〇
滸西春色正無邊（康海）……………………一三五二
誤却我十載看書心（無名氏）………………六〇一一
碧山前清河外（王九思）……………………一〇七八
遠浮塵野外蹤（王寅）………………………二一八八
翠紅鄉鶯花寨（無名氏）……………………六〇〇八
醉墨寫烏絲（王藻）…………………………一九〇
賞時歡（畢木）………………………………三四六七
數不盡曉山青（楊應奎）……………………一五一五
劍射斗牛寒（茅溱）…………………………四二三九
凛凛的朔風寒（無名氏）……………………五九九五
擁千騎擺圍場（無名氏）……………………六〇〇六
曉珊珊琪樹蕩靈風（湯式）…………………一四一
錦烘天香鋪地（施紹莘）……………………四六〇三
霜降水收痕（康海）…………………………一三一〇
籬菊拆雨中黄（王九思）……………………一〇六三
鬱金漿鱸魚膾（張鍊）………………………二二六四

誦子令

不孝漫燒千章紙（朱載堉）…………………三四五四

石崇豪富范丹窮（朱載堉）……三四五三
冬有暖衣食有糧（朱載堉）……三四五三
多言人怪少言癡（朱載堉）……三四五三
君子失時不失像（朱載堉）……三四五三
退一步自然安穩（朱載堉）……三四五三
誰能誰不能（朱載堉）……三四五三

齊郎兒

佛如來（無名氏）……五三一六

寨兒令（柳營曲）

二鼓過（無名氏）……五七三一
勻晚粧（楊慎）……一六八三
他要官（常倫）……一八九六
他笑我奢（王九思）……九八一
共萬方（張鍊）……二二三八
有咬嚼（王九思）……一〇一七
豆角兒香（王九思）……九六二
求甚麼佛（王九思）……一〇一七
花寫真（黃峨）……一九八九
兩地游（張鍊）……二二三九
知己稀（康海）……一二五〇
忽剌八（朱有燉）……三二〇
拽大拳（朱有燉）……三一九
南畝田（康海）……一二五〇
秋月明（楊廷和）……八五四
秋水澄（陳鐸）……五〇五
秋雨頻（康海）……一二五〇
風月乾（朱有燉）……三一九
容貌兒標（王九思）……九九八
乘蹇驢（康海）……一二四九
倚畫樓（楊慎）……一六八三
雪霽天（楊慎）……一六八三
掩繡閨（楊慎）……一六八二
眼謾睃（康海）……一二四九
開小軒（康海）……一二四九
結小庵（康海）……一二五〇
詩旋吟（陳鐸）……五〇五
熱功名（王九思）……九六一
穀子兒黃（王九思）……一〇一七
雖是窮（康海）……一二四九
豐稔年（王九思）……一〇一六
韓信差（張鍊）……二二三八

難動止（朱有燉）……三二〇

瑣窗寒

冷紅絨香露濕鞦韆（沈仕）……一六五二
想當初普救寺鶯鶯（沈璟）……三八〇四

碧玉簫

一念光佛（無名氏）……五二六二
一相光佛（無名氏）……五二六二
十方聞名離諸憂佛（無名氏）……五二六〇
大吉祥佛（無名氏）……五二五八
大勝光佛（無名氏）……五二六三
大寶彌留光明觀佛（無名氏）……五二五八
大願修佛（無名氏）……五二六四
凡我生民（廖道南）……一九五三
火餤身佛（無名氏）……五二六〇
天蓋龍光觀十方佛（無名氏）……五二六一
日藏華聲無量明佛（無名氏）……五二六三
至敬頂禮光明輪成就炎佛（無名氏）……五二六〇
至敬頂禮金光明威德王佛（無名氏）……五二六二
至敬頂禮修行幢香彌留佛（無名氏）……五二五九
至敬頂禮堅王華天金剛佛（無名氏）……五二六四
至敬頂禮散華光明莊嚴佛（無名氏）……五二五八
至敬頂禮無量天香光明佛（無名氏）……五二六二
至敬頂禮無量光明華王佛（無名氏）……五二六一
至敬頂禮須彌山無量名佛（無名氏）……五二六三
至敬頂禮寶多羅離無明佛（無名氏）……五二六〇
自在懷佛（無名氏）……五二六三
妙歷光明婆羅堅佛（無名氏）……五二五九
帝重農桑（廖道南）……一九四九
勇猛山佛（無名氏）……五二六一
浄日諸天光明輪佛（無名氏）……五二六四
普照雲王人天尊佛（無名氏）……五二六三
普德光佛（無名氏）……五二六〇

無畏王佛（無名氏）……五二五九
無礙光明香勝幢佛（無名氏）……五二六二
智慧光明金剛齊佛（無名氏）……五二五九
稽首歸依南無上勝月高佛（無名氏）……五二五九
稽首歸依南無大海廣稱佛（無名氏）……五二六二
稽首歸依南無平等思惟佛（無名氏）……五二五八
稽首歸依南無成就義修佛（無名氏）……五二六〇
稽首歸依南無珍寶吼聲佛（無名氏）……五二六二
稽首歸依南無善智地光佛（無名氏）……五二六三
稽首歸依南無普信大稱佛（無名氏）……五二六一
稽首歸依南無智勝上王佛（無名氏）……五二六一
稽首歸依南無智勝寂光佛（無名氏）……五二六四
稽首歸依南無聚寶光明佛（無名氏）……五二五九
寶輪如來（無名氏）……五三一四
護妙法幢尼尸陀佛（無名氏）……五二六一

壽陽曲（落梅引　落梅風）

三冬節（朱瞻基）……四四五
王冕風流在（湯式）……九六
軟履香泥潤（湯式）……九六
髻彈青螺小（湯式）……九七

榴花泣（榴花好）

心窩一幅圖畫（陳子升）……五〇二三
自君之出矣（陳子升）……五〇二九
折梅逢使（唐寅）……一一六六
伯勞飛燕（王驥德）……三六六一
別後費相思（無名氏）……五八七五
長江東注（梁辰魚）……二六九五
佳期重會（陳鐸）……七三一
過春社了（張瘦郎）……四八〇九
經年驛使（王驥德）……三六五九
瑶天夜晃（顧起元）……四二七三

誰知薄倖（沈仕）……一六三五
鍾期已逝（王驥德）……三六五八

對玉環

風暖鶯嬌（楊慎）……一七二五
留住青春（常倫）……一八九二
虛空勝佛（無名氏）……五二七四

對玉環帶過清江引（玉江引）

一日一場（吳國寶）……二七二〇
一主一賓（唐寅）……一一五二
一品隨朝（徐霖）……九〇五
一粒芝蔴（王錫爵）……三三三六
小小園林（徐敷詔）……二一四五
不對名花（吳國寶）……二七二〇
今古名標（馮惟敏）……二三八八
水向東流（無名氏）……五八二七
水面樓臺（楊慎）……一六八四
月魄霜容（朱有燉）……三八二
孔雀屏開（湯式）……八二
玉樹銀花（楊慎）……一六八四
去歲觀梅（湯式）……八一
白酒黃虀（龍膺）……四二一四
白髮堦前（無名氏）……五八二八
江水盈盈（徐敷詔）……二一四五
江雨淋淋（湯式）……八〇
沙徑穿林（王寅）……二一八八
有酒無花（唐寅）……一一五二
百甕黃虀（王錫爵）……三三三五
好個人兒（常倫）……一八九二
何用麟袍（常倫）……一八九二
你會使乖（王錫爵）……三三三七
皂帽絲縧（王錫爵）……三三三五
長夜如年（楊慎）……一七〇四
花落花開（徐霖）……九〇五
兩袖清風（馮惟敏）……二三八九
服藥求仙（南峰）……五〇七四
美竹幽花（王錫爵）……三三三五
郎上孤舟（湯式）……八〇
春來春去（唐寅）……一一五一
春燕秋鴻（徐霖）……九〇五
苦讀詩書（南峰）……五〇七五
南陌東疇（王錫爵）……三三三六

香透簾櫳（湯式）……八一
兔走烏飛（無名氏）……五八二八
紅雪枝頭（楊慎）……一七三〇
酒聖花顛（施紹莘）……四六〇一
酒館吟樓（南峰）……五〇七四
酒釃花濃（施紹莘）……四六〇一
荏苒春光（唐寅）……一一五二
笑倚胡牀（馮惟敏）……二三八九
倚徧危樓（王九思）……一〇二八
寂寂丘園（徐㪟詔）……二一四五
雪積空山（史忠）……四六七
極品隨朝（唐寅）……一一五一
勝水佳山（龍膺）……四二一四
畫棟雕梁（王錫爵）……三三三五
萬個琅玕（徐㪟詔）……二一四五
萬柳千鶯（馮惟敏）……二三七七
萬綠枝頭（楊慎）……一六八三
愛酒劉伶（南峰）……五〇七五
愁多病多（王錫爵）……三三三六
解凍池塘（楊慎）……一六八三
滿泛霞杯（湯式）……八二
碧玉簪折（無名氏）……五八二八
暮雨絲絲（張鍊）……二二四六
暮鼓晨鐘（唐寅）……一一五二
樂處酣歌（王錫爵）……三三三四
麋鹿山邊（王錫爵）……三三三六
禮拜彌陀（唐寅）……一一五二
覆轍翻舟（王錫爵）……三三三五
蠅利蝸名（吴國寶）……二七二一
懶聽笙歌（湯式）……八一
羅袖偷掩（湯式）……八一
饒你天才（馮惟敏）……二三八九
競短爭長（唐寅）……一一五三
鐵鎖銅關（王錫爵）……三三三六
纔見春來（吴國寶）……二七二〇

對玉環帶過朝天令

滿座蘆花（李應策）……四〇四五

對美人

青銅鏡兒（無名氏）……五八三一
花牋上字兒（無名氏）……五八三二
銷金帳兒（無名氏）……五八三二

鮫綃帕兒（無名氏）……五八三一

滾繡毬

五雲車度九重（廖道南）……一九四一
是誰人碾就瓊瑶往下篩（凌濛初）……四五四六

銀紐絲

一年家難捱受用也全（趙南星）……三七五一
到春來難捱受用也慌（趙南星）……三七五一
到夏來難捱受用也幽（趙南星）……三七五一
到秋來難捱受用也撐（趙南星）……三七五一
到冬來難捱受用也喬（趙南星）……三七五一
明月團圓第一遭（趙南星）……三七五〇
臘月三十鬧攘攘（趙南星）……三七五〇

鳳鸞吟

南無香光明世界如來（無名氏）……五三三〇
南無無量種奮迅如來（無名氏）……五三三一
南無娑羅王安立如來（無名氏）……五三三一
南無無邊空嚴德如來（無名氏）……五三三一
南無十方稱世界如來（無名氏）……五三三一
時文聖明（陸深）……一四五八
維皇上天（廖道南）……一九三六

鳳凰吟

聖明天了福無疆（夏言）……一五七一

翠裙腰

黄花三徑如鋪繡（康海）……一三一七

綿搭絮

九枝光燦（徐媛）……四一七三
心中猶豫輾轉成憂（無名氏）……五四八二
心中輾轉兩三翻（無名氏）……五四八二
玉梅春曉（張春陽）……四九二三
奴今爲你好没來由（無名氏）……五四八二
奴家又不曾愛你錢財（無名氏）……五四八二
自别郎面閒阻又經年（無名氏）……五四八三
長空如洗（黄峨）……二〇〇〇
東風一片（徐媛）……四一七三
昏昏漠日下荒臺（韓邦奇）……一四七一
美人春倦（徐媛）……四一七四
郎心奸詐（無名氏）……五四八二
春歸院小（徐媛）……四一七三

胡沙慘慘逐人來（韓邦奇）……一四七一
峭寒微扇（徐媛）……四一七三
這場春病（無名氏）……五四八三
閒來散步過桃溪（康海）……一三〇一
殘霞如茜（徐媛）……四一七三
棲遲荒檄（徐媛）……四一七二
遊山玩水恣清幽（康海）……一三〇〇
落英鋪繡（徐媛）……四一七八
當初奴愛你風流（無名氏）……五四八二
當初奴愛你聰明（無名氏）……五四八一
滿堤衰柳暮蟬鳴（韓邦奇）……一四七二
瘦來難任（凌濛初）……四五四七
誰想你另有了女裙釵（無名氏）……五四八二
薄寒輕悄（徐媛）……四一七二
蘸雨香蕪（徐媛）……四一七三
艷紅飛靄（徐媛）……四一七四

十五畫

調笑令（含笑花）

如來佛如來齊頂禮光王佛如來（無名氏）……五三三三
如來佛如來北方不空成就如來（無名氏）……五三三三
如來佛如來齊頂禮最高德如來（無名氏）……五三三三
如來佛如來齊頂禮自光明如來（無名氏）……五三三三
如來佛如來齊頂禮普光明如來（無名氏）……五三三三
如來佛如來齊頂禮善明燈如來（無名氏）……五三三三
如來佛如來齊頂禮須彌明如來（無名氏）……五三三四

慶東原（慶東園　鄆城春）

一世身無患（朱有燉）……三五三
一派飛泉噴（康海）……一二八四
了了堂前月（康海）……一二八五
三宿王官谷（康海）……一二八五
山中桂（楊慎）……一七〇八
心安分（朱有燉）……三五三
自樂閒中道（朱有燉）……三五三

一爐惡咤虎龍争（常倫）……一八八二
入聖超凡難至難（朱讓栩）……二〇五二
三尺漁竿一葉舟（王克篤）……二九四七
丈八長槍鐵鑄成（常倫）……一八八二
小入毫釐大過天（常倫）……一八八二
小院沉沉玉漏殘（張鍊）……二二五五
五柳莊前陶令宅（朱讓栩）……二〇五二
分香賈履老曹瞞（常倫）……一八八二
石竹圈金繡紫羅（王九思）……九六三
水性冤家不志誠（高應玘）……二七六八
竹葉風篩金珮摇（高應玘）……二七六八
穿有衣裳食有糧（朱載堉）……三四五一
昨夜見他俏臉兒紅（王九思）……一〇三一
流水桃源去路賒（張鍊）……二二五四
酒聖忘情世態輕（楊慎）……一六八四
納了糧草辦了差（朱載堉）……三四五一
淚點愁聲不斷絶（張鍊）……二二五五
這家妙事有誰知（常倫）……一八八二
被展新綾睡語兒甜（王九思）……一〇三一
連天野草緑芊芊（王克篤）……二九四七
細雨柴門鎖寂寥（楊慎）……一六八四
我則道眼皮薄（楊廷和）……八五四
沽酒遊春興（康海）……一二八五
東疃沽新釀（湯式）……九五
花容豔（楊廷和）……八五三
花香細（楊廷和）……八五四
故園一千里（湯式）……九四
柳下三椽廈（湯式）……九五
柳葉描青黛（楊慎）……一七二〇
秋宵永（楊廷和）……八五四
紅鏡當空晒（楊慎）……一七二〇
寒暑□□□（湯式）……九五
粧些坌撒會村（朱有燉）……三五三
殘月金樞壞（楊慎）……一七二〇
黍稷秋收厚（湯式）……九五
蓮花漏（楊廷和）……八五四
賞玩在三春候（朱有燉）……三五一
膩粉新妝態（朱有燉）……三四二

慶宣和

一川禾黍雨初消（王克篤）……二九四七
一拳打碎鳳凰樓（常倫）……一八八二

閑把離騷誦卜居（楊慎）……一六八四
窮巷閉門有雀羅（楊慎）……一六八四
腰鐮深入萬山叢（王克篤）……二九四七
燕子風柔緑柳垂（王九思）……九六三
簡子漁鼓隱世人（朱讓栩）……二〇五二
露濕青巾月滿懷（張鍊）……二二五五
覽勝樓東月鏡明（朱讓栩）……二〇五二

慶原真

南無上如來（無名氏）……五三二六
南無日如來（無名氏）……五三二六
南無月如來（無名氏）……五三二六
南無相如來（無名氏）……五三二六
南無寶如來（無名氏）……五三二六

慶太平

惟天眷我聖明（廖道南）……一九四一

慶豐年

賴皇天錫豐年（廖道南）……一九三八

閙十八

一天細劈雲如絮（俞宛綸）……四四八六
從別後正默默無言倚翠屏（祝允明）……八八五

駐馬聽

一見嬌姿（無名氏）……五四五二
一種閑愁（無名氏）……五四五二
一派啼鶯（張鍊）……二二五一
一首新詩（陳鐸）……五六四
人世幾何（孫峽峰）……四四〇六
几不飛塵（陳所聞）……三八六六
大隱逃名（陳所聞）……三八五四
小小秦娃（范垣）……四一二六
小結茅茨（楊慎）……一六九六
文采翩翩（史槃）……二二六六
天地人和（無名氏）……五四五二
天氣柔和（李應策）……四〇四三
天助中朝（徐敷詔）……二一五八
太華峰頭（楊慎）……一六九五
不近喧嘩（陳所聞）……三八六六
不羨榮名（陳所聞）……三八六五
不避風塵（陳所聞）……三八六六
心地平漫（劉良臣）……一五八七

日月如梭（李應策）……四〇四三
月喜逢丁（李應策）……四〇二〇
水遠山遥（劉良臣）……一五八八
水閣風清（范垣）……四一三一
巧剪天工（薛崗）……三三九九
巧畫丹青（朱權）……二九六
世事好難（孫峽峰）……四四〇六
打破窮愁（陳所聞）……三八六五
可共歡娱（范垣）……四一二六
四月清和（徐敷詔）……二一五八
四錠南金（范垣）……四一三〇
冬有雪飄（無名氏）……五四五三
冬景寒來（無名氏）……五四五五
生長侯門（宛瑜子）……四五一六
片石玲瓏（陳所聞）……三八五五
至樂當尋（皮光淳）……三九六五
有後成丁（李應策）……四〇二一
在在行窩（李應策）……四〇四二
寺倚吴關（陳所聞）……三八五三
寺建齊梁（陳所聞）……三八五七
老天留我（姜恩）……二〇三四
老景蹉跎（王九思）……九七六
老景流連（王九思）……九七六
老景夷猶（王九思）……九七六
老景遲回（王九思）……九七六
囬首春歸（王克篤）……二九三七
多謝兒夫（蘭陵笑笑生）……二八一八
色膽如天（無名氏）……五四五一
志氣軒昂（劉良臣）……一五八九
把酒花前（楊慎）……一七〇四
把釣湖頭（陳所聞）……三八六六
吴水揚舲（陳所聞）……三八五六
别意悠悠（韓邦奇）……一四七二
何人非我（李應策）……四〇四三
何處仙芝（范垣）……四三九
但遇開尊（陳所聞）……三八七八
你自向中原（陳所聞）……三八六九
我痛改前非（楊爾曾）……五二〇〇
皂帽青藜（張鍊）……二二五一
坐傍溪橋（馮惟敏）……二三二八
門掩蒼苔（汪廷訥）……四一九四
夜色蒼蒼（韓邦奇）……一四七三

夜雨纔晴（陳所聞）……三八五七
夜飲朝眠（常倫）……一八八九
花瓣含春（范垣）……四一二七
松植千秋（陳所聞）……三八五六
雨助江濤（陳所聞）……三八五二
雨過涼生（陳所聞）……三八五四
明月中天（楊慎）……一六八〇
祇樹參天（陳所聞）……三八五五
肯受折挫（李應策）……四〇四四
爲禮空王（陳所聞）……三八五五
弧矢懸初（李應策）……四〇一六
春有花香（無名氏）……五四五三
春色微茫（劉良臣）……一五八八
春思依依（韓邦奇）……一四七〇
春雨霏霏（韓邦奇）……一四七〇
春夢悠悠（黃峨）……一九八五
春景融和（無名氏）……五四五五
柳下長亭（楊慎）……一七二一
柳豔荷香（張鍊）……二二五一
南國清秋（汪廷訥）……四一八九
面面青山（陳所聞）……三八四四
香杵玫砧（楊慎）……一七二四
香果堪嘗（范垣）……四一二八
風雨蕭然（陳所聞）……三八五六
風透窗紗（楊慎）……一七二一
秋有月明（無名氏）……五四五三
秋景風涼（無名氏）……五四五五
紅藕池臺（楊慎）……一七二一
幽客閑時（朱權）……二九六
浮世堪悲（梁辰魚）……二六三八
凍雨濛濛（薛崗）……三三九九
浄土喬蓮（范垣）……四一二八
家世秦樓（宛瑜子）……四五〇八
窈窕林亭（陳所聞）……三八六六
悄悄云何（李應策）……四〇四三
草徑蕭蕭（王九思）……一〇〇八
夏有風涼（無名氏）……五四五三
夏景炎威（無名氏）……五四五五
晏起匡床（陳所聞）……三八七八
展草鳴條（周履靖）……三五五九
淡蕩秋空（邵寶）……八七三
淚眼看花（黃峨）……一九八四

旋轉花燈（范垣）……四一二八
都喜清歌（范垣）……四一二七
梅葉輕盈（范垣）……四一二九
爽入清秋（陳所聞）……三八五四
虛度年華（梁辰魚）……二六三七
敗葉蕭蕭（沈璟）……三七九七
徙倚軒窗（陳所聞）……三八七八
得失榮枯（無名氏）……五四五一
晝夜亭前（無名氏）……五四五二
終日醺醺（陳所聞）……三八六五
終歲奔忙（韓邦奇）……一四七五
湖上尋盟（張曼倩）……四四七一
湖水粼粼（陳所聞）……三八五三
寒入簾櫳（薛崗）……三三九八
菊圃芳華（范垣）……四一三一
喜月生初（李應策）……四〇一六
喜見清容（范垣）……四一二六
喜遇連登（范垣）……四一二九
晚浴晴川（馮惟敏）……二三二七
剩水分江（楊慎）……一六九六
瑞雪漫漫（張鍊）……二二五一
鼓轉三更（常倫）……一八八九
落日荒荒（韓邦奇）……一四七五
萬卉培根（范垣）……四一三一
萬柳飛絨（薛崗）……三三九八
遠客長宵（楊慎）……一六八一
遠絶囂塵（楊慎）……一六九六
載酒山園（李應策）……四〇四二
碎剪鵞毛（孫峽峰）……四四〇六
路入毘陵（陳所聞）……三八五三
歲暮馳驅（梁辰魚）……二六三七
聞攝六丁（李應策）……四〇二〇
滿腹才學（陳鐸）……五七四
滿壁滄州（陳所聞）……三八六五
説起當家（陳鐸）……五七四
夢峽啼湘（黄峨）……一九八四
趙女吴姬（范垣）……四一二七
對酒當歌（王克篤）……二九三八
嗚櫓沙頭（楊慎）……一六八〇
翠竹蕭蕭（王九思）……一〇〇九
綺散餘霞（楊慎）……一六九六
誰似阿戎（范垣）……四一三〇

誰厭蹉跎（李應策）……………………四〇四四
廟貌尊崇（陳所聞）……………………三八五五
鬧裏偷閑（范垣）………………………四一三〇
撫字心勞（劉良臣）……………………一五八七
樂酒忘憂（無名氏）……………………五四五一
樂聖銜杯（汪廷訥）……………………四一九五
嬌健清逸（范垣）………………………四一二九
閬苑神仙（周履靖）……………………三五六七
緑野堂前（徐敷詔）……………………二一五八
編竹爲家（陳所聞）……………………三八七九
憶别春初（梁辰魚）……………………二六三八
凛凛霜威（楊慎）………………………一七二一
潞水開倉（李朴）………………………四四七八
禪榻清幽（陳所聞）……………………三八七九
整頓畦丁（李應策）……………………四〇二〇
賢妻休悲（蘭陵笑笑生）………………二八一八
賢聖明圖（朱權）………………………二九六
曉日扶笻（陳所聞）……………………三八五二
興托東坡（陳所聞）……………………三八五三
學有淵源（劉良臣）……………………一五八九
獨倚危樓（梁辰魚）……………………二六三七
獨秉精忠（陳所聞）……………………三八五四
獨對菱花（梅鼎祚）……………………三七三六
錦障花營（陳鐸）………………………五七三
選勝清涼（陳所聞）……………………三八四四
環珮玎璫（范垣）………………………四一三〇
隱士清閑（朱權）………………………二九五
藉藉詞場（汪廷訥）……………………四一八九
繫纜晨炊（楊慎）………………………一六八〇
繖嶺盤旋（陳所聞）……………………三八五七
瀟灑菟家（清河漁父）…………………五〇四七
寶樹祇園（楊慎）………………………一六九〇
寶地曾遊（楊慎）………………………一六九一
寶馬雕鞍（楊慎）………………………一六九一
寶殿迴廊（楊慎）………………………一六九一
離别曾經（黄峨）………………………一九八四
顛倒衣裳（李朴）………………………四四七八
驀見雙魚（陳所聞）……………………三八六九
鶻骨虬髯（徐敷詔）……………………二一五八
鶯兒最多（楊爾曾）……………………五二〇二
驛使折梅（范垣）………………………四一二八
蘿徑周回（佘翹）………………………四二八一

蘿徑攀援（陳所聞）……三八五七
鬬勇争强（無名氏）……五四五一

駐雲飛

一向思來（施紹莘）……四五九四
一坐春山（李應策）……四〇二四
一曲高山（李應策）……四〇二四
一段秋光（馮惟敏）……二三四〇
一段風流（馮惟敏）……二四三二
一望寒烟（趙晉峰）……四九五四
一幅羅巾（金鑾）……一八三〇
一點殘燈（金鑾）……一八三〇
一點朱唇看了些娘愛煞人（王九思）……九九六
一點朱唇今日梨園見此人（王九思）……九九六
一點朱唇一種風流畫裏人（王九思）……九九六
一點朱唇任是無情也動人（王九思）……九八二
二月初春（無名氏）……五三七八
二鼓鼕鼕（無名氏）……五三九六
十月交冬（無名氏）……五三七九
十一月天寒（無名氏）……五三七九
十二月嚴凝（無名氏）……五三七九
七月星河（無名氏）……五三七八
八月中秋（無名氏）……五三七九
八面無征（無名氏）……五三六六
人世蓬瀛（吴承恩）……二〇四一
人情秋雲（孫峽峰）……四四〇四
九日登臨（范垣）……四一二五
九月裏重陽（無名氏）……五三七九
三寸靈根（徐敷詔）……二一五七
三月寒食（無名氏）……五三七八
三徑徜徉（朱慶椾）……四四七四
三鼓頻喧（無名氏）……五三九六
三載居山（李應策）……四〇二五
三壽作朋（劉良臣）……一六〇〇
才比春葩（胡仁廣）……四四七五
兀坐看山（李應策）……四〇二六
大火西流（無名氏）……五四五八
下的茶船（無名氏）……五三六九
上告娘行（無名氏）……五四五九
上的牙床（無名氏）……五三八〇
上的茶船（無名氏）……五三六九
上得船來（無名氏）……五三六九

上的驊騮（無名氏）……五三七〇
山外雲横（梁辰魚）……二六四〇
山壽俫兒（無名氏）……五三七七
山澗裏修行（無名氏）……五三八九
小小亭臺（薛崗）……三三九四
小小涼亭（馮惟敏）……二三九五
小小琴臺（馮惟敏）……二三九五
小小漁船（馮惟敏）……二三九五
小小方塘（馮惟敏）……二三九六
小小冤家（梁辰魚）……二六三九
斗室幽棲（夏言）……一五六六
六月炎天（無名氏）……五三七八
文輔書生（無名氏）……五三七七
元夜春晴（范垣）……四一二三
元夜邀賓（徐敷詔）……二一五〇
王家增修（無名氏）……五三七五
夫人差錯（無名氏）……五三七七
天下才名（吴承恩）……二〇四〇
天欲離山（李應策）……四〇二四
五月蕤賓（無名氏）……五三七八
五鼓聲揚（無名氏）……五三九七
五穀豐登（無名氏）……五四〇〇
五嶽獨雄（李樸）……四四七七
不必張羅（朱載堉）……三四二七
不必熬煎（朱載堉）……三四二七
不必追求（朱載堉）……三四二七
不必奔忙（朱載堉）……三四二七
不負前因（無名氏）……五三八一
不飲云何（王九思）……九八三
不論青春（無名氏）……五三九二
日日看花不惜金貂付酒家（張文介）……五〇四九
日日看花一二煙霞伴絶佳（張文介）……五〇四九
日月如梭（孫峽峰）……四四一二
中好意無（無名氏）……五三六八
少憩玉泉（李樸）……四四七七
午夢初消（無名氏）……五四五八
心下躊躇（吴復菴）……三二五七
心性蕭疎（王克篤）……二九三八
心性疎慵（王克篤）……二九三八
心事愁煩（無名氏）……五三九一
手撚花枝（無名氏）……五三九〇
今日成親（無名氏）……五三八二

可愛春天（孫峽峰）……四四〇五
可愛黄花（張鍊）……二二五〇
石几烏皮（徐㪚詔）……二一四六
世授韜鈐（杜文焕）……四七六七
古往今來（無名氏）……五四五四
叫過梅香（無名氏）……五三八一
四月之間（無名氏）……五三七八
四海無虞（無名氏）……五三六六
四鼓頻催（無名氏）……五三九七
四壁青山（丁惟恕）……四三五二
白馬將軍（無名氏）……五三七六
白晝遲遲（徐㪚詔）……二一四六
白髪衰翁（無名氏）……五四五四
仔細思量（無名氏）……五三九七
冬景嚴凝（無名氏）……五三九九
出的山門（無名氏）……五三七〇
出得幽齋（施紹莘）……四五九六
出落精神（梁辰魚）……二六四一
奴罵才郎（無名氏）……五三八五
池館黄昏（無名氏）……五四五八
汝避嚴霜（丁惟恕）……四三六二
今夜別離（陳鐸）……五二八
月下星前（無名氏）……五三八九
月户雲窗（無名氏）……五三九一
月在南枝（施紹莘）……四五九七
月色熒光（無名氏）……五三七三
月落星稀（徐㪚詔）……二一四六
月裏嫦娥（無名氏）……五三九二
月影波光（夏言）……一五六七
月轉晴光（無名氏）……五三九二
水路難行（無名氏）……五三七一
半幅香羅（楊慎）……一七二八
玉兔圓缺（無名氏）……五三六八
玉漏休催（徐㪚詔）……二一五〇
玉質冰姿（馮惟敏）……二四三七
玉露金風（胡文焕）……三三五一
玉露清團（范垣）……四一二四
正月元宵（無名氏）……五三七八
正值秋天（無名氏）……五三九九
去見夫人（無名氏）……五三八一
去赴瑶池（無名氏）……五三八八
可笑時年（孫峽峰）……四四〇四

寺裏尼姑（無名氏）……五三八五
共入蘭堂（無名氏）……五四〇〇
共枕同衾（無名氏）……五三九九
地北天南（施紹莘）……四五九七
地割鴻溝（王問）……一九七一
再不歸來（施紹莘）……四五九五
百拜賢東（丁惟恕）……四三六二
百鍊真金（馮惟敏）……二四三一
朽物堪憐（丁惟恕）……四三八一
托賴龍天（孫峽峰）……四四〇八
列坐傳柑（徐敷詔）……二一五〇
早起囚花（無名氏）……五三七二
同赴羅幃（無名氏）……五三九一
此處瑶池（無名氏）……五四〇〇
曲徑疏籬（夏言）……一五六六
曲路徑山（李應策）……四〇二二
年老家貧（吴復菴）……三二五八
竹户柴扉（夏言）……一五六六
休論興亡（無名氏）……五三九六
伏謁承明（許樂善）……三五四六
伎戲逢山（李應策）……四〇二四
行罷多時（無名氏）……五三六九
行者來迎（無名氏）……五三七一
好是新年（無名氏）……五三九二
如蚊負山（李應策）……四〇二六
沉醉京華（陳鐸）……五七九
泛泛輕舟（胡文焕）……三三五〇
初鼓纔敲（無名氏）……五三八九
初鼓頻敲（無名氏）……五三九六
村裏村人（無名氏）……五三八五
村釀新篘（無名氏）……五三九三
志氣軒昂（吴復菴）……三二五七
杏臉桃腮（陳鐸）……五七八
扯住郎君（無名氏）……五三九〇
扯起書生（無名氏）……五三八〇
扯碎花箋（無名氏）……五三七二
我要扎根（孫峽峰）……四四一一
我急轉蘭堂（無名氏）……五三八一
我跪在前頭（無名氏）……五三八一
你玉腕交加（無名氏）……五三八〇
你欸欸輕輕（無名氏）……五三八〇
你是嬌羞（無名氏）……五三八一

你是銅錢（無名氏）……五三八六
你跪在床前（無名氏）……五三九七
每日沉沉（無名氏）……五三九三
身似瘡疣（沈袾宏）……三三四六
坐在庭前（無名氏）……五三八一
坐對壁山（李應策）……四〇二五
那值殘春（陳鐸）……五二八
忍怕擔驚（無名氏）……五四五七
君瑞斯儒（無名氏）……五三七五
法聰無知（無名氏）……五三七六
波漲迷山（李應策）……四〇二六
夜半涼生（陳鐸）……五七八
官美神疲（許樂善）……三五四五
返轡山陬（李樸）……四四七八
奉勸族賢（孫峽峰）……四四一二
玩賞名園（無名氏）……五三九八
玩罷涼亭（無名氏）……五三九八
花木芳菲（無名氏）……五三七三
花月東牆（無名氏）……五三九〇
花外提壺（王九思）……九八二
花草芬芳（王九思）……一〇一九
花落春深（無名氏）……五四五九
林影山光（夏言）……一五六八
雨過層城（王九思）……一〇一九
雨過橫塘（張鍊）……二二五〇
兩淚盈腮（無名氏）……五三九一
來到山溪（無名氏）……五三八九
到此難提（吴復菴）……三二五八
到底成空（吴復菴）……三二五八
拆放封皮（無名氏）……五三七二
抱幞荆山（李應策）……四〇二二
受盡榮華（無名氏）……五三九三
知在誰家（無名氏）……五四五六
和尚每難熬（無名氏）……五三八五
和淚開緘（梁辰魚）……二六四〇
秀英胡爲（無名氏）……五三七七
侍妾紅娘（無名氏）……五三七六
命裡合孤（無名氏）……五四五七
金粟滿山（李應策）……四〇二五
金剪携將（李文燭）……四四七九
委巷柴扉（徐敷詔）……二一四六
忽上心來（無名氏）……五三九七

門掩黄昏（無名氏）……五四五七
客夢纔醒（康海）……一三〇二
洞府清高（常倫）……一八八八
洛社風流（徐敷詔）……二一五〇
恰道入山（李應策）……四〇二六
美貌當年（無名氏）……五三九二
美貌傾城（無名氏）……五三九四
美質良材（馮惟敏）……二四三一
音韻新題（無名氏）……五三八六
爲病尋山（李應策）……四〇二五
爲憶杭州（胡文焕）……三三五〇
拜上雙生（無名氏）……五三六九
拜罷金容（無名氏）……五三七〇
春色三分（常倫）……一八八九
春色滿山（李應策）……四〇二六
若説吴詳（無名氏）……五三九二
若説佳人（無名氏）……五三九三
若説仙家牢鎖心猿和意馬（無名氏）……五三八八
若説仙家不着輕裘乘駟馬（無名氏）……五四五六
若説仙家猿鶴爲朋山是家（無名氏）……五四五六
若説仙家傲煞長安豪貴家（無名氏）……五四五六
是話休題（無名氏）……五四五六
昨日厚擾（孫峽峰）……四四一一
昨有鄙言（孫峽峰）……四四一〇
昨夜黄昏倚定門兒等那一個人（無名氏）……五三八三
昨夜黄昏雨灑浮萍點點青（無名氏）……五三八五
昨夜黄昏點上銀燈獨自寢（無名氏）……五三九二
昨夜陽臺（梁辰魚）……二六三九
看罷端的（無名氏）……五三七一
秋來豐登（孫峽峰）……四四〇五
秋景瀟瀟（無名氏）……五三九九
負債歸山（李應策）……四〇二五
重整金釵（無名氏）……五三九一
俊俏風流（無名氏）……五三九四
俊俏冤家（楊慎）……一七二八
便去還山（李應策）……四〇二二
待月西廂（無名氏）……五三九〇
律轉黄鍾（范垣）……四一二五
風捲楊花（施紹莘）……四五九四
飛虎賊人（無名氏）……五三七六
怒氣衝天（無名氏）……五三九六

紅粉嬌姿（無名氏）……五三九五
架嶺漫山（李應策）……四〇二二
送別優游（胡文焕）……三三五〇
酒暈潮紅（施紹莘）……四五九六
酒艷花濃（無名氏）……五三九四
酒釃花濃（王九思）……九八二
家有銅錢（無名氏）……五三八五
病裏愁中（胡文焕）……三三五一
庭院深沉（施紹莘）……四五九五
庭院黄昏（陳鐸）……六一九
窈窕軒窗（陳鐸）……五三五
真箇蹊蹺（吴復菴）……三二五八
秦併諸侯（無名氏）……五三九五
索性丢開（施紹莘）……四五九七
桃李芳華（范垣）……四一二四
夏日初長（無名氏）……五三九八
夏日炎天（孫峽峰）……四四〇五
夏有涼風（無名氏）……五三八五
夏賞春遊（沈袾宏）……三三四七
時遇良期（無名氏）……五三六七
時遇新正（無名氏）……五三九一
時值新秋（馮惟敏）……二二四〇
恩重山丘（沈袾宏）……三三四六
笑他罪重丘山（李應策）……四〇二五
笑殺山人（無名氏）……五四五九
殺氣騰山（李應策）……四〇二七
書寄歸鴻（胡文焕）……三三五一
展轉嗟呀（張鍊）……二二五〇
紙襖麻衣（無名氏）……五三八八
涼夜迢迢（張鍊）……二二五〇
深鎖香閨（無名氏）……五三九九
清夜沉沉（王九思）……九八二
淺淺池塘（薛崗）……三三九五
寂寂幽居（丁惟恕）……四三七六
許配雄雌（陳鐸）……五二九
悵望秦山（李應策）……四〇二六
莫逞剛强（無名氏）……五三九六
梳樣兒蟾（施紹莘）……四五九五
梅香隨邪（無名氏）……五三七七
雪凍風嚴（王克篤）……二九三九
勒石燕山（李應策）……四〇二三
野渡漁磯（夏言）……一五六六

唱的情希（無名氏）……五三六八
唱的情虛（無名氏）……五三六八
唱的每婆娘（無名氏）……五三八二
唱的每無知（無名氏）……五三八二
唱的每如花（無名氏）……五三八二
唱的每無才（無名氏）……五三八二
唱的每情偏（無名氏）……五三八二
唱的每是行家（無名氏）……五三八二
唱的每情雜（無名氏）……五三八三
唱的每風流（無名氏）……五三八三
唱的每標致（無名氏）……五三八三
崔氏鶯鶯（無名氏）……五三七六
問柳尋花（王九思）……九八一
側耳聽聲（無名氏）……五三九七
得了莊家（孫峽峰）……四四〇五
得失由天（無名氏）……五三九五
徙倚長堤（胡仁廣）……四四七五
從學耕山（李應策）……四〇二四
細雨濛濛（丁惟恕）……四三六四
終日禱山（李應策）……四〇二四
惱碎柔腸（楊慎）……一七二八
博塞投壺（康海）……一三〇二
減盡朱顏（杜子華）……三五〇八
訴與郎知（無名氏）……五三八〇
訴罷離別（無名氏）……五四〇〇
詔歸休憂（無名氏）……五四五四
曾渡海山（李應策）……四〇二三
寒夜無眠（張鍊）……二二五〇
富比王侯（沈袾宏）……三三四七
富貴如何（康海）……一二六六
富貴榮華（無名氏）……五三九三
富貴豪家（無名氏）……五三九五
窗外青山（常倫）……一八八九
廊廟先憂（胡文煥）……三三五〇
菊綻東籬（無名氏）……五三九九
聒噪君家（丁惟恕）……四三六二
堪賞元宵（王克篤）……二九三八
堪賞中秋（王克篤）……二九三八
堪賞端陽（王克篤）……二九三八
堪嘆皮囊（丁惟恕）……四三八一
喜遇良宵（無名氏）……五三九二
黃閣清風（吳承恩）……二〇四一

雲影天光（夏言）……一五六七
散坦居山（李應策）……四〇二四
握手臨山（李應策）……四〇二三
紫氣絪緼（范垣）……四一二三
景色淒然（無名氏）……五三九九
景物留人（王九思）……九八三
景際韶華（許樂善）……三五四六
睍睆倉庚（無名氏）……五四五八
暑往寒來（無名氏）……五四五四
買賣行商（無名氏）……五三九五
帽樣新鮮（無名氏）……五四六〇
悶可消除（無名氏）……五三九四
悶坐茶舡（無名氏）……五三九〇
悶倚闌干（陳鐸）……五七八
悶對銀缸（無名氏）……五三八九
開門見山（李應策）……四〇二四
無影無踪（無名氏）……五三六七
焦躁憂疑（吳復菴）……三二五七
皓齒纖腰（陳鐸）……五五六
短命冤家（施紹莘）……四五九六
短歎長吁（吳復菴）……三二五八
鄉裏莊家來到城中叫土巴（無名氏）……五三八四
鄉裏莊家來到勾欄賣弄他（無名氏）……五三八四
鄉裏莊家伴着個婆娘閑嗑牙（無名氏）……五三八四
鄉裏婆娘來到城中賣弄他强（無名氏）……五三八四
鄉裏婆娘兩隻刀麻有四尺長（無名氏）……五三八四
結冰爲山（李應策）……四〇二三
意不俄延（無名氏）……五三七〇
意不稍停（無名氏）……五三七一
新進儒童（吳復菴）……三二五八
試染霜毫（梁辰魚）……二六四〇
話是這説（孫峽峰）……四四一一
棄子抛妻（無名氏）……五三八九
萬里橋西（趙晉峰）……四九五四
萬國來朝（無名氏）……五三六六
萬壽無疆（劉良臣）……一五九九
萬壽無期（劉良臣）……一六〇〇
萬點花飛（張鍊）……二二四九
盞落歸臺（無名氏）……五三九四

惡聲臨山（李應策）……四〇二六
暗想嬌容（黃峨）……一九七九
暗想嬌情（黃峨）……一九七九
暗想嬌羞（黃峨）……一九八〇
暗想嬌嬈（黃峨）……一九八〇
跪在庭堦（無名氏）……五三八〇
跪倚幃屏（無名氏）……五三八〇
跪落香閨（無名氏）……五三七九
跪落塵埃（無名氏）……五三八三
跪落庭前（無名氏）……五三八三
跪落堦基（無名氏）……五三八四
跪落床邊（無名氏）……五三八四
歲月如流（王克篤）……二九三九
愛月登樓（無名氏）……五三七三
矮矮松屏（薛崗）……三三九四
解組歸田（無名氏）……五四五四
節近清明（無名氏）……五三九八
節屆端陽（范垣）……四一二四
會合江州（無名氏）……五三七一
腼腆逡巡（施紹莘）……四七二八
酷暑撩人（康海）……一三〇二
漢卿文能（無名氏）……五三七五
滾滾紅塵（王九思）……一〇一九
漏盡更殘（丁惟恕）……四三六二
說起名聲（無名氏）……五三九三
瘦損妖嬈（無名氏）……五三七二
寬褪羅衣（梁辰魚）……二六三九
遥憶松蘿（朱慶榇）……四四七四
夢到陽臺（無名氏）……五四五七
壽誕開筵（楊爾曾）……五一九四
壽祝南山（楊爾曾）……五一九四
壽酒重添（楊爾曾）……五一九四
壽際清朝（吴國寶）……二七三四
壽靄盤旋（楊爾曾）……五一九四
聚散匆匆（胡文焕）……三三五一
對景忘情（劉良臣）……一五九八
對景忘言（劉良臣）……一五九八
對景熙熙（劉良臣）……一五九八
對景陶陶（劉良臣）……一五九八
睡到醒時（施紹莘）……四五九六
睡煞鴛鴦（王克篤）……二九四〇
嘆息奇花（徐敷詔）……二一五七

緩步蹣跚玳瑁筵前見少蘭（馮惟敏）……二四三二
緩步蹣跚一段香風送楚蘭（馮惟敏）……二四三二
樂意陶然（馮惟敏）……二四三一
樂道安貧（許樂善）……三五四五
憐客奔山（李應策）……四〇二六
静掩重門（陳鐸）……五七八
據狀申文（吴復菴）……三二五八
燕子磯頭（胡文焕）……三三五〇
燕舞鶯歌（馮惟敏）……二四三六
樹隔雕簷（梁辰魚）……二六四一
霖雨收功（吴承恩）……二〇四一
遶砌蛩鳴（丁惟恕）……四三六二
積玉堆金（無名氏）……五三九五
積錦堆霞（無名氏）……五三六七
學海長流（沈袾宏）……三三四七
獨上江樓（胡文焕）……三三五〇
獨上粧樓（陳鐸）……五二八
獨佔鰲頭（沈袾宏）……三三四七
獨守香閨（無名氏）……五三九一
獨負嬋娟（徐敷詔）……二一五七
錦瑟淒涼（陳鐸）……五七八
製得新詞（施紹莘）……四五九五
銀漢澄高（范垣）……四一二四
鳳友鸞儔（沈袾宏）……三三四七
潑水難收（無名氏）……五四五五
睥睨關山（李應策）……四〇二二
鄭氏夫人（無名氏）……五三七六
鄭恒無才（無名氏）……五三七六
誰剪丹楓（胡文焕）……三三五一
誰鎮天山（李應策）……四〇二三
暮雨朝雲（楊慎）……一七二八
賣酒當壚（無名氏）……五三九〇
醉死人命（孫峽峰）……四四一一
醉臥浮山（李應策）……四〇二七
醉眼初醒（王九思）……九八二
數盡歸鴉你在何處貪歡未到家（陳鐸）……五七九
數盡歸鴉那裡貪歡不到家（無名氏）……五四五七
閬苑仙娃（施紹莘）……四五九四
緑暗紅稀（無名氏）……五三九八
緑樹陰濃（無名氏）……五三九八
緑暈紅嫣（梁辰魚）……二六四一

燭影搖紅（陳鐸）……五五六
環珮無聲（梁辰魚）……二六四〇
薄分劉晨（陳鐸）……五五六
薄倖王魁（無名氏）……五三七二
戲蕊含蓮（黃峨）……一九八九
點檢英豪（王九思）……九八一
簇簇花蹊（薛崗）……三三九五
離榻披衣（無名氏）……五三九七
霧黛雲鬟（王九思）……九八二
舊日張郎（陳鐸）……五五六
題起情人（無名氏）……五四五六
雙漸還鄉（無名氏）……五三七〇
歸隱青山（無名氏）……五四五四
懶上粧樓（陳鐸）……六一九
懶傍粧臺（張鍊）……二二五一
寶馬金羈（張鍊）……二二五〇
醫者呼郎（無名氏）……五三七七
簾影燈光（夏言）……一五六八
魏紫姚黃（徐敷詔）……二一五七
攜手登高（李樸）……四四七八
聽說心忙（無名氏）……五三七一
聽說緣因（無名氏）……五三八〇
瀲灩流霞（無名氏）……五三九四
蘇氏傷悲（無名氏）……五三六九
蘇氏心驚（無名氏）……五三七一
飄絮飛蝶（無名氏）……五三六七
癩子希奇（無名氏）……五四六〇
麗日初遲（無名氏）……五三九八
露水夫妻（施紹莘）……四五九七
瀟灑雲林（王九思）……一〇一八
疊雪香羅（黃峨）……一九八八
囑咐尊師（無名氏）……五三六九
囑咐艄公（無名氏）……五三七〇

蔓青菜

脚到處人相敬（無名氏）……五六八六

賣花聲（昇平樂）

月過十五光明好（朱有燉）……三六〇
碧筒滿泛金盤露（無名氏）……五六八七
雕盤香裊黃金串（無名氏）……五六八七

醉太平（昇平樂　凌波仙）

一人聖哲（周履靖）……三五七三

一千里故人（馮惟敏）……二四〇一
一箇官封在翰林（無名氏）……五五五九
二十年不足（馮惟敏）……二三七三
二八年艷娃（湯式）……八八
人情上捻恰（陳鐸）……六〇五
人情懵懂（王克篤）……二九三〇
入松林黑濃（薛崗）……三三八七
入嵩山深隱（馮惟敏）……二三七四
三十年在田（康海）……一二七二
三家彎路邊（無名氏）……五五六〇
下一盤始基（金鑾）……一八二〇
大官人模稜（劉良臣）……一五九二
山色在四圍（康海）……一二七〇
山萬疊擁着草樓（王寅）……二一七三
小鶯花洞天（朱有燉）……三七五
王魁做了狀元（無名氏）……五五五六
天連倦眼（陳鐸）……五五〇
不是厭輕肥（夏暘）……九二四
不經商販茶（無名氏）……五五六一
五更頭上堂（馮惟敏）……二四〇二
比桃源深遠（馮惟敏）……二三七二
手接着壽卮（馮惟敏）……二四〇二
今日箇稍閑（康海）……一二七一
心腸休碎小（張鍊）……二三一五
心猿鎖莫鬆（夏暘）……九二三
水灣環萬折（楊廷和）……八四三
玉兔鶻妝着帶根（朱有燉）……三七六
玉堂中散仙（無名氏）……五五六三
古唐虞聖君（朱瞻基）……四四四
本心胸窄小（王寅）……二一七二
正管着府廳（馮惟敏）……二四〇二
且隨時嘯歌（康海）……一二〇八
四圍高有山（劉良臣）……一五九三
世不曾下廣（馮惟敏）……二三七四
包龍圖任滿（馮惟敏）……二三七四
乍見他臉腦（趙南星）……三七五二
生居在孔門（湯式）……八八
他道是痴呆（劉良臣）……一五九三
出東關渡河（楊廷和）……八四四
汗珠兒洗脚（王克篤）……二九三一
江湖間養拙（康海）……一二〇九
羊羔酒党家（趙南星）……三七五二

衣服兒久遠（陳鐸）……六〇五
州衙縣衙（無名氏）……五五六三
老人家托閑（康海）……一二七一
老没了氣血（無名氏）……五五五八
老柳咽鳴蟬（夏暘）……九二二
老頭兒紙糊（黄祖儒）……三九五三
有干雲書閣（馮惟敏）……二三七三
有付搭名色（陳鐸）……六〇六
有茅屋草堂（劉良臣）……一五九二
有錢的受窮（朱載堉）……三四五〇
西風暮鐘（黄淮）……二八五
百年身可歇（王九思）……一〇一五
百姓每苦哉（劉良臣）……一五九二
列笙歌綺筵（康海）……一二〇九
列華筵玉臺（朱有燉）……三三一
托乾坤至仁（康海）……一二〇九
光陰容易老（夏暘）……九二三
肉鰾膠怎解（朱有燉）……三八〇
丢開了硯臺（湯式）……八九
任人吹野火（程可中）……四一四九
休涎眉瞪眼（馮惟敏）……二三七四
休問我咬嚼（無名氏）……五五五五
休論高品低（王九思）……一〇一五
休論黄數黑（王九思）……九九五
休隨心作歹（馮惟敏）……二三七四
似無若有（陳鐸）……五七二
向山村静處（無名氏）……五五六〇
收放心腔内（夏暘）……九二二
好光陰有幾（馮惟敏）……二三七三
好的兒看了（陳鐸）……六〇六
好任俠顛狂（王寅）……二一七二
好睡的丢與他箇枕頭（無名氏）……五五五五
好韶華是春（朱瞻基）……四四
沉顛先擔子（馮惟敏）……二三二二
辛勤了幾年（無名氏）……五五六三
走紅塵不歇（王九思）……一〇一四
孝劬勞父母（無名氏）……五五六一
扶頭酒過（無名氏）……五五五九
步東郊西郊（劉良臣）……一五九〇
足不踏縣門（劉良臣）……一五九一
見三箇老兒（康海）……一二七一
別離半日（無名氏）……五五五九

坐竹側柳邊（劉良臣）……一五九一
坐花間倒壺（康海）……一二七〇
坐皇宫九重（朱瞻基）……四四四
坐珠簾小軒（康海）……一二〇九
坐園亭放歌（康海）……一二七一
利名心不起（劉良臣）……一五九一
利名場事冗（無名氏）……五五五六
利名場路陡（張鍊）……二二一五
邦家樂太平（朱瞻基）……四四四
我癡呆懵懂（無名氏）……五五五七
住一所小軒（王九思）……九九五
住茆簷竹厘（夏暘）……九二三
君唐虞聖明（無名氏）……五五六二
阮步兵眷寵（朱有燉）……三七九
怕的是晚夕（無名氏）……五五五九
怕夜冠束縛（無名氏）……五五五八
怪春雪不晴（王九思）……一〇二八
洪東曲可傳（王九思）……九九四
享榮華富貴（馮惟敏）……二三七四
夜將闌玉融（無名氏）……五五五六
放倒身施爲（王克篤）……二九三〇
房兒壞便拆（康海）……一二七二
官居從五（無名氏）……五五六三
青青的面色（趙南星）……三七四九
武陵溪釣舸（金鑾）……一八二〇
芳塵滚滚（湯式）……八七
花花草草（高應玘）……二七六七
花陰下管絃（無名氏）……五五五五
花衢中占場（朱有燉）……三八〇
東籬菊幾攢（劉良臣）……一五九三
青山故友（孫胤伽）……四四七二
雨雲臺上講經（朱有燉）……三七八
抹丹青忒真（薛崗）……三三八六
拄着杖脊缺（無名氏）……五五五八
抱越女楚娃（王九思）……九九五
□春來可玩（朱載堉）……三四四九
□夏天可玩（朱載堉）……三四四九
和風擺柳絲（張鍊）……二二一四
和風颺柳煙（馬理）……一二〇六
近三叉道北（無名氏）……五五五八
金風清爽人（馬理）……一二〇七
金樽泛紫霞（王九思）……一〇二七

免鶴怨猿猜（夏暘）……九二三
門兒前小園（劉良臣）……一五九三
門懸著艾虎（常倫）……一八八五
屈朱明夏景（朱瞻基）……四四四
阻鶯儔燕侶（楊慎）……一七一〇
怪相逢隔年（王寅）……二一七四
恰四月二十（康海）……一二七二
恰金烏去也（無名氏）……五五六〇
恰門前雨歇（無名氏）……五五六〇
恰逍遥小莊（康海）……一二七一
恰珠樓宴徹（朱有燉）……三五〇
恰雲收雨歇（朱有燉）……三五〇
亭擬搆休休（劉良臣）……一五九二
祖宗積至仁（朱瞻基）……四四三
爲兒的心癡（朱載堉）……三四五〇
爲甚麼下翻的恁早（無名氏）……五五五六
春容回面頰（朱有燉）……三三七
春滿上陽宫（廖道南）……一九二八
春鷄曉早啼（王九思）……一〇一五
茅庵無片瓦（馮惟敏）……二三七二
相携道童（無名氏）……五五五六
南華經看徹（無名氏）……五五五八
南無意稱佛（無名氏）……五二四八
南無普現佛（無名氏）……五二四八
南無廣曜佛（無名氏）……五二四八
南無喜解佛（無名氏）……五二四八
南無賢悦佛（無名氏）……五二四八
南無寶敬佛（無名氏）……五二四九
南無廣施佛（無名氏）……五二四九
南無普悦佛（無名氏）……五二四九
南無大護佛（無名氏）……五二四九
南無大聚佛（無名氏）……五二四九
貞烈似王凝妻性格（朱有燉）……三六五
咱心裏哽咽（無名氏）……五五五七
咱莫氣辯論（李應策）……三九六九
昨日箇小亭（康海）……一二七〇
星華紫殿高（廖道南）……一九四五
風流了半生（康海）……一二七〇
風爐煮茶（瞿佑）……二七七
看千章夏木（康海）……一二一〇
看白雲萬丈（無名氏）……五五六〇
看杯盤整齊（康海）……一二一〇

看殘碑斷碣（楊廷和）……八四三
看學術紛紛（王寅）……二一七二
香消麝蘭（劉效祖）……二七九〇
俏雙生手窨（王克篤）……二九三〇
待明朝雪消（王九思）……一〇二八
負喧喜嚮陽（夏暘）……九二三
急烹翻蒯徹（無名氏）……五五五八
省人情的管寧（張鍊）……二二一三
怒字兒早休（王九思）……九九三
紅杏外小亭（王九思）……九七一
既稱負君親（李應策）……三九六九
幽蘭種種（無名氏）……五五五七
蚤有志雄飛（王寅）……二一七二
酒微醺罷飲（劉良臣）……一五九二
討頭兒放本（陳鐸）……六〇七
晉潘安俊材（朱有燉）……三七七
秦女登仙者（夏暘）……九二二
班馬文枉學（王寅）……二一七二
茶烹鳳爪（賈仲明）……二一六
挺着胸鎮日矜誇（王寅）……二一七三
真一箇老農（劉良臣）……一五九三
破瓦窑綴詞（朱有燉）……二二七九
笑山人懵懂（馮惟敏）……二三七二
笑白髮老仙（王九思）……九九五
笑首陽餓夫（夏暘）……九二三
笑僝愚老夫（康海）……一二七一
朔風動北陬（馬理）……一二〇七
留詩書滿廂（李應策）……三九七一
倩酒盞解憂（王九思）……九九四
俺受朝廷寵禄（楊廷和）……八四二
倒溜油黑染了鬢絲（朱有燉）……三七五
能賦詩退虜（馮惟敏）……二四〇二
書囊綉篋（無名氏）……五五五九
降彤雲六花（楊循吉）……八二一
紙糊鍬莽鐝（朱有燉）……三八〇
剪銅荷燭花（陳鐸）……五三四
惜花人那廂（湯式）……八八
粗粗的布袍（金鑾）……一八二〇
清風生樹梢（無名氏）……五五六〇
清湛湛蒼穹（王克篤）……二九三〇
深深的草萊（金鑾）……一八二〇
許多時困苦（康海）……一二一〇

訪堯峰禹穴（無名氏）……五五五七
這杯酒有名（王九思）……九九五
這紅顔變者（王寅）……二一七二
麻繩是知己（陳鐸）……六〇六
望十洲霧斂（馮惟敏）……二三七三
望千章夏木（康海）……一二七二
望長安在東（楊廷和）……八四二
望前溪翠巒（王寅）……二一七一
莫傷懷懊惱（夏暘）……九二二
荷皇朝聖恩（劉良臣）……一五九一
荷當今聖人（張鍊）……二二一三
掃愁懷玉帚（朱有燉）……三七七
掃瓊瑶煮茶（王九思）……九七一
連糟酒可人（王九思）……九九五
盛濁酒瓦盆（王九思）……九九三
常拈弄紙筆（劉良臣）……一五九三
眼睁睁打盹（馮惟敏）……二三七四
逞東風艷嬌（楊循吉）……八二一
蚰蜒豆角長（劉良臣）……一五九〇
黍熟來釀酒（劉良臣）……一五九〇
透花影碧紗（王九思）……一〇二八
逢秋日可樂（朱載堉）……三四五〇
從來的上公（王寅）……二一七三
覓黄冠道流（汪廷訥）……四一九四
問西樓禁煙（王磐）……七九三
問何方老者（無名氏）……五五五八
參天緑樹重（夏暘）……九二二
陰不擇厚薄（劉良臣）……一五九一
陰晴盡曉（陳鐸）……六〇六
渴來時喫茶（劉良臣）……一五九一
着青衫會耍（朱有燉）……三七七
寒梅開正濃（無名氏）……五五六一
就輕紅焙手（朱有燉）……三七五
富和貧怎麼（張鍊）……二二一五
替貧人代筆（陳鐸）……六〇五
華燈夜宴開（常倫）……一八八六
斯螽初動股（廖道南）……一九五二
越怪我難近（李應策）……三九六九
越羅衾慰貼（朱有燉）……三五〇
趁青春作伴（楊廷和）……八四二
喜完名全節（馮惟敏）……二三七三
衮龍團暫啜（朱有燉）……三五〇

蛩啾唧遠聲（薛崗）……三三八七
散牛羊漢塚（無名氏）……五五六二
散清芬撲鼻（薛崗）……三三八七
雲遮了遠山（張鍊）……二二一四
揀松陰繫馬（張鍊）……二二一四
黑頭蟲食黍（劉良臣）……一五九二
買田宅數區（王克篤）……二九三一
啼春殘杜鵑（無名氏）……五五六一
喫了些無憂愁酒食（無名氏）……五五五九
喚蒼頭再買（張鍊）……二二一五
喚雙娥唱者（康海）……一二〇九
短和長擱起（趙南星）……三七五二
稀粥湯半合（朱有燉）……三三七
透簾幃爽哉（楊循吉）……八二〇
喬山神愛賣（馮惟敏）……二三七四
進陳倉益門（楊廷和）……八四三
舒遲麗日暄（夏暘）……九二一
畫不就巧雲（王九思）……九七一
畫堂燒絳燭（常倫）……一八八六
開呵時韻寬（朱有燉）……三七九
閒說會古今（劉良臣）……一五九二
結茅堂對山（康海）……一二〇九
幾番家告休（馮惟敏）……二四〇二
愧玉食錦衣（夏暘）……九二四
新按院慶都（馮惟敏）……二四〇二
新開嶺路捷（楊廷和）……八四三
新愁廝禁（楊慎）……一七〇五
遍四海安寧（朱瞻基）……四四五
慈闈千萬春（朱瞻基）……四四四
當甕裏酒甘（李應策）……三九七一
葫蘆酒鍾（無名氏）……五五五六
斟香醪滿巵（王九思）……九七二
過長亭短亭（楊廷和）……八四三
罩下魚撒網（王克篤）……二九三〇
歲月六經旬（李應策）……三九六八
傳來的羽檄（馮惟敏）……二四〇二
愛的是水竹（劉良臣）……一五九一
愁心難把（劉效祖）……二七九〇
鉢盂爲酒巵（朱有燉）……三七六
亂紛紛癡雲驟擁（黃淮）……二八七
嫩蔓菁做虀（無名氏）……五五五七
滿四海相識（王寅）……二一七三

說金丹九轉（陳鐸）……六〇七
裹琅函繡袱（朱有燉）……三七八
瘦身軀不嬾（朱有燉）……三三七
塵蒙象管（陳鐸）……五五〇
榮和辱怎麽（康海）……一二七二
碧紗厨錦囊（無名氏）……五五六一
碧梧舍露凉（朱瞻基）……四四五
瑶宫怡聖顔（廖道南）……一九四八
歌傳著玉箏（常倫）……一八八八
榴花照眼鮮（夏暘）……九二二
撇名場仕路（夏暘）……九二一
製牡丹在柳隄（朱有燉）……三七八
箇中人問我（張鍊）……二二一四
種黄花儘稠（王九思）……九七二
銅駝巷判詞（朱有燉）……三七七
翠嵬嵬柳條（康海）……一二〇九
翠嵬嵬碧山（康海）……一二一〇
綻羣芳滿園（朱有燉）……三四一
慣爲非作歹（王克篤）……二九三〇
鄰家酒可賒（夏暘）……九二三
潑空來雨聲（王磐）……七九三
請謾言告回（王寅）……二一七一
誰説俺不平（馮惟敏）……二三二一
論文章在舞臺（朱有燉）……三七六
論功名小可（馮惟敏）……二三七三
蓴鱸滋味甜（夏暘）……九二三
撫時光太平（朱瞻基）……四四四
撫流光轉丸（朱瞻基）……四四五
輪蹄冗雜（湯式）……八七
醉時放歌（王克篤）……二九二九
醉時節放歌（康海）……一二一〇
碾瑶空玉輪（楊循吉）……八二一
數從來歲月（康海）……一二七〇
樂閑身酒酡（無名氏）……五五六二
擔柴也不消（黄祖儒）……三九五二
燒丹煉汞（無名氏）……五五五七
燒鉛汞生平好仙（王寅）……二一七三
賴祖宗慶衍（王克篤）……二九三一
戰篤速手脚（朱有燉）……三三六
積閑愁渭城（無名氏）……五五六二
學明經射策（王寅）……二一七二
儘紅塵眯眼（馮惟敏）……二三七三

謝聖恩寬大（楊廷和）……八四四
禮樂萬年規（廖道南）……一九四二
斂盡釣詩鉤（夏暘）……九二四
聰明的志高（無名氏）……五五五五
總非干下體（程可中）……四一四八
顏子瓢掛者（無名氏）……五五五八
轉梧桐月影（無名氏）……五五六一
薰風送午涼（馬理）……一二〇七
韓昌黎藝游（劉良臣）……一五九二
臨冬日亦樂（朱載堉）……三四五〇
藥須治理（朱有燉）……三三七
贈新詩一章（王寅）……二一七三
辭紅塵仕路（夏暘）……九二二
飄飄朔風（無名氏）……五五五七
瓊筵開玉宇（廖道南）……一九五七
勸金杯玉卮（康海）……一二一〇
勸哥哥學好（馮惟敏）……二三五九
勸哥哥自想（馮惟敏）……二三五九
勸哥哥休歹（馮惟敏）……二三六〇
勸哥哥休狠（馮惟敏）……二三六〇
鶯花市販本（朱有燉）……三七八
聽幽揚鳳笙（張鍊）……二二一四
護身符到手（王克篤）……二九三一
鑄錢爐止了（黃祖儒）……三九五三
疊石鋪砌（王克篤）……二九三〇
餽喂了料草（陳鐸）……六〇七
釀寒風似刮（湯式）……八七

醉太平帶蓮花落

寸打俫不能肚飽（無名氏）……五五六四

醉中天

雨過涼新覺（康海）……一三五九
敬禮一切善友持明佛（無名氏）……五二八九
敬禮功德自在懷天佛（無名氏）……五二八九

醉扶歸

自你劣心腸（程可中）……四一五二
向幽窗坐憶河陽貌（馬綬）……五〇四五
相思欲見渾難見（王穉登）……三三四〇
效于飛鴛侶天生就（沈瓚）……四一〇八
帶長林黃葉圍秋寺（程可中）……四一五六
望家山渺渺迷人遠（馬一龍）……二〇一六

曾經地肺把仙緣𠌫（張鳳翼）……二九九二
聽敲窗夜雨知多少（李文瀾）……五一三三

醉花雲

打疊時麗情萬緒籠長袖（曹大章）……二七六三
偶逢故苑飄零隊（卜世臣）……四三〇二
赫蹏書一日三傳信（王驥德）……三六三〇

醉花陰

一自別離信音杳（無名氏）……五九六四
一點長庚現天表（虞味蔗）……五〇八〇
七夕將臨秋景美（王寅）……二一九七
大將平南命征討（臧用和）……二九一四
久病維摩混俗客（殷士儋）……二八〇四
日月長明興社稷（無名氏）……五九五八
日永簾櫳篆烟靄（無名氏）……五九六〇
日暮風停氣清爽（無名氏）……五九七五
今歲江梅試花早（陳鐸）……七一〇
玉臉横秋淡眉掃（無名氏）……五九七四
百歲光陰苦無幾（王寅）……二一九五
回首蓬壺舊仙侶（常倫）……一八九九
朱邸樓臺勝三島（陳所聞）……三八八八
良夜月明光皎潔（朱讓栩）……二〇五九
吾主全能遍天壤（無名氏）……五四〇九
非是俺統三軍滅楚降秦的本事能（沈凌雲）……五一四七
松嶺青青秀冬景（劉良臣）……一六〇二
雨順風調萬民喜（陳鐸）……七一一
忽地行年六十五（康海）……一三五〇
恰對南山排燕几（張鍊）……二二九一
亭外梅梢帶微雪（王九思）……一〇五七
春困書齋夢魂擾（無名氏）……五九七六
春意融和鳳城裡（寧齋）……二九〇六
奎璧連珠現光彩（馮惟敏）……二四六三
威德當朝震寰宇（金鑾）……一八四七
柳豔荷香晝簾永（康海）……一三三二
則爲他𠌫色貪花性兒美（無名氏）……五九六七
則爲那可意冤家似膠漆（無名氏）……五九六九
則爲我卧柳眠花夢中想（無名氏）……五九六八
風擺青青送行柳（無名氏）……五九六三
浮世光陰又花甲（王寅）……二一九六
海日扶桑洞天曉（史沐）……一四五九
海宴河清聖臨扆（康海）……一三四九

神色昏昏繡幃掩（無名氏）……五九六五
破鏡重圓帶重結（陳鐸）……六四九
航海梯山荷明主（無名氏）……五九七〇
書畫琴棋共知己（無名氏）……五九七一
深淺荷花二三里（陳鐸）……七一三
國祚風和太平了（賈仲明）……二一七
細雨輕風淡烟裊（馮惟敏）……二四六四
牕外芭蕉戰秋雨（陳鐸）……六五一
黑海憂心最難寫（秦時雍）……二五九五
短巷長街送車馬（馮惟敏）……二四八一
短棹輕帆下江水（王文舉）……四八六〇
畫角聲催報春早（朱有燉）……四一九
間阻別離又經久（無名氏）……五九六一
楊柳橫塘淡烟鎖（陳鐸）……六四三
敬禮諸方佛如來（無名氏）……五三三九
萬載長春聖堯里（黃祖儒）……三九五七
萬紫千紅綻芳苑（朱有燉）……四二一
矮髻盤鴉玉簪䪥（馮惟敏）……二五一五
殢酒簪花異鄉客（谷子敬）……二二五
嫩柳雛鶯報春早（金鑾）……一八三五
翡翠屏深玉荷小（常倫）……一八九八
銀甲挑燈玉荷小（湯式）……一四四
稽首栴檀德如來（無名氏）……五三三九
燈月交輝上元節（無名氏）……五九七三
燕語東風畫堂曉（王田）……一一一八
錦繡江山畫圖裏（馮惟敏）……二五一七
錦繡花燈半空挑（曹孟修）……二八九二
鴛鴦浦蓮開並蒂長（唐復）……二五一
寶殿珠樓玉花糝（朱有燉）……三八三
寶髻高盤鳳釵插（段顯之）……四八八三
簾捲東風畫堂曉（陳鐸）……六九五
簾捲東風畫堂曉（徐霖）……九〇六
簾捲春寒杏花雨（陳鐸）……六九二

醉春風（怨東風）

一腔血怎灑（李應策）……三九八三
當簷旱月低（李應策）……三九八八
翻身地崇窿（李應策）……三九八八
檻菊蕭疎展（張栩）……五〇九九

醉高歌（最高樓）

一樽獨酌成謠（楊慎）……一六八五
今生柳市歡娛（常倫）……一八九七

可憐寒食清明（楊慎）……一六八五
年年客邸春風（楊慎）……一六八五
林稍半露晴巒（康海）……一二九〇
青山老去棲遲（康海）……一三七五
春遊日日攜壺（康海）……一二九〇
春光春色無多（康海）……一三七三
南無善寂根佛（無名氏）……五三〇一
南無寂静光佛（無名氏）……五三〇一
南無自在光佛（無名氏）……五三〇一
南無得大聲佛（無名氏）……五三〇一
南無一切王佛（無名氏）……五三〇一
崎嶇路遠山遥（無名氏）……六二七二
閑亭坐愛風微（康海）……一二九〇
尋常不憚途程（康海）……一二九〇
樓頭織女星光（楊慎）……一六八五

醉高歌帶紅繡鞋

落花天紅雨紛紛（湯式）……九二
碧梧窗户生凉（湯式）……九三
蕩悠悠萬里雲衢（湯式）……九三

醉翁子

勸夫人得休便好休（楊爾曾）……五二〇二

醉歸花月渡（醉歸花月雲）

見人未語先多韵（沈璟）……三七八四

醉羅歌（全醉半羅袍）

也學也學東山客（康海）……一二五四
不吞不吐情迤逗（沈璟）……三七八四
日長日長愁時候（劉效祖）……二七八三
日晴日煖穿花巷（無名氏）……五四四二
月上月上梧桐樹（史槃）……三二六三
月兒月兒團團上（常倫）……一八八七
半明半滅燈兒焰（陳鐸）……五三三二
半薰半爇爐香换（陳鐸）……五三三二
玉簫玉簫傳心事（張鍊）……二二四八
北山北山石常爛（王九思）……一〇三三
且拼且拼今宵醉（康海）……一二五四
乍陰乍晴催花綻（劉效祖）……二七八三
有情有情燈花報（王九思）……一〇三三
好懷好懷人難共（康海）……一二五四
冷落冷落鞦韆架（陳鐸）……五三三一
坐裏卧裏頻攧窨（陳鐸）……五三三二
牡丹牡丹初開放（康海）……一二五三

牡丹牡丹初開綻（康海）……一二五三
牡丹牡丹都開了（康海）……一二五三
牡丹牡丹開仍謝（康海）……一二五四
怕寒怕冷扃朱户（陳鐸）……五三一
夜來夜來燈花墜（張鍊）……二二四九
夜涼夜涼天街静（張鍊）……二二四九
雨催雨催花枝放（王九思）……一〇三三
雨濕雨濕薔薇架（張鍊）……二二四九
恨殺恨殺無情客（無名氏）……五八五三
相見相見情難吐（史槃）……三二六三
爲你爲你擔愁悶（王寵）……一九一五
眉兒淡了誰瞅問（陳鐸）……五三二
豈如豈如今宵興（康海）……一二五四
倚樓倚樓空牽掛（無名氏）……五四四一
惜花惜花愁難罷（劉效祖）……二七八三
淺斟淺斟葡萄釀（常倫）……一八八六
問神問卜全無應（陳鐸）……五三一
細雨細雨飛瑶砌（常倫）……一八八六
無形無影書難寄（陳鐸）……五三一
畫閣畫閣挑燈盡（王寵）……一九一六
暗憶暗憶多聰俊（王寵）……一九一五
輕寒輕暖花將放（劉效祖）……二七八三
懶整懶整烏雲鬢（王寵）……一九一五
懶繡懶繡鴛鴦帶（王九思）……一〇三三
難道難道丢開罷（史槃）……三二六二

醋葫蘆

木犀油櫳掠的光（陳鐸）……五六九
水晶簾半上鈎（陳鐸）……五五二
巧舌頭枉自甜（陳鐸）……五五四
托雲鬟翠黛長（張鍊）……二二三八
冷金爐蘭麝香（陳鐸）……五五四
見抛磚意暗猜（無名氏）……五八三六
夜光珠世所稀（凌濛初）……四五四四
青回草色新（王九思）……九七三
東南方無邊緣中現佛相如來（無名氏）……五三三一
兩情人各一舟（凌濛初）……四五四四
奏簫韶一派鳴（無名氏）……五八三五
卸合歡玉燕釵（陳鐸）……五五三
美温温顔面肥（無名氏）……五八三五
赴陽臺雲雨期（陳鐸）……五七一

浪姻緣一霎休（陳鐸）……五五四
挹荷香坐水亭（陳鐸）……五五三
峭寒多尚阻鶯（王九思）……九七三
笑暗暗蹇黛眉（陳鐸）……五五三
紗厨中午睡醒（陳鐸）……五七一
寄音書好幾番（張鍊）……二二三七
望陽臺一片雲（張鍊）……二二三七
掛青山月一鈎（常倫）……一八八八
逞風流一捻兒（陳鐸）……五七一
湛秋波兩剪明（無名氏）……五八三四
喜今宵一刻長（常倫）……一八八八
喜今宵月再圓（無名氏）……五八三五
喜孜孜樽席前（陳鐸）……五六九
揶揄來若惹咱（無名氏）……五八三五
報黄昏角數聲（無名氏）……五八三五
喚銀瓶滿注漿（陳鐸）……五五二
傍香肩搵粉腮（陳鐸）……五五三
衆嬌娘黯自傷（凌濛初）……四五四四
會陽臺雲雨濃（陳鐸）……五五二
結姻緣十數年（無名氏）……五八三五
數歸期屈指尖（陳鐸）……五七〇
鳳頭簪尚在牀（張鍊）……二二三七
綻櫻桃紅半分（陳鐸）……五七〇
翦巫山一段雲（張鍊）……二二三八
殢歡娱不放閒（張鍊）……二二三七
緑溶溶酒滿斟（無名氏）……五八三五
裀鮫綃錦袖中（常倫）……一八八八
憶香腮悲與歡（陳鐸）……五七〇
蕩湘裙半扎慳（陳鐸）……五七〇
轉雙眸明似星（陳鐸）……五六九
鎖修眉恨尚存（無名氏）……五八三五
歸命禮常莊嚴世界雜華如來（無名氏）……五三三二
歸命禮無相世界無相音如來（無名氏）……五三三二
歸命禮香聚世界栴檀香如來（無名氏）……五三三二
歸命禮離塵垢世界智德如來（無名氏）……五三三二

撥不斷（續斷弦）

七月七（王克篤）……二九四二

九月九（王克篤）……二九四二
三月三（王克篤）……二九四一
五月五（王克篤）……二九四二
五陵西（王克篤）……二九四一
心無縈（楊儀）……一七七四
美虞姬（王克篤）……二九四一
倚重簷（楊慎）……一七〇〇
逞嬌侈（王克篤）……二九四一
菊苗肥（楊儀）……一七七四
暮山尖（楊慎）……一七〇〇
識兵機（王克篤）……二九四一

賞花時

一百歲交遊領面多（康海）……一三六一
一種檀心分外香（朱有燉）……三四六
五彩雲開丹鳳樓（湯式）……一〇八
世路崎嶇鳥道分（湯式）……一〇七
世態澆虛各有因（康海）……一三六二
生處人間錦繡鄉（朱有燉）……三四六
弄柳拈花手倦擡（湯式）……一〇八
昔日東華聽曉籌（湯式）……一〇九
昨日含苞今日開（康海）……一三六六
淑氣融融柳吐烟（恆軒老人）……四九三三
掃盡浮雲玉宇清（張鍊）……二二七七
敬禮多明滿月佛（無名氏）……五二八八
敬禮天王月面佛（無名氏）……五二八九
覷破乾坤都是過客（龍膺）……四二二一
鐵甕金墉壯九關（湯式）……一四六

賞宮花

中秋雨晴（薛崗）……三四〇一
涼生草庭（薛崗）……三四〇二
勞心苦形（薛崗）……三四〇二
黑雲障太虛（無名氏）……五四一一
雙輪不停（薛崗）……三四〇二

銷金帳

三更漏轉（無名氏）……五五四二
松窗半掩（梁辰魚）……二六五一
東塗西抹（康海）……一二九六
春歸尚晚（康海）……一二九五
香車寶馬（康海）……一二九六
傷今念昔（康海）……一二九六

興隆引

龍馬獻圖（無名氏）…………五二一六

嬌鶯兒

天街人静（陳鐸）…………五三七
長更難度（陳鐸）…………五三七
春寒成陣（陳鐸）…………五三六
雙飛鸂鶒（陳鐸）…………五三六
騰騰春困（無名氏）…………五五三九

劈破玉

一聲笛吹下我千行淚（丁綵）…………三三一八
人生碌碌争短競長（朱載堉）…………三四三三
世上有幾個人知趣（丁綵）…………三三〇七
自離别一刻丟不下（丁綵）…………三三二一
見了些好漢刁鑽（朱載堉）…………三四三三
秋風清白露冷黄花瘦（丁綵）…………三二九八
俏冤家我咬你個牙廝對（趙南星）…………三七六二
笑嘻嘻門兒外臥一隻看家狗（朱載堉）…………三四三二
這兩日知不到是甚麼病（丁綵）…………三三二一
挨一年添一歲（朱載堉）…………三四三二
窗外鷄那等無情分（丁綵）…………三三〇一
循天理聽自然（朱載堉）…………三四三三
强合眼欲赴高唐夢（丁綵）…………三三一〇
説甚麼龍争虎鬬（朱載堉）…………三四三四
嘆人生能有幾（朱載堉）…………三四三二

十六畫

糖多令

躍馬定神京（無名氏）…………五二一七

憶王孫

王孫蹤跡慣天涯（俞彦）…………四四八四
可憐風雨妬花期（康海）…………一三六五
西風庭院咽玄蟬（楊慎）…………一七二四
杖藜扶我過前村（張鍊）…………二二七五
姮娥神已屬王孫（無名氏）…………五八三二
無端一見便關心（醉西湖心月主人）…………五二〇九
尋常病酒動經旬（康海）…………一三六一
落梅風裏玉鱗皴（楊慎）…………一七二三

滿城開遍粉西施（楊慎）……一七二三
曉來春睡未醒惚（俞彦）……四四八四
繡葩紅蒂墮殘芳（楊慎）……一七二四

憶多嬌

山滿前（夏言）……一五六五
花滿園（夏言）……一五六五
風滿軒（夏言）……一五六五
春日暄（夏言）……一五六五
春雨緐（夏言）……一五六五
春氣酣（夏言）……一五六五
春嶺前（夏言）……一五六五
卿賦歸（中分榭主人）……四八六六
樽滿前（夏言）……一五六五

憶秦娥（秦樓月）

兩字功名（無名氏）……五九五七

燈月照畫眉

珠簾半垂（沈仕）……一六六七

謁金門（朝天子　朝天曲　垂楊碧）

一詩一詞（常倫）……一八七九
卜流昔有（楊循吉）……八一七
文才美哉（楊循吉）……八一六
白雲彩雲（薛崗）……三三九〇
自知本癡（常倫）……一八七八
身不離畫樓（常倫）……一八七九
你鳴珂巷艷娃（湯式）……八五
武藝最急（楊循吉）……八一七
依鵷篴（李應策）……四〇八八
恰山翁興來（常倫）……一八七八
風光好（李應策）……四〇八八
起初看書（湯式）……八六
飛初雪（朱瞻基）……四四六
趁春朝景鮮（常倫）……一八七九
落花落花（湯式）……八六
落紅落紅（湯式）……八六
翠林綠陰（湯式）……八七
愛閒的没權（常倫）……一八七九
層霄碧霄（薛崗）……三三九〇
醫門濟人（楊循吉）……八一七
臨花島（李應策）……三九九八
羈愁擾擾（湯式）……八六

曉行序（夜行船序）

素質紅顏（楊文岳）……四七九五
傳説錢塘（施紹莘）……四六五四

罵玉郎

手抱琵琶彈怨詞（施紹莘）……四六七九
只索温柔鄉内棲（徐士俊）……四九九一
仙家道可道（無名氏）……六一八五
花壓闌干春晝遲（無名氏）……六一八六
度盡春花秋月時（徐士俊）……四九九二
南無能與光明佛（無名氏）……五二七九
南無鏡像光明佛（無名氏）……五二七九
南無普智聲王佛（無名氏）……五二七九
南無善光大光佛（無名氏）……五二七九
南無神通光明佛（無名氏）……五二七九
風塵自有風塵態（無名氏）……六一八五
掖垣深處年年賞（楊廷和）……八五九
側耳聽琴心下疑（曲癡子）……四五八〇
最苦歡濃又別離（徐士俊）……四九九二

罵玉郎過感皇恩採茶歌

一盃別酒長亭畔（無名氏）……五五九三
一箇摘薔薇刺挽金釵落（黄峨）……一九九二
平生正直存公道（康海）……一二六三
玉階昨夜妖星見（康海）……一二六二
老來偏覺光陰快（王九思）……一〇一六
東風擺柳生和氣（史忠）……四六六
這幾日愁來愁去只是無窮處（無名氏）……五五九二
這瓊花頃刻飄揚遍（無名氏）……五五九二
逢時對景眉頻皺（一齋）……一五三三
湘裙睡損臙脂皺（朱有燉）……三四八
閑雲肯分迷寒漢（無名氏）……五五九一
龍樓鳳閣祥光罩（無名氏）……五五九三
鶯慵燕懶春歸去（史忠）……四六七
蘭堂失却風流伴（蘭楚芳）……三三

錦上花

太皡司行（楊循吉）……八二二
甲子重回（王九思）……一〇七〇
至敬頂禮勝琉璃金光明佛（無名氏）……五二五七
雨過雙溪（張鍊）……二二七〇
南無最踴躍如來（無名氏）……五三一四

霽景融和（無名氏）……六四七〇

錦衣相思

一從他春思牽掛（梁辰魚）……二七〇四

錦法經

身又慵（崔子一）……二八九六
音未通（崔子一）……二八九七
恩正濃（崔子一）……二八九六
雲萬重（崔子一）……二八九六

錦芙蓉

小弓鞋（王驥德）……三六二〇
剪紅綃（王驥德）……三六二〇
試宮衫（王驥德）……三六一九
潞州紅（王驥德）……三六二〇

錦庭樂（錦亭樂　翠屏樂）

有官階（劉良臣）……一五九四
守香閨（無名氏）……五八六七
劣喬才（無名氏）……五八六五
酒微醺（劉良臣）……一五九五
倚朱樓（常倫）……一八九四
被兒餘（陳鐸）……六四二
寒更長（劉良臣）……一五九五
富春山（無名氏）……五八六四
悶懨懨（無名氏）……五八六六
榴争妍（李開先）……二〇九六
舊科名（劉良臣）……一五九四

錦堂月

山閣蕭條（馮惟敏）……二四三八
山閣蕭條（王九思）……一〇〇三
回首煙雨重樓（馮敏効）……三五二八
名閣金釵（嵇一庵）……五一六四
花滿金庭（馮夢龍）……四四四四
首夏清和（夏言）……一五七六
南浮萬里遐掫（馮敏効）……三五二八
風流吏隱皇州（馮敏効）……三五二七
高壽鶴氅霞冠（馮敏効）……三五二七
清晝芸几藏幽（馮敏効）……三五二七
清晝如年（龍膺）……四二一八
華髮斑斑（無名氏）……五九四一
雲遊燕子磯頭（馮敏効）……三五二八

帽插金蟬（王鏊）……四八五
園竹修苞（許樂善）……三五四九
遨遊世事蜉蝣（馮敏効）……三五二七
簾幙風柔（王化隆）……四三一八
鸚鵡湖头（馮敏効）……三五二六

錦堂春

玉樹斑斕戲綵（趙寬）……八〇九

錦堂罩畫眉

學道飧霞（周履靖）……三五六九

錦纏道（錦纏頭　錦纏絆）

心悒怏（楊慎）……一七三七
本待學（馬守真）……三七二八
思昔日（梅鼎祚）……三七三六
記當時（秦時雍）……二五六九
滿帆風（史槃）……三二六八
慘西風（施紹莘）……四七二一
憶年時（王驥德）……三六五五
憶風流（陳鶴）……二六一六

貓兒入御林

塵香花盡（王驥德）……三六四一

貓兒逐黃鶯

并刀似水（王驥德）……三六四一

鮑老兒

你那裏想着月明來的故人（宋楙澄）……四二八二

十七畫

鴻門奏凱歌（雁兒落過得勝令）

一箇飭元戎冀北軍（馮惟敏）……二三六四
一箇樂謳歌全盛時（馮惟敏）……二三六四
又不曾費推敲將詩債擔（馮惟敏）……二三六四
封題了梁苑詞（馮惟敏）……二三六三
荷當陽明聖君（馮惟敏）……二三六二
街前多長者車（馮惟敏）……二三六三
慶三白方朔誇（馮惟敏）……二三六二
歷三朝寵數優（馮惟敏）……二三六七
邀的是試春遊張曲江（馮惟敏）……二三六三
覽雄風北鎮巔（馮惟敏）……二三六六

廿載鴻儒（程可中）……四一六一
少日疏狂（康海）……一三六三
月夕花朝（劉天民）……一六一九
月令隨標（朱有燉）……四〇〇
月户雲窗（無名氏）……六〇六三
月吐東崖（康海）……一三六七
月朗風清（丘汝晦）……二八八二
引得我十載疎狂（無名氏）……六〇六一
半世着迷（無名氏）……六〇三九
巧語花言（無名氏）……六〇五四
四海高情（金鑾）……一八四〇
四壁啾啾（王化隆）……四三三五
甲子將周（馮惟敏）……二四七四
仔細思量（無名氏）……六〇三八
用舍行藏（馮惟敏）……二四九一
百媚千嬌（無名氏）……六〇五一
百歲迢迢（張玉山）……四九三六
百歲陽秋（康海）……一三一九
羽葆飄香（康梧）……一五〇五
你去興飄然（馮敏効）……三五三九
身世皆虚（葉華）……四二四六
天淡雲孤（無名氏）……六〇六四
三尺冰弦（陸世明）……一七七八
三月韶光（丘汝成）……二八七九
三月韶光（楊文奎）……二三六
三月春陽（龍膺）……四二一六
九老停車（張錬）……二二七三
八十年來（金鑾）……一八五九

點絳唇

梧葉飄（無名氏）……五五二三
一日三（無名氏）……五五二三

繫梧桐

炎光謝了（無名氏）……五四八三

霜天曉角（月當窗　長橋月）

怕些羞添些恨（王驥德）……三六五七

賽觀音

無兒孫有甚高（朱讓栩）……二〇五〇
趁新晴紫陌行（朱讓栩）……二〇五〇

鴻歸浦

花面金剛（無名氏）……六〇五五
雨過庭除（張伯純）……一六一二
雨舘雲鄉（無名氏）……六〇三六
門外笙歌（張鍊）……二二七八
洪武天開（無名氏）……六〇三二
春滿皇州（無名氏）……六〇三〇
苦海無涯（馮惟敏）……二五一二
柳下清嘉（陳與郊）……三七一一
南浦看花（張鍊）……二二七四
南無善光散華佛（無名氏）……五二九二
南無化聲敏音佛（無名氏）……五二九二
拜命天朝（馮惟敏）……二四五六
俊俏無雙（無名氏）……六〇四二
風吹羊角（無名氏）……六〇二九
風急天高（景時珍）……四二八六
風流名妓（宛瑜子）……四五二九
兔走烏飛（周履靖）……三五七六
烏鵲南飛（康海）……一三五八
秦失邦基（丘汝成）……二八七五
恩許歸來（殷士儋）……二八〇〇
倚角鴻溝（王化隆）……四三三五
惟彼蒼蠅（無名氏）……六〇五九
清夜閒朝（楊應奎）……一五二〇
連夜團圓（胡文煥）……三三七六
國泰隆昌（無名氏）……六〇二八
造化生成（無名氏）……六〇三三
琴操容端（無名氏）……六〇四四
雲雨無緣（陸世明）……一七七八
雲滿秦川（王九思）……一〇五六
雲嫩風微（趙南星）……三七六八
散袒逍遥（無名氏）……六〇六七
發憤忘食（無名氏）……六〇二六
聖人道良賈深藏（景時珍）……四二八八
萬里雲南（楊慎）……一七三〇
萬種煎熬（無名氏）……六〇五二
萬種愁煩（無名氏）……六〇三八
歲稔時豐（無名氏）……六〇四六
透幕侵箔（康海）……一三二一
節屆新春（鄭墟泉）……四九一〇
滿腹愁懷（無名氏）……六〇四九
漏盡銅龍（唐復）……二二四九
對客揮毫（程可中）……四一六三

暮景桑榆（王九思）……一〇七四
賣笑排場（無名氏）……六〇四一
興廢虛實（無名氏）……六〇四七
嬌艷名娃（朱有燉）……四一六
驕馬吟鞭（黄峨）……一九九五
錦綉山川（楊應奎）……一五二二
錦纜龍舟（黄峨）……一九九八
鴻雁南飛（張錬）……二二七一
霜冷風寒（康海）……一三五七
環宇雍熙（朱瞻基）……四四六
麗日偏長（金鑾）……一八五三
瀚海洪流（馮惟敏）……二四四一
蟻戰蜂圍（趙南星）……三七七〇
露冷風寒（無名氏）……六〇五七
龕内跏趺（葉華）……四二四七

彌陀僧

翠竹交加（常倫）……一八九六

聯字山坡羊

一更裏（無名氏）……五四九八
山盟咒（無名氏）……五四九七
心焦燥（無名氏）……五四九七
似這等思難斷（無名氏）……五四九七

十八畫

顔子樂（好事近）

心事好難説（馮夢龍）……四四三〇

臨江仙

一庭嵐翠春明媚（李應策）……四〇一九
一簾空翠春來晚（李應策）……四〇一一
明月清風真我友（施紹莘）……四六五九
故園耆舊清宵燕（李應策）……四〇〇二
清香滿架葡萄熟（李應策）……四〇二〇
隔林解唱黄鸝語（李應策）……四〇一一

臨鏡序（傍粧臺）

夢雖成（李開先）……二〇九九

鎖南枝

一家貨（蘇子文）……四九一七
三更後（沈仕）……一六四九
三更漏（陳鶴）……二六一八

千年樂（龍膺）……四二一三
千松繞（龍膺）……四二一三
千般念（兩峰主人）……四九三一
才郎至（王驥德）……三六三六
女靈禽（陳全）……三〇三五
天生面冷如刀（徐渭）……二七六一
天生面冷似冰（徐渭）……二七六〇
天生面冷似灰（徐渭）……二七六一
天生面冷似霜（徐渭）……二七六〇
天街静（陳鶴）……二六一八
不能勾（蘇子文）……四九一七
心腸兒窄（金鑾）……一八二九
打趣的客不起席（馮惟敏）……二四二八
他心順（陳鐸）……五三六
他多詐（陳鐸）……五三六
老先生瘡疾何如（畢木）……三四七〇
同心帶（無名氏）……五五二六
年方妙（宛瑜子）……四五一七
年半百（陳所聞）……三八七八
休束帶（王九思）……九九〇
休搗鬼（蘇子文）……四九一七
行行去過一程（施紹莘）……四五九九
行行去過一山（施紹莘）……四五九九
行行去過一川（施紹莘）……四五九九
行行去過一村（施紹莘）……四五九九
行行去過一城（施紹莘）……四五九九
名家輩（宛瑜子）……四五〇七
初相會可意人（蘭陵笑笑生）……二八二七
初相會可意嬌（蘭陵笑笑生）……二八二八
彤雲布（康海）……一三〇三
東風軟（康海）……一三〇三
長三丈（金鑾）……一八二九
長吁氣恨滿腔（劉效祖）……二七八一
長吁氣恨轉增（劉效祖）……二七八一
花陰密（沈仕）……一六四八
金風細（康海）……一三〇三
金鈴護（施紹莘）……四六一二
門兒内（施紹莘）……四五九八
看着是第一更（施紹莘）……四六〇〇
看着是二鼓天（施紹莘）……四六〇〇
看着是三個更（施紹莘）……四六〇〇
看着是四鼓餘（施紹莘）……四六〇〇

看着是五鼓交（施紹莘）……四六〇〇
風如炙（康海）……一三〇三
風兒大（施紹莘）……四五九九
既少陶朱富（陳所聞）……三八七七
浮皮兒好（金鑾）……一八二八
恩情事（陳鐸）……五三六
爹娘睡（沈仕）……一六四八
豺驪麟（李應策）……四〇八四
情書至笑臉兒開（劉效祖）……二七八二
情書至用意兒讀（劉效祖）……二七八二
涎瞪了眼（馮惟敏）……二四二八
現世報（蘇子文）……四九一七
冤家債還他不徹（劉效祖）……二七八一
冤家債還他不及（劉效祖）……二七八二
冤家債還他不清（劉效祖）……二七八二
冤家債還他不完（劉效祖）……二七八二
曾留下（馮夢龍）……四四四七
寒空浄（王九思）……九九〇
黄昏後（陳鶴）……二六一八
堅如石（金鑾）……一八二八
殘更斷（陳鶴）……二六一九
提起你的勢（無名氏）……五五二七
閒言來磕（金鑾）……一八二九
摇釵鳳（沈仕）……一六四九
當不的取（金鑾）……一八二八
腸中熱（陳鐸）……五三五
傷心事訴與誰（劉效祖）……二七八〇
傷心事有萬端（劉效祖）……二七八〇
傷心事對誰説（劉效祖）……二七八一
傷心事對誰學（劉效祖）……二七八一
腰肢瘦（宛瑜子）……四五二七
韶光麗（王九思）……九九〇
蒹葭浦（王九思）……九九〇
團圓夢夢見他（劉效祖）……二七七九
團圓夢夢不差（劉效祖）……二七八〇
團圓夢夢的奇（劉效祖）……二七八〇
團圓夢夢是真（劉效祖）……二七八〇
寫供狀（無名氏）……五八三六
憑孤案（龍膺）……四二一三
鞋打卦（無名氏）……五五二六
撒甚麽唔（金鑾）……一八二九
親是嘎（朱載堉）……三四五四

佳音寄（丁綵）……三二九〇
春將盡（丁綵）……三二九五
重陽近（丁綵）……三三一九
負着債（趙南星）……三七六二
剜只該剜你那脚（無名氏）……五五二七
紅將瘦（丁綵）……三三〇八
害傷了的病（丁綵）……三三一六
桃源路（丁綵）……三三〇八
桃腮綻（丁綵）……三二九五
閃了俺罷（丁綵）……三二九三
純剛性（丁綵）……三二九〇
從初會（趙南星）……三七五七
將天問（趙南星）……三七五六
猛然見（趙南星）……三七六〇
黃金盡（丁綵）……三二八三
開懷抱（丁綵）……三三一一
新來病（丁綵）……三二九〇
夢見易（丁綵）……三三一一
罷罷罷不必言（丁綵）……三三一四
靈丹藥（丁綵）……三三〇二
纔成就（趙南星）……三七六〇
雕闌畔（沈仕）……一六四九
燈花綻（王驥德）……三六三六
牕前雨（高濂）……二九七九
牕前雨（無名氏）……五九四二
傻俊角（無名氏）……五五二七
鄰鷄叫（施紹莘）……四五九八
薰風裊（龍膺）……四二一三
譙樓鼓（陳鶴）……二六一九
識迴避（蘇子文）……四九一七
麵不是麵（金鑾）……一八二八
蘇秦印（沈仕）……一六四九

鎖南枝半插羅江怨

□折柳（趙南星）……三七六二
人別後（丁綵）……三三二四
口說罷（丁綵）……三三一四
心中事（丁綵）……三三二〇
由他做（丁綵）……三二八四
休生氣（丁綵）……三二八四
君夢妾（丁惟恕）……四三六四
非容易（趙南星）……三七五七

鎖窗寒

迴群芳不鬭精神（醉西湖心月主人）…………五二一一

鏵鍬兒

煙波渺渺湖光晚（馮敏効）…………三五三三

雙雁子

萬年千載樂雍熙（無名氏）…………五二一七

雙雁兒

敬歸依普現力王佛（無名氏）…………五二八五
敬歸依度世護王佛（無名氏）…………五二八五

雙疊翠

冬不宜（劉效祖）…………二七七八
冬相思（劉效祖）…………二七七九
怕逢春（劉效祖）…………二七七七
怕逢秋（劉效祖）…………二七七八
春相思（劉效祖）…………二七七八
秋相思（劉效祖）…………二七七九
夏不宜（劉效祖）…………二七七八
夏相思（劉效祖）…………二七七九

繡帶引

恨貪臣通謀樹黨（無名氏）…………五四七〇
風流性歡山笑海（馮夢龍）…………四四三五
嘆微臣芸窗誓喪（無名氏）…………五四七〇
驀忽地雙眉暗鎖（沈璟）…………三八〇三

繡帶兒

身將老觀場有幾（無名氏）…………五四六六
長惆悵青樓無賴（王驥德）…………三六五〇
乾坤定民生遂養（寧齋）…………二九〇三
費金錢穩取圖甘旨（無名氏）…………五四六六
離情慘何曾慣者（馮夢龍）…………四四三四
難提起把十二個時辰付慘悽（董其昌）
…………四一〇〇

繡停針

四海昇平（無名氏）…………五九二一
雨過層樓（王九思）…………一〇五四
夏景雲初（楊循吉）…………八二五
院落春餘（王文昌）…………二二

御墨鼎標（李應策）……四〇六〇
蕩起商飈（無名氏）……五九二二
攄就萬言（李應策）……四〇六〇

歸塞北（望江南）

人善與人惡（吕坤）……三四六四
大凡關係語（吕坤）……三四六五
任他占便宜（吕坤）……三四六四
是罷不是罷（吕坤）……三四六四
冤枉不冤枉（吕坤）……三四六四

十九畫

懶畫眉

一池月浸紫薇花（陳所聞）……三八六三
一枝花發粉牆西（施紹莘）……四六九三
一尊花底坐春風（陳所聞）……三八四五
一牕風露晚蕭騷（高志學）……三〇二八
一叢凝露在沉香（陳所聞）……三八四六
十二闌干玉亭亭（沈仕）……一六五九
人生何事最傷心（范垣）……四一三三
刀山劍樹與灰河（無名氏）……五四七〇
大江東下雪濤深（陳所聞）……三八五九
山松徑與瀑泉通（李登）……二九一〇
山圍黃葉寺門深（陳所聞）……三八六〇
夕陽西下水湯湯（范垣）……四一三三
小名兒牽掛在心頭（梁辰魚）……二六八二
小名兒牽掛在心頭（沈仕）……一六六〇
子規啼徹月三更（丁惟恕）……四三五九
王郎譜曲教奚童（陳所聞）……三八四六
天將花月付閑身（陳所聞）……三八六四
天開月鑑照花神（陳所聞）……三八六三
不長不短那人兒（秦時雍）……二五六六
不須題起那妖魔（收春主人）……四八八一
日暖藍田玉生烟（王化隆）……四三三一
日銜江岫睨人明（陳所聞）……三八六二
月與幽人故有期（李應策）……四〇七三
丹梯直上白雲層（陳所聞）……三八六一
丹楓黃菊照空門（陳所聞）……三八四八
水流千里落花隨（俞宛綸）……四四九〇
水流無限月明多（陳所聞）……三八六八
水邊林下一閑人（馮惟敏）……二三二八
玉人家傍碧湖頭（張文介）……五〇五一

玉山誰起復誰頹（李登）……二九一一
玉釵頭懶卸夢難尋（張瘦郎）……四八一〇
平生碌碌本無奇（汪廷訥）……四一九〇
巧言真是弄簧梭（收春主人）……四八八〇
只因錯認渡銀河（收春主人）……四八八〇
片月飛光静江湄（沈静專）……四五五六
仙家樓觀傍澄潭（陳所聞）……三八五九
白雲長在水潺潺（陳所聞）……三八六七
江雲石壁兩相依（陳所聞）……三八四七
江邊楓落菊花黄（陳所聞）……三八三七
池塘秋暮水痕收（范壺貞）……四一八五
西城楊柳弄輕柔（丁惟恕）……四三七三
西園丘壑本天成（陳所聞）……三八四七
百年花月幾何時（陳所聞）……三八六三
有花無月寂寥香（陳所聞）……三八六四
死甘十族今古難（陳所聞）……三八七四
成行士女簡春忙（丁惟恕）……四三五六
尖風微透漾銘旌（施紹莘）……四六八九
竹牕書幌見烟波（陳所聞）……三八六七
休説雲龍際盛時（李應策）……四〇六〇
危時擊節誓中流（李應策）……四〇六五
危樓日暮彩雲生（沈仕）……一六三五
如雲騎吹出都門（陳所聞）……三八五九
沙君有力奪嬌娥（收春主人）……四八八一
冷烟輕靄傍衰叢（高志學）……三〇二七
吾兄詩酒繼陶君（高志學）……三〇二八
吾廬雖小亦佳哉（李登）……二九一一
折蘆何處舊香臺（陳所聞）……三八六〇
村醪初熟蟹螯肥（汪廷訥）……四一九一
彤雲密布臈梅開（丁惟恕）……四三五六
我心隨你遍天涯（俞宛綸）……四四九〇
何來公子試金衣（陳所聞）……三八三八
低穿簾幙燕雙雙（陳所聞）……三八三八
妖嬈人様酒杯兒（馮惟敏）……二三五四
放懷丘壑任天真（高志學）……三〇二八
河斜斗轉度横星（湯傳楹）……五〇七二
初初相會一遭兒（秦時雍）……二五六五
青山遠近帶皇州（陳所聞）……三八六七
青袱蒙頭點村粧（卜世臣）……四三〇三
青蓮閣傍鳳臺西（陳所聞）……三八五八
芙蓉花外有樓臺（汪廷訥）……四一九一
芙蓉如面柳如眉（張栩）……五一〇三

芙蓉苑裏起清秋（高志學）……三〇二七
花迎月魄若爲容（陳所聞）……三八六三
花時生怕下粧樓（陳所聞）……三八三八
花從檻外感容輝（俞宛綸）……四四八九
花開富貴月光華（陳所聞）……三八六四
東風吹粉釀梨花（沈仕）……一六三五
東風何事送愁來（張鳳翼）……三〇〇二
雨苔烟草石城秋（高志學）……三〇二七
兩行銀燭一叢花（薛崗）……三三九五
枕痕一線透紅頰（張鳳翼）……三〇〇一
佳期久約在中秋（胡文煥）……三三七二
金屏翠幔與秋宜（汪廷訥）……四一九一
門前春水似滄浪（陳所聞）……三八六七
亭迎東旭啓山岑（陳所聞）……三八六一
春江花月可憐宵（陳所聞）……三八六三
春來無計躲相思（丁惟恕）……四三四四
春郊楊柳亂飛綿（丁惟恕）……四三四四
春秋祭掃禮非愆（王化隆）……四三二一
春風日夜待歸舟（陳所聞）……三八三七
春宵花月值千金（陳所聞）……三八六四
春晴載酒出南郊（張文介）……五〇五〇
苦吟林下拂詩塵（高志學）……三〇二八
茅齋寄在小城隈（李登）……二九一〇
城南山寺若星羅（陳所聞）……三八四六
相逢一笑即相親（李登）……二九一〇
相逢花下乍停鑣（董貞貞）……五〇六一
柳疎梅墮少春叢（高志學）……三〇二六
南園沽酒扣柴扉（朱應辰）……一四八六
南樓雁過亂蛩鳴（丁惟恕）……四三五六
哈哈鶯聲覓友時（李應策）……四〇五九
秋天一夜静無雲（高志學）……三〇二七
香霞千頃帶溪紅（陳所聞）……三八四五
看山看水自由身（汪廷訥）……四一九〇
重重繡幕護香霞（陳所聞）……三八四六
重重羅綺結樓臺（陳所聞）……三八四五
風流心性本天生（宛瑜子）……四五一二
風流沈約自人豪（陳所聞）……三八七〇
風流跌宕使人疑（宛瑜子）……四五二一
柔情綽態筆難描（陳所聞）……三八三四
拏舟深入水雲鄉（陳所聞）……三八四七
紅牙小架卧瑤箏（沈仕）……一六三六
紅香紫豔覆清波（陳所聞）……三八四七

紅顏自恨付君身（俞宛綸）……四四九〇
爲看塔影倒空懸（陳所聞）……三八六一
海棠相並愧無香（沈仕）……一六三六
烟霞壁立水溶溶（陳所聞）……三八六八
秦淮烟月夜籠沙（陳所聞）……三八三四
索居誰慰苦吟時（李應策）……四〇五九
麥秋天氣雨零星（朱應辰）……一四八六
柴門日午尚慵開（李登）……二九一一
特將心事彩毫題（秦時雍）……二五六五
秣陵潮落晚淒淒（陳所聞）……三八三八
倚闌無語掐殘花（沈仕）……一六三六
胭脂落盡玉瓶花（沈仕）……一六五五
俺這裏時聞喚起語關關（俞宛綸）……四四九〇
追思風月是吾徒（收春主人）……四八八一
殷勤席上按紅牙（陳所聞）……三八三四
能將疎懶背時人（高志學）……三〇二八
娘行自是輩中豪（宛瑜子）……四五一五
娘行何事薄情多（收春主人）……四八八〇
娘行瞥見使人疑（宛瑜子）……四五一四
紙屏石枕竹方床（陳所聞）……三八六七
紙條拈就錦鬮兒（秦時雍）……二五六六
竟日鬱愁淚滴懷（李應策）……四〇六一
清風明月兩閑人（馮惟敏）……二三二八
淡雲疏雨過高城水國春寒陰復晴（陳所聞）……三八六八
淡雲疏雨過高城慘慘天寒獨掩扃（高志學）……三〇二八
淒淒病骨厭高秋（李應策）……四〇六四
惟君於我最相親（汪廷訥）……四一九二
羞懷短刺謁朱門（陳所聞）……三八七六
琅玕十畝帶村墟（陳所聞）……二八六八
連朝何事不聽鷄（丁惟恕）……四三四四
梭梭跳動眼皮兒（秦時雍）……二五六六
雪消花月滿仙臺（陳所聞）……三八六三
虛庭月色浸名花（薛崗）……三三九五
停歇針線下簾幃（丁惟恕）……四三七九
冤家爲你幾時休（蘭陵笑笑生）……二八二〇
冤家爲你減風流（蘭陵笑笑生）……二八二〇
冤家爲你惹場憂（蘭陵笑笑生）……二八二〇
冤家爲你惹閒愁（蘭陵笑笑生）……二八二〇
逢人常自皺眉兒（秦時雍）……二五六六
問月花影寄愁香（沈靜專）……四五五五

問可人何處只在畫橋西（王驥德）……三六四九
張家臺榭李家樓（陳與郊）……三七一二
寒梅多傍鹿園栽（陳所聞）……三八四五
尊前瞧見那冤家（施紹莘）……四七四〇
羨君談笑出風塵（汪廷訥）……四一九二
華燈春綻九微花（陳所聞）……三八四四
惡姻緣斷送一宵難（胡文焕）……三三七三
朝來早起怯梳頭（丁惟恕）……四三四四
殘春落盡好花兒（秦時雍）……二五六六
紫屏風外碧波紋（陳所聞）……三八六八
喳喳鵲噪破南柯（俞宛綸）……四四九〇
晚來幽獨恐傷神（高志學）……三〇二六
無情咲語隔天河（收春主人）……四八八一
無端逐逐向姑蘇（宛瑜子）……四五一三
御溝新柳洛園花（薛崗）……三三九六
等閒桃李即爭紅（汪廷訥）……四一九二
開簾一片落花飛（鄭琰）……三六八一
閑隨羅綺坐崔嵬（陳所聞）……三八四七
悶倚幽欄刺繡遲（李應策）……四〇六一
幾番猛省下帷時（李應策）……四〇五九
登樓愁見草萋萋（丁惟恕）……四三四三
强對南薰奏虞絃（王化隆）……四三三〇
畫中春色影中梅（俞宛綸）……四四八九
疏林幾樹晚烏啼（周履靖）……三五八八
疎松隔水奏笙簧（李登）……二九一〇
滄洲何幸結比鄰（陳所聞）……三八七六
溪聲斜抱帝城隅（陳所聞）……三八六七
道你玉姿飄散作塵飛（俞宛綸）……四四九〇
新篘濁酒對嬌花（薛崗）……三三九五
萬松如幄遶虚堂（陳所聞）……三八七六
禁城春色曉蒼蒼（陳所聞）……三八三七
楚雲湘水憶同遊（陳所聞）……三八三七
頓覺餘音轉愁煩（王化隆）……四三三一
落日遥岑淡烟孤（沈璟）……三八二四
落瓣輕黏暖絲香（卜世臣）……四三〇九
當筵慣作美人粧（陳所聞）……三八三四
暗燈微雨小窗紗（施紹莘）……四七一八
園林露滴雨初收（丁綵）……三二九一
愛山騎馬入山來（李登）……二九一一
愁他春盡問東皇（陳所聞）……三八三八
傷春未已又悲秋（陳所聞）……三八三七
漁歌纔唱晚烟收（姚小涞）……四九七四

碧山紅樹忽驚秋（胡文焕）……三三六一
碧天無際雁行高（高志學）……三〇二七
碧甍朱檻切丹霄（陳所聞）……三八五九
碧蘿明月照蒼苔（汪廷訥）……四一九一
瑶琴怕解錦囊兒（秦時雍）……二五六六
瑶觴托在手心兒（馮惟敏）……二三五四
槐陰獨坐淚盈盈（丁惟恕）……四三五六
輕風蘭砌整絃時（李應策）……四〇五九
葡萄花下閉門居（施紹莘）……四七〇一
踈慵閑托草堂身（汪廷訥）……四一九一
團團寶鏡出塵函（李應策）……四〇七三
僧從絶壁架危樓（陳所聞）……三八六〇
誰家隔壁操提琴（丁綵）……三二九一
憑來高閣御天風（陳所聞）……三八五八
摩空片石繡苔斑（陳所聞）……三八六〇
蓼花汀畔錦雲秋（姚小涞）……四九七四
皚皚何物映簾櫳（陳所聞）……三八四八
嬌娘早起拂粧臺（無名氏）……五四七一
燈前月下與牀頭（俞宛綸）……四四八九
龍香調露染霜毫（沈仕）……一六三六
蕭條時節怕黄昏（梁孟昭）……五〇三九
據梧落日聽溪聲（陳所聞）……三八七六
曉穿青嶂扣巖扃（陳所聞）……三八六一
錦亭中驚覩玉飛仙（沈仕）……一六五五
衡門無事閉蒼苔（汪廷訥）……四一九二
獨憐憔悴訴江頭（姚小涞）……四九七四
膽瓶斜插蜀葵花（施紹莘）……四六七七
隨風繫帶不堪留（俞宛綸）……四四九〇
雙林麋鹿伴閑游（陳所聞）……三八五八
雙鳳銜花樣兒彎（沈瓚）……四一〇八
顛狂柳絮撲簾飛（陳所聞）……三八三八
鏡破重圓帶重結（沈璟）……三八〇二
饒君痛飲謝端陽（施紹莘）……四七二二
鬬鬬匹鳥宿河洲（姚小涞）……四九七五
勸君且把火兒消（胡文焕）……三三七二
勸君何苦廢工夫（收春主人）……四八八一
露華清冷蓼花愁（高志學）……三〇二七

懶針線

抗着膊子鼓着腮（朱載堉）……三四四七

懶鶯兒

風渚蕭疎竹千竿（沈静專）……四五五四

寶鼎現

太平開盛會（蔡國珍）……三〇二二

離亭宴帶歇指煞

羞好媚（李應策）……四〇〇三
歸去罷（李應策）……四〇一〇

鵲橋仙（廣寒秋）

不容意馬狂（張全一）……二六二
因尋地内天（張全一）……二五九
先調呼吸均（張全一）……二六〇
看歸根復命篇（張全一）……二六〇
閒看龍虎經（張全一）……二六一

鵲踏枝

也敢去騁英豪（李應策）……四〇八九
有百畝足贍身（李應策）……四〇三九
有象管能撥雲（李應策）……四〇八七
我只待住山林（楊爾曾）……五一八九
披靄靄洞口雲（李應策）……四〇八七
相攜着五六人（李應策）……四〇三七
要秉節誓忠臣（李應策）……四〇三七
咱孤標迥絶塵（李應策）……四〇三八
是非也懶摇唇（李應策）……四〇三八
氣凜凜塞上矛（李應策）……四〇八九
黄羅蓋曳碧雲（李應策）……四〇八七
愁陌上虎難禁（李應策）……四〇三九

願成雙

春初透（蘭楚芳）……三五
風初定（康海）……一三四八
煙霞島（康海）……一三四八

蟾宫（蟾宫曲）

小池塘細漾清漣（陳鐸）……五五一
小湖山分外清幽（馮惟敏）……二四一六
正青春人在天涯（馮惟敏）……二四一六
怕春歸又早春歸（丁惟恕）……四三七四
怕黄昏又是黄昏（丁惟恕）……四三八〇
洗炎蒸玉露金風（馮惟敏）……二四一七
雪花飛密灑瓊窗（馮惟敏）……二四一七
掩重門夜永沉沉（施紹莘）……四七一六
問西樓往歲清明（王磐）……七九一
瘦伶仃減盡腰圍（陳鐸）……五五一

鬧嚷嚷春景無涯（無名氏）……五八三三
鎖梧桐細雨重門（陳鐸）……五五一
戀孤衾曉夢初醒（陳鐸）……五五一
聽元宵往歲喧譁（王磐）……七九一

蟾宮令（蟾宮曲）

上高樓閒對秋風（朱有燉）……三五二
小窗前風雪兼加（朱有燉）……三〇七
步閒階散髮披襟（朱有燉）……三五二
想當年長史劉醇（朱有燉）……三六一

蟾宮曲（折桂令　步蟾宮　蟾宮令）

古祠堂淮楚城連（唐復）……二四四
可人千古風騷（郝經）……三〇
此老粗疏一釣徒（沈貞）……四四九
曲龍腰烟柳長堤（唐復）……二四二
冷清清人在西廂（湯式）……九九
夜將闌譙皷初更（唐復）……二四三
拂晴雲松柏蒼蒼（唐復）……二四五
冠淮城一雉高飛（唐復）……二四三
海門秋日上生潮（唐復）……二四五
釣淮陰計拙無爲（唐復）……二四四
飲中仙晝夜昏昏（唐復）……二四四
碧桃花開遍春山（唐復）……二四五
碧桃香人在天台（湯式）……九九
碧澄澄萬頃滄波（唐復）……二四三
嘆青春何處飄零（湯式）……一〇〇
錦重重春滿樓臺（湯式）……九九

羅江怨（楚江情　羅帶風）

一更山吐月（楊慎）……一七一四
一更夜氣清（梅鼎祚）……三七三四
二更山吐月（楊慎）……一七一四
二更夢正涼（梅鼎祚）……三七三五
三更山吐月（楊慎）……一七一五
三更玉漏遲（梅鼎祚）……三七三五
四更山吐月（楊慎）……一七一五
四更睡思纏（梅鼎祚）……三七三五
五更山吐月（楊慎）……一七一五
五更覺夜長（梅鼎祚）……三七三五
冬天雪亂飛（楊爾曾）……五二〇五
伊西我在東（孫樓）……二六一四
我與你兩下情真（無名氏）……五四八〇

空亭月影斜（楊慎）……一六八一
妾命薄淚滿腮（無名氏）……五四七七
妾命薄淚滿眶（無名氏）……五四七八
青山隱隱遮（楊慎）……一六八一
春天百草生（楊爾曾）……五三〇四
相思病病纏身（無名氏）……五四七六
相隨離鳳城（無名氏）……五四七一
思罷了想（無名氏）……五四七四
秋天日漸涼（楊爾曾）……五二〇五
恩情逐晚風（孫樓）……二六一四
煙花寨埋伏窩巢（無名氏）……五四七五
夏天漸漸炎（楊爾曾）……五二〇四
紗窗外月正西（無名氏）……五四七二
紗窗外月正收（無名氏）……五四七二
紗窗外月正明（無名氏）……五四七三
紗窗外月正圓争奈手内又無錢（無名氏）……五四七七
紗窗外月正圓恨不得情人到枕邊（無名氏）……五四七五
紗窗外月正圓洗手焚香禱告天（無名氏）……五四七二
紗窗外月兒昏（無名氏）……五四七七
紗窗外月影西（無名氏）……五四七九
紗窗外月影光奴去後花園燒夜香（無名氏）……五四七九
紗窗外月影光照在奴家在綉房（無名氏）……五四七六
紗窗外月影昏手扳床廳嘆一聲（無名氏）……五四七三
紗窗外月影昏只見才郎進院門（無名氏）……五四七六
紗窗外月影昏我爲冤家半掩門（無名氏）……五四七四
紗窗外月影昏獨自寒窗半滅灯（無名氏）……五四七九
紗窗外月影歪（無名氏）……五四七四
紗窗外月影高（無名氏）……五四七七
紗窗外月影清（無名氏）……五四七四
紗窗外月影斜（無名氏）……五四七三
紗窗外月影黄（無名氏）……五四七九
紗窗外月影殘（無名氏）……五四七九
紗窗外月影開（無名氏）……五四七六

紗窗外月影朦（無名氏）……五四七三
紗窗外月轉西（無名氏）……五四七三
寄封書啞迷傳情（無名氏）……五四七八
移舟傍柳汀（無名氏）……五四七一
釵留半股金（無名氏）……五四七二
惺惺似懵懂（孫樓）……二六一四
惱得奴是（無名氏）……五四七五
曾經害有時休（無名氏）……五四八〇
黄昏畫角歇（楊慎）……一六八一
陽關第四聲（無名氏）……五四七二
幾番間推他出門（無名氏）……五四七五
懨懨病漸濃（孫樓）……二六一三
臨行時扯住衣襟（無名氏）……五四七四
藥方兒寫得分明（無名氏）……五四七五
闗山望轉賒（楊慎）……一六八一

羅袍歌

二月花朝節屆（張守中）……三三一七九
七月秋天又到（張守中）……三三一八〇
八月風生西灝（張守中）……三三一八〇
九月天高氣朗（張守中）……三三一八〇
十月玄冥當令（張守中）……三三一八一
十一月葭灰吹動（張守中）……三三一八一
十二月星迴天表（張守中）……三三一八一
三月韶光堪玩（張守中）……三三一七九
五月榴花開放（張守中）……三三一八〇
六月炎天如火（張守中）……三三一八〇
正月陽和初動（張守中）……三三一七九
四月清和天氣（張守中）……三三一七九

羅袍落粧臺

西風落葉疎林外（趙近山）……四九〇九
涼亭風送荷香細（趙近山）……四九〇八
粧臺懶整青鸞暗（趙近山）……四九〇九
畫樓幾陣東風峭（趙近山）……四九〇八

二十一畫

鶯花皂

別後冷衾裯（張鳳翼）……二九九五
梧葉又飄零（張鳳翼）……二九九五

鶯啼序

人生迅速坡走車（王化隆）……四三三四

二十二畫

鷓鴣天（驪歌一疊）

少時青青老來黄（無名氏）……五四四二
冬月傷情淚滴漣（無名氏）……五四〇二
四季傷情淚滴漣（無名氏）……五四〇三
老頭兒年紀高大（朱載堉）……三四四六
老頭兒年紀高耄（朱載堉）……三四四六
老頭兒年紀高倦（朱載堉）……三四四六
色是人間非等閑（朱載堉）……三四四五
春月傷情淚滴漣（無名氏）……五四〇二
春夏秋冬萬物先（無名氏）……五四〇三
秋月傷情淚滴漣（無名氏）……五四〇二
記得書齋乍會時（蘭陵笑笑生）……二八三三
酒是人間非等閑（朱載堉）……三四四五
夏月傷情淚滴漣（無名氏）……五四〇二
財是人間非等閑（朱載堉）……三四四五
氣是人間非等閑（朱載堉）……三四四五
處處妖嬈處處香（李應策）……四〇九二
閑來無事走鄉莊（朱載堉）……三四四五
寡婦思情春月間（無名氏）……五四〇三
月殘一似殘燈（周君建）……四五三二
孤幃一點殘燈（陳鐸）……六八二
皇都溽暑正炎蒸（許樂善）……三五五一
盈盈十五纔過（沈璟）……三八一一
梧桐一葉初凋（王寵）……一九二〇
寃家你好虧心（陳完）……二八二
愁來日夜無端（吳載伯）……四五七四
繇來旅思難禁（沈璟）……三七八一

鶯集畫臺

花影印空庭（秦時雍）……二五六一
茶飯不經思（秦時雍）……二五六一
蘭麝爇爐香（秦時雍）……二五六二
繡閣下幃簾（秦時雍）……二五六一

魔合羅（耍孩兒）

飧松食柏煙霞客（周履靖）……三五六六

驀山溪（上陽春）

冬天易晚（無名氏）……六二七七
和風應節（康海）……一三四二

分手東橋（黃峨）……一九九七
玉露新涼（無名氏）……六三七九
正值着乞巧穿針（無名氏）……六三六七
正值着冬景蕭疎（無名氏）……六三六四
四海安然（無名氏）……六三四二
生的來嬝嬝婷婷（無名氏）……六三七四
自從我一見着迷（無名氏）……六三六二
見如今四海安寧（無名氏）……六三六九
見如今四海來賓（無名氏）……六三五七
你看這八月中秋（無名氏）……六三六八
身不惹紫陌紅塵（康海）……一四一九
往常時伴了些珠履瓊簪（陳鐸）……六五五六
金谷詞筵（汪廷訥）……四一九六
帝業南都（陳鐸）……六九九
帝輦英才（無名氏）……六三七三
春晝山遊（康海）……一三三三
春意將殘（無名氏）……六三五八
春睡朦朧（無名氏）……六三四九
香篆簾櫳（無名氏）……六三七六
風月閒身（吕柟）……一四六五
風月閒身（張鍊）……二二六〇
寡婦思情夏月間（無名氏）……五四〇三
寡婦思情秋月間（無名氏）……五四〇三
寡婦思情冬月間（無名氏）……五四〇三
勸人没錢休投親（朱載堉）……三四四六

攤破金字令

良辰美景（無名氏）……五五四一
芳容並月（梁辰魚）……二六八五
紅粧艷質（無名氏）……五五四〇

攤破雁過聲

萬里無雲爽氣清（無名氏）……五八六八

二十四畫

鬬寶蟾

夜無眠（無名氏）……五四八三
兩字鴛鴦（馮廷槐）……四九四八

鬬鵪鶉

一點芳心（無名氏）……六三七五
八方中同樂康衢（無名氏）……六三三八
今日我廢寢忘飡（無名氏）……六三六五

眉蹙巫山（無名氏）……六三六六
高聳聳一黛青山（無名氏）……六三四三
馬足車塵（無名氏）……六三六一
桂子飄香（張鍊）……二二五八
密密飄飄（無名氏）……六三四五
焰騰騰祆廟燒殘（無名氏）……六三七〇
堂寢重新（康海）……一四二一
鄒魯方家（康海）……一四二〇
晝錦生輝（康海）……一三三六
畫閣初開（王田）……一一二三
溽暑初消（康海）……一三三四
煙水千折（金鑾）……一八五一
棄舊迎新（無名氏）……六三七七
萬丈虹霓（康海）……一三三七
萬里同雲（康海）……一四一七
萬國來朝（無名氏）……六三五三
萬頃煙波（康海）……一四一三
萬種離愁（無名氏）……六三五〇
敬頂禮金上威佛（無名氏）……五三五〇
敬頂禮世主身佛（無名氏）……五三五〇
電遶樞星（無名氏）……六三四四
園苑春歸（康海）……一三三五
暖溶溶月色澄清（無名氏）……六三七一
滿長空雲霽天開（無名氏）……六三四〇
壽域天開（康海）……一四一六
領將驅兵（無名氏）……六三三九
樂鼓腹舜日堯年（無名氏）……六三七二
蝶使雙雙（無名氏）……六三三五
静沈沈繡户重關（陳鐸）……六五七
歐陽子方夜讀書（無名氏）……六三四七
緑慘紅愁（朱應辰）……一四九七
踽踽涼涼（鄭墟泉）……四九一二
燈火樓臺（康海）……一四一八
錦重重寶殿金門（無名氏）……六三五五
錦重重蘭殿椒房（無名氏）……六三五二
舉意兒全别（無名氏）……六三三六
魏闕宣麻（張鍊）……二二五六
鵲噪霜枝（無名氏）……六三四六
鶴嶺雲開（張鍊）……二二五九
讚當今帝主仁明（無名氏）……六三五六

四隻金蓮兩對鋢（丁惟恕）……四三八一
出得門來三五（朱厚照）……一七九六
衣不愛添（朱載堉）……三四五六
光陰暗度如水流（朱載堉）……三四五八
忍着笑兒轉迴身罵了聲負心（丁綵）……三三二七
那畔消息（袁宗道）……四一四二
坡壘關頭（江一桂）……一六一一
急的冤家嘆一聲（丁綵）……三三二七
笑吟吟的解羅衫（丁綵）……三三二七
這行錢（朱載堉）……三四五六
這邊事情（袁宗道）……四一四二
寂寞經綸志氣斷送（朱載堉）……三四五八
教學難（朱載堉）……三四五五
處世飄零（朱載堉）……三四五六
景最奇（朱載堉）……三四五五
景最妙（朱載堉）……三四五五
景最幽（朱載堉）……三四五五
景最佳（朱載堉）……三四五五
窩窩頭當點心（朱載堉）……三四五八
點對俺（朱載堉）……三四五六
臉兒寒（朱載堉）……三四五六

二十八畫

鸚鵡曲（呆骨朵　靈壽杖　靈壽歌）

金杯且向長亭住（康海）……一二六七
雲林不許同春住（康海）……一二六七
儂家少室山中住（黃淮）……二八四
儂家五柳莊前住（黃淮）……二八五
儂家笠澤磯頭住（黃淮）……二八五

失牌名

一十歲近橋邊（朱載堉）……三四五七
二十歲進橋頭（朱載堉）……三四五七
七十古來稀（丁惟恕）……四三九七
又聽譙樓三鼓敲（丁綵）……三三二七
六十歲將橋過（朱載堉）……三四五七
三十歲傍橋行（朱載堉）……三四五七
五十歲至橋中（朱載堉）……三四五七
不怕五閻羅（丁惟恕）……四三九八
少貪放憨（朱載堉）……三四五九
月上花梢約定他（丁綵）……三三二六
四十歲纔上橋（朱載堉）……三四五七

圖書在版編目(CIP)數據

全明散曲:增補版/謝伯陽編纂. —濟南:齊魯書社,2016.6

ISBN 978-7-5333-3454-3

Ⅰ.①全… Ⅱ.①謝… Ⅲ.①散曲—作品集—中國—明代 Ⅳ.①I222.9

中國版本圖書館 CIP 數據核字(2016)第 113452 號

封面題簽 任半塘
責任編輯 劉海軍 張 超
裝幀設計 李 生 郭 覲

全明散曲(增補版)
謝伯陽 編纂

主管單位 山東出版傳媒股份有限公司
出版發行 齊魯書社
社　　址 濟南市英雄山路 189 號
郵　　編 250002
網　　址 www.qlss.com.cn
電子郵箱 qilupress@126.com
營銷中心 (0531)82098521 82098519
印　　刷 山東新華印務有限責任公司
開　　本 880mm×1230mm 1/32
印　　張 223.75
插　　頁 24
字　　數 5240 千
版　　次 2016 年 6 月第 1 版
印　　次 2016 年 6 月第 1 次印刷
標準書號 ISBN 978-7-5333-3454-3
定　　價 **1680.00 圓(全捌册)**

ISBN 978-7-5333-3454-3
9 787533 334543